LA PORTE DES TIGRES

Ce livre a été publié originellement aux
États-Unis par Viking, sous le titre :
Gate of the Tigers

HENRY MEIGS

LA PORTE DES TIGRES

*Traduit de l'anglais
par Jeanine Parot*

JClattès

Collection « Suspense et Cie »
dirigée par Sibylle Zavriew

Déjà parus :

Le Département de musique, Rosamond Smith.
Qu'est-ce qui fait courir Jane, Joy Fielding.
Une femme encombrante, Dominick Dunne.

A paraître :

Le Tableau du maître ancien, Arturo Pérez-Beverte.

A ma mère et à mon père
Et
à la mémoire de Paddy
qui a donné sa vie
pour sauver son ami

La notion de vengeance procède pour nous de la même rigueur que notre faculté de raisonnement mathématique, et tant que les termes de l'équation ne sont pas résolus il nous est impossible de surmonter l'impression qu'il reste encore quelque chose à faire.

Inazo Nitobe,
Bushido, l'âme du Japon

Prologue

Devant le palais, sur le terre-plein noirci et crevassé par les bombardements, des hommes hâlés par le soleil et vêtus de blanc étaient agenouillés par rangées d'une précision toute militaire. Tout près d'eux, la dernière douve – qui, en temps normal, protégeait le palais de son eau verte remplie d'algues – portait les cicatrices noirâtres laissées par les bombes incendiaires. Des corps boursouflés flottaient dans l'eau, mais ce jour-là le ciel restait vide. Les bombardiers américains ne reviendraient plus. La guerre était finie.

A midi, d'une voix aiguë et saccadée, l'empereur avait annoncé la reddition à la radio : c'était la première fois que le peuple japonais l'entendait parler. Une unité américaine aéroportée devait atterrir sur la base aérienne d'Atsugi dans l'après-midi, en ce premier jour de paix pour l'Empire. Les hommes agenouillés sur les décombres calcinés, tous descendants des grandes familles de samouraï, restaient étrangers à tout ce qui les entourait : le ciel si étrangement calme, les sentinelles aux aguets postées sur les murs du palais, les familles en pleurs groupées à proximité.

La plupart d'entre eux étaient des militaires de rang élevé, mais il y avait aussi des simples soldats. Ils étaient unis par un seul principe : se rendre était inimaginable... D'où leur requête de recevoir l'extrême-onction, un honneur qui leur avait été accordé, non sans réticences, par la Maison de l'empereur.

L'un des groupes se tenait à l'écart, marque de privilège vis-à-vis des autres. Il était composé d'officiers d'état-major et d'un prêtre shintoïste, entourant un petit garçon et sa mère. Les

narines de l'enfant avaient beau respirer à plein l'odeur suffo-
cante de chair brûlée et pourrissante, les fumées âcres laissées
par les bombes incendiaires avaient beau lui piquer les yeux, son
visage ne montrait aucune trace d'émotion. Ces préliminaires à la
mort, qui se déroulaient sur le terrain ravagé, il les acceptait déjà
comme faisant partie de son existence, passée et à venir. Tout cela
il l'admettait calmement, stoïquement, avec une sérénité qui effa-
çait son jeune âge. Parce qu'il était le fils d'un général, d'un guerrier du clan Satsuma – celui auquel appartenait l'impératrice
avant son mariage –, on attendait de lui qu'il assure, lui aussi, la
continuité des traditions de sa classe : le patriotisme et la loyauté,
la piété filiale, le respect de la mémoire ancestrale, le dédain de la
vie et la familiarité avec la mort.

Le prêtre se détacha du groupe et se dirigea vers le général,
portant devant lui le support où se trouvait le *wakizashi*, la dague
rituelle de la mort volontaire, enveloppée d'un parchemin et de
papier de riz. Le général prit le *wakizashi* dans ses deux mains,
comme s'il accueillait un vieux compagnon, l'éleva à la hauteur
de sa tête, s'inclina, puis le plaça juste devant lui et leva un
moment les yeux vers la vaste étendue du ciel. Quand ses yeux se
posèrent à nouveau sur le *wakizashi*, son regard était détendu,
presque souriant. Il défit avec le plus grand soin les enveloppes
de la dague dont la lame brillante renvoya le reflet glacé du soleil
de l'après-midi. Le manche de métal ciselé portait l'image du
chrysanthème, signe de parenté avec la famille impériale. Le
général laissa tomber le haut de son vêtement jusqu'à sa taille,
découvrant ainsi un torse aux muscles puissants.

L'enfant ferma les yeux et se mit à prier.

A la déesse du soleil, Amaterasu Omikami, protectrice de l'éternité de son clan, il demanda que son père, en quittant le monde
de la lumière, soit accueilli dans le monde des ténèbres. Il promit
de pratiquer le *misogi*, les ablutions, à chaque anniversaire de sa
mort jusqu'au moment où on lui accorderait l'occasion de faire
réparation. Pour s'assurer de son aide, il invoqua trois fois le nom
de la déesse avant de rouvrir les yeux : *Amaterasu Omikami, née
de l'œil gauche de notre Céleste Père Suprême, Sœur de la lune et
de l'orage, Ancêtre de la Lignée Royale, Protectrice de mon destin.*

Sa mère lui prit la main. Elle était aussi fière de son fils
qu'angoissée pour son mari qui allait consommer l'ultime sacrifice par devoir envers son pays. Akiko Mori portait le kimono
officiel de soie noire, marqué sur le dos de leur nom glorieux
brodé en fils de soie rouge, la couleur du sang. La Maison Mori :
une famille de samouraï dont le nom était devenu célèbre au

xiiie siècle pour s'être battue vaillamment au service d'un puissant seigneur de Kyushu, l'île la plus méridionale du Japon. En 1868, ils avaient rejoint les chefs d'un groupe de samouraï révolutionnaires et réussi le coup d'État qui avait abouti à ce changement inouï que fut la Renaissance Meiji.

Ils avaient ensuite contribué à mener à bien une série de réformes extraordinaires, instaurant l'instruction publique, supprimant les privilèges des clans guerriers, ouvrant à tous la fonction publique et abolissant les privilèges domaniaux. Le nom de Mori devint rapidement révéré dans le Japon tout entier. Akiko soupira et hocha la tête. Pour elle, désormais, l'histoire glorieuse de la Maison Mori était irrémédiablement ternie.

Durant cette guerre qui s'était si mal terminée, les soldats du général avaient vaillamment combattu dans les îles d'Iwo-Jima et de Nouvelle-Guinée, mais ils avaient perdu. Pour rendre honneur à leur bravoure, le général devait permettre à ceux qui avaient survécu à l'offensive étrangère d'atteindre la paix de l'âme dans la défaite. Sa propre vie serait offerte en expiation à l'empereur et à Nippon, où les dieux et les esprits de leurs ancêtres résidaient pour l'éternité.

Le prêtre shinto, aux traits d'adolescent, s'approcha d'Akiko pour lui parler : « Les commandements du Bushido sont très clairs », dit-il en psalmodiant, tout en jetant un coup d'œil sur l'officier d'état-major qui venait d'apporter une dernière coupe de saké au général. L'enfant se souviendrait toujours de la voix de ce prêtre – une voix nasillarde et haut perchée – crispée aussi – pourquoi ? « Votre mari agit conformément à la hauteur de son rang. La responsabilité n'en retombe pas sur son descendant. »

Le prêtre se détourna pour sourire à l'enfant, et rencontra un regard fixe et hostile... Gêné, il se tourna de nouveau vers la mère. Elle s'inclina très bas, versant en silence des larmes de regret de ne pouvoir rejoindre son époux dans sa gloire. Mais il lui fallait remplir l'obligation due à leur fils unique. Son cœur s'affermit, car elle comprenait que leur fils possédait une âme forte et deviendrait à son tour un membre du clan des guerriers qui saurait faire face à ses obligations familiales. Son corps tout entier fut soudain envahi d'une paix étrange.

Le prêtre revint et lui présenta le haïku [1] funèbre composé par son mari :

---

1. Haïku : petit poème. *(N.d.T.)*

« Tant de formes d'amour,
Les fils de la vie qui meurt
Étaient tout blancs naguère. »

On compta plus tard plus de cinq mille corps. Transmis de bouche à oreille, l'acte suprême fut connu du Japon tout entier au cours des mois suivants.

« Tora-san » devint le nom symbolique donné au général par les Japonais lorsqu'ils parlaient en public de leur plus célèbre guerrier et le mot devint un nom de code pour le désigner lui et les loyaux compagnons qui l'avaient suivi dans la mort, devant le palais de l'empereur : Tora-san, les Tigres.

Le terme devint encore plus lourd de sens avec le temps, quand l'humiliation contenue dans la convention de paix finit par être connue. Pour tous les Japonais qui avaient vécu la première défaite militaire de leur histoire, le mot finit par symboliser ce que leur pays avait subi : une défaite désastreuse, mais dans l'honneur, une humiliation, qui devint source d'orgueil.

Quelques années plus tard, l'administration du général Mac-Arthur reçut d'un conseil local une requête visant à changer le nom du carrefour attenant à l'endroit où avait eu lieu la cérémonie. Les Américains ne virent aucune raison de la refuser, mais restèrent perplexes devant le nouveau nom choisi.

Le carrefour fut baptisé *Toranomon*, la Porte des Tigres. Pour les Japonais, ce nom désignerait à jamais le lieu où ces héros glorieux avaient choisi de rejoindre leurs ancêtres.

PREMIÈRE PARTIE

KIN-YOBE,
JOUR DE L'OR [1]
VENDREDI 9 OCTOBRE 1987

Je ne sais pas vaincre autrui,
Je ne sais triompher que de moi-même

Yaju Munemori,
maître d'épée
de la dynastie
shogun Tokugawa

---

1. Au Japon, les jours de la semaine portent des noms symboliques : lundi = Jour de la Lune ; mardi = Jour du Feu ; mercredi = Jour de l'Eau ; jeudi = Jour du Bois ; vendredi = Jour de l'Or ; samedi = Jour de la Terre ; dimanche = Jour du Soleil. *(N.d.T.)*

1

Jour de l'or, 17 heures

Il n'est guère facile d'acquérir la patience intégrale. On y parvient à force de renoncement et de discipline, en écartant spontanéité et plaisir. Plus que toute autre chose, la patience est la qualité majeure que le Bureau de la sécurité publique de la police métropolitaine de Tokyo exige de ses membres. Chez Tetsuo Mori, elle semblait innée.

Son enfance avait été difficile, mais Mori n'en avait jamais eu conscience, sauf lorsqu'il avait vu – après la guerre – le visage las de sa mère qui travaillait de l'aube aux dernières heures de la nuit pour assurer leur survie. Plutôt petit et maigrichon, comme tous les enfants de la génération de la guerre, il ne se sentait pas différent des autres garçons de son âge. Pendant ses années d'école primaire, l'enfant avait parcouru les rues de Tokyo pour gagner l'argent de ses livres de classe en vendant du petit bois ramassé sur les contreforts de la montagne, ou de l'herbe pour faire des nattes de tatami [1], qu'il allait dénicher au bord de la rivière Tamagawa. Quand il n'en trouvait pas, il allait porter des lanternes dans les nombreuses processions funéraires. Mais s'il ressemblait aux autres, il en était aussi différent. Son regard calme et impassible, sa façon de parler, sans jamais sourire, commandaient le respect.

Mori et sa mère vivaient alors dans un minuscule appartement de deux pièces. L'une contenait six tatamis, l'autre, quatre. Quand il se plaignait de s'y sentir à l'étroit, sa mère le grondait : « Bien

---

1. Le tatami est une natte dure de jonc matelassé. De forme rectangulaire, il mesure 90 cm de large sur 180 cm de long. Chaque pièce est recouverte d'un nombre variable de tatamis. *(N.d.T.)*

plus qu'au corps, c'est à l'esprit qu'il faut de l'espace : développe ton esprit. Apprends à penser ! »

Quand il entra à la grande école, sa mère lui remit avec fierté les deux livres de son père qui devinrent les pierres angulaires de sa vie : l'*Hagakure* de Yamamoto Tsunetomo – le fondement de la philosophie Bushido – et les *Analectes* de Confucius. Il alla s'initier au zen dans un temple, et s'entraîna régulièrement dans un centre local de judo. Parfois, au cours de ses premières années d'adolescence, il partait se promener au pied des montagnes, et s'endormait là, tout seul, sur un coussin d'aiguilles de pin. Quand sa mère découvrit ces excursions, elle ne lui fit aucun reproche. Elle avait été élevée au sein du clan Satsuma dont la tradition voulait qu'on lave séparément les vêtements des hommes et ceux des femmes. Elle le protégeait autant qu'elle le pouvait du moment où il lui faudrait occuper sa place dans la société et remplir ses obligations envers leur Maison.

L'inspecteur Mori tenait sa tasse à thé japonaise à la manière des ouvriers : le pouce au bord et l'index sur le fond pour éviter de se brûler. De temps à autre, il en buvait une gorgée, mais son regard impassible restait fixé sur la porte d'entrée de la tour qui abritait la Compagnie japonaise d'électronique, à quelques immeubles de là.

En bas, dans le poste de police, on avait branché la radio pour suivre un match japonais de base-ball, comptant pour le Championnat du monde. Mori regretta immédiatement d'avoir misé dix mille yens sur les Lions de Seibu. Les Géants de Yomuri menaient déjà au score.

Assis près de lui, le vénérable colonel de l'Agence de renseignements de la défense grogna une obscénité stigmatisant la futilité du jeu de base-ball, se leva, et alla fermer la porte.

« Trop sérieux », pensa Mori, les yeux fixés sur le dos de l'officier, « quelqu'un qui ne se permet jamais d'être de bonne humeur. » Le colonel était complètement chauve et couvert de cicatrices datant de la guerre de Mandchourie et de toutes celles qui avaient suivi. Ils s'étaient déjà rencontrés, le matin même, au siège de l'Agence. « Cette garce d'Américaine ne devrait pas tarder à se montrer. » Le colonel avait regardé par la fenêtre, puis consulté sa montre.

D'un geste rapide de la tête, il désigna l'entrée de la Compagnie japonaise d'électronique. Mori acquiesça. La tour était l'élégant symbole du dynamisme japonais d'après guerre : une sorte de vitrine de soixante-cinq étages dont les moquettes filtraient tous les bruits. On avait investi trente milliards de yens dans sa construction. C'était, de loin, le plus somptueux des neuf gratte-ciel « anti-tremblements de terre » construits dans le quartier de Shinjuku.

Le colonel allait et venait, en chaussettes, dans cette toute petite pièce du deuxième étage du poste de police, dont le tatami était devenu luisant à force d'être piétiné. Il s'arrêta pour entrouvrir une fenêtre et l'air piquant d'octobre envahit la pièce. Mori l'observa un instant : il restait là, immobile, fixant du regard la tour comme si c'était elle le véritable ennemi.

Les gens sages aiment l'eau, les gens vertueux préfèrent la montagne. Mori sourit en constatant que ces paroles de Confucius lui revenaient si facilement en mémoire. Les gens sages se montrent actifs et gais, les vertueux sont calmes et vivent long-temps. Les ancêtres de Mori n'auraient pas apprécié ce colonel, sage mais sans gaieté, peu vertueux et pourtant déjà vieux.

Mori regarda d'en haut le labyrinthe de verre, très élaboré, qui servait d'entrée à la tour. Les deux étages où travaillait la jeune étrangère étaient des laboratoires consacrés à la recherche de pointe. Le briefing de la matinée était resté vague quant aux res-ponsabilités de la jeune femme dans le programme de recherche. La Compagnie japonaise d'électronique, avait dit le colonel, tra-vaillait sur un nouvel ordinateur révolutionnaire. Il s'agissait d'un programme de recherche sur un micro-circuit à grande vitesse, à composants de céramique qui, maintenus à une tempé-rature extrêmement basse, permettaient aux électrons de circuler sans produire de chaleur.

Mori n'avait pas trouvé grand intérêt à suivre les explications sur la théorie électronique pendant le briefing. Son rôle dans cette affaire était relativement simple, et faisait partie de l'excel-lente formation qu'il avait reçue. Il devait suivre la jeune femme et accumuler tous les renseignements possibles afin de détermi-ner si elle était ou non une espionne.

La patience totale impliquant la non-pensée, la non-exis-tence, Mori s'appliqua à se détendre, à se garder en réserve pour le moment où la poursuite commencerait, où toutes ses énergies devraient être consacrées à traquer sa proie. Et tandis qu'une partie de lui-même continuait à surveiller l'entrée de la C.J.E., des fragments du passé revenaient en foule agiter son esprit.

« *Shinyo* », lui expliquait sa mère d'une voix douce au cours des moments d'intimité qu'ils partageaient quand il était enfant, « cela veut dire responsabilité, c'est être quelqu'un sur qui l'on peut compter. C'est le but d'un homme d'honneur », disait-elle avec un sourire triste. Le jeune Mori acquiesçait et répétait : « C'est être celui qui remplit ses engagements quel qu'en soit le prix. » Alors elle l'embrassait, en essuyant parfois une larme due, disait-elle, à la fumée de l'*hibachi*. Puis elle le bordait soigneusement dans sa couverture matelassée et lui lisait l'Histoire de Heike ou celle de Momotaro, le petit garçon né dans une pêche, jusqu'à ce qu'il s'endorme.

Le soir, quand sa mère travaillait à l'extérieur, il étudiait les *Analectes*. Il ne lui vint jamais à l'esprit de se plaindre. C'était là son *ume*, son destin. Ainsi, sans qu'il s'en aperçût, le cours de sa vie avait été déterminé à un âge très tendre. Quand il eut réussi l'examen d'entrée au lycée, sa mère, vêtue de son plus beau kimono, et chaussée de ses meilleurs socques, prit le vieux train aux wagons de bois et emmena Mori à Atami, sur la côte sud. C'était le printemps, la mer scintillait joyeusement, les *mikanias* [1] regorgeaient de fruits, l'air répandait le parfum merveilleux de l'azalée, du jeune bambou et du laurier du Japon. Pourtant sa mère gardait un visage solennel tandis qu'ils se dirigeaient vers les sources d'eau chaude de la station thermale.

Le temple s'élevait sur une colline escarpée qui dominait la baie d'Atami, et les cinq cents marches qu'il fallait gravir pour l'atteindre le préservaient de toute intrusion de visiteurs, hormis les plus déterminés. Le sanctuaire était consacré à Kannon, déesse de la miséricorde, et dédié à la mémoire des officiers et des soldats japonais tués au cours des combats pour les îles du Pacifique. Délaissé pendant l'Occupation, c'était pour sa mère l'endroit idéal où cacher son trésor.

Elle avait extrait de son *obi* un mouchoir parfumé pour éventer son visage, rosi par la chaleur. Elle était remarquablement belle, ce jour-là, et Mori se sentait très fier d'elle. C'était la première fois qu'elle l'emmenait au sanctuaire – et ce fut aussi la dernière.

Ils se dirigèrent vers la chambre sombre où se trouvait la boîte de métal ordinaire, recouverte d'une couche de peinture pour la protéger des vents salés qui soufflaient du Pacifique.

– Ton père repose ici, dit-elle simplement, en s'inclinant très bas.

Puis elle alluma un cierge à la déesse de la miséricorde et tira

---

1. Mandariniers. *(N.d.T.)*

de son sac des *hashi* [1] en argent et un petit flacon de porcelaine contenant du saké. Elle plongea les *hashi* dans l'urne qu'ils avaient trouvée à l'intérieur de la boîte en métal puis les passa dans la flamme de la bougie. Ensuite, elle ouvrit la bouteille, versa du saké sur les *hashi* et disposa les cendres purifiées du père du jeune garçon dans deux petites coupes.

— C'est le rite du saké des Satsuma, tes ancêtres guerriers, dit-elle en lui tendant l'une des coupelles. Le moment est venu.

Le garçon de quatorze ans s'inclina, saisit la coupelle qu'elle lui tendait et prononça l'engagement le plus solennel qui puisse lier un Japonais :

— Je vengerai la mort de mon père sur ces pays et ces peuples qui en sont responsables.

Puis il but le saké des Satsuma mélangé aux cendres de son père.

Le briefing avait eu lieu très tôt, ce matin-là, au sous-sol du bâtiment modeste mais très secret qui abritait les Forces de défense à Yotsuya. En première partie, les diaposisitives d'ordinateurs japonais de pointe utilisés pour les avions ou les missiles, et interdits de vente au COMECON [2] et aux pays islamiques par les U.S.A. Une diapositive donnait la liste des noms de code de chacun des ordinateurs interdits de vente. Une autre montrait des cartes de l'Union soviétique et du Moyen-Orient parsemées de points rouges qui évoquaient une maladie de peau. Chaque point portait un numéro. Sur la dernière diapositive étaient indiqués les endroits où se trouvaient les ordinateurs japonais qu'on avait retrouvés en Iran, en Irak et en U.R.S.S.

Les lumières s'éteignirent tout à coup et sans un mot d'introduction, un film se mit à défiler sur l'écran. Bien qu'il fût plutôt sombre, on pouvait voir que la jeune femme étrangère était jolie : elle avait un visage ouvert et franc, et une poitrine splendide. La caméra dissimulée semblait s'être éprise de son profil.

Quand les lumières se rallumèrent, Mori s'aperçut qu'un officier, un colonel, s'était glissé sur l'un des sièges libres. Il se leva, s'inclina puis se présenta à Mori :

— Je m'appelle Yuki. Opérations secrètes de l'Agence de renseignements de la défense, dit-il.

Il parlait sans avoir l'air d'y attacher d'importance.

---

1. Les baguettes. (*N.d.T.*)
2. Ancienne organisation économique de l'U.R.S.S. et de ses pays satellites. (*N.d.T.*)

– La police est un service frère... c'est pourquoi nous nous prêtons assistance à l'occasion.

Il avait accentué le mot *assistance*, et Mori comprit que l'Agence ne souhaitait pas avoir l'air de solliciter l'aide de la police.

Le colonel arbora soudain un sourire :

– Je faisais partie du Tokko avant la guerre, ajouta-t-il.

Mori s'inclina : avant la guerre, être recruté comme membre du Tokko, la police du contrôle de l'opinion, témoignait d'un honneur qui n'était accordé qu'aux professeurs du plus haut rang des meilleures universités. Les communistes, à l'époque du Tokko, avaient été pratiquement éliminés du Japon. En 1946, le G-2 américain avait démantelé le Tokko. Sous la férule bienveillante de MacArthur, le communisme avait ressuscité avec émeutes, grèves et manifestations. L'organisation à laquelle appartenait Mori – le Bureau de la sécurité publique –, qui s'occupait des terroristes, de l'extrême gauche et des étrangers, avait été créée en secret, mais trop tard. Exclu des organisations légitimes, et par conséquent sans statut légal ni accès aux fonds publics, le B.S.P. n'avait jamais pu atteindre le niveau d'efficacité du Tokko. Mori était en train de chercher quel compliment lui adresser lorsque le colonel Yuki commença le jeu des questions d'un debriefing classique et très poussé.

La première question porta sur le temps qu'il fallait à la jeune femme pour atteindre la station de métro, un trajet qu'elle faisait tous les jours. On avait astucieusement incrusté un chronomètre marquant le passage des minutes au bas du coin droit de chaque image.

– Sept à huit minutes dans les trois séries, répondit Mori.

Il était passé maître dans ce genre d'exercice, aussi bien que dans la filature des suspects : il savait comment rester hors du champ de vision de la cible, reculer au maximum la distance de surveillance, et il était doté d'une intuition stupéfiante qui lui faisait deviner ce que le suspect allait faire. Son travail consistait à suivre des étrangers – comme cette jeune femme –, à découvrir leurs secrets, et, dans certains cas à les détruire.

– Excellent, dit le colonel. On nous avait dit que vous étiez expert en la matière.

C'était le genre de debriefing auquel s'adonnaient volontiers les responsables d'opérations après une séance de projection particulièrement importante. Ils considéraient apparemment la jeune femme comme un élément potentiel intéressant pour l'opération projetée. Finalement le feu roulant des questions cessa. Yuki se leva, mit sa main devant sa bouche comme pour étouffer une quinte de toux, puis tira un stylo de sa poche et s'en servit pour indiquer un premier point sur l'une des cartes des diapos :

– El-Tuwaitha, dit-il en détachant chaque syllabe. Vous n'en avez sans doute jamais entendu parler.

« C'est un centre de recherches irakien sur les fusées et les missiles. Ils y utilisent dix ordinateurs volés et chacun d'entre eux figure sur la liste interdite. C'est le K.G.B. qui les leur a fournis. Pour empêcher les Soviétiques de se procurer au Japon des ordinateurs à usage militaire, on avait installé, deux ans auparavant, un réseau de surveillance, baptisé « Exodus Soixante ». Cela consistait à placer des agents dans toutes les firmes locales travaillant dans la haute technologie, pour surveiller leurs ventes et leurs exportations vers les pays communistes. En plus de son travail de chercheur, la jeune femme faisait partie de ces agents. Mais, semble-t-il, sa coopération avec le gouvernement américain allait beaucoup plus loin.

Le crayon de Yuki se déplaça sur Hawthorne, en Californie, où Nord-Aviation fabriquait le chasseur à réaction le plus sophistiqué du monde. Six mois plutôt, à la suite d'un vol, une copie d'un ordinateur japonais de la cinquième génération y avait fait son apparition. On était désormais persuadé que les Américains tentaient d'infiltrer un vaste réseau de renseignements à l'intérieur de l'industrie la plus sensible du Japon – celle des ordinateurs et des microchips, domaine où les deux pays se livraient une concurrence sans merci. On pensait que la jeune femme était le résident américain chargé de superviser et d'étendre le réseau à l'échelon local. Mais on n'en était pas absolument sûr.

Au fur et à mesure qu'il écoutait, Mori sentait son intérêt s'éveiller. Un agent américain ! La première fois depuis la fin de la guerre qu'ils en approcheraient un d'aussi près.

En ce jour d'octobre assez frais, Kathy Johnson avait mis un tailleur bien ajusté. De la fenêtre de son bureau, au trente-troisième étage, elle pouvait voir les huit autres tours du quartier Shinjuku étincelant sur le fond blanc du ciel. Chacune avait son architecture particulière, et ces gratte-ciel à l'épreuve des tremblements de terre étaient espacés de façon à pouvoir être admirés depuis les perspectives et les parcs tout proches, comme les *netsuke* [1] d'une collection très rare.

Quatre ans auparavant, Kathy s'était spécialisée dans la « jonc-

---

1. Petites figurines en ivoire. *(N.d.T.)*

tion Josephson », un micro-commutateur électronique refroidi à l'hélium liquide et qui pouvait agir plus vite que les semi-conducteurs en dépensant moins d'énergie. Depuis que les matériaux des super-conducteurs s'étaient améliorés, le Josephson était devenu moins intéressant et elle avait changé de branche. Actuellement, elle se passionnait pour la céramique sur-refroidie. Elle n'était pas du genre à s'attarder dans un domaine de recherche, alors que tout évoluait si rapidement.

Kathy était blonde et séduisante, un legs de ses ancêtres scandinaves, et ses cheveux dorés étaient un peu plus longs qu'on pouvait s'y attendre de la part d'une scientifique. Comme beaucoup de Californiennes, elle préservait son bronzage et préférait les rouges à lèvres de teintes vives. Elle avait les jambes fermes et bien galbées et la taille fine des gens qui ont pratiqué le surf et autres sports aquatiques dans leur adolescence. L'une des raisons qui avaient décidé la Compagnie japonaise d'électronique à l'engager – et elle le savait – venait de l'admiration que les mâles japonais portaient à sa silhouette.

Elle s'habillait à la dernière mode, mais sans ostentation. Son approche de la vie n'avait rien de fantasque : tout devait s'appuyer sur un mobile solide.

Bien que le bureau Recherche et Défense ait décidé de pratiquer des fouilles surprises, Kathy ne se sentait guère concernée. Le chef de la sécurité pour l'après-midi, Kobayashi, avait reçu en cadeau plusieurs bouteilles de Rémy Martin qu'elle avait rapportées d'un de ses voyages à Hong Kong. Cela valait de l'or au Japon en raison des tarifs protectionnistes. En général, il se contentait de lui faire signe de passer.

Kathy consulta sa montre et s'octroya cinq minutes de grâce. Elle sortit son peigne, et fit gonfler ses cheveux blonds. Après quoi elle vérifia le rouge de ses lèvres et rajusta sa veste pour qu'elle souligne avantageusement ses formes. Elle jeta un coup d'œil par la fenêtre : l'air pollué de Kasawaki se mêlait à la brume de la baie de Tokyo. Un soleil rouge-de-Chine, comme celui du drapeau japonais, semblait suspendu dans le ciel laiteux de l'après-midi. Un dernier regard à sa montre : plus la foule des heures de pointe serait dense, plus sa protection serait efficace. Telle était, en tout cas, la théorie. Elle n'était pas ravie de prendre le métro de Tokyo. Elle songea un instant à la Californie et à son soleil. Un vrai soleil – Seigneur, comme il lui manquait !

Le match de base-ball entamait sa huitième manche et les équipes étaient toujours à égalité. Le colonel saisit une paire de jumelles et les passa à Mori sans rien dire. Une silhouette blonde éclaira brièvement le hall de la C.J.E. Mori scruta automatiquement la rue à la recherche de guetteurs éventuels : pas de voitures garées à proximité et le trottoir était vide.

La jeune femme poussa la porte tournante avec insouciance et la franchit en deux mouvements de ses chevilles fines. Mori vérifia soigneusement, une par une, les données de son signalement : la chevelure blonde et brillante, le mascara qui soulignait les yeux vert d'eau, la marche assurée de ses longues jambes.

Devant la porte, Mori enfila ses chaussures tandis que Yuki continuait à surveiller la jeune femme.

– Méfie-toi d'elle, recommanda-t-il. Souviens-toi : le diable lui-même était déjà irrésistible à dix-neuf ans...

Mori grimaça un sourire officiel et disparut dans l'escalier. La jeune Américaine était partie vers l'est et se dirigeait vers la gare de Shinjuku.

Mori restait à une bonne vingtaine de mètres derrière elle bien qu'elle ne se soit pas retournée une seule fois pour vérifier si elle était suivie. Elle ne profita pas des diverses occasions évidentes qui s'offraient à elle, y compris les devantures de Nishigushi, et la foule qui s'entassait devant un magasin de télévisions pour regarder le Championnat du monde à travers la vitrine. Mori se sentit déçu : visiblement la jeune femme n'était qu'un amateur.

La boutique de journaux qui faisait face à la station lui offrit sa dernière chance. Elle sembla hésiter devant l'étalage de journaux en langue anglaise, mais ne se retourna pas. Mori la suivit dans le grouillement de la station de Shinjuku.

Elle était plus grande que les femmes japonaises, un mètre soixante-dix, précisait son dossier. Mori préférait la grâce des silhouettes japonaises à la haute taille et au teint coloré des étrangères. La peau d'une jeune Japonaise absorbait la lumière, comme le papier de riz, la peau des étrangères, comme le papier étranger, ne faisait que la refléter. Le translucide opposé au brillant. Il pensa tout à coup à sa femme, Mitsuko. Sa peau ressemblait au plus fin des *shoji* [1].

Dans le tohu-bohu de la gare où passaient chaque jour cinq millions de banlieusards, Mori réussit à s'isoler de toutes les images et de tous les bruits qui ne le concernaient pas. Si elle devait tenter de le semer, c'est ici qu'elle essayerait. Il n'y avait plus que l'Américaine et lui désormais, plus que le bruit de ses talons sur les dalles immaculées et celui de sa respiration au creux de sa gorge.

---

1. Porte coulissante en papier translucide. *(N.d.T.)*

Hâtant le pas, elle avait laissé de côté les accès principaux pour suivre les panneaux indiquant la ligne de Marunouchi au bas d'un escalier pavé. Elle choisit un distributeur de tickets à cent quarante yens – ce qui limitait le trajet à sept gares. Il ne la quitta pas des yeux tandis qu'elle piétinait impatiemment dans la file d'attente pour faire poinçonner son billet.

Kathy Johnson secoua ses cheveux dorés, vérifia son maquillage dans un miroir de poche et récapitula les instructions reçues pour laisser un suiveur éventuel sur le quai. Elle ne pensait pas avoir été suivie, mais décida de suivre les instructions de toute façon.

Une fois sur le quai, elle laissa passer plusieurs trains. L'heure de pointe approchait. Un train venant de Marunouchi entra en gare en même temps qu'un autre qui s'y dirigeait. La foule des gens qui sortaient créa une sorte de tourbillon. Ses mouvements furent parfaitement chronométrés : elle fit brusquement demi-tour et courut vers le train en partance au moment précis où les portes se refermaient.

Elle s'affala sur un mur de mâles japonais en poussant un soupir de soulagement. Les portes se refermèrent avec un sifflement. Les marchepieds rentrèrent. Elle se mit à penser à ce qui l'attendait : le carrefour Sukiyabashi, le cœur de Ginza en pleine ruée des heures de pointe. Une excellente protection. Le signe de reconnaissance serait, comme d'habitude, une épingle rouge piquée à son revers... s'ils ne se rataient pas dans le tourbillon de la foule.

Le train eut un à-coup en démarrant et les corps de plusieurs Japonais la heurtèrent. Une main agrippa le haut de sa cuisse en guise de stabilisateur... Ça commençait. Elle concentra son attention sur les affichettes publicitaires fixées au-dessus des fenêtres, qui vantaient les mérites de Katakana. L'une d'elles présentait une belle villa à Tokorozawa : salle à manger, cuisine, et une chambre – environ quatre-vingts mètres carrés. Le prix en yens équivalait à un demi-million de dollars. Tout à fait le genre de maison qu'habitaient les membres de la grande bourgeoisie japonaise. Elle songea à son appartement spacieux de Newport Beach qui lui appartenait en copropriété, mais s'arrêta tout de suite : mieux valait ne pas y penser, se dit-elle. Cela ne ferait qu'augmenter son sentiment de solitude. Elle essaya une autre affiche.

Là, une jeune mariée, portant une robe romantique du plus parfait mauvais goût, la regardait en arborant un sourire qui découvrait un peu trop de dents. Le contrat proposé pour la célébration complète du mariage comprenait soit une cérémonie à la japonaise, soit une messe dans une église catholique que l'on pouvait louer pour l'occasion, le prêt de la robe, la réception fournie avec un maître de cérémonie vaguement célèbre, un gâteau de noces de quarante centimètres de haut, et une lune de miel de trois jours à Hawaï, avec des tarifs spéciaux pour les groupes. Seigneur! c'était absolument incroyable.

A chaque arrêt, la foule des hommes qui rentraient à Ginza s'agglutinait de plus en plus contre elle : à Shinjuku Gyoen, à Yotsuya San-chome, et finalement à Akasaka, des employés munis de gants poussaient les voyageurs pour les tasser encore un peu plus. L'heure de pointe était à son apogée. Elle se demanda comment les femmes japonaises pouvaient supporter aussi stoïquement le contact de ces mâles exhalant des parfums divers et variés à vous faire tourner la tête d'écœurement. Curieuse, cette absence d'odeurs corporelles... Leur haleine projetait une odeur astringente de riz et d'algues. Des cuisses dures se frottaient aux siennes, des mains... A New York ou à Paris, les femmes auraient hurlé des insultes et les auraient repoussés. Ici, il fallait faire semblant. Une seule chose comptait : « Sauver la face », comme disaient les Japonais. Seigneur, quel pays compliqué!

Des doigts se fixèrent sur ses hanches quand le train oscilla de nouveau : un geste accidentel? Elle savait bien que non. C'était « l'attouchement » – *chikan*, disaient les jeunes Japonaises en riant sottement quand elles se rencontraient dans les lavabos. Nouvelle exploration de ses hanches quand le train prit de la vitesse pour filer vers Ginza – la Route d'Argent. « Je pourrais le tuer », pensa-t-elle en songeant à ce que contenait son sac. Encore un effleurement, cette fois sur sa poitrine. On aurait dit des animaux mordillant une nourriture succulente. Elle sentit la colère lui monter à la tête mais s'efforça de la juguler. Sur ce point, comme sur le reste, ses instructions étaient claires. Elle savait que la foule était son meilleur moyen de défense et rendait toute surveillance pratiquement impossible. Pour gagner sur un point, il fallait inévitablement perdre sur un autre : les mots du Patron! Finalement elle se calma.

L'inspecteur Mori avait raté d'un cheveu le dernier wagon du train. Par réflexe, il avait réussi, en se jetant en avant, à coincer sa main gauche entre les battants caoutchoutés d'une portière, à trois wagons de celui où elle était montée. Mobilisant désespérément toutes ses forces, il réussit à empêcher les portes de se refermer complètement et de se verrouiller... Un des employés en uniforme qui poussaient les voyageurs dans les wagons se précipita vers lui, très en colère, mais il lui restait juste assez d'énergie pour forcer la porte et se frayer une place dans le wagon bondé. Il entendit le sifflet annonçant le départ et sentit, sous sa chemise, la sueur qui lui coulait dans le dos.

Garce de *chikisho* [1]! Elle l'avait fait marcher avec ses airs de ne pas y toucher, et elle avait presque réussi à l'avoir. Sale Américaine! Trois wagons plus loin se trouvait le symbole de tout ce qui avait détruit sa famille. Dire qu'il avait failli lui accorder le bénéfice du doute. Le colonel avait eu bien raison de le mettre en garde.

Les Américains, avait-il dit, étaient si en retard sur les Japonais qu'il ne leur restait qu'un choix : le vol. Les Russes étaient encore plus en retard. On était en 1987, et les recherches les plus avancées des deux super-puissances en matière d'ordinateurs étaient en plein marasme. Les étrangers n'avaient jamais pu apprendre à travailler en équipe. « Je ne parle pas des super-ordinateurs, avait ajouté Yuki, qui ne sont que des broyeurs de chiffres. Leur compagnie Cray, avec le Cray 3, nous domine encore dans ce domaine. Mais ces super appartiennent à une conception dépassée. » L'avenir, c'étaient les I.A. – l'intelligence artificielle –, des machines capables de penser et de parler, une nouvelle génération de machines dotées d'une capacité de puissance et de rapidité bien supérieure à tout ce qui existait à l'Ouest. Et, là, les Américains, comme les Soviétiques, se traînaient loin derrière. La C.J.E. travaillait sur les I.A. et Kathy Johnson serait impliquée d'une manière ou d'une autre si l'on essayait de voler le dernier-né des prototypes.

En débarquant du métro à Ginza-Sukiyabashi, Mori fut assailli par des vapeurs d'oxyde de carbone et de particules sulfurées, par le relent de cigarettes à bon marché et de sauce de soja. La jeune femme le précédait dans la foule. Une couronne de néon flamboyant illuminait le sommet de l'immeuble Sony, comme en défi à l'obscurité qui gagnait le ciel, éclairant sa peau et ses cheveux qui diffusaient une blancheur incroyable, puis changeaient de couleur selon les feux de signalisation de l'immense carrefour. Pendant un bref instant il se trouva tout proche d'elle, et put deviner, voire ressentir l'assurance qui émanait d'elle, celle d'une femme habituée aux regards masculins. Plus encore : une sexualité animale, le frémissement d'un être qui s'épanouissait dans l'aventure et le risque.

Mori détourna son regard et observa le carrefour. Logiquement, elle ne devrait pas tenter de prendre contact en pleine rue, mais plutôt à l'intérieur d'un des immeubles. Un mur compact de

---

1. Animal de la plus basse catégorie. *(N.d.T.)*

Japonais attendait patiemment que tous les feux passent au rouge. Les Japonais appelaient ça « la ruée ». Le système faisait passer tous les feux au rouge en même temps et les piétons traversaient dans toutes les directions. Derrière Mori se trouvait le commissariat de police, dont la façade était peinte de ces affreuses couleurs rouge et marron que l'immense classe moyenne considérait comme le comble de l'art. Il avait la forme d'une maison avec un toit à pente raide et des pignons garnis de haut-parleurs et de projecteurs. Les haut-parleurs diffusaient en permanence le commentaire du match de base-ball, une des initiatives du service de relations publiques de la police : deux batteurs éliminés – « Les Géants de Tokyo » à la batte – Shinosuka à la deuxième base – le premier lancer est mauvais.

Quelques notes de musique pour alerter les aveugles se firent entendre tandis que le signal « passez piétons » se mettait au vert. Des flots de Japonais se précipitèrent en masse de tous les coins du croisement. Mori se joignit au torrent tout en surveillant la jeune femme du coin de l'œil. La vague des piétons qui arrivait l'écartèrent de sa route. Peu lui importait, la tête de la jeune femme plongeait dans la foule et en émergeait comme un bouchon doré sur une mer sombre.

Okazaki réussit une frappe pour son équipe et les haut-parleurs se mirent à déverser les hurlements quasi hystériques auxquels se livrent les Japonais sur les terrains de base-ball – un des rares lieux publics où l'émotion est jugée acceptable. Les « coureurs » se précipitaient vers la première et la troisième base. Les spectateurs du stade Korakuan se mirent à psalmodier en chœur le nom du nouveau batteur qui faisait son entrée : « Yo-shi-mura! Yo-shi-mura! »

C'est à ce moment précis que Mori repéra l'étranger qui se frayait un chemin parmi la foule qui traversait. Son visage blanc lui restait caché, mais Mori remarqua sa carrure bien charpentée, et sa tignasse de cheveux bruns déjà grisonnants. Il ne se laissait pas emporter par la vague de la foule comme l'aurait fait un Japonais, mais se battait à contre-courant, repoussant brutalement sur le côté les corps qui le gênaient. Il tenait sur le bras un imperméable de couleur sombre. Incroyable! Son contact américain allait la rejoindre ici!

L'homme fendait la foule en direction de la jeune femme blonde, comme un nageur puissant luttant contre la force du courant. Mori pesa de tout son poids sur la foule pour se glisser plus près des deux étrangers. L'homme approchait de son but, mais la jeune femme ne l'aperçut qu'au moment où il lui barra le passage et lui dit un mot que Mori ne put entendre. Quelque chose n'allait pas. La jeune femme dévisagea l'homme d'un air étonné. Puis Mori la vit exprimer une nouvelle émotion : la peur!

Les piétons japonais contournaient ce couple d'étrangers, face à face dans leur minuscule arène. Yoshimura réussit à frapper une balle courbe. S'il marquait le point – se rappela Mori –, cela lui coûterait dix mille yens. On en était à la fin de la neuvième manche et les équipes étaient toujours à égalité. Il continuait à surveiller les deux étrangers et se demandait ce qu'il devait faire. Visiblement, il n'y aurait pas d'échange. L'homme avait pris le bras de la jeune femme, mais elle s'était dégagée d'une secousse. Un petit sourire ironique se jouait sur ses lèvres. Tout en fixant l'homme du regard, elle plongea calmement la main dans son sac. Un éclair métallique apparut brièvement dans sa main. Son visage se tordit soudain.

Quelqu'un poussa Mori et l'empêcha de voir. Il plongea désespérément dans la foule et fendit la vague. Et cette fois, il vit : la première balle l'avait atteinte à l'estomac – la seconde en pleine tête, faisant exploser ses cheveux blonds en un dernier tourbillon d'or. Le bas de sa figure n'était plus qu'une déchirure irrégulière d'où jaillissait le sang. Elle y porta la main d'un geste stupéfait. Mori s'efforçait de les atteindre en hurlant contre la foule. Yoshimura avait atteint la deuxième base dans le coin droit du terrain. Les haut-parleurs s'étaient déchaînés comme un animal devenu fou. Le sang jaillit pour la troisième et dernière fois de sa poitrine.

Le corps de l'Américaine se mit à tournoyer lentement dans son agonie et s'affaissa sur le béton. Ses yeux exprimaient la surprise, elle avait la bouche grande ouverte. L'étranger s'était détourné et coupait à travers la foule. Mori remarqua une cicatrice rougeâtre traçant une ligne de l'oreille à la naissance du cou. Puis il disparut.

Des cris de terreur se mélangeaient étrangement avec les hurlements de joie saluant le point acquis après la course vers les bases. On entendit les coups de sifflet stridents de la police. La jeune femme gisait inerte dans une mare de sang qui continuait à s'élargir. Les gens se mirent à reculer. Lentement d'abord, puis, accompagnée de hurlements frénétiques, l'hystérie s'empara de la foule. Les hommes vociféraient, les femmes poussaient des cris stridents. Les mouvements de foule poussaient et bousculaient Mori au point qu'il ne savait même plus dans quelle direction le tueur s'était enfui. Il hurlait des insultes, mais sa voix se perdait, sans espoir d'être entendue, dans la frénésie aveugle qui s'était emparée de la masse.

2

Jour de l'or, 18 h 30

Une voiture-radio de la brigade mobile ramassa Mori après le départ de l'ambulance. Ils le trouvèrent dans un petit parc voisin, en train de contempler le carrefour d'un œil fixe. Aoyama l'attendait, assis au fond de la voiture.

— Le patron est un peu perturbé, dit-il en observant Mori. Que s'est-il passé?

— On lui a tiré dessus. Il y avait un autre étranger qui la guettait.

— Elle est morte?

— *Hai.* Oui. Elle a sorti son arme la première, mais la balle de l'homme lui a explosé en pleine figure Des dum-dum, sans doute. J'étais presque arrivé à leur hauteur.

— Pas eu de veine, la petite garce étrangère.

Mori n'avait guère de sympathie pour Aoyama qui parlait cinq langues, portait des cravates françaises et des costumes anglais, et répandait presque tous les matins le parfum d'une lotion américaine d'après rasage. Il avait quarante et quelques années, était plus jeune que Mori, et, en tant qu'expert en ordinateurs attaché au service, était devenu le bras droit du directeur général. Mori l'avait un jour accusé de n'être qu'un *batakusaï,* un admirateur de tout ce qui était étranger, et Aoyama s'était vengé en répandant le bruit que Mori souffrait d'une névrose d'avant l'ère Meiji, qu'il était un *bushi* : un homme de violence qui vivait dans le passé.

— Le patron veut te voir. Il allait rentrer chez lui quand la nouvelle est arrivée au bureau 101.

— Tu sais ce qu'il me veut?

Aoyama sourit et hocha la tête.

– *Chikisho*, cracha Mori, tu as perdu ta langue?

– C'est bien dommage que tu ne te sois jamais intéressé à la lit-térature américaine, Mori. Il y a un très beau livre de Melville qui raconte l'histoire d'un homme à la poursuite d'une baleine blanche. Et quand finalement il la trouve, ça le tue.

Le reste du trajet se passa en silence.

A l'entrée réservée aux huiles du quartier général de la police métropolitaine, ils descendirent de voiture et pénétrèrent dans le nouveau hall tout en granit brillant. Le préposé à la sécurité leva un regard inquisiteur sur Mori qui était en civil et n'arborait pas de laissez-passer à son revers. Aoyama fit signe que tout était en règle, et se dirigea vers les ascenseurs. Le bureau du directeur se trouvait au dernier étage de ce qu'on appelait familièrement « les greniers ». Mori ne prononça pas un mot pendant qu'ils mon-taient. La secrétaire du directeur était déjà partie et Aoyama frappa directement à la porte, l'ouvrit pour faire entrer Mori, puis la referma, et le laissa seul.

Le directeur général s'inclina avec raideur, sans quitter des yeux le visage de Mori, comme s'il y cherchait les symptômes d'une maladie mortelle.

– *Gokurosama*. Vous avez bien travaillé, dit-il sans enthou-siasme.

Mori remarqua qu'il avait des rides sous les yeux et la voix enrouée. Il fit signe à Mori de s'asseoir.

Mori s'installa sur une chaise faisant face à une composition florale : Dieu, la Terre, et l'Homme. Si seulement les choses étaient aussi simples... et il pensa à l'épouse du directeur, une bonne femme insipide qui saluait sans cesse et se teignait les che-veux. Il devina que l'arrangement floral était son œuvre. Les étrangers, se dit-il, offrent des fleurs à leurs morts. Les Japonais, eux, leur donnaient de l'argent... Les fleurs étaient faites pour donner du plaisir aux vivants. Il se demanda si la jeune Améri-caine avait aimé les fleurs.

– Alors! Il paraît que ce sont les « Géants » qui ont gagné aujourd'hui?

Le directeur arborait un sourire, mais beaucoup trop large, beaucoup trop éclatant. Mori comprit qu'il était en colère.

– Ça les met en tête de série, il me semble? Un à zéro?

Le directeur possédait un de ces sièges de bureau qui per-mettent de se renverser très loin en arrière sans risquer de se retrouver par terre. C'est ce qu'il fit et Mori resta stupéfait de le voir garder son équilibre. Puis il se croisa les mains derrière la tête pour parachever le spectacle. Mori se demanda brièvement s'il fallait applaudir!

– Les « Lions » n'ont pas pu frapper les balles rapides de Nishi-
moto... c'était ça le vrai problème. A propos je crois que le match
était retransmis par haut-parleurs au carrefour Sukiyabashi.
Est-ce que vous avez pu en entendre quelques bribes?

Un signal d'alarme retentit dans la tête de Mori. Le directeur
s'était déjà renseigné auprès du service de la circulation de Ginza.

– Juste un peu, dit Mori, décidant sur-le-champ de ne pas
s'étendre sur le sujet.

Il avait également compris que le directeur était un supporter
des « Géants » d'Omuri. Après tout, c'était l'équipe officielle,
l'équipe préférée de tous les fonctionnaires nommés – comme le
directeur – qui se trouvaient au sommet de la hiérarchie. Rien
d'étonnant, songeait Mori, à ce qu'il soit un chaud partisan des
« Géants ».

Le directeur continuait à observer le visage de Mori comme s'il
cherchait à se faire une opinion. Il se remit tout d'un coup droit
sur son fauteuil, et appuya sur un bouton.

– Peut-être bien qu'un peu de thé serait le bienvenu, dit-il. Ma
secrétaire est partie, mais Naomi doit être encore par ici. C'est
une nouvelle.

Selon la rumeur, le directeur était le protégé du ministre de la
Justice, et il avait été choisi pour ce poste par la commission de la
sécurité publique. C'était donc, avant tout, un politicien, il ne fallait pas l'oublier. Ce n'était pas de sa faute s'il agissait de la sorte,
raisonna Mori, c'était dû à la nature même de son poste de directeur général de la plus grande force de police du Japon. Mori se
souvenait que, lors de précédentes rencontres, il n'avait abordé
les problèmes qu'après d'incroyables détours. Plus il faisait
montre d'une exquise politesse, plus l'offense était grave.

Le directeur ouvrit une boîte laquée ornée de coquilles et lui
offrit une cigarette. Elle était plus longue que les Mild Sevens que
Mori fumait d'habitude.

– Ce sont des cigarettes étrangères. J'espère que cela ne vous
ennuie pas.

Il s'était remis à scruter le visage de Mori, qui prit une cigarette
et alluma celle du directeur et la sienne.

– Et comment se porte votre jeune femme? dit-il en tirant une
première bouffée. Mitsuko, je crois? Elle travaille toujours pour
le gouvernement? Une fille très bien à ce qu'on dit.

Et en plus il a consulté mon dossier, pensa Mori. Il avait probablement confié cette tâche à Naomi, la nouvelle, pour être sûr
de ne pas faire d'erreur de nom. Mais le mot révélateur était
« fille » au lieu de « femme ». Mori connaissait les potins du

bureau. Les Japonais n'approuvaient pas le mariage d'un homme mûr avec une femme plus jeune. Une maîtresse – d'accord – mais pas le mariage. Ça n'était pas raisonnable. La première femme de Mori était morte dix ans auparavant. Ils n'avaient pas eu d'enfants.

Mori acquiesça d'un geste de la tête :

– Elle va très bien, monsieur. On l'a récemment promue et nommée à I.C.O.T.

I.C.O.T. était une unité de recherche soutenue par le gouvernement et qui travaillait sur un nouvel ordinateur révolutionnaire.

Le directeur reconnut que c'était là un grand honneur, mais sa voix n'indiquait nulle surprise. Il s'était, apparemment, tenu à jour de tout ce qui concernait sa vie personnelle.

Est-ce que sa femme s'intéressait aux compositions florales ? Si c'était le cas, dit le directeur, il faudrait qu'elle prenne contact avec la sienne, Mayumi. Mori, négligeant volontairement les usages, déclara que Mitsuko avait beaucoup à faire et qu'actuellement elle n'en avait guère le temps. Puis il se mit à raconter ce qui s'était passé : l'Américaine était morte avant l'arrivée de l'ambulance – et tout était de sa faute.

Le directeur opina de la tête d'un air réticent, comme s'il confirmait l'explication d'un point épineux du jeu de go. Il aspira l'air avec un long sifflement entre ses dents blanches et carrées, et se livra à un commentaire évasif : Tout cela s'était finalement passé entre étrangers. Heureusement aucun Japonais n'était impliqué. Et, à propos, Mori avait-il pu voir l'homme clairement ?

Un vrai ballet, pensa Mori – la musique fournie par l'État – les pas déjà bien assimilés.

– Le K.G.B. et la C.I.A., acquiesça Mori.

Un cas limpide, en fait : juste un cadavre américain et un autre étranger doté d'une cicatrice derrière l'oreille qui faciliterait son identification. Mais Mori n'avait pas pu véritablement le voir de près. Peut-être après tout, le jeu de base-ball en était-il responsable. Il indiqua sa taille approximative, sa carrure... Les vêtements, très ordinaires, ne semblaient pas d'origine russe. L'imperméable...

– Pas russe ?

Le directeur plissa les yeux devant cette suggestion – comme pour avertir Mori que cette séquence du ballet allait se révéler difficile, avec des pas très compliqués. Puis il agita le bras :

– Naturellement, il n'allait pas s'habiller pour qu'on le reconnaisse comme l'un des siens, tout de même !

Ayant ainsi retrouvé sa bonne humeur, le directeur se leva soudain et se mit à tourner autour de la pièce comme s'il se lançait à la recherche d'un précieux trésor au milieu des piles de papiers entassées sur des petites tables et sur des chaises. Il y découvrit finalement une enveloppe et la tendit à Mori.

– C'est le mieux qu'on ait pu faire en un laps de temps aussi court.

L'inspecteur examina rapidement une quinzaine de photos de qualité variable, où la plupart des visages étaient marbrés en raison de l'effet poreux dû aux lentilles du télé-objectif. Quand il eut fini, il hocha la tête et les remit dans l'enveloppe.

Le directeur avait réussi à extraire une deuxième enveloppe des papiers. Là non plus, Mori ne reconnut aucun visage – et de toute façon il doutait fort de pouvoir identifier qui que ce soit, s'il avait à le faire sous serment. Le directeur n'en parut nullement choqué.

– C'est bien ce que nous pensions. Mais le ministre a appelé. J'ai dû lui promettre de procéder à une enquête approfondie. En fait, je ne pense pas du tout que cette affaire nous concerne en quoi que ce soit. Et vous?

Le directeur n'attendit pas la réponse de Mori et enchaîna :

– Je crains fort que quand nous en aurons fini, le colonel Yuki n'ait encore besoin de votre temps précieux. Le directeur de la défense ne vous en a rien dit, je suppose. C'est une personnalité très modeste. Souhaitez-vous téléphoner à votre femme pour la prévenir que vous serez en retard?

Mori savait que sa femme ne serait pas encore rentrée.

– Elle a l'habitude, monsieur, répondit-il.

Le directeur acquiesça d'un air compréhensif, se renversa sur son siège et fixa un point du plafond.

– Votre mère vit toujours avec vous, je crois?

Mori ne répondit pas tout de suite. Il venait de se souvenir qu'ils devaient dîner avec la sœur de sa femme dans un restaurant d'Akasaka, spécialisé dans les plats d'anguilles. De toute façon, cela ne l'enthousiasmait pas.

– Donc, tout se passe bien entre elles, conclut le directeur en fournissant lui-même la réponse. Je voulais dire, vous savez, que ça n'est pas toujours facile avec une jeune femme, une mère et tout le reste.

Mori reconnut qu'il pouvait en être ainsi et qu'il le savait. Il comprit surtout que les gros bonnets s'intéressaient aux problèmes de son mariage et qu'on voulait qu'il le sache. Mais pourquoi?

Le directeur s'était tourné vers lui et l'observait d'un air pensif.

C'était un signal : il en avait fini avec les civilités. Il ne pourrait plus désormais s'attendre à aucune indulgence. Il demanda à quel moment précis l'Américaine avait été tuée. Mori expliqua que la jeune femme avait sorti son arme la première, ce qui sembla surprendre énormément le directeur :

– Au milieu de toute cette foule?

Puis on passa à ce que Mori avait fait pour y mettre fin.

La foule, le bruit, tout à coup les coups de feu... Quand Mori eut raconté les faits, il apparut clairement qu'il n'avait pratiquement rien fait. Mais le directeur feignit d'être impressionné, opinant du chef comme si Mori s'était conduit en héros. Après quoi, il resta silencieux un moment, gardant toujours le même sourire gracieux aux lèvres. Enfin, il demanda d'une voix très douce :

– Et qu'avez-vous ressenti à propos de la jeune femme quand on l'a tuée sous vos yeux?

On aurait pu croire que le directeur demandait à Mori s'il avait bien dîné. La maîtrise dont il faisait preuve était tout à fait remarquable.

– J'étais furieux, dit Mori. Je maudissais la foule. J'étais très en colère.

– Rien de tout cela ne figurera à votre dossier, comprenez-le bien, fit le directeur. J'essaye seulement d'imaginer votre état d'esprit à ce moment-là. Vous dites que vous étiez en colère. Contre qui était dirigée cette colère, Mori-*san*?

Mori luttait contre le tourbillon soudain qui lui ravageait l'esprit.

– Je ne comprends pas, monsieur.

Le visage du directeur rayonnait de sympathie chaleureuse tandis qu'il s'excusait au cas où ses renseignements seraient erronés, mais Mori n'avait-il pas quelquefois fait preuve d'une certaine xénophobie, de haine contre les étrangers et tout ce qui provenait de l'étranger?

– Non que je vous en blâme, comprenez-moi bien, conclut-il.

– Cela n'a rien à voir avec...

– Vous ne rendez pas les étrangers responsables de la mort de votre père?

Le directeur leva les sourcils, et attendit de voir si Mori désirait l'interrompre à nouveau. Puis il reprit :

– Je pourrais ajouter que ce n'est pas rare chez les enfants de pères morts à la guerre. Après tout, vous avez assisté à son sacrifice volontaire quand vous étiez enfant. Vous les haïssez parce qu'ils vous font peur – les Américains et les Soviétiques tout spécialement. Il n'y a pas là de quoi avoir honte. Cependant, cela aurait pu vous traumatiser dans ces conditions particulières de stress, vous empêcher d'agir malgré vos réussites brillantes dans les affaires concernant les étrangers. Franchement, certains diront que vous auriez pu empêcher tout cela – que vous avez laissé un meurtrier s'échapper... Ou bien, est-ce que vous souhaitiez la mort de la jeune femme? S'agissait-il d'un acte indirect de vengeance? Je souhaite seulement savoir ce que vous pensez. Je peux vous protéger. Je suis l'une de ces nombreuses personnes qui respectaient votre père.

Il y eut un court moment de silence suivi d'un sourire paternel du directeur, celui d'un père confronté à un fils au caractère difficile. Il expliqua que le Bureau de la sécurité publique devait parfois accommoder les règles. Puis il demanda à Mori s'il se rendait compte de la façon dont réagirait la Diète si les socialistes et les communistes apprenaient ce qui s'était passé aujourd'hui à Sukiyabashi.

– Les media nous mettraient en pièces, est-ce que je me trompe?

Mori se leva lentement.

– Je vais donner ma démission. Vous trouverez ma lettre demain matin sur votre bureau. J'assumerai toutes mes responsabilités.

Le directeur éclata tout à coup d'un rire dépourvu de toute agressivité. Il n'avait aucune raison de donner sa démission, expliqua-t-il. En fait, ils avaient des projets beaucoup plus élaborés concernant Mori – qui lui permettraient de régler une fois pour toutes le problème de son père – et d'aider également son pays. Apparemment, cette seconde option n'avait pas figuré jusqu'ici en tête de liste des préoccupations de Mori, n'était-ce pas la vérité?

Mori rougit, mais le directeur retourna simplement ses mains en un geste d'impuissance :

– Vous avez dédaigné notre système d'avancement et vous êtes resté cantonné au bas de la hiérarchie du B.S.P. pour y mener votre guerre personnelle contre les *gaijin* [1]. Croyez-vous qu'on ne s'en est pas aperçu? Ne soyez pas si naïf.

Mori ferma les yeux en plissant fortement les paupières comme pour exclure les images évoquées par ces paroles. Il revoyait les longues rangées de silhouettes vêtues de blanc agenouillées dans la poussière noire, son père levant le *wakizashi* et la multitude des autres imitant son geste comme des marionnettes. Quand il

---

1. Mot qui désigne l'étranger, au Japon. *(N.d.T.)*

évoqua le moment où le couteau avait plongé et pénétré dans la chair, il sentit la bile lui monter à la gorge. La voix du directeur le ramena à la réalité :

— Avec tout le talent que vous possédez, et encore à la fleur de l'âge, vous choisissez de vous laisser dépasser par des gens comme Aoyama, ou votre grand ami Watanabe, tous de la même génération que vous. Il ne peut y avoir qu'une seule réponse, n'est-ce pas ? C'est pour cela que je vous ai convoqué ici, ce soir, inspecteur. Je déteste voir un homme de valeur se laisser aller à vau-l'eau. Je suis en mesure de vous offrir la possibilité de gagner une victoire définitive et purificatrice qui vous purgera l'âme et satisfera à votre engagement envers votre Maison.

Naomi entra avec le thé, portant avec précaution le plateau de laque noire garni de deux tasses sans anses qui répandaient une bonne odeur d'un thé bien différent de celui qu'on leur donnait au service des opérations. Une fois la jeune fille repartie, le directeur le goûta avec ce petit bruit de suçotement si fréquent chez les Japonais quand ils soufflent sur une gorgée pour refroidir leur thé.

— Du oolong, dit-il, il vient de Chine. On dit qu'il empêche de grossir. Il en but une autre gorgée pour se faire une opinion. Elle a fait bouillir les feuilles un peu trop longtemps et a failli le gâcher. La façon dont ces toutes jeunes filles manipulent les feuilles de thé devient un vrai problème.

Il posa sa tasse et rota. Après quoi il reprit ses explications.

La tâche de Mori consisterait à faire une enquête sur la jeune Américaine défunte. Espionnait-elle pour le compte des États-Unis ? Qui lui donnait des ordres ? A quel service appartenait-elle ? Quel était son but ? La jeune femme n'était désormais plus à même de rien leur révéler... Comme cette enquête avait toujours fait partie de leur plan, Mori portait sa part de responsabilité... Donc c'était son *giri*, son devoir.

Pendant ce temps-là, la police criminelle rechercherait ses assassins. L'équipe du colonel Yuki leur donnerait un coup de main. Mori se verrait confier la tâche d'assurer la liaison avec la commission d'enquête américaine. Ce qui devrait lui faciliter le travail. Sa mission consisterait à échanger des informations. Quand Mori aurait découvert les activités d'espionnage des Américains et Yuki trouvé les tueurs, on pourrait confronter les résultats.

Le directeur s'arrêta de parler pour étudier le visage de Mori.

— Le grand scandale d'espionnage du siècle, Mori-*kun*. Un événement médiatique de première grandeur. Du moins, c'est ce que nous espérons.

— Pourquoi ne pas tout simplement éliminer les salauds? fit Mori, des deux côtés.

— Parce que, inspecteur, la fureur populaire nous permettra d'amorcer un changement dans le cours de l'histoire du Japon... De passer de l'état d'enfant dépendant d'un protecteur étranger à celui d'un adulte qui prend ses décisions tout seul. Le premier pas consiste à protéger notre technologie stratégique, et nous aurons l'aval de la Diète pour instaurer une nouvelle agence de contre-espionnage qui pourra rivaliser avec celle d'avant guerre.

Le téléphone sonna. Le directeur prit l'appareil avec un geste d'impatience et écouta. Puis il poussa un grognement et raccrocha.

— Eh bien, vous avez de la chance. C'était le bureau du colonel Yuki. Apparemment, il a une réunion avec les Américains, ce soir et annule votre rendez-vous.

Le directeur croisa ses mains sur le bureau devant lui. Il avait des doigts courts et carrés qui semblaient encore pleins de force.

— Je pense que votre père aurait approuvé cette mission. Bien entendu vous êtes libre de la refuser. Nous pouvons trouver quelqu'un d'autre. Aoyama, par exemple, a spécifiquement posé sa candidature.

Mori se leva d'un seul coup et s'inclina.

— Ce ne sera pas nécessaire, monsieur.

Après le départ de Mori, le directeur général arrêta son appareil d'enregistrement et composa un très long numéro de téléphone. Puis il appuya sur le bouton de sécurité placé sur l'appareil. Une voix se fit entendre à l'autre bout de la ligne et dit :

— Oui?

— La décision a été prise, monsieur le Ministre. L'inspecteur Mori sera Tamon.

— Voilà qui est bien.

La voix gardait un ton calme, sans à-coups.

— Tous les renseignements que nous avons sur son passé et son milieu font de lui un candidat idéal.

— J'ai encore quelques questions à vous poser avant de donner mon aval définitif. Nous pourrions nous voir − si possible − dans une heure. Je dois partir plus tard ce soir pour Kyushu.

— C'est entendu, monsieur.

Le directeur général de la police replaça soigneusement l'appa-

reil sur son support et respira profondément. Le ministre donnerait son accord. Il n'existait pas d'alternative. Le nom de code
Tamon était particulièrement bien trouvé. C'était celui d'un des
quatre dieux japonais qui protégeaient le Japon contre ses ennemis.

3

Jour de l'or, 19 h 30

Le téléphone fit entendre par deux fois un ronronnement paisible – un bourdonnement électronique caractéristique du dernier modèle en vogue à Tokyo. Ludlow, qui s'efforçait péniblement d'émerger d'un profond sommeil et de retrouver ses esprits, saisit le récepteur et l'approcha de son oreille.

– Ici Graves. J'ai reçu des ordres du D.C.M.

C'était son code d'identification.

La voix était tendue, hachée, avec l'accent de la côte Est. Ludlow luttait pour sortir du brouillard, et tentait de se concentrer.

– Je disais que...

– Bon Dieu, j'ai entendu ce que vous avez dit.

Ludlow était maintenant complétement réveillé. Il avait parfaitement enregistré le code. Le chef de l'agence de Tokyo s'était correctement identifié. D.C.M. signifiait *Deputy Chief of Mission* [1] les mots attendus. Il jeta un coup d'œil rapide autour de lui sur cette pièce encombrée qu'on lui avait assignée à l'ambassade. Son sac de voyage encore plein gisait là où il l'avait jeté, deux jours plus tôt, en arrivant de Hong Kong.

– Rendez-vous dans une demi-heure exactement. Le ton du chef d'agence était nettement plus sec. Roppongi *Kôsaten*, du côté de la rue où se trouve la librairie ouverte la nuit. L'opposition s'agite ferme ce soir, alors ayez des yeux dans le dos, mon vieux. Nous avons un Écho-Écho. La voiture est une Nissan de sport blanche.

Le téléphone se tut et Ludlow raccrocha brutalement. Sei-

---

1. Chef de mission délégué. *(N.d.T.)*

gneur! Quelle heure était-il? Pourquoi ne pas parler d'une manière intelligible! Encore un de ces jeunots frais émoulus de Washington. Ça ne changerait jamais : toujours pleins de leur propre importance... et ce jargon ridicule – un « Écho-Écho »... Ciel! Quelques années plus tôt, ils étaient tous au bas de l'échelle, et il les avait vus le dépasser et grimper vers les sommets : Londres, Bruxelles, et le fin du fin, Francfort. Il n'avait jamais su y faire.

Ludlow consulta sa montre, remarqua – ce n'était pas la première fois – que sa main tremblait légèrement. Instinctivement il se dirigea vers la fenêtre : il y avait un mur, un portail gardé et, au-delà, des voitures garées le long d'une rue étroite. Elles étaient vides et ne semblaient pas dissimuler de danger – sauf une. Celle-là pourrait bien abriter un guetteur, tapi peut-être sur le plancher et se servant d'un jeu de miroirs. Ludlow n'en était pas sûr, mais il agit comme s'il l'était. Pas question de passer par la porte d'entrée. Il était juste 20 heures.

Roppongi [1] – le Broadway et le Piccadilly de Tokyo, réunis en une seule avenue – posait un deuxième problème. Son chef avait dû choisir l'endroit à cause de la foule. Celle de Roppongi aimait la sécurité que lui offrait ce milieu familier : un refuge pour les serveuses de bar étrangères, les mannequins et les putes de toutes catégories... pour les chasseurs et leur gibier. Un étranger inconnu y serait aussi visible qu'une pièce de cuivre dans le cul d'une chèvre. Il espérait que l'autre serait ponctuel, et se demanda une fois de plus de quoi il s'agissait. A Hong Kong, il avait entendu quantités de rumeurs...

De son invraisemblable sac fourre-tout, il sortit un chandail de marin, des pantalons de couleur sombre et un blouson de peau, tout taché – ce qu'il avait de mieux pour sortir le soir. Une fois dehors, il se dirigea vers le jardin situé derrière les appartements et l'air frais de la nuit agressa ses poumons : Peshawar et Hong Kong avaient affaibli sa résistance physique. Il fit des vœux pour que le petit nouveau ne flanque pas la pagaille : une voix nerveuse comme la sienne n'avait rien à faire sur un théâtre d'opérations asiatique. Et Écho-Écho signifiait un cas d'urgence... De toute façon, il était temps qu'il se passe quelque chose. Il était resté assis sur ses fesses à Hong Kong pendant plus de dix jours à se remettre de « l'accident » de Peshawar. Puis deux jours à Tokyo, à poireauter en attendant l'appel de Graves.

Ludlow atteignit un mur de brique au fond du jardin. Jambe

---

1. Roppongi : quartier de Tokyo. *(N.d.T.)*

droite en avant, il se hissa par-dessus avec précaution et atterrit de l'autre côté dans une allée étroite et vide qui débouchait sur une rue plus large, et arriva à un feu rouge qui marquait l'intersection avec la grande avenue menant à Roppongi. Il lui restait quinze minutes. Il avait le temps, il pouvait continuer à pied.

Il gravit rapidement la colline tout en remontant le col de son blouson pour se protéger la gorge. Ludlow avait une démarche typiquement américaine. Il ne cherchait ni à redresser le dos, ni à faire de grandes enjambées, comme s'il se fichait éperdument de l'opinion des autres. Et à moins de l'observer de très près, ou d'avoir pu lire le rapport médical de l'hôpital de Peshawar, personne n'aurait pu se douter qu'il boitait légèrement.

En fait, c'est à Peshawar que Ludlow avait été soigné bien que l'accident se soit produit du mauvais côté de la passe de Khyber, où il initiait un groupe d'Afghans au tir des missiles Stinger. Les Afghans s'y étaient mis très rapidement et lors de leur troisième opération dans la vallée de Pandashar, ils les avaient testés contre une patrouille de chars soviétiques. Les hommes de la guérilla avaient abattu un hélicoptère Hind et Ludlow arborait un large sourire quand une giclée de mitrailleuse lourde Kalachnikov lui avait enlevé un petit morceau de mollet.

Il s'était bien débrouillé, et à son départ, reçut trois oreilles soviétiques en cadeau d'adieu de la part du chef des moudjahiddine afghans – le plus grand honneur qu'on puisse lui faire dans cette région. L'échange ne s'arrêta pas là. Ludlow avait ramené avec lui ce qu'on l'avait envoyé chercher – du moins le croyait-il –, la promesse des Afghans de leur faire parvenir les débris du blindage en titane de l'hélicoptère soviétique qu'ils avaient descendu. Les U.S.A. cherchaient désespérément à se procurer un échantillon de ce nouvel alliage. Il se demandait s'ils avaient tenu parole. Naturellement, on ne lui disait rien. Comme d'habitude. Seul un homme invisible – quelque part à Washington – qui tenait son dossier à jour et décidait de son avenir était vraiment au courant.

Tout ce qui s'était passé depuis qu'il était là se résumait à une série de réussites ambiguës ou d'échecs imprécis. Les gens du Service de renseignements de l'armée sautaient au plafond à la moindre erreur. On s'en rendait compte finalement quand ils vous expédiaient dans un trou perdu, tout en bas de l'échelle des affectations, ou qu'ils vous déboulonnaient en vous invitant poliment à rentrer aux États-Unis pour y suivre des cours de réadaptation. Si vous aviez réussi, personne n'en parlait jamais : le silence pour toute récompense... et peut-être une courtoisie un peu plus marquée à votre égard lors des visites annuelles des responsables.

A vrai dire, il s'en souciait fort peu. Cela faisait partie du jeu et on l'avait prévenu au départ de ne pas s'attendre à ce qu'on exalte son ego. Si c'est ça que vous désirez, engagez-vous dans les sapeurs-pompiers... Le prestige de l'Agence s'était sérieusement effiloché depuis l'époque des Allan Dulles et des Beetle Smith. Mais il avait personnellement – côté carrière – fait une mauvaise chute à Colombo, et ce souvenir le hantait encore. Ce serait une bonne chose d'avoir une belle victoire à inscrire à son dossier, et d'en être averti pour changer. Il avait fondé beaucoup d'espoirs sur Tokyo pour se remettre sur les rails. Mais maintenant il n'y croyait plus. Pas avec un chef d'opérations comme Graves. Il ressemblait comme un frère aux centaines d'autres qu'il avait connus.

Roppongi projetait un tourbillon de lumières, et la voie express du Shuto, le métro aérien qui la surplombait, lui donnait l'apparence d'une vaste caverne érotique. Des flopées de taxis affichant le signal lumineux indiquant qu'ils étaient libres sillonnaient la route d'un trottoir à l'autre. Ils attendaient soit des clients pour une longue course, soit qu'on lève deux doigts de la main – signe qu'on était prêt à payer double tarif. Se faufilant entre les taxis comme des poissons gracieux, on voyait passer les derniers jouets à la mode : des Mercedes rutilantes, des Nissan Zed, une Rolls ou deux et des voitures de course italiennes. Tout ces équipages – y compris les taxis – brillaient avec autant d'éclat que le miroir liquide de la baie d'Ise.

Voilà qui expliquait le comportement des Japonais, pensait Ludlow tout en marchant. Un malade prend souvent des bains, expliquaient-ils eux-mêmes. Leur société était malade, dominée par l'élite au pouvoir qui contrôlait les individus si intelligemment, si proprement, que le régime passait pour une démocratie. Les marxistes bavaient d'envie lorsqu'ils comprenaient pleinement les implications des actions menées à bien par les dirigeants japonais.

Le Japon était devenu la société la plus structurée du monde – un exploit d'autant plus remarquable qu'il n'avait pas eu besoin d'une organisation style K.G.B. pour s'assurer d'un conformisme absolu. On avait agi sur les structures mentales : on plantait la graine dès la naissance et elle fleurissait à l'âge adulte. La maladie impliquait le *giri ninjo*, tout un réseau d'obligations que tout Japonais raisonnable considérait comme un devoir, mais ne concernant que sa propre race. Un devoir qu'il assumait jusqu'au tombeau. Cela expliquait pourquoi les cités japonaises ne connaissaient qu'un faible taux de criminalité. Pourtant si, en cas de guerre, les Japonais pouvaient massacrer des milliers de civils chinois, ils ne traversaient jamais au feu vert, et enfreignaient rarement les lois locales les plus ordinaires... Cela ne les empêchait pas de se livrer à toutes les tricheries possibles quand il s'agissait d'envahir les marchés étrangers. Ils étaient devenus légendaires dans le monde des grandes compagnies, négligeant toute récompense personnelle pour un plus grand profit de leur compagnie, pour la gloire de la balance commerciale... pour le Japon. Le contrôle shintoïste des esprits et la discipline zen qui avaient failli leur faire gagner la Deuxième Guerre mondiale les menaient désormais vers la victoire économique.

Des groupes de Japonais s'aggloméraient, stationnaient, marchaient, parlaient, riaient, décidaient de l'endroit où ils voulaient aller, puis s'y rendaient. Les enseignes au néon répandaient leurs lumières criardes, qu'il s'agisse des caractères Kanji [1] qui s'animaient sur le fronton du Café Miami où se pressaient les professionnels, ou des éclairages plus sophistiqués de Chez Coco, un cabaret spécial où les femmes de la haute société étaient accueillis par des hommes.

On disait que tout changeait – que la jeunesse ruait dans les brancards imposés à leurs aînés. Mais on disait la même chose de chaque nouvelle génération. Si jamais cela se produisait, le Japon aurait besoin d'une formidable agence de sécurité pour contenir ses masses qui se livreraient sans aucun doute à une explosion libérant tous les démons de l'enfer.

Ludlow regarda passer un tourbillon de jeunes gens éméchés. Hommes et femmes, les Japonais de toutes catégories s'adonnaient à la boisson – mais plus particulièrement les jeunes. C'était considéré comme un devoir social, comme une nécessité. Cela donnait un peu de jeu au carcan qui les enserrait, permettait de dire ce que l'on pensait réellement, et de s'en excuser plus tard comme d'une folie passagère due à l'alcool. On avait dit à Ludlow que trente mille Japonais se suicidaient chaque année. Les statistiques officielles masquaient ces faits embarrassants. La plupart des cas étaient baptisés accidents. On ouvrait le gaz par accident, on se jetait à la mer par accident. Ludlow n'en était nullement étonné.

Tous ces gens tournaient autour de lui. Ils étaient bien habillés, bien parfumés, mais il pouvait lire dans leurs yeux le prix que

---

1. Caractères chinois composant le système d'écriture idéographique japonais. On en compte 1945. *(N.d.T.)*

tout cela leur coûtait, jour après jour. Pas étonnant que Tokyo soit le centre de débauche le plus actif du monde – mais en général, les Japonais le réservaient à leur usage personnel.

Sous des porches peu éclairés, des portiers claquaient les mains comme on le faisait pour attirer l'attention des dieux dans les sanctuaires et appelaient les passants à venir redécouvrir leur jeunesse à l'intérieur. La mode était aux maquillages très poussés et aux vêtements européens dernier cri et on s'affichait dans des lieux fatidiques baptisés le Romarin, Le Soleil Levant, Chez Hama – ou le Pub Cardinal.

Ludlow avait cinq minutes d'avance quand il atteignit le cœur du quartier, au carrefour Roppongi. Les trottoirs étaient encombrés de vendeurs à la sauvette, offrant des bijoux de pacotille, des serre-têtes de mauvaise qualité ou encore, attrapant les passants par le bras pour leur proposer des « produits de consommation » plus réalistes ; Ludlow s'arrêta au bout du trottoir en attendant que le feu passe au vert.

C'était un homme solidement bâti pour son âge. Il avait trente-huit ans même si son passeport lui en donnait quarante, mais il paraissait plus âgé. Trop de temps passé sous le soleil d'Asie avait foncé sa peau, et ses cheveux noirs bouclés avaient pris la teinte grisâtre d'une peau d'astrakan pelée. A Washington, son dossier le classait comme homme de terrain, à un grade dans la hiérarchie assez bas pour son âge, parce qu'il avait refusé un contrat à long terme que lui avait proposé le très secret directeur aux plans. Du moins est-ce ainsi qu'il raisonnait depuis l'affaire de Colombo. Quand il avait un peu bu, il trouvait la chose plausible.

Étant donné qu'il s'était mis à dos la plupart des carriéristes du Plan auxquels il avait eu affaire, la seule sécurité qu'il avait dans son travail était due au fait que techniquement il excellait à sa tâche. Dans le jargon des services, il était un « serrurier ». Au sein du cercle le plus secret de Langley [1], Ludlow – malgré tous ses défauts – était considéré comme un des meilleurs de son espèce sur le terrain asiatique.

Pas une arme qu'il ne puisse utiliser et démonter même avec un bandeau sur les yeux – qu'elle vienne de l'Est ou de l'Ouest –, pas un système de sécurité d'ordinateur existant qu'il n'arrive à décrypter si on lui en donnait le temps. Il appartenait à ces agents qu'un service de renseignements aime garder dans son équipe pour le cas rare où l'enjeu est totalement hors de proportion avec les risques encourus ou la rémunération octroyée.

---

1. Siège de la C.I.A. (*N.d.T.*)

Graves n'arrivait pas et la librairie, suivant le style japonais, était un endroit très exposé : pas de portes – rien que des présentoirs couverts de livres et de magazines. Ludlow se sentait de plus en plus inquiet au fur et à mesure que les minutes s'écoulaient. Il ne pouvait pas rester là éternellement. Une foule de gens qui lisaient sans acheter se pressait dans les rangées consacrées aux bandes dessinées pour adultes et à la pornographie. Les Japonais appelaient ça *bunkos* – du « rata » imprimé. Les seules voitures qui ralentissaient étaient des taxis en quête de clients.

Ludlow prit un magazine sur un présentoir et fit semblant de lire. Des bandes dessinées porno pour adultes. Ces magazines battaient tous les records de vente du siècle, avouaient les Japonais... Les personnages étaient si astucieusement représentés qu'ils n'avaient l'air ni caucasiens ni asiatiques. Toutes les filles étaient des créatures de rêve, avec des seins développés et de longues jambes. Sur une page ne figurait qu'une grande coquille. Les censeurs japonais ne permettaient pas encore que l'art soit explicite. La conque symbolisait la féminité. Et pourtant on permettait aux chaînes privées de télévision de montrer des femmes nues de dos au cours des spots publicitaires de « Golden Time » et de face sur les canaux érotiques après 11 heures du soir. Tout cela lui avait été expliqué, tard dans la nuit, au Bar du Camelia à Okura, par un type de la section du protocole qui se proclamait expert en la matière.

L'importance démesurée et frénétique donnée au sexe n'était qu'une façon d'ouvrir une soupape de sûreté, puisqu'ils étaient par ailleurs coincés au sein d'un environnement fortement structuré imposant à leur vie un conformisme monotone et un avenir organisé d'avance. La plupart des maris japonais étaient infidèles. Tout le monde s'y attendait.

Le sexe comportait un risque et symbolisait l'évasion.

Une Nissan éblouissante de blancheur s'arrêta au bord du trottoir – portière avant déjà ouverte. Ludlow se glissa à l'intérieur et la voiture put repartir juste avant le changement des feux. Tout cela en moins de dix secondes. Le conducteur tourna à droite, prit la descente menant à Kasumicho, changea de vitesse et vérifia soigneusement ses arrières dans le rétroviseur. Le silence régna un moment entre les deux hommes.

– Vous pourriez peut-être vous procurer une voiture moins repérable...

– Oui. Désolé d'être en retard. Le camp opposé a gonflé ses équipes japonaises. Ils ont beaucoup plus de gens dans la rue aujourd'hui que de votre temps.

Au lieu de dire à Graves d'aller se faire voir ailleurs, Ludlow alluma une cigarette. Graves avait une façon de s'exprimer qui faisait sonner chacune de ses paroles comme une insulte.

– Je ne suis pas un spécialiste de la rue, dit Ludlow. Je n'ai jamais prétendu l'être.

Graves, impassible, poursuivait sa route, arborant une attitude préoccupée, supérieure. Son visage mince ressemblait à une tête d'épervier et avait cet air réellement méfiant que prennent les honnêtes gens obligés d'évoluer parmi les truands. Ludlow observa rapidement ses vêtements : le costume sombre, la cravate classique, les bretelles et le bracelet-montre typiques des écoles chic. D'après les rumeurs de Hong Kong, il était question d'un réseau soviétique infiltré en Asie. Si ce type était représentatif du niveau de ceux qui tenaient la barre, ce n'était pas gagné! Ludlow toussa et tira une bouffée de sa cigarette en guise de consolation.

Ils tournèrent à gauche à Kasumicho, puis encore à gauche pour rejoindre la route qui traversait Aoyama Bochi où les pierres tombales se cachaient à l'ombre des cerisiers. Il n'y avait plus guère de circulation maintenant. Personne ne les suivait. Graves conduisait prudemment, en deçà des cinquante kilomètres à l'heure autorisés, et s'arrêtait à tous les stops. Ludlow commençait à se sentir mal à l'aise. A Ayomadori, la voiture tourna pour prendre une large avenue et reprit de la vitesse.

– Vous parlez japonais?

Graves pratiquait la manœuvre habituelle dans le service : faire des sondages pour découvrir quelque chose qui aurait échappé au dossier.

– Votre fiche dit que vous avez passé deux ans ici récemment, sous couvert, du département d'État.

Ludlow répondit avec un sourire candide :

– Pourquoi diable aurais-je envie de parler japonais?

Il savait depuis longtemps que la facilité avec laquelle il apprenait les langues était une arme qu'il valait mieux garder secrète.

Graves hocha la tête comme s'il avait espéré un meilleur départ à leurs relations.

– Écoutez, siffla-t-il soudain, ce n'est pas moi qui vous ai choisi. L'idée vient de Washington. Et pour être tout à fait honnête, la dernière chose dont j'ai besoin actuellement, c'est de tomber sur un laissé-pour-compte des Services de renseignements militaires, avec des réussites douteuses dans la section d'Asie centrale, des points d'interrogation à la mention « stabilité » dans son dossier, et par-dessus le marché une blessure récente pour me compliquer l'existence. Compris?

Le rire de Ludlow lui remonta du fond de la poitrine. Des rides de joie se plissèrent autour de ses yeux au regard féroce. Ses lèvres serrées se détendirent pour un sourire. Le bout de son nez tordu s'agita. Il sortit un vieux mouchoir à carreaux et se moucha bruyamment, ce qui lui permit de reprendre son contrôle. Il renifla et dit :

– Merde, Graves, vous êtes vraiment un type adorable.

Graves s'accrocha si fort au volant que ses jointures blanchirent.

– Je ne fais que vous dire ce qu'il y dans votre dossier. Ça n'a rien de personnel.

Ludlow changea de position sur son siège comme pour examiner de plus près son chef de d'opérations.

– Je me soucie fort peu de ce qu'il y a sur ma fiche, dit-il doucement, ses yeux brillant d'une soudaine énergie. A dire vrai, je ne vous aime pas beaucoup non plus, monsieur Graves. Bon, est-ce que nous allons faire ce que nous avons à faire ? Si ce n'est pas le cas, faites faire demi-tour à cette foutue bagnole...

Une veine se gonfla tout à coup sur le front de Graves, et se mit à battre au rythme de son cœur.

– Est-ce que vous connaissiez Kathy Johnson ? demanda-t-il.

– Non.

Les épaules massives de Ludlow se décontractèrent.

– Elle avait les yeux verts. Ce n'était pas une beauté, mais elle avait de l'allure. Elle travaillait pour E-Soixante.

Ludlow acquiesca d'un geste bref.

– Elle a pris trois balles cet après-midi, en pleine rue d'un quartier animé de Tokyo. Un con de policier japonais qui a vu toute la scène a laissé filer ce salaud.

Ludlow grogna mais ne dit rien. L'équipe Soixante travaillait avec Exodus – un réseau d'opérations scientifiques et technologiques dépendant directement de Washington. Il assurait principalement la protection de la technologie de pointe du monde libre. D'après ce qu'il en savait, Exodus ne réussissait pas trop bien en Asie. Et sûrement pas assez pour justifier une extrême inquiétude de la part de la section opérationnelle du K.G.B. Ça ne concordait pas. Les agents de « Soixante » étaient surtout des débutants et des femmes. A moins que Graves ne lui ait menti à propos de la mission de la jeune femme morte, ce qui était fort probable. Ou bien c'était ça, ou alors ce n'était pas le fait des Soviétiques. La voix nasillarde de Graves interrompit le raisonnement de Ludlow :

– Elle travaillait pour la Compagnie japonaise d'électronique.

De la technologie de pointe naturellement, des ordinateurs tout nouveaux.

Ludlow continuait à contempler la route.

— Donc vous pensez qu'elle se livrait à un contrôle pré-opérationnel quand elle a été éliminée?

Graves eut l'air très étonné et Ludlow se demanda s'il n'avait pas sous-estimé son chef d'opérations.

— Comment avez-vous deviné ça? demanda Graves d'un ton neutre.

Ludlow sourit.

— Et pourquoi aurait-on besoin de moi, si ce n'est pour récupérer un élément essentiel d'un laboratoire japonais?

Ils arrivaient à Yasukuni-dori, près des douves extérieures, et dépassèrent la gare d'Ichigaya. La voiture s'arrêta devant un grand porche verrouillé. Une sentinelle casquée sortit de l'ombre. On aurait dit un parachutiste allemand de la Deuxième Guerre mondiale, sauf qu'il était japonais. Ludlow aperçut un autre soldat japonais portant un M16.A2 américain tout neuf agrémenté d'une baïonnette. Une arme à tir groupé très efficace, se souvint Ludlow, qui l'avait testée pour des hommes de la tribu Chapa à l'armurerie du bazar de Darrah. Ils en avaient acheté toute une caisse bien qu'il leur ait déjà expliqué qu'on ne pouvait pas arroser avec le tir groupé, le recul étant bien trop violent.

Graves prononça un mot, « Snow », et exhiba un laissez-passer. Le soldat le prit et le porta jusqu'à un poste de garde entouré de sacs de sable, puis il pénétra à l'intérieur du bâtiment. Une lumière s'alluma et Ludlow entendit la sonnerie d'un téléphone. La lourde porte commença à s'ouvrir automatiquement avant même que le garde n'ait reparu. Tandis que le soldat rendait son laissez-passer à Graves, Ludlow put apercevoir brièvement du rouge et du bleu sur une épaulette : les couleurs du régiment affecté au quartier général des Forces de défense.

Ils prirent alors une route sinueuse, bordée de cèdres épineux, dominés par une immense antenne rouge et noir lumineuse qui culminait et allait se perdre mystérieusement dans le ciel nocturne. Située à trente mètres de hauteur, une salle de contrôle illuminée faisait penser à un restaurant ouvert la nuit. Sans rien demander, Ludlow sut qu'ils se trouvaient à l'intérieur du terrain très secret des Forces de défense, le centre nerveux des opérations assurant la sécurité des îles japonaises. Le bâtiment avait abrité précédemment le quartier général des forces de l'O.N.U en Extrême-Orient, et au temps de la Deuxième Guerre mondiale avait servi de centre de commandement à l'armée impériale japonaise.

Ils s'arrêtèrent dans un parking réservé aux visiteurs et pratiquement désert. Graves se tourna vers lui :

– Vous allez devoir patienter pendant un certain temps – on a changé votre mission. Washington a décidé de vous confier l'enquête sur la mort de Kathy Johnson.

Il tira violemment sur le frein à main en guise de ponctuation, mais peut-être aussi pour une autre raison...

– En ce qui me concerne, je pense que ce devrait être le problème du réseau « Sciences et Technologie ».

Il sortit de la voiture, et sans attendre Ludlow, se mit à marcher à grands pas le long d'un chemin menant à un bâtiment à un étage où brillaient des lumières.

Ludlow jura à voix basse et ouvrit lentement la portière de la voiture. Il n'était pas détective! Il suivit Graves le long du chemin et, tout en marchant, se demanda à quoi cela rimait réellement. Il avait entendu parler d'une lutte acharnée entre la Direction aux plans et « Sciences et Technologie ». Est-ce que sa mission d'enquêteur sur la mort de la jeune femme avait un rapport avec ça? Si vraiment, comme Graves le lui avait dit, Kathy Johnson travaillait pour « Sciences et Technologie », alors, c'était leur affaire.

La Direction aux plans était l'instance suprême et secrète : aucune autre section n'avait le droit de braconner sur son domaine réservé : les opérations. La Direction aux plans s'occupait de toutes les actions où des « risques », selon la définition de l'Agence, devaient être pris. L'une des catégories ainsi définies concernait les opérations de « récupération ». « Récupération » était le terme poli, à la mode, pour désigner la façon de se procurer des renseignements sur la technologie et de « s'approprier » les prototypes élaborés par des concurrents amis ou ennemis. Roger Harrington, le directeur de « Sciences et Technologie », passait commande, et les « Plans » procédaient à la récupération. Cependant, Ludlow avait entendu dire qu'Harrington souhaitait avoir sa propre équipe de « récupération ». Harrington essayait d'usurper le rôle de la Direction aux plans dans la lutte pour le pouvoir qui se déroulait au sein de la C.I.A. Kathy Johnson aurait très bien pu être un des pions utilisés par Harrington pour jouer sa partie.

Bon nombre d'anciens étaient jaloux de la montée spectaculaire d'Harrington dans la hiérarchie de la C.I.A. L'équipe dirigeante de « Sciences et Technologie » était devenue l'enfant chéri de ceux qui comprenaient l'importance de posséder la suprématie dans le domaine de la technologie de pointe, qui assurerait la croissance économique et le pouvoir dans l'avenir. « Sciences et Technologie » était désormais le rival de la Direction aux plans, traditionnellement toute-puissante dans la hiérarchie de la C.I.A. Ludlow jugeait positive cette forme de rivalité parce qu'elle redonnait de l'énergie aux échelons inférieurs et obligerait la direction à changer d'attitude. Cela flanquait aussi une frousse de tous les diables aux conservateurs de l'Agence, car ils ne pouvaient accepter l'idée qu'un jour, peut-être, la C.I.A. puisse tomber sous la coupe des scientifiques. Ludlow se demanda une nouvelle fois si sa mission d'enquête sur la mort de la jeune femme était liée à ce problème, d'une manière ou d'une autre, si cela faisait partie de la stratégie du « Plan » pour empêcher la section « Sciences et Technologie » de poursuivre sa course vers le pouvoir ?

Il arriva devant le bâtiment où Graves l'attendait avec impatience. Le chef des opérations indiqua l'entrée d'un geste de la tête...

– C'est ici que résident les Services de renseignements japonais. Son rire cynique troua le silence. Des ennuques – MacArthur leur a coupé les couilles. La plupart des salauds invétérés de la Kampeteï ont été fusillés après la guerre. Les Japonais sont restés sans défense face aux organisations clandestines ennemies... soviétiques, chinoises, nord-coréennes. MacArthur, voyez-vous, dans sa grande sagesse, a interdit aux Japonais d'instituer leur propre agence de sécurité. Il faudrait une décision de la Diète pour changer les lois du pays et jusqu'à maintenant, les communistes ont toujours réussi à s'y opposer, parce qu'il n'existe aucun soutien populaire. Nous leur avons suggéré qu'avec quelques huiles de la police ils créent leur propre organisation, étant bien entendu que nous assurerions le soutien logistique des opérations et leur protection contre les agents étrangers. Ça n'a pas trop bien fonctionné ces dernières années. Techniquement parlant, ils sont libres d'agir à leur guise.

Ludlow acquiesça. Ce que disait Graves était bien connu. Le Japon avait toujours manqué d'un service de contre-espionnage efficace.

– Par conséquent, les Services de renseignements japonais ont toujours les mêmes problèmes ?

– Exact ! approuva Graves, l'air solennel. Les Soviétiques ont ici une centaine d'agents qui font n'importe quoi. Ils volent tout ce que les Japonais inventent, et ça passe clandestinement à l'extérieur avant même d'être en vente dans les magasins. Le résident local du K.G.B. a été décoré de toutes les médailles possibles et imaginables. Graves poussa la porte. Par-dessus le marché, il n'existe même pas de loi valable contre l'espionnage dans ce foutu pays.

Graves entra, suivi de Ludlow. « Snow est furieux, donc vous me laissez parler, d'accord ? » Une sentinelle salua et les précéda en silence le long d'un hall rutilant de propreté. L'armée est la même partout, se dit Ludlow en regardant cette pièce impersonnelle bordée de portes mystérieuses. Chacune était agrémentée d'une étiquette de carton blanc indiquant une fonction militaire précise. Ils s'arrêtèrent devant une porte marquée clairement d'un nom et d'un grade, en japonais et en anglais : Colonel N. Yuki, directeur au groupe de recherche Renseignements et Défense.

Leur guide frappa, ouvrit la porte et s'effaça. Le cabinet de travail de Yuki ressemblait à tous les bureaux militaires qu'il avait connus. Seulement, au Japon, plus le rang de l'occupant était élevé, plus le désordre y régnait, semblait-il. Des armoires pleines de dossiers bâillaient, portes ouvertes. Le long d'un mur, un vieux coffre-fort qui ressemblait à un phoque montait la garde devant un autre coffre. Les fenêtres se cachaient derrière des rideaux d'un vert olive sinistre... Autour d'une table à thé de laque noire – qui semblait ne rien avoir à faire là – quelques chaises usagées étaient posées en désordre. Sur la table, une théière japonaise blanche, fêlée, avec une anse de bambou et ornée d'un papillon, était entourée de tasses dont on s'était déjà servi. Yuki, semblait-il, avait l'habitude de travailler tard. Le cendrier de métal était plein, et la pièce empestait le tabac bon marché et le thé vert.

L'officier de renseignement japonais était assis, jambes croisées, dans le seul fauteuil du bureau – pieds nus, mais pour le reste en uniforme. Sur le parquet, une paire de *geta* [1] attendait qu'on les enfile. Il n'essaya même pas de se lever.

– Bonsoir, messieurs.

Quelque chose qui aurait pu être un sourire tordit la bouche du colonel Yuki. Il salua Ludlow d'un geste de la tête. Il était le plus vieux des deux et au Japon, l'âge est le signe d'un rang supérieur. Graves se hâta de corriger l'erreur.

– Ravi de vous revoir, colonel. Voici Brown, mon assistant.

Yuki referma bruyamment un dossier qu'il était en train de lire, et le déposa soigneusement sur le parquet à côté de lui. Il les fixa de ses yeux perçants puis leur fit signe de s'asseoir. Il y eut un bref moment de silence pendant lequel chacun étudiait l'autre. Le colonel tira le premier...

---

1. Socques. *(N.d.T.)*

– Vous auriez pu au moins me prévenir.

Il parlait d'une voix douce, mais vibrante, avec une sorte de sifflement profond ponctué d'un mouvement de sa tête rasée en
direction de Graves. On aurait dit un cobra mettant à l'épreuve
les nerfs de son adversaire. Ludlow commençait à se délecter.
Graves plissait les lèvres en réfléchissant aux diverses réponses
possibles ; Yuki ne lui laissa pas le temps de retrouver ses esprits.

– Est-ce de lui qu'il s'agit ? demanda-t-il en désignant Ludlow
d'un geste de la tête.

– Oui, monsieur, M. Brown va s'en occuper désormais.

Ludlow ne savait s'il devait rire ou protester. Il décida de se
taire.

– Vous m'avez fait perdre la face devant mes supérieurs.
Veuillez comprendre ma situation, je vous prie.

– Seigneur ! colonel, nous ne sommes pas non plus exactement
ravis qu'elle se soit fait descendre. Personne ne s'attendait à ça.
Vous savez bien qu'elle n'était qu'un membre d'Exodus Soixante.
Elle travaillait pour les gens de « Sciences et Technologie » et je
n'ai rien à voir avec eux.

– Quel était exactement son rôle, monsieur Graves ?

– Elle surveillait l'expédition d'équipements de pointe par les
compagnies japonaises à certains acheteurs du Moyen-Orient ou
de Hong Kong. Nous savons bien l'un et l'autre que le K.G.B. a un
réseau spécialisé dans les matériels japonais et qu'il est très actif.

A ce stade, les trois hommes laissèrent le silence s'établir, pour
des raisons diverses. Graves commit sa première erreur.

– Vous n'avez pas, au Japon, de lois spécifiques applicables à
l'espionnage industriel, ce qui pose problème à mes supérieurs de
Washington. Le résident du K.G.B...

Le colonel avait fermé les yeux en plissant les paupières,
comme s'il souffrait beaucoup. Son visage s'empourpra. Il interrompit Graves d'une voix lourde de menaces, sans même ouvrir
les yeux.

– La jeune femme est morte. Nous en sommes tous désolés.
Mais cela n'excuse pas le fait que vous ayez délibérément
implanté cette personne au sein du groupe de recherche d'une
firme japonaise d'électronique pour des motifs que, naturellement, vous ne me révélerez pas.

Ce n'était pas une question, mais plutôt une provocation de la
part du Japonais. Graves décida sagement de ne pas se mouiller
dans un affaire pareille.

Le colonel ouvrit lentement les yeux, et, du regard, défia
Graves de lui répondre. Puis il reprit, en se tournant vers Ludlow,
apparemment moins compromis :

— J'ai conseillé à la police japonaise de coopérer avec vous sur tous les plans.

Ludlow sourit pour faire bien dans le tableau.

Le colonel consulta Graves du regard, comme pour s'assurer qu'ils s'étaient bien compris :

— M. Brown est donc responsable de l'enquête?

Graves abaissa la tête en signe d'accord, mais on eût dit qu'il tentait d'éviter une gifle.

— En retour, continua Yuki, il n'y aura aucune publicité... disons, gênante. L'affaire ne sera pas livrée aux media dans toute la mesure du possible. Et il est bien entendu que nous serons mis au courant de toutes les informations que M. Brown découvrira? D'accord? Les tribunaux d'ici font tout ce que nous leur demandons, vous le savez bien.

— Nous partagerons tout, acquiesça Graves, ne relevant pas l'ironie, et soulagé d'en arriver au dernier tournant avant de retourner au bercail.

— Qui sera mon contact? demanda Ludlow.

Il avait décidé que le moment était mal choisi pour rappeler à Yuki que le Japon ne savait toujours pas qu'il existait des tribunaux fonctionnant avec un jury. Parmi les pays développés, le Japon atteignait un record fabuleux de condamnations de gens innocents. Ils tenaient donc également le record mondial des crimes résolus.

Le colonel hésita un instant. Ludlow crut voir dans ses yeux comme une très brève perte du contrôle de son regard. S'il n'avait pas été sûr du contraire, Ludlow aurait parlé d'une lueur de haine.

— L'inspecteur Mori. Je vais vous donner son numéro de téléphone si vous voulez bien attendre un instant. Pendant ce temps-là, vous aimeriez sans doute lire le rapport du médecin légiste.

Yuki se leva de sa chaise avec une agilité surprenante, et enfila ses *geta* du même mouvement. Il tendit à Graves deux copies-carbone faites sur un papier jaune taché et à peine lisibles. Graves en passa une à Ludlow satisfait de constater qu'au moins la hiérarchie était respectée. Il lut :

« Sexe féminin. Caucasienne. Cheveux blonds. Teinte naturelle : châtain. Taille 1,70 m. Age : 24 ans. Heure de la mort : 18 h 12. Causes de la mort : blessures par balles, trois en tout. Premier tir X : provenant d'une distance de cinquante centimètres, à l'horizontale, a atteint l'abdomen, déchirant l'appendice, le gros intestin et allant se loger dans la cavité pelvique. Tir Y : dirigé vers le haut à 76 degrés, traversant la mâchoire pour atteindre le cerveau et l'endommageant considérablement – cause essentielle de la mort. Tir Z : dirigé vers le haut, en direction de la poitrine, a touché la troisième côte gauche, et pénétré dans le poumon. L'analyse balistique préliminaire indique qu'on a utilisé des balles creuses, calibre 45. Provenance : Amérique du Nord. Manufacture A. du N. »

Le rapport était daté et signé : « Y. Komatsu – 9 octobre 1987. »

Yuki revint et tendit à Graves une carte de visite cornée portant le nom et l'adresse de l'officier de police.

– L'inspecteur Mori sera, demain après-midi, à la disposition de M. Brown pour lui montrer le dernier rapport en date du médecin légiste. Yuki se tut un instant. Je vous ai demandé de venir ce soir également pour une autre raison.

Il revint à sa chaise et, une fois assis, reprit le dossier qu'il avait posé par terre et se mit à le feuilleter d'un air pensif.

– Il y a là-dedans une analyse de l'Agence de défense recommandant une reconsidération de toutes les organismes de renseignements U.S. sur le sol japonais, reprit-il en tapotant d'un doigt sur le dossier. Cela s'applique, monsieur Graves, à tous les réseaux de la C.I.A. qui s'occupent d'électronique, sans exception – les équipes d'analystes et les hommes de terrain de votre ambassade, de Yokota, de Tokorozawa... et à ce réseau ultra-secret de Misawa qui s'occupe des Russes. Toute cette saloperie de votre Agence nationale de sécurité.

Graves voulut protester.

– Allons, monsieur Graves. C'est notre affaire de savoir ce qui se passe dans notre propre pays. Vous nous sous-estimez.

– Est-ce qu'il y a un rapport avec la mort de la jeune femme?

– Bien sûr que non, monsieur Graves. Il s'agit simplement d'un problème qui revient périodiquement. Il est plutôt ennuyeux qu'il resurgisse actuellement. Qu'en pensez-vous?

Le visage aquilin de Graves sembla se contracter dans la lumière crue.

– Colonel, notre équipe de sécurité est ici pour protéger votre gouvernement et vos firmes de technologie avancée des entreprises de nos ennemis communs. Ces propositions aboutiraient à retirer un bouclier vital.

– Tout à fait exact. Yuki fit claquer sa langue avec un air de commisération. Je ne peux que partager votre opinion.

– Par exemple, reprit Graves avec sérieux, nous venons de

découvrir une source d'appropriation à Hakodate. Ce pourrait bien être un réseau soviétique qui se sert de la flotte marchande du Nord pour effectuer le transit.

— Les réussites brillantes de la C.I.A. ne cessent de nous stupéfier, complimenta le colonel Yuki, en secouant la tête d'un air admiratif. Sans votre assistance, les Soviétiques pilleraient sans aucun doute tous nos secrets technologiques... Il faut que nous nous voyions pour trouver une solution. Mais pas ce soir j'en ai peur. Il est beaucoup trop tard et je crois que notre rencontre serait plus fructueuse si nous n'étions que tous les deux.

Le colonel gratifia Ludlow d'un large sourire pour bien souligner que cela n'était pas dirigé contre lui, puis il se leva.

Graves se leva à son tour et fit signe à Ludlow d'en faire autant.

— Merci de nous avoir reçus à une heure aussi tardive.

— Tout le plaisir a été pour moi, dit Yuki avec l'accent de la sincérité.

En retournant vers la voiture, Graves proclama avec enthousiasme que ça avait vraiment été une bonne réunion, un échange de vues très franc. Ludlow n'était-il pas de cet avis ? Arrivés à la voiture, Graves ouvrit le coffre et prit à l'intérieur un sac d'outils qu'il tendit à Ludlow.

— Vous allez fouiller l'appartement de Kathy cette nuit, Bob, si ça ne vous ennuie pas. Je vais vous déposer puisque c'est sur ma route.

Graves fit le tour de la voiture et s'installa sur le siège du conducteur. Ludlow hocha la tête. Les traits de son visage buriné se crispèrent tandis qu'il soulevait le sac d'outils, et tandis qu'il réfléchissait à ce nouveau problème ses yeux se rétrécirent pour ne plus montrer que deux fentes. Il ouvrit sa portière et se glissa sur l'autre siège.

— Et si vous m'expliquiez à quoi rime toute cette merde ?

Graves inséra la clef de contact et démarra. La tête penchée, il écoutait le bruit du moteur.

— Elle appartenait à E-Soixante, donc elle a caché son code quelque part dans sa chambre. Vous avez entendu ce qu'a dit notre bonhomme. Vous allez fouiller sa piaule de A à Z, vérifier s'il n'y a rien d'autre qui puisse l'incriminer : des outils d'espionnage, des pages de livres avec des traces de carbone... vous savez ce qu'il faut chercher. Si Harrington, là-bas, à « Sciences et Technologie », est en train de nous jouer des tours, je vais lui faire sa fête.

Il fit pivoter la voiture de sport et prit le chemin de graviers.

— Encore une chose, Ludlow : ici, ce n'est pas l'Asie centrale.

Achetez-vous donc des vêtements. Faites-vous donner de l'argent par la section dépense, si c'est un problème. Je veillerai à ce que ce soit entériné. Vous savez à quel point les Japonais tiennent aux apparences. Vous avez l'air d'un type prêt à attaquer une bijouterie.

Pendant tout le trajet vers Azabu Juban, Ludlow ne dit pas grand-chose. Il se demandait pourquoi il finissait toujours par travailler pour des gens qu'il n'aimait pas et à des missions auxquelles il ne comprenait rien.

4

Jour de l'or, 20 heures

Le bureau du ministre de la Justice se trouvait dans un vieux bâtiment qui abritait également l'Agence de la police nationale. Il était aussi – ce qui facilitait les choses – tout proche du quartier général de la D.P.M. [1], de la Diète et du ministère des Affaires étrangères.

Le directeur général de la police fut introduit dans la pièce où le ministre recevait les visiteurs – un salon, révélant d'entrée le rang élevé qu'il occupait au sein de l'élite du pouvoir au Japon, et dont le mobilier français d'époque était presque confortable. On y voyait aussi deux statues de samouraï en bois magnifiquement sculpté, datant de la période Hei, et dont le temps avait patiné les bruns et les acajous. Accrochée à un mur se trouvait une calligraphie sans prix, exécutée par le général Hideyoshi lui-même et remontant à l'époque où il dirigeait à la fois le Japon et la Corée. Le ministre de la Justice avait foi en l'Histoire et considérait la situation actuelle du Japon comme aberrante et transitoire.

Le ministre fit irruption dans la pièce au pas de charge.

– Voulez-vous boire quelque chose?

Il avait une voix forte, presque claironnante. Il se précipita vers une armoire bien astiquée, contenant – le directeur de la police le savait – un remarquable assortiment de toutes sortes de sakés et de whiskies.

Le directeur secoua négativement la tête. Il souhaitait raccourcir la rencontre et non la prolonger. Moins on se compromet, moins il y a de risques – c'est ainsi qu'il raisonnait.

Le ministre de la Justice s'arrêta en plein élan, accepta le refus,

---

1. D.P.M. = Direction de la police métropolitaine. *(N.d.T.)*

changea brusquement de direction et arriva comme une bombe sur une chaise fragile où il s'assit. Il était plutôt obèse pour un Japonais, et se comportait avec une bonne humeur et une façon directe d'aborder les choses à laquelle il ne fallait surtout pas se fier.

– Bon, dans ce cas, allons droit au but.

Le ministre s'installa sur sa chaise comme un ours s'installe au bord d'une rivière pour guetter le poisson. Il regarda le chef de la police droit dans les yeux, une technique qu'il avait mise au point du temps où il siégeait à la Diète, et qui rendait crédible – tout à fait à tort – l'idée qu'il était un homme parfaitement honnête.

– La jeune femme sous surveillance est morte à 18 heures et trois minutes, monsieur. L'ambassade a été prévenue.

Le ministre fit claquer sa langue.

– On lui a tiré dessus en plein cœur de Ginza ? Je me demande où nous allons, dans cette ville ?

– La D.P.M. en accepte toute la responsabilité, dit le chef de la police d'une voix un peu trop haut perchée.

– Ridicule ! Je n'accuse pas la D.P.M. De toute façon ce n'était pas de leur ressort... dès le début.

– Peut-être bien, monsieur.

– Parlons franc... Le ministre s'agita, chercha un cigare, le trouva, l'alluma et exhala avec volupté un grand nuage de fumée. Puis il pointa son cigare en direction du chef de la police. Yuki, à la Défense, ne monte que des opérations médiocres. Et comprenez bien que c'est un jugement optimiste de ma part. Ça n'est pas vraiment sa faute : il n'est pas très malin, et il manque de personnel... et depuis le désastre de la « MicroDec », il passe son temps à fourrer son nez dans mes affaires.

– Le rôle de Yuki dans cette opération sera très limité.

– Voilà ce que je souhaitais entendre.

– Il a accepté la mission secondaire de contacter l'ambassade soviétique et de passer au crible tout leur personnel.

– Parfait. Ce sont les Américains qui nous intéressent, cher directeur. Ne l'oublions pas. La mort de cette jeune femme ne change rien à l'affaire. A vous de découvrir toute la vérité en ce qui la concerne.

– Nous avons commencé une enquête menée par l'inspecteur Mori – celui dont je vous ai parlé au téléphone. Il assurera la liaison avec les Américains.

– Est-ce qu'il a un lien avec la famille du général.

– C'est son fils, monsieur. Il est notre homme des bois... On raconte qu'étant enfant, il a bu les cendres de son père au cours d'un de ces rites claniques primitifs. Le directeur fit une pause pour s'assurer que ce qu'il venait de dire n'avait pas indûment perturbé le ministre... Il existe deux Mori : celui qui vit dans le passé et respecte l'ancien culte de ses ancêtres samouraï, dont le serment de vengeance fait à la mémoire de son père. L'autre Mori vit dans le présent comme si l'autre moitié n'existait pas. Cela n'est pas rare chez ceux dont les années de formation ont été interrompues par la guerre. Ce qui existait avant, et ce qui s'est passé après... c'est comme le jour et la nuit.

— Très bien. Il me paraît être l'homme idéal pour s'occuper des Américains. J'imagine, monsieur le directeur, qu'on ne le mettra pas au courant de tout?

— Seulement de ce qu'il faut qu'il sache, monsieur.

— Qu'avez-vous comme preuves contre la femme, à ce stade? Le ministre s'installa plus confortablement sur son siège.

— Une filière de retour vers l'Amérique, et un revolver.

— Excellent. Vous vous rendez compte de ce que cela signifie pour nous?

— Certainement, monsieur.

Le chef de la police acquiesça vigoureusement d'un geste de la tête.

— Le pouvoir global ne se mesure plus en termes militaires.

— Je n'en ai jamais douté, monsieur.

— Le pouvoir économique... c'est ça la clef de tout. Même les Soviétiques se rendent compte que tout a changé. Et il n'existe qu'un moyen d'atteindre au pouvoir économique, c'est évident.

— Le savoir-faire technologique, oui monsieur. Mais encore faut-il pouvoir le protéger. Là est le problème.

— Vous avez absolument raison. Il est vital que nous ayons une agence de sécurité forte et légale – plus efficace que le Tokko d'avant guerre. Le public ne le comprend pas. Il faut donc provoquer un choc pour le faire sortir de son apathie. Il faut qu'il nous soutienne.

— Un scandale où les Américains seraient impliqués y réussirait, monsieur. Une fleur tombée ne retourne jamais sur sa branche.

Le ministre de la Justice agita son cigare.

— Il nous faut un scandale colossal – un scandale qui poussera le peuple à exiger de la Diète qu'elle lui donne un agence de sécurité efficace. Malgré les communistes. Alors, et seulement alors, le ministre sourit, « le Japon se réveillera de son long sommeil paisible ».

— Réarmer?

– Pourquoi diable réarmer à moins que les Américains
n'insistent? Une industrie d'armement? d'accord. Un complexe
militaro-industriel? oui. Mais ce qu'il nous faut, à mon avis, c'est
un pouvoir économique, des exportations. Imaginez des exportations de technologie de pointe à fins stratégiques, des exportations
dans le domaine aérospatial. Cela dépasserait de très loin celles
de l'électronique, des voitures, des textiles... Une énorme industrie, mon cher directeur – celle qu'on nous a empêchés de développer en raison des clauses du traité de paix de San Francisco, et
de certaines décisions statutaires de l'O.N.U. à la fin de la guerre.
Des clauses archaïques, ridicules, qu'on n'a imposées à personne
d'autre, même pas aux Allemands. Il suffit maintenant d'un catalyseur adéquat pour les précipiter dans les poubelles de l'Histoire. Des chiffons de papier à oublier.

– Et s'il s'agissait vraiment d'une espionne américaine?

– Ça devrait marcher – le ministre sourit – si nous savons présenter notre affaire à la presse de manière intelligente. Et maintenant, si nous prenions ce verre?

Le ministre se leva pesamment et se dirigea vers l'armoire à
liqueurs. Quand il eut choisi un bon cognac dans sa collection, il
en remplit deux verres – à boire sec – et en tendit un au directeur
général.

– Il y a encore un problème dont j'aimerais vous parler, cher
directeur. Le ministre de la Justice loucha vers son subordonné
comme pour se rassurer lui-même avant de poursuivre sa confes-
sion. Certains éléments de notre gouvernement sont partisans de
dénoncer le traité sur la sécurité entre le Japon et les États-Unis.
Ils pensent que le Japon ne fait pas preuve de sagesse en se défi-
nissant comme membre du bloc de l'Ouest. Ils vont très loin – je
l'admets – mais le monde est en train de changer. Ces mêmes
thèses sont défendues par un professeur de l'université de Tokyo
dans un livre récent qui est devenu un best-seller.

– La thèse du tiers monde?

– Exactement. La démocratie face au fondamentalisme. C'est
bien à cette confrontation que court le monde, non? Une période
de turbulence, qui sait?

– Le pétrole, bien entendu.

– L'attitude profondément idéologique des États-Unis est hostile au tiers monde.

– Hostile aux fondamentalistes musulmans, je suis de votre
avis. Ils nous fournissent trente pour cent de notre pétrole et cela
augmente d'année en année.

– Aussi, bien que personne ne s'attende à des transformations immédiates, un bon petit drame d'espionnage ne passerait pas inaperçu à Bagdad ou à Téhéran. Cela montrerait que nous, nous avons le cœur du bon côté. Qui plus est, les Soviétiques font allusion à un retour possible de nos îles du Nord – ce qui pourrait être le prélude de rapports économiques sur une grande échelle – et pas seulement avec la Sibérie.

– Et les U.S.A. font figure de pierre d'achoppement?

– Disons simplement qu'une brouille entre Tokyo et Washington ne consternerait nullement Moscou.

– Un scandale d'espionnage impliquant les Américains aurait donc des conséquences très importantes?

Le ministre de la Justice sourit aimablement au directeur de la police.

– Oui, je crois bien que oui. Il leva son verre, qu'il se préparait à boire d'un trait. Si nous buvions à la victoire de notre équipe nationale?

5

Jour de l'or, 20 h 45

A sa grande surprise, Mori arriva au restaurant Minagawa – spécialités d'anguilles –, dans Akasaka Mitsuke, avant 21 heures. Le restaurant était le lieu de rendez-vous des gens qui pouvaient faire passer leurs dépenses sur notes de frais. L'intérieur était décoré dans l'esprit de l'ère Meiji avec un plafond tapissé de paille de riz tressée, et des lithographies du maître de la gravure sur bois, Hokusaï.

Neuf personnes étaient assises autour de la table. L'épouse de Mori se trouvait à côté d'une femme séduisante qu'il ne connaissait pas. A son arrivée, leurs deux têtes se levèrent en même temps, comme celles de cerfs surpris au bord d'un lac par des chasseurs.

Mori salua.

– Nous avons eu une urgence. Désolé d'être en retard, expliqua-t-il.

Mitsuko roula les yeux et réussit à sourire.

– Je crois que tu ne connais pas mon amie Erika, qui est aussi à I.C.O.T.

– Non. Enchanté.

L'inconnue pencha la tête et dit son nom : « Erika Hosaka », en détournant le regard. Il était impoli de regarder un membre du sexe opposé droit dans les yeux lors d'une première rencontre. Le beau-frère de Mori, Kazuo, se leva pour le présenter aux autres convives assis à la table. Il portait un complet croisé qui avait dû coûter cher, et au petit doigt une bague ornée d'un diamant qui devait approcher d'un carat. Ce soir-là, outre sa femme Miko, Mitsuko et Erika, Kazuo avait invité l'un des directeurs d'une des plus grandes agences de publicité et sa petite amie qui était mannequin, le propriétaire d'une chaîne de magasins en pleine expansion, qui était venu pour échapper à sa femme et passer la fin de la soirée dans un cabaret, le président d'une compagnie fabriquant des pâtes à cuisson instantanée, la deuxième de Kanto, et qui voulait discuter de prix de vente, et le fils aîné du propriétaire de la plus grande chaîne de supermarchés de tout le nord du Japon, remplaçant son père qui n'avait pu venir. Kazuo, lui, travaillait pour la plus grande compagnie de distribution de produits alimentaires de Kanda.

Le nombre des convives se monta à dix, une fois Mori installé sur un *zabuton*, un coussin posé par terre, parmi les autres, autour de la table chinoise en pin laqué de noir. Le parquet était recouvert d'un tatami de paille agglomérée, et l'alcôve elle-même se trouvait surélevée par rapport au niveau de la salle principale du restaurant. Les rapports privilégiés de Kazuo avec le propriétaire du Minagawa lui avaient permis d'obtenir l'usage de cet endroit très recherché. On enlevait ses chaussures à l'entrée de la petite pièce où elles restaient disposées sur un rang. Les murs étaient recouverts d'un enduit de sable et creusés çà et là de niches où l'on avait accroché des assiettes d'Imari bleu et blanc, de grande valeur. L'alcôve se fermait par des portes de papier – des *shogi*–, mais on les avaient laissées ouvertes pour qu'ils puissent voir les autres dîneurs, et en être vus. L'effet obtenu impliquait à la fois l'intimité et l'absence d'isolement.

Assis près de son beau-frère à un bout de la table, Mori écoutait les conversations : elles portaient parfois sur un sujet d'actualité, le dernier scandale qui s'était produit à la Diète, par exemple, qui souleva des vagues d'opinions diverses, submergeant la table tout entière. Parfois, aussi, les hommes se rapprochaient pour des conversations à deux et discutaient de sujets plus personnels : les prix, les remises, le lancement d'un nouveau produit, leur handicap au golf, le prix de plus en plus élevé de la publicité à la télévision... Les femmes meublaient le vide par des flatteries concernant leur élégance réciproque, des protestations de leur incapacité à bien tenir leur maison, des allusions aux restaurants chics qu'elles avaient fréquentés, et le récent mouvement des droits de la femme qu'Erika s'obstinait à mettre sur le tapis.

Mori finit de boire sa bière et Kazuo lui remplit de nouveau son verre. Kazuo était de quelques années plus jeune que Mori, mais il avait remporté des succès remarquables au cours des conflits qui avaient secoué le marché.

– Très occupé en ce moment ? demanda-t-il en remplissant son propre verre.

Mori haussa les épaules.

– Le calme plat. On se croirait au cimetière d'Aoyama Bochi.

– Alors, si tu prenais une semaine de congé? Je vais à Taiwan mardi. Je peux très bien te faire payer le voyage en tant que membre du personnel international.

Il envoya une bourrade dans les côtes de Mori et jeta un coup d'œil sur sa femme en pleine conversation avec Mitsuko et Erika.

– Ça me plairait bien, dit Mori tout en regardant attentivement sa femme.

Mitsuko avait un visage ovale et des pommettes saillantes qui projetaient leur ombre quand elle souriait. Elle avait des yeux noirs comme du jais et brillant d'un humour que son élégance sévère mettait en valeur. Ce soir-là, elle portait ses longs cheveux rejetés en arrière et attachés derrière la tête. Quand elle les peignait avant de se coucher, en les rejetant en avant, ils tombaient plus bas que ses petits seins en forme de poire.

Sa sœur Miko ressemblait à une copie moins séduisante qui aurait été exécutée par le même artiste. Elle était attifée selon la dernière mode d'Hanae Morie, et ses cheveux devaient leur brillant aux soins récents d'un salon de coiffure de Roppongi. La dernière du trio était de loin la mieux faite, et les regards masculins glissaient sans cesse vers elle.

Mori avait entendu plusieurs fois sa femme parler d'Erika. Elles faisaient toutes les deux partie d'une équipe qui se livrait à une concurrence effrénée avec les États-Unis et le reste du monde, et travaillait à la réalisation d'un nouveau genre d'ordinateur. Sa femme prétendait qu'il allait révolutionner le monde, mais Mori n'avait jamais très bien compris pourquoi elle faisait tant d'histoires. Il ne s'intéressait pas aux ordinateurs. Autant qu'il s'en souvenait, Erika travaillait pour I.C.O.T. depuis une époque relativement récente et s'occupait de relations publiques. Le nombre des étrangers qui s'intéressaient aux réalisations japonaises s'était accru ces derniers temps.

Un garçon vint prendre leurs commandes : de nouveau du vin pour les femmes avec leur salade d'anguilles. Le Lambrusca était très coté dans le cercle où Miko jouait au mah-jong et elle insista pour que toutes les femmes présentes y goûtent. Les hommes commandèrent des anguilles bleues avec du riz, et encore du saké et de la bière. Les anguilles furent servies avec une sauce sucrée au shoyu qui imprégnait le riz et qu'on considérait généralement comme particulièrement savoureuse.

Kazuo s'était lancé dans une discussion d'initié sur les anguilles : les variétés venues de Taiwan étaient plus grandes et avaient plus de saveur que les anguilles locales, définition, fit-il remarquer, que les hommes du Japon appliquaient aux femmes chinoises. On racontait que Tchang Kaï-chek avait emmené les plus belles femmes chinoises en quittant le territoire de la Chine. Mori écoutait patiemment les éternels arguments visant à prouver que les Chinoises avaient la peau plus douce, les jambes plus longues, des seins plus ronds et qu'elles faisaient l'amour d'une manière plus passionnée...

— J'ai une petite amie à Taiwan qui surpasse Erika, l'amie de ta femme, de cent coudées. C'est à peine si Kazuo avait baissé la voix. Elle n'est pas du tout non plus comme les femmes japonaises. Avec elle on sait exactement ce qu'on peut attendre.

— Ça doit coûter cher.

— Qui a dit que l'amour était bon marché? Nullement gêné, Kazuo reposa sur la table la bouteille de Kirin. Et tout spécialement dans les pays en voie de développement. Je vois ça du point de vue de l'Orient. Je donne ma contribution au pourcentage d'augmentation du P.N.B. sur le marché d'un pays frère. Les races jaunes doivent être solidaires.

Mori ne détestait pas son jeune beau-frère, mais il aurait préféré qu'il se taise. Peu de gens échappent à leurs ancêtres au Japon : les parents de Kazuo Takeda étaient des *botefuri* ambulants – des marchands de poulets qui avaient fini par s'installer à Tokyo.

— C'est toi, inspecteur, que je n'arrive pas à comprendre.

Kazuo secoua la tête. Ça le gênait que Mori ne soit qu'inspecteur... lui qui avait fait ses études et acquis ses diplômes à Gakshuin – l'école des classes supérieures –, lui qui y avait été admis à cause de ses ancêtres, non en raison de sa richesse ou de ses relations. Il appartenait à l'élite de Tokyo et aurait dû mieux réussir, pensait Kazuo.

— Tu te gargarises de l'idée que tu te suffis à toi-même, et tu n'apportes donc rien à la société. Tu vas me répondre que tu te comportes en vrai samouraï, que tu es l'incarnation de l'esprit de Yamato Damshi, du Japon des guerriers, que rien ne compte hormis la perfection spirituelle et physique... et que tu pisses sur le P.N.B.

— Le matérialisme ne m'intéresse pas, répondit Mori en souriant. Toi, au contraire, tu es un produit du système d'après-guerre. L'empereur n'est plus un dieu, alors on le remplace par les affaires. Aujourd'hui, n'importe quel président de société devient un dieu dans son petit monde.

— C'est possible, admit Kazuo.

— Possible, mon cul! C'est comme ça que le système fonctionne.

La firme japonaise devient la dynastie, et le président le seigneur féodal. Les gens comme toi deviennent les domestiques, les employés qui travaillent pour un maître. L'éducation insiste sur la conscience sociale du groupe, et assure la survie du système traditionnel en dépit de changements sociaux considérables. La notion de groupe contamine les actions individuelles, déforme les façons de penser, élimine toute spontanéité. Et tu t'étonnes que je refuse d'être contaminé? Tu ne comprends pas pourquoi je reste en dehors?

— Reprends donc une bière, suggéra Kazuo. On dirait que tu as eu une journée pénible.

Tout en mangeant les fruits du dessert, Kazuo demanda à Mori des nouvelles de sa mère d'un air innocent. Mori répondit poliment et comprit que leur conversation allait devenir désagréable. Il consulta sa montre et calcula qu'à cette heure sa mère participait au « Temps des questions » au club Ryojin. Elle avait sagement choisi de se rendre à une conférence sur Nobunaga, un des grands seigneurs de la guerre, à son club du troisième âge, plutôt que d'aller dîner avec la famille.

Kazuo le regarda d'un air enjoué par-dessus son verre de bière :

— Tu devrais sortir Mitsuko plus souvent. Laisse-toi un peu aller. Il paraît que tu passes ton temps dans les bars de Ginza. Épargne-lui de passer ses soirées avec la belle-mère *shutome* [1]. Elle a la même nature que toi.

— Je la sors plusieurs fois par mois. Et il se trouve qu'elle aime bien ma mère.

— Combien coûte un dîner? reprit Kazuo comme s'il n'avait pas entendu. Miko me dit qu'elle va rarement quelque part, qu'elle se plonge dans son travail. Ce n'est pas bon. Tu pourrais finir par la perdre, tu sais. Nous, on vous invite à des réceptions dans notre nouvelle maison et vous ne venez jamais. C'est mauvais. Tu devrais te faire des relations, chercher à sortir de ce carcan de la police et te mettre sérieusement à gagner vraiment de l'argent, conclut-il en jetant un coup d'œil dubitatif sur le costume de son beau-frère.

Mori alluma une cigarette. Il avait tout à coup mal à la tête. C'était sans doute dû à la fatigue. Il revoyait les cheveux blonds, teintés de rouge par une giclée de sang. Les paroles de son chef résonnaient dans sa tête : « *Si mes renseignements ne sont pas erronés, n'avez-vous pas quelquefois fait preuve d'une certaine*

---

1. La mère du mari. *(N.d.T.)*

xénophobie, d'une haine contre les étrangers ?... Franchement,
certains diront que vous auriez pu empêcher tout cela – que vous
avez laissé un meurtrier s'échapper. »

— On peut gagner beaucoup d'argent dans les produits alimentaires, expliquait son beau-frère.

— Je ne connais rien aux affaires, protesta Mori en se demandant où était la vérité... Aurait-il pu arrêter « tout cela » ?

— Cela n'a aucune importance, continuait Kazuo. Les affaires
sont un jeu ; ton travail de policier en est un aussi. Tu devrais son-
ger à en sortir.

Mori secoua la tête et tenta de sourire. De l'autre côté de la
table, Miko avait les yeux fixés sur lui. Ils ont arrangé tout ça
d'avance entre eux, pensa-t-il.

— Pense à la vie de Mitsuko, pour changer, si tu refuses de penser à la tienne. Kazuo s'appuyait un peu trop lourdement sur ses
coudes. Avec le contexte familial que tu as, tu pourrais trouver un
bien meilleur travail... voyager... Ça plairait beaucoup à Mitsuko
de parcourir le monde. Merde ! je parie que tu ne prends même
pas de vacances.

Mori regarda sa montre.

— On arrive généralement à s'arranger. L'été dernier, nous
sommes allés plusieurs fois à Kamakura... et à la montagne
ramasser des bambous pendant la saison des pluies.

Des éclats de rire provenant de l'autre côté de la table inter-
rompirent leur conversation. Le vin avait rosi les visages de Mitsuko et d'Erika, leurs lèvres étaient figées dans un sourire de politesse et leurs regards se portaient sur l'autre bout de la table, à
l'opposé de Mori et de Kazuo.

Le président des nouilles précuites se tordait d'un rire quasi
hystérique.

— Mais c'est vrai, dit Erika tout en gardant le sourire.

Quand des Japonais bien élevés ne sont pas d'accord, ils sou-
rient ou rient systématiquement.

— J'emploie des femmes, des tas de femmes, plaida le président, une fois calmé.

— Avec des contrats temporaires, j'imagine. Et si elles
deviennent enceintes, vous les renvoyez – pas de congé. Pas vrai ?

— Tout le monde fait ça, intervint le publiciste.

— Les hommes sont les aristocrates du Japon, dit Erika de sa
voix pure, empreinte d'une innocence stoïque. L'emploi stable et
définitif et tous ses avantages sont réservés aux hommes. Les
femmes japonaises sont exploitées.

Kazuo cherchait du regard l'aide de Mori. Mori ne fit que lui sourire. Il se trouvait qu'il admirait les femmes qui osaient exprimer le fond de leur pensée. Une nouvelle race de Japonaises. Il devinait l'esprit de compétition qui transparaissait sous la simplicité enfantine de ses paroles.

Il écouta Erika expliquer que les femmes composaient une masse montante de la force de travail, et que la féminisation pourrait conduire à la régénération d'un mouvement ouvrier sérieux et à une réaction contre le cocon étouffant d'une société paternaliste.

— Dites-moi donc, questionna soudain le président. A quel mouvement extrémiste appartenez-vous? Êtes-vous communiste?

Erika se mit à rire : un son pur et musical aussi innocent que le babil d'une cour d'école pleine d'enfants. Des cascades de rires éclataient de tous les côtés – les femmes se cachaient la bouche derrière leurs mains et Miko essuyait les larmes qui lui coulaient des yeux. Kazuo s'enfuit vers les toilettes. La table entière avait fixé son attention sur la belle jeune femme inconnue.

— Voudriez-vous me dire, jeune femme, quel genre de travail vous faites?

Le président avait toujours le visage fendu d'un sourire.

— Je travaille à I.C.O.T.!

— Le projet de l'ordinateur de la cinquième génération... Le président avait l'air pensif. Je croyais qu'ils n'employaient jamais de contestataires, Erika?

— A I.C.O.T., interrompit Mitsuko exactement au moment opportun, nous sommes tous contestataires.

Une chose était de s'attaquer à une jeune femme seule sans liens étroits avec le groupe, mais la situation devenait tout à fait différente dès qu'il s'agissait de provoquer la belle-sœur du président de la firme de grossistes avec laquelle on voulait négocier de nouveaux prix. Mori ne put s'empêcher d'admirer sa femme. Sans en avoir l'air, elle avait réussi à éviter la confrontation et à détourner l'attention des convives en leur racontant comment I.C.O.T. travaillait à créer des ordinateurs pensants, doués d'intelligence artificielle, en expliquant que tous les chercheurs avaient moins de trente-cinq ans et étaient des gens remarquables, que sans aucun doute ils parviendraient à mettre sur pied une nouvelle génération d'ordinateurs avant les Américains. Un peu trop de loyalisme de sa part, se disait Mori, mais le dîner put se terminer paisiblement.

Comme il arrive généralement à la fin d'une réception de Japonais, tout le monde se leva en même temps. Tandis qu'ils attendaient leurs manteaux, Mori se trouva debout à côté d'Erika, de sa femme et de Miko. Erika lui sourit et dit imprudemment :

– J'espère que nous nous reverrons. Votre femme et moi sommes très amies.

– Vous serez la bienvenue chez nous quand vous voudrez, fit Mori, étant donné qu'il eût été impoli de répondre autre chose. Puis il ajouta : Où travailliez-vous avant d'entrer à I.C.O.T. ? Question bien innocente étant donné que tout le personnel d'I.C.O.T. provenait d'une des grandes compagnies électroniques ou – c'était le cas de sa femme – d'une agence gouvernementale.

– Je travaillais pour la Compagnie japonaise d'électronique, répondit Erika avec un sourire. Mitsuko m'a dit que vous étiez officier de police.

Mori acquiesça :

– Oui. Un travail administratif assez monotone, j'en ai peur.

– Seulement chaque fois qu'il a rendez-vous avec moi, fit Mitsuko, avec un rien d'ironie dans la voix, il y a toujours une urgence.

– Je te promets que ça n'arrivera plus, dit Mori en s'inclinant.

Mitsuko lui adressa le sourire réservé aux promesses non tenues, celui des rendez-vous manqués, des anniversaires oubliés, des bouquets de fleurs égarés, des célébrations inadéquates. Mori savait bien qu'il était un mauvais mari. Il était avant tout un solitaire passionné par les jeux de hasard qu'il pratiquait contre les ennemis de son pays. Il n'avait guère de temps à consacrer à autre chose.

Les joues d'Erika s'étaient empourprées – peut-être à cause du vin qu'elle avait bu. Debout près d'elle, Mori remarqua qu'elle était encore mieux faite qu'il n'aurait cru.

– Vous avez peut-être connu une Américaine qui travaillait à la C.J.E., au laboratoire de recherche de Shinjuku ? hasarde-t-il brusquement, de façon tout à fait intempestive.

Les yeux d'Erika se voilèrent un instant, puis retrouvèrent leur éclat.

– Vous voulez sans doute parler de Kathy Johnson. Tout le monde la connaît. Pourquoi ?

Mitsuko s'intéressa tout à coup au regard que son mari posait sur Erika.

– Est-ce que je la connais ? demanda-t-elle innocemment.

– Oh non, dit Erika, je parlais des gens de la C.J.E. Elle est très gentille pour une Américaine. Il faudra que je te la fasse rencontrer.

Puis elle se tourna vers Mori :

– Comment se fait-il que vous la connaissiez ?

Mori respira profondément. Il détestait mêler le travail et le plaisir, mais dans ce cas il n'avait pas le choix. Cette très belle Japonaise savait peut-être sur l'Américaine quelque chose qui pourrait se révéler vital pour l'enquête, quoi que puissent en penser les autres.

– Elle est morte il y a quelques heures, répondit-il. Personne ne sait exactement ce qui s'est passé. Certains disent qu'il s'agit d'un accident de la circulation, d'autres qu'elle était mêlée à une affaire de contrebande. On interrogera sûrement tous ses amis.

Cette nuit-là, Mori ne parvint pas à s'endormir. Trop d'alcool et d'anguilles, sans doute. Ou alors ce cauchemar qui lui revenait sans cesse à l'esprit : la mort de la jeune Américaine. Quand ils étaient arrivés chez eux, sa mère n'était pas encore rentrée. Ils avaient pris un bain rapide et ils avaient fait l'amour, heureux d'être seuls. Mitsuko craignait toujours que sa mère puisse les entendre. Le *shoji* de la fenêtre de leur chambre, illuminé par la pleine lune, projetait au plafond des carrés noirs et blancs. Mori se retourna sur le côté, s'éloignant de Mitsuko qui respirait régulièrement dans son sommeil. Il y avait quelque chose qui n'allait pas du tout dans leur mariage, mais il n'arrivait à le définir. Peut-être, pensa-t-il, devrait-il procéder comme ces savants chrétiens qui, lorsqu'ils essayaient de définir leur dieu, commençaient par définir ce qu'il n'était pas.

Ce n'était pas aussi simple que le pensait Kazuo. Les conseils que son beau-frère lui avait lourdement prodigués ce soir ne s'attaquaient qu'aux symptômes – pas à la maladie elle-même. Il ne passait pas assez de temps avec elle, c'était évident. Mais son travail venait en premier. Au Japon, toutes les épouses le savaient bien. Il doutait fort que leurs rapports s'améliorent, même s'il rentrait tôt tous les soirs et l'emmenait régulièrement au restaurant ou au spectacle chaque week-end. La confiance, se dit-il, c'était là le cœur du problème. Pourtant Dieu sait qu'il avait tenté de lui expliquer on ne sait combien de fois qu'il était lié par un vœu. Il se sentait aussi engagé qu'un prêtre. Son travail passait en premier. Même avant leur mariage, il avait admis qu'il ne fallait pas compter sur lui, que c'était sans espoir. Son horaire de travail était épouvantable. Il dépensait tout son argent dans des bars, à chercher des renseignements, à rencontrer des indics, à poursuivre des fils conducteurs parmi la pègre. Cela faisait partie de ses missions habituelles, mais les notes de frais que lui remboursait la police étaient d'un montant ridicule, s'il voulait travailler vraiment sérieusement. Il avait des dettes. *Kamisama!* Le

manque d'argent était un véritable fléau. Il se comparait à ces seigneurs féodaux de l'Ère Tokugawa, obligés de passer la moitié de
leur temps à Tokyo avec leurs compagnons samouraï. Même à
l'époque, la vie était très chère dans la capitale. Ils contractaient
de lourdes dettes envers les marchands et les prêteurs. Bon
nombre d'entre eux se ruinaient et finissaient leur vie comme
esclaves. Mitsuko s'inquiétait certainement pour son avenir. Il ne
pouvait guère l'en blâmer. Il leur était devenu à peu près impossible d'acheter une maison tant les prix avaient monté. En tout
cas, il s'était montré honnête envers elle avant leur mariage aussi
bien concernant ses finances que son travail, et il lui avait dit que
sa mère devrait vivre avec eux... Elle avait sûrement pensé qu'elle
arriverait à le faire changer. C'est pourquoi, maintenant, elle
n'avait plus confiance en lui. Son échec à le faire changer, le rôle
dominant de sa mère à la maison, les tentatives dérisoires des
membres de sa famille – comme celles de Kazuo ce soir –, tout
cela l'avait rendue amère.

Il repensa à la promesse de son chef : s'il découvrait la vérité
sur la mort de Kathy Johnson, il aurait alors tout loisir de se pur-
ger de son serment de vengeance. De régler les problèmes de son
mariage ? Il n'en croyait rien. La vie n'était pas aussi facile à
manier qu'un cerf-volant.

Il se leva avec précaution pour ne pas troubler le sommeil de
Mitsuko et se dirigea vers la salle de bains. Là, il ouvrit la minuscule fenêtre et respira l'air frais pour se nettoyer les poumons et
chasser le trouble de son esprit. Tout à fait par hasard, il jeta un
coup d'œil dehors. La lune baignait la rue d'une étrange clarté,
qui se reflétait sur les tuiles vernies d'un toit de l'autre côté de la
rue et était renvoyée par le pare-brise d'une voiture noire parquée quelques maisons plus bas. Il regarda de nouveau : il était
absolument certain que la voiture n'appartenait à personne du
voisinage. Pendant qu'il l'observait attentivement, il vit une jambe
bouger sur le siège avant, puis se réinstaller plus confortablement
dans l'immobilité et se fondre à nouveau dans l'ombre, à l'intérieur. Il referma la fenêtre sans faire de bruit et ouvrit le robinet
pour se laver la figure. Il ressentait comme des picotements
d'excitation : on l'épiait et il s'agissait sûrement des gens qui
employaient Kathy Johnson. Aoyama avait parlé d'une baleine
blanche. Mais celle-là, il aurait sa peau.

6

Jour de l'or, 23 heures

Ludlow prit son temps avant de pénétrer dans l'appartement de Kathy Johnson. Même lorsqu'il ne s'agissait que de « visites » ordinaires – et il considérait que la recherche de son code était de celles-là –, il aimait arriver à une concentration maximum avant d'agir. Il atteignit l'état requis après avoir arpenté pendant une demi-heure le quartier Moto Azubu où elle habitait. C'était un des quartiers résidentiels les plus chers de Tokyo – un espace sillonné de rues très larges bordées de tilleuls, d'érables et de pins japonais. Il y avait même des pelouses devant certaines résidences, un luxe incroyable pour Tokyo. Il y flottait un air de richesse discrète, évoquant des paris énormes, tentés et réussis. Ludlow alla même jusqu'au club de lawn tennis d'Azabu, que fréquentait le prince héritier, puis revint sur ses pas. Il arriva finalement devant l'habitation de Kathy Johnson... un immeuble en co-propriété, de béton couleur ivoire, dont la porte d'entrée était agrémentée de vitres teintées. Ludlow poussa la porte et entra. Il se demandait quel genre de pari avait fait Kathy Johnson et pourquoi elle ne l'avait pas gagné. L'appartement lui fournirait peut-être des indices.

Juste en face de lui se trouvait le guichet du portier. Quand son visage s'encadra dans la fenêtre, il lui fit un signe de la main et se dirigea vers la gauche où se trouvaient les ascenseurs. Il entendit – venant du bureau du garde – le bilan sportif de la journée : une émission de la chaîne de télévision Fuju, programmée à 23 heures. La porte illuminée d'un des ascenseurs s'ouvrit rapidement devant lui et il appuya sur le bouton du neuvième étage. « Appartement 903 », avait dit Graves.

Quand il arriva devant la porte, il sortit de sa poche son vieux briquet tout bosselé. Depuis Colombo, c'était devenu une habitude. Depuis Colombo, il était devenu évident pour Ludlow qu'il existait toujours une part de hasard au cours d'une opération, si ordinaire soit-elle. Il frotta du doigt la surface polie du briquet pour se concilier la chance.

Il avait bien prévu qu'il y aurait un verrou à pompe sur la porte, mais celui-là le déçut par sa simplicité. Elle vivait dans deux petites pièces, avec la cuisine dans une alcôve. Elle avait choisi des teintes pastel, où le rose dominait, et le divan était couvert d'animaux en peluche. Il commença par la salle de bains, où il se heurta à une véritable armada d'objets féminins – depuis les rouges à lèvres brillants les plus récents et de diverses couleurs jusqu'à de drôles de bouteilles en plastique incrustées de cœurs et qui n'étaient finalement que des produits de toilette intime. Il passa dans la chambre à coucher.

Il fut frappé par une photo qui se trouvait sur la table de nuit, et s'arrêta pour la regarder longuement. Elle était beaucoup plus jolie que ne l'avait dit Graves. Ludlow sentit se confirmer ses doutes sur la capacité de jugement de son chef. Mais c'est surtout l'image de l'homme qui figurait sur la photo qui poussa Ludlow à réfléchir plus sérieusement. Ils étaient tous les deux en maillots de bain et se tenaient sur une véranda qui dominait une plage des tropiques. Au fond, une vague blanche était sur le point de se briser. Les Caraïbes, probablement... Ils formaient un couple étonnant – un couple à faire se retourner les gens. L'homme était jeune, grand, sec, l'air nonchalant. Ludlow sut tout de suite qui il était : Roger Harrington, le directeur de « Sciences et Technologie » – celui qui empoisonnait la vie de Graves. Ludlow sortit la photo de son cadre. Au dos on avait écrit, avec un de ces anciens stylos qu'on remplissait d'encre véritable : « Affectueusement et avec tout mon amour. R. »

Son armoire était pleine de vêtements de bonne qualité – et à la dernière mode – portant la griffe de couturiers de Londres, Paris et Malibu. Ils étaient rangés avec soin, comme s'ils ne lui appartenaient pas. Derrière les vêtements, sur le plancher, se trouvait une grande valise Samsonite. Ludlow l'ouvrit rapidement et en déversa le contenu sur le parquet. En plus d'un assortiment de vêtements de sport et de toute une série de pièces de lingerie, il trouva un paquet de lettres venant du Wyoming et un relevé de compte de l'American Express l'avisant qu'elle avait un découvert. Il déplia les lettres et les lut rapidement.

Elles étaient toutes signées Carl – d'une écriture bien moulée – et n'abordaient que la gamme des sujets limités permis à une per-

sonne séjournant en prison. L'adresse figurant au dos était : Pénitencier des États-Unis – Maison de correction de Laramie, Wyoming.

Le perfectionnisme maniaque de Ludlow l'amena à s'intéresser
aux murs. Dans la salle à manger, un kimono de soie bon marché
était pendu sur un support en bambou laqué. Le vêtement aux
couleurs criardes n'attira son attention qu'un instant. Par contre,
le support éveilla son intérêt. C'est là, en examinant l'intérieur
creux du bambou, qu'il remarqua les séparations rajoutées artifi-
ciellement.

Il admira – en homme averti – l'habileté du travail professionnel, comme un artiste qui rend hommage à l'art d'un autre. On
avait fait passer dans toute la longueur du bambou un fil
d'antenne qui ressortait derrière le kimono. L'un des couvercles
de la boîte réceptrice révéla, une fois ouvert, une batterie au mer-
cure de 1,5 volt. L'appareil semblait de provenance japonaise. Il
se mit à chercher le livre de code avec un intérêt renouvelé. Il
glissa dans sa poche le microphone sophistiqué qui servait aux
écoutes.

Le reste de la fouille se déroula lentement. Pas d'amphéta-
mines, de dexadrine, de ludes ou de dupah, qu'aimaient particulièrement les Malais. Kathy ne s'intéressait pas non plus à la
cocaïne. Il n'y avait aucune de ces sinistres et aberrantes mix-
tures, censées combattre le stress et annonciatrices d'une inévitable tragédie. Quels qu'aient pu être ses autres défauts, Kathy
Johnson ne se droguait pas. Il découvrit bientôt, que, en fait, elle
avait été une professionnelle de qualité.

Il ne trouva le code qu'après quarante minutes de fouille sans
résultat. Elle l'avait caché dans le conduit de ventilation au-
dessus de son lit. Avec lui se trouvait une grande enveloppe de
papier. Il en vérifia immédiatement le contenu. Ce qu'il y trouva
l'envoya flairer dans les autres pièces une seconde et même une
troisième fois. Le rapport lui-même était écrit en japonais et
comportait une grille de chiffres très compliquée – résultats du
test d'un produit – probablement établie par un ordinateur. Toujours dans le conduit, et maintenues par un élastique, se trouvaient une demi-douzaine de feuilles de code – à n'utiliser qu'une
fois.

Il découvrit le Minox astucieusement caché à l'arrière d'une
horloge murale. L'appareil photo miniaturisé était chargé et prêt
à fonctionner. Pour l'émetteur radio, ce fut plus difficile. Il n'arrivait pas à le dénicher jusqu'au moment où il s'aperçut que la
cuvette des cabinets avait un double fond. L'objet « made in

U.S.A. » était superbement fait et offrait un choix de cinq cristaux. Il y avait aussi une feuille pliée à plat où figuraient les fréquences radio et les heures de transmission. Le tout était soigneusement enveloppé dans un tissu imperméable.

Ludlow quitta l'immeuble du même pas tranquille qu'en arrivant et salua le gardien d'un signe de tête comme s'il habitait là depuis des années. Ludlow avait très vite compris que celui qui avait posé le microphone caché ne tarderait pas à venir le récupérer.

Sur le chemin du retour, il se sentit littéralement affamé. Il trouva un restaurant ouvert la nuit où il se gorgea d'*uni* et de *chu-toro*.

Il était plus de minuit quand un homme totalement chauve, vêtu d'un costume élégant à rayures discrètes, frappa à la fenêtre du gardien. Il lui présenta rapidement sa carte d'identité de l'Agence de renseignements de la défense, et dit qu'il y avait eu un accident à Ginza : la jeune étrangère qui habitait au 903. Le gardien resta bouche bée en apprenant la nouvelle. Un policier allait venir garder sa porte. En attendant, personne n'était autorisé à entrer dans l'appartement. L'homme exhiba alors une feuille de papier *washi* – qui coûtait très cher – marquée d'un grand sceau rouge confirmant l'autorisation pour le porteur de fouiller l'appartement. Il en emprunta la clef. Quand il revint, il avait le visage tout rouge et demanda si, par hasard, il y avait eu des visiteurs ce soir-là.

Le vieux gardien fit une grimace et aspira l'air entre ses grandes dents couronnées d'or pour montrer qu'il réfléchissait profondément. Après une très longue pause, il dit qu'il y avait eu trois personnes et, parmi elles, un étranger.

L'homme chauve hocha la tête d'un air entendu... Est-ce que le *gaijin* portait un vieux blouson de daim et des pantalons marron froissés ? Oui, répondit le gardien qui ouvrait de grands yeux stupéfaits. L'homme chauve annonça que plusieurs de ses hommes arriveraient dans une demi-heure et lui demanderaient de leur faire une déclaration. S'il avait quelque problème que ce soit, surtout qu'il le prévienne. Il lui laissa une carte de visite où on pouvait lire Agence de renseignements de la défense, et un numéro de téléphone dans le quartier d'Yotsuya.

DEUXIÈME PARTIE

TACHIAI
(LA CONFRONTATION)

Le Bushido, je l'ai compris, est lié à la mort. Si l'on se trouve confronté à l'alternative : vivre ou mourir, il faut choisir la mort sans hésitation.

Yamamoto Tsunetomo,
Hagakure

7

Le début

Ludlow arriva tôt à l'ambassade, le lendemain matin, pour avoir le temps de s'organiser. Comme il n'avait jamais mené ce genre d'enquête auparavant, il ne savait pas trop ce qu'il devait faire.

Son premier problème était de savoir comment utiliser ce qu'il avait découvert dans l'appartement de Kathy Johnson. Il n'avait nullement l'intention de révéler quoi que ce soit à Graves pour l'instant. Graves sauterait à la gorge du directeur de « Sciences et Technologie », et Ludlow ne pourrait plus agir. Tant qu'il ne situerait pas la radio, l'appareil photo et tout le reste dans un contexte précis, il se garderait bien de les signaler à l'attention de Graves. Il avait besoin d'en savoir beaucoup plus sur les circonstances de la mort de la jeune femme.

Il commença par envoyer une note à son ancienne section : la section politique numéro deux. Y avait-il des informations intéressantes figurant sur la biographie de l'inspecteur Mori, avec qui il avait rendez-vous l'après-midi au département de médecine légale de la police ? Après quoi il téléphona à Graves. Il lui dit qu'il avait trouvé le code, mais ne mentionna pas ses autres découvertes. Et pour finir il s'informa discrètement de ce que l'on savait de leur très cher ami le colonel Yuki.

De son côté, Graves fit preuve d'une extrême prudence. Il eut, par exemple, le plus grand mal à se souvenir qu'il avait envoyé Ludlow fouiller l'appartement, du moins jusqu'au moment où il put vérifier que Ludlow l'appelait d'un numéro protégé. C'est alors qu'il fallut jouer serré.

— Je suis en train d'essayer d'éclaircir plusieurs contradictions, dit Ludlow. J'aimerais bien voir la fiche de la jeune femme, si possible.

– Ne cherchez pas midi à 14 heures, Ludlow. Restez dans la ligne droite la plus simple. Trouvez les noms des gros-culs russes qui sont dans le coup et s'il s'agit de résidents ou s'ils viennent du Centre.

Quant aux questions polies de Ludlow à propos du colonel Yuki, les réponses furent tout aussi circonspectes : Yuki était le contact que les U.S.A. avaient avec les Services de renseignements japonais, point final. Ludlow était prié – nom de Dieu – de ne pas s'occuper de lui.

En ce qui concernait la personnalité de Yuki, Graves précisa toutefois qu'il avait été membre du Tokko, et s'était trouvé sous les ordres de Kishi en Mandchourie. Il était revenu à Tokyo au moment de la guerre. On l'avait retrouvé après la guerre dans une de ces cellules G-2 que le général Willoughby – le bras droit de MacArthur – avait créées pour décapiter la gauche japonaise. Les Américains avaient également recruté le général Arisue, l'ancien chef des Renseignements militaires, et l'avaient affecté à une section historique fictive. Yuki en faisait partie. Quand le Bureau de la sécurité du territoire était devenu une entité indépendante, en 1948, Yuki en avait pris la tête. Il avait changé de nom après la guerre... mais Graves ne se souvenait plus de son ancien nom. C'est au moment où Kishi devint Premier ministre et Nakasone ministre de la Défense que le colonel avait été affecté au Service de renseignements de la défense. Graves fournit ces informations avec la plus grande mauvaise volonté, puis ajouta qu'il ne pouvait voir Ludlow ce jour-là : « Une réunion, chuchota-t-il avec importance. Désolé, mon vieux. » Il récupérerait le code plus tard dans la semaine.

La réponse à la note de Ludlow à son ancienne section lui arriva par téléphone peu de temps après sa conversation avec Graves. Une Japonaise qui s'appelait Hiroko se souvenait de lui et lui demanda de ses nouvelles.

– Je vais très bien, Hiroko, répondit Ludlow, en essayant vainement d'évoquer son visage. Parfaitement bien.

Il ne lui revenait en mémoire que l'image d'une fille robuste avec de larges épaules.

Elle l'avait rappelé tout de suite, dit-elle, parce que sa demande d'informations concernait le fils d'un général très célèbre : le général Mori, une des plus remarquables généraux de la guerre. Et le grand-père de Mori avait été à la tête de la révolte des Satsuma. La famille était très célèbre. Le Mori actuel était membre de la branche spéciale de la police : le Bureau de la sécurité publique, section surveillance, spécialisée dans les opposants, les terroristes et le contre-espionnage.

— Vous en êtes tout à fait sûre ? avait demandé Ludlow. Il n'est pas à la Criminelle ?

— Il n'est pas à la Criminelle, avait répondu Hiroko gentiment.

— Et le père ? Quelle est son histoire ? Est-il encore en vie ?

— C'était un opposant au cabinet de guerre de Tojo, et on pensait qu'il deviendrait un des leaders du Japon d'après-guerre. Mais le jour où l'empereur a annoncé la capitulation, il s'est suicidé. Il est devenu un héros national. Un martyr.

Ludlow la remercia et proposa qu'ils déjeunent ensemble très bientôt. Il ne demanda pas pourquoi un opposant au cabinet de guerre s'était suicidé quand la capitulation avait été annoncée.

Depuis qu'on avait affecté Ludlow à la section des affaires publiques pour lui assurer une couverture, il lui fallait donner une signature chaque fois qu'il entrait ou sortait de l'ambassade. Pour l'instant, on lui avait attribué un minuscule bureau-placard et une table de travail. Avant de quitter son bureau, ce matin-là, il nota sur le registre de la réception l'heure de son départ et le numéro de Mori au D.P.M. au cas où on voudrait le joindre dans l'après-midi. Puis il franchit la grande porte de l'ambassade et descendit la rue en pente. Il longea l'immeuble N.C.R. et continua jusqu'à la station de Toranomon où passait la ligne de Ginza. Sukiyabashi n'était qu'à deux stations de là.

Il avait plu en début de matinée, le pavé luisant était couvert de flaques d'eau. Tout en marchant d'un bon pas, il songeait à sa conversation avec Graves. Elle confirmait son intuition. Lui, Ludlow, n'était qu'un bouche-trou, quelqu'un d'utile jusqu'à ce que Washington prenne une décision définitive et envoie un expert accrédité. Il leur fallait un homme dont le rôle exact aurait été tracé à l'avance par la C.I.A., le Conseil national de sécurité, le comité de vigilance du Congrès, voire la Maison-Blanche elle-même, si la famille de la jeune femme avait des relations haut placées.

A Toranomon, il monta dans le métro qui menait au cœur de la ville. La ligne de Ginza était la plus bruyante et la moins chère de Tokyo.

Il pensait à Yuki. Sur quelles rives avait-il échoué, se demandait Ludlow tandis que le train brinquebalait vers Ginza. Yuki appartenait à « la vieille génération ». A l'époque, il avait dû rencontrer le futur Premier ministre, Kishi, en Mandchourie. Les membres du Tokko formaient une élite, choisie parmi les plus

brillants lauréats de la Faculté de droit. Seuls quelques-uns
d'entre eux étaient allés en Chine; probablement Yuki avait-il
rendu des services à quelqu'un comme Kishi, un administrateur
de rang élevé dans la colonie et un homme qui se consacrait tout
entier à la grandeur du Japon. D'une manière ou d'une autre,
Yuki avait fait la preuve de sa valeur et ainsi scellé son avenir.
Quand Kishi était devenu Premier ministre, il n'aurait pas été
nommé à la tête de l'Agence de renseignements du ministère de
la Défense s'il ne s'était agi du paiement d'une dette.

Impossible de minimiser l'importance du vieux colonel. Si
Yuki avait connu Kishi quand il vivait encore, il avait donc également connu son frère plus jeune : Ezki Sato, qui avait été lui-
même brièvement Premier ministre. Après lui étaient venus
Tanaka et finalement Nakasone. Ils sortaient tous du même
moule. Et, derrière ces hommes qui occupaient le devant de la
scène, se cachaient ceux qui possédaient réellement le pouvoir :
Bamboku Ohno, Osano, les Kurumatu, le Brouillard noir. Des
hommes qui avaient fait fortune pendant ou avant la guerre et
avaient orienté le destin politique du Japon d'après-guerre.
Aujourd'hui, ceux qui portaient ces noms-là avaient été emportés
par le vent, mais d'autres gens avides les avaient remplacés.

Ludlow se mit à repenser à Kishi et tenta de se souvenir de ce
qu'il savait de lui.

Nobusaku Kishi, l'homme au teint blafard. Le grand maître du
jeu politique japonais. Disciple du fasciste Ikka Kita dans les
années trente, devenu plus tard le numéro deux des administra-
teurs civils en Mandchourie quand les atrocités y furent perpé-
trées. Après quoi il avait été nommé ministre du Commerce et de
l'Industrie, et vice-ministre chargé des Munitions dans le cabinet
de guerre de Tojo. A la fin de la guerre, Kishi avait été arrêté par
la police militaire américaine et classé dans la catégorie A des criminels de guerre. A la prison de Sugamo, il avait fait la connaissance de Kodama, qui – avec quelques autres – finançait le gouvernement conservateur de l'après-guerre. Plus tard, Kodama fut
poursuivi pour son rôle dans le scandale Lockheed. Il avait fait
fortune avant la guerre en pillant l'économie chinoise par le biais
d'une pseudo-compagnie de Shanghai.

Après avoir passé trois ans à Sugamo, Kishi fut libéré sans
qu'on sache pourquoi. Neuf ans après être sorti libre de Sugamo,
il était devenu Premier ministre. Son retour sur la scène politique
marqua l'une des plus incroyables volte-face de l'Histoire, mais
on n'en parla pratiquement pas à l'Ouest. Certaines références
historiques s'avéraient embarassantes...

Le métro s'arrêta en grinçant à la station de Ginza. Ludlow sortit sous un ciel tourmenté et sombre. Un train-obus passa tout près dans un bruit de tonnerre, poursuivant sa route vers le sud jusqu'à Hiroshima. Les voitures restaient coincées dans les encombrements à cette heure de pointe matinale qui se prolongerait jusqu'à midi. Son plan était de se rendre au *Kōban*[1] de Sukiyabashi et de bavarder avec la police, puis d'inspecter le lieu du crime. Après quoi il traînerait dans Kabuki-za, jusqu'au marché aux poissons de Tsukijii, où on pouvait encore trouver des *sushi*[2] pour moins de deux mille yens au menu spécial-déjeuner. Et s'ils étaient moins copieux que naguère, qui s'en souciait? C'était à peu près la seule chose que Ludlow appréciait au Japon.

Le commissariat ne se trouvait qu'à quelques minutes de marche. A l'extérieur de la porte ouverte était affiché un tableau indiquant le nombre de blessés ou de morts par accident de la journée – qui se montait à l'heure actuelle à zéro et trois. Ludlow entra et se trouva devant un très jeune agent de police, assis à une table et occupé à rédiger un rapport. Sur le mur, derrière lui, s'étalait l'agrandissement d'une carte de Tokyo. La jeune recrue parlait remarquablement bien l'anglais.

– Que puis-je faire pour vous? demanda-t-il.

Ludlow tira de sa poche une carte de visite dont le coin droit en haut portait l'effigie de l'aigle américain. On pouvait y lire : « Robert Brown – D.A.P. Délégué aux Affaires publiques. »

– Je suis venu pour discuter de l'incident d'hier soir.

La jeune recrue jeta un coup d'œil rapide à la carte avant de la rendre à Ludlow.

– Désolé, monsieur Brown. Pas autorisé à en parler.

Ludlow respira profondément. Il savait à quoi il devait s'attendre. Dans cette société où aucun dialogue n'était de mise, les Japonais réagissaient mal et de façon imprévisible à toute attaque de front. A la dernière conférence de l'ambassade à laquelle Ludlow avait assisté, un an plus tôt, on avait précisé qu'il y avait environ deux cents fois plus de vols par an dans la ville de New York qu'à Tokyo, et que le Japon se débrouillait avec un nombre d'avocats correspondant à seulement trois pour cent de ceux des États-Unis. Cela n'intéressait pas Ludlow. Il savait par contre qu'il existait certaines rares occasions où on obtenait des résultats en adoptant une attitude carrément américaine.

Il fourra de nouveau sa carte professionnelle entre les mains du jeune agent de police.

---

1. Commissariat. *(N.d.T.)*
2. Boulette de riz sur laquelle est posée une mince tranche de poisson cru. *(N.d.T.)*

— Trêve de conneries, fit-il. Où est le responsable?

Comme par magie, un supérieur apparut aussitôt. Ludlow se tourna vers lui et montra sa carte du doigt.

— Poubelle américaine [1], dit-il en montrant des signes d'impatience.

— *Taishican* américaine, traduisit le jeune flic pour son supérieur. Ambassade américaine.

— Je m'en occupe, dit l'officier de police en japonais. Puis, se tournant vers Ludlow, il lui dit en anglais : Voudriez-vous monter jusqu'en haut de l'escalier : il y a une pièce où nous pourrons parler. J'espère que ça ne vous ennuiera pas d'enlever vos chaussures.

Ludlow se laissa conduire à l'étage par l'escalier étroit.

— Vous n'êtes pas au Japon depuis très longtemps, je suppose, monsieur Brown?

— Non, depuis peu de temps, répondit Ludlow en suivant le policier.

Celui-ci tendit sa carte de visite à Ludlow : « Inspecteur Takihashi. » Il avait les poignets robustes et la charpente bien découplée que donne la pratique des arts martiaux. Son visage arborait l'air d'assurance d'un homme qui peut compter sur ses capacités corporelles en cas de nécessité.

— Vous avez sans doute une autre pièce d'identité que cette carte de visite? Un passeport ferait l'affaire.

Ludlow lui passa le faux passeport qu'il avait présenté au poste d'immigration de Narita, lors de son entrée au Japon. Takihaski ramassa l'appareil téléphonique posé sur le parquet et composa un numéro.

— Vérifiez à l'ambassade américaine, s'il vous plaît, dit-il en japonais.

Il lut lentement le numéro du passeport et en épela soigneusement le nom. Puis il se tourna de nouveau vers Ludlow. Son uniforme avait été repassé récemment, nota Ludlow, et ses cheveux courts avaient une coupe militaire. Des mèches grises indiquaient l'absence de vanité – beaucoup de Japonais se teignent les cheveux quand ils ont dépassé la quarantaine.

— Nous devrions avoir la confirmation de l'ambassade d'ici quelques minutes. En attendant, dites-moi ce que vous voudriez savoir et pourquoi vous ne pouvez obtenir cette information en passant par les canaux habituels?

------

1. Jeu de mots homophonique entre *trashcan* (poubelle) et *Taishican* (ambassade). *(N.d.T.)*

Ludlow sourit d'un air convaincant, comme si la chose allait de soi.

— Permettez que je réponde d'abord à votre deuxième question. Il plaça la carte de l'officier de police sur le tatami qui se trouvait devant lui, comme l'aurait fait un homme d'affaires qui vient de passer une commande de produits américains. En fait, je dois rencontrer un officier du D.P.M. cet après-midi à votre quartier général.

— De qui s'agit-il, s'il vous plaît?

— De l'inspecteur Mori. Il doit m'emmener voir le médecin légiste, me faire un compte rendu de ce qui s'est passé, et répondre à mes questions. La raison de ma visite ici vient de ce que je désire m'informer à la source pour me préparer à la rencontre de cet après-midi. Je souhaite me familiariser avec le carrefour en question. Je n'ai nullement l'intention de perturber la procédure normale de votre commissariat.

Ludlow avait entendu dire que la police japonaise ressemblait beaucoup à celle des Russes. Si le cas n'était pas mentionné par écrit dans leur manuel, on ne pouvait guère espérer avoir une discussion constructive avec eux. Mais cela valait la peine d'essayer.

— Vous êtes chargé de l'enquête pour le compte des États-Unis?

— Pour l'instant, oui.

L'inspecteur Takihashi regardait d'un air pensif le téléphone qui s'obstinait à ne pas sonner.

— Votre contact de cet après-midi au D.P.M., reprit-il dans un anglais très correct, apportera des réponses à toutes vos questions. Ils en savent plus long que nous. Les policiers qui étaient de service hier soir ne sont pas ici aujourd'hui. J'en suis tout à fait désolé.

Ludlow respira profondément. Il avait oublié à quel point les Japonais pouvaient se montrer exaspérants, toujours prêts à être plus patients que vous. Le coup de téléphone faisait partie de cette tactique, pas de doute, et pourrait fournir une dernière excuse.

— Okay, aboya Ludlow, je suis là parce que nous savons tous les deux, monsieur l'inspecteur Takihashi, que la situation est sacrément merdique.

— Merdique?

Takihashi répéta lentement le mot. Un dictionnaire apparut soudain dans ses mains : le Sanseido : anglais-japonais. Édition de poche.

— Laissez tomber le dictionnaire, le mot n'y est pas. Ludlow luttait pour ne pas trahir sa colère. Ça veut dire : embrouillée. Merdique. Embrouillée.

Takihashi acquiesça d'un air extrêmement poli.

Ludlow réussit à contrôler sa voix.

– Une citoyenne américaine a été tuée par un autre étranger sous vos yeux.

Il montra du doigt la fenêtre du deuxième étage donnant sur le carrefour qui n'était qu'à quelques mètres. Takihashi suivit le geste des yeux, puis les fixa de nouveau sur le visage de Ludlow. Il semblait attentif, désireux de faire plaisir... Une saynète dont la mise en scène était parfaitement au point.

– Dans les journaux en langue anglaise de ce matin, reprit Ludlow, j'ai trouvé un petit article disant que la jeune femme avait été tuée dans un accident. Très bien! Tokyo n'a vraiment pas besoin de cette mauvaise publicité. Son brouillard et ses problèmes de circulation suffisent. Ce n'est pas ça qui m'intéresse. On sait que dans votre pays on n'a pas généralement – comme dans le mien – recours au système judiciaire. Vous préférez résoudre les problèmes de manière extrajudiciaire.

– Pardon? interrompit Takihashi en cherchant de nouveau son dictionnaire.

– Par des arrangements à l'amiable, dit Ludlow, agacé. Rechercher un compromis qui ne conclue pas à une faute morale, pour que personne ne perde la face.

Le visage de Takihashi s'éclaira.

– Ah oui. Cela arrive parfois, mais seulement quand les deux parties sont en faute.

L'inspecteur sourit d'un air encourageant.

– Ce qui m'intéresse, poursuivit Ludlow d'une voix qui devenait glaciale, c'est d'obtenir des réponses claires et nettes de vos gens du quartier général. J'ai jugé utile de voir ce que je pourrais découvrir par moi-même.

Takihashi opina de la tête en toute sympathie.

Dans ce cas particulier, Brown-san, je ne crois pas qu'il y aura de problème.

Le téléphone sonna. Takihashi décrocha l'appareil.

– *Moshi, moshi* [1]...

Il écouta, tout en observant Ludlow, puis parla très vite en japonais :

– Non. L'homme est arrivé récemment. Il ne comprend pas le japonais. Il ne figure pas comme employé habituel catégorie A

---

1. Allô, allô... *(N.d.T.)*

sur la liste du département d'État? seulement comme employé...
Oui, je comprends... cela semble indiquer qu'il ne s'agit pas d'un
travail de routine. Je ferai très attention. Oui. Pour le reste,
l'affaire suit son cours. Nous avons fouillé le parc que l'assaillant
a traversé. Rien. Le *gaijin* ne nous causera pas d'ennuis. *Sayo-
nara*. Très bien.

Takihashi raccrocha et adressa à Ludlow un sourire empreint
d'une évidente bonne volonté.

– Votre identité a été vérifiée. Si les assassins de l'Américaine
sont pris, ils seront sans le moindre doute poursuivis légalement.
Faites-nous confiance, monsieur Brown, je vous en prie.

– Il n'y a guère de chances qu'on les arrête, je le crains.
Ludlow eut un sourire glacial.

– Peut-être compliquez-vous les choses. Pourquoi ne pas
attendre et voir ce que le médecin légiste pourra vous dire cet
après-midi? Vous aurez peut-être une bonne surprise.

– Vous n'avez pas encore trouvé l'arme du crime?

– Pas d'arme du crime. Takihashi se leva et montra aimablement le chemin de l'escalier. Je suis tout à fait désolé de ne pouvoir vous aider plus avant aujourd'hui. *Domo sumimasen* [1]. Revenez nous voir si vous ne trouvez pas ce que vous cherchez auprès
des légistes. Venez quand vous voudrez.

Sans tenir compte de la faim qui le tenaillait, Ludlow marcha
jusqu'au petit parc. Qui n'était guère plus grand qu'un court de
tennis, coincé entre le grand magasin Hankyu et les Arcades
internationales. S'il avait bien compris la conversation téléphonique de l'inspecteur, la police avait déjà fouillé le parc. Mais
pour y chercher quoi? Étant donné que le tueur n'avait pas jeté
son arme dans la rue, il avait dû s'en débarrasser le plus vite possible. Ce parc lui en aurait fourni la première véritable occasion.

Des azalées, des camphriers et des ginkgos y bordaient une fontaine qui jaillissait à deux mètres de haut. Tout autour, la terre
portait les marques obsessionnelles d'un fanatique du balayage.
Une foule matinale assise sur des bancs de ciment, trop étroits et
trop bas pour des postérieurs occidentaux, s'occupait à fumer, à
contempler les pigeons ou à lire les journaux du matin. Deux clo-
chards dormaient, leurs ballots de vêtements enveloppés dans du
plastique à leurs pieds, la tête rentrée dans leurs cols comme des
oiseaux pitoyables. Le chômage commençait à se répandre.

---

1. Toutes mes excuses, formule de politesse courante. *(N.d.T.)*

Au fond du parc se trouvait un bâtiment abritant des toilettes publiques soigneusement aromatisées, et une cabane pour ranger des outils de jardinage. Tout près de là, une dame d'un certain âge, portant une plaque où l'on pouvait lire : « HIROMI YAMASAKI, GARDIENNE » était accroupie à la façon des paysans et s'efforçait de réparer une pelle en plastique. En s'approchant, Ludlow put voir, par la porte ouverte de la cabane à outils, des râteaux et des balais de paille, tous soigneusement rangés à l'intérieur.

— Hello, fit Ludlow en anglais, avec bonne humeur, en s'accroupissant à côté d'elle.

Hiromi Yamasaki jeta un coup d'œil à l'intrus, et se remit à son travail de réparation.

— Est-ce que vous travaillez ici tous les jours? demanda Ludlow en passant de l'anglais au japonais.

La vieille dame abandonna sa pelle et le regarda d'un air soupçonneux.

Ludlow lui dédia son plus beau sourire.

— Le parc est très bien entretenu. Cela doit vous prendre beaucoup de temps. Vous êtes seule pour faire tout ça?

Elle consulta sa montre.

— J'ai à faire, dit-elle. C'est aujourd'hui ma journée la plus chargée. Sa voix avait l'accent d'Edokko [1]. Revenez demain si vous voulez bavarder. *Sumimasen.* »

— J'ai besoin de votre aide, insista Ludlow.

— De mon aide? Hiromi regardait fixement Ludlow comme s'il lui avait fait une proposition obscène! Quel genre d'aide?

Avant que Ludlow puisse répondre, un homme assis sur les bancs l'appela par son nom.

Elle se leva pesamment.

— C'est ma journée la plus chargée, répéta-t-elle, et elle s'éloigna en trottinant.

Elle ne dépassait sûrement pas un mètre cinquante. L'homme lui chuchota à l'oreille quelque chose qui prit plusieurs secondes. Son visage ridé resta sans expression. Puis elle revint près de Ludlow toujours en trottinant.

— J'espère que vous ne pensez pas que je vends du printemps, dit-elle en s'accroupissant de nouveau.

Son visage ressemblait à un masque couturé de sillons. Elle ramassa la pelle et la fit tourner lentement entre ses mains, comme si elle examinait une œuvre d'art.

— Je ne pense pas que vous vendez du printemps, l'assura Ludlow avec conviction.

---

1. Ancien nom populaire de Tokyo. *(N.d.T.)*

C'était l'expression employée par les Japonais pour désigner le plus vieux métier du monde.

Un téléphone se mit à sonner. Ludlow chercha autour de lui d'où cela venait. Il découvrit trois téléphones publics à l'entrée du parc : de jolies cabines modernes, vert et blanc, protégées des intempéries par des plaques de plexiglass.

Hiromi se remit sur pied en marmonnant. Tout en se dirigeant vers les téléphones, elle fouillait dans ses poches, et finit par en extraire un bout de papier. Elle le consulta tout en parlant au téléphone, et garda un air important pendant la conversation qui dura plusieurs minutes. Quand elle en eut terminé, elle se dirigea vers les bancs, et parla sans se presser à au moins dix des personnes qui s'y prélassaient. Ludlow attendit qu'elle se soit réinstallée près de lui :

— Alors il y a des courses à Oji aujourd'hui.

— Bien sûr qu'il y a des courses à Oji, répondit-elle d'un air supérieur.

— Dans le temps il n'y en avait qu'une fois par semaine, le samedi.

— L'économie va mieux. Maintenant on court le mercredi et le samedi. Hiromi cracha par terre d'un air compétent. En ce moment il y a aussi les matches de base-ball et dans trois semaines ce sera le sumo d'hiver.

— Les affaires doivent marcher.

— Pour une vieille dame, ça rapporte plus que de vendre du printemps.

Elle pencha la tête sur le côté, et Ludlow fit signe qu'il appréciait la plaisanterie.

— Mais normalement je n'accepte pas de clients étrangers. Trop de problèmes. C'est combien que vous vouliez parier?

— Dix, répondit-il sans réfléchir. Il imputerait ça en frais non justifiés. Vous avez des tuyaux sûrs?

Ludlow avait des crampes dans les jambes, et elles faillirent se dérober sous lui quand il voulut se lever. Il alla jusqu'à la cabane à outils et surveilla les alentours avant de poser les dix mille yens sur le plancher, puis revint près d'elle. Il resta debout. Il était certain de ne plus pouvoir se relever s'il continuait à s'accroupir à la manière des paysans.

— Soleil Levant dans la cinquième, assura Hiromi avec autorité, tout en accomplissant le rite de la conclusion du contrat. Un bout de papier froissé sortit de sa poche, puis y retourna tandis qu'elle ébauchait un vague sourire.

— Vous étiez là quand il y a eu tout ce tohu-bohu hier soir?

– Vous travaillez avec la police... ou vous étiez un de ses amis?

– Un ami. Ludlow choisit le mensonge le moins évident, bien que, si elle était aussi astucieuse qu'elle en avait l'air, elle ait sûrement déjà son idée là-dessus. J'essaie de retrouver quelqu'un qui était avec elle, un étranger. Il est possible qu'il ait traversé le parc après l'événement.

Hiromi Yamasaki haussa ses toutes petites épaules.

– J'ai rien vu du tout.

– Vous avez peut-être trouvé quelque chose qu'il aurait jeté par ici.

– Quoi par exemple?

– Peut-être une arme.

– Oh, *Kamisama*! Ça recommence. La police m'a déjà demandé tout ça. Ils ont même passé tout le jardin au peigne fin. N'ont rien trouvé. Je leur ai dit exactement ce que je viens de vous dire.

– Et il ne s'est rien passé d'inhabituel juste après la perturbation. Vous n'avez rien remarqué?

– Non, rien, à part un ivrogne.

Ludlow mit ses mains dans ses poches et se prépara à partir. Puis il s'arrêta pile.

– Un ivrogne?

– Oui. Il est entré dans le parc et s'est mis à vomir juste après que c'est arrivé. Dans la fontaine! Et ce matin, en arrivant, il m'a fallu vider et nettoyer le bassin des *chikisho* [1]. Après ça, il est allé au bord du trottoir et il est resté là, debout, à regarder le carrefour et tout le tintouin. Il avait l'air hébété. A la fin, une voiture s'est arrêtée et on y a fait monter l'ivrogne. Pas une voiture de police ordinaire, c'est moi qui vous le dis, une voiture spéciale.

Ludlow acquiesça et demanda à quoi ressemblait l'homme.

Elle en fit une bonne description... Des yeux écartés, une silhouette mince, environ la quarantaine – l'âge où les hommes commencent à fréquenter les bars de Ginza.

Plus tard, Ludlow fouilla tous les endroits du parc où l'on aurait pu cacher une arme. Il ne trouva rien. En s'en allant, il ramassa un programme des courses que quelqu'un avait jeté. Il y chercha la cinquième course de la journée. Soleil Levant y était donnè à 60 contre 1.

---

1. Poissons rouges. (*N.d.T.*)

8

La coïncidence

Mori prit le *wakishami* sur l'étagère consacrée aux dieux et passa le doigt sur la lame d'acier, trempé bien longtemps auparavant, pour en apprécier la froideur et la beauté. Il entendait sa femme préparer le petit déjeuner au rez-de-chaussée et le murmure lointain de sa mère psalmodiant la prière du matin. Ces bruits familiers avaient quelque chose de rassurant, et il était comme hypnotisé par le son du tambour à prières. On avait branché l'eau chaude dans la salle de bains et laissé couler l'eau pour qu'elle soit bien chaude quand il se raserait.

A l'âge de sept ans – bien que ce soit devenu contraire aux lois d'une démocratie imposée de l'extérieur –, on lui avait offert ce court sabre et on l'avait initié au rite du *gempuku* : comment se marquer le ventre du fil du sabre acéré comme un rasoir, puis le remonter pour trancher la carotide. La « mort choisie ». Il n'existait pas de mot en japonais pour désigner le suicide. Son père et son grand-père avaient choisi de quitter le monde de cette façon. Il remit avec le plus grand respect l'arme à sa place d'honneur, frappa trois fois dans ses mains pour attirer l'attention des dieux, et s'inclina devant les deux portraits fixés au-dessus des tablettes shintoïstes.

Il étudia minutieusement les deux portraits. Son grand-père, Saïgo Mori, avait un visage de taureau et le regard direct des guerriers du clan Satsuma. Ses cheveux étaient coupés ras et il portait une chemise à col officier qui faisait penser à la coupe d'une tunique militaire. Il avait été l'un des chefs impliqués dans le renversement du gouvernement shogunal de Tokugawa – shogunat qui avait assuré trois cents ans de paix, mais avait paralysé le développement économique du Japon. Saïgo Mori avait la réputation d'avoir été un général d'une loyauté passionnée envers l'empereur, inspirée par la tradition, et de mépriser les vêtements occidentaux. Il avait pris sa retraite en 1890 et fondé une académie militaire. Son école avait attiré des milliers de jeunes gens venus de toutes les provinces du Japon à la recherche de l'idéal samouraï. En 1895, quand les étudiants se révoltèrent contre le gouvernement Meiji puis attaquèrent et s'emparèrent de l'arsenal local, Saïgo Mori accepta – avec réticence – de prendre leur tête. Il savait que leur cause était désespérée. Ils avaient livré bataille à l'armée de l'empereur avec des épées à double poignée, sur les arêtes volcaniques toutes proches de sa maison. Surpassées en nombre, les troupes du général Saïgo Mori avaient été chassées de la montagne et taillées en pièces. Le général s'était fait hara-kiri le soir même, au coucher du soleil.

Curieusement, après sa mort, sa célébrité grandit dans des proportions stupéfiantes. Son nom fut révéré comme celui d'un des plus grands héros du pays. Afficher son portrait dans les écoles et chez les particuliers devint à la mode, car il était le dernier des samouraï d'antan – un homme spartiate dans son comportement personnel, mais généreux et prêt à se sacrifier pour les autres. Les historiens ne l'ont jamais taxé de déloyauté pour avoir mené ses jeunes soldats à la bataille contre l'empereur, puisque ce n'était pas contre l'empereur qu'ils s'étaient dressés, mais contre la clique qui entourait la majesté impériale. En considération de son immense réputation, l'empereur octroya à son fils – le père de Mori – le titre de baron. Il en fut ainsi jusqu'au moment où, par souci de démocratisation, MacArthur avait supprimé tous les titres héréditaires. Mori s'inclina de nouveau pour saluer l'esprit de ses ancêtres. Il souhaitait ne jamais se trouver obligé de choisir entre son pays et son honneur.

De toute façon, il savait bien que cet aspect du Japon échapperait toujours à la compréhension des *gaijin*. Quand l'ennemi apparaissait, il fallait le combattre, même si c'était de la folie, et ne jamais calculer. La liberté de l'esprit n'existe que si l'on est prêt à mettre sa vie en balance.

Il s'aspergea le visage à l'eau froide et prépara son rasoir. Il appartenait à cette rare catégorie de Japonais qui sont obligés de se raser tous les jours, et qui ont du poil sur la poitrine, grand symbole de virilité pour les femmes japonaises. Pourtant il n'avait pas réussi à avoir d'enfants, et cela restait pour lui une source permanente d'humiliation. Les médecins avaient déclaré qu'ils étaient l'un et l'autre parfaitement normaux. La tension à laquelle il était soumis dans son travail se transmettait peut-être à sa

femme et empêchait la conception. Bonne réponse à la japonaise :
aucun des deux n'était responsable.

Pendant un certain temps, Mitsuko était allée prier au temple
d'Hiroo, et avait acheté des amulettes censées favoriser la fertilité.
Puis il y eut une période où elle pleurait tard dans la nuit quand
elle le croyait endormi. Elle lui avait proposé plusieurs fois de
faire annuler leur mariage. Un jour, elle alla même jusqu'à suggé-
rer qu'il prenne une maîtresse qui pourrait concevoir ses enfants,
puisqu'elle en était incapable. Il lui interdit d'en reparler. Après
quoi ils cessèrent d'évoquer le problème.

Elle s'était mise à travailler contre l'avis de sa belle-mère, mais
Mori en avait pris son parti. Et maintenant il y avait cette histoire
de Mercedes. Au cours du dernier mois, la même voiture l'avait
emmenée tous les matins après le départ de Mori. Quelqu'un du
bureau qui habitait près de chez eux, avait expliqué Mitsuko... En
tant que mari, son rôle consistait à attendre que Mitsuko veuille
bien s'expliquer.

La sonnerie du téléphone interrompit ses pensées. Mitsuko
l'appela d'en bas. C'était pour lui.

Son bureau confirma à Mori que la rencontre aurait bien lieu.
L'étranger se présenterait au D.P.M. à 15 heures précises. On passerait le chercher en voiture. Il se dépêcha d'en finir avec sa toilette et descendit prendre son petit déjeuner.

Il était normal qu'on ne parle pas beaucoup au petit déjeuner –
le *kiyai* matinal –, l'harmonie ayant plus d'importance le matin
qu'à tout autre moment de la journée. L'esprit est plus vulnérable
à l'heure du réveil. Sa mère le salua la première conformément à
la coutume, puis se retira dans sa chambre.

Mitsuko sourit en entrant dans la pièce, portant du *miso*[1]
accompagné de riz et du poisson *taï* grillé. Mori s'assit sur des
coussins devant une table basse, le *kotatsu*, dotée d'un appareil de
chauffage électrique placé au-dessous et qu'on pouvait couvrir
d'un édredon en hiver pour maintenir la chaleur. Peu de maisons
avaient le chauffage central. Elle s'agenouilla pour le servir, tout
en remettant en place une mèche de cheveux. Elle avait la peau
d'une blancheur étonnante pour une Asiatique – signe évident de
sang royal, disait-on.

Mori s'essuya la bouche et posa ses baguettes laquées sur la
table.

– Le dîner avec Kazuo et Miko t'a plus hier soir ? demanda-t-il.

Mitsuko était toujours agenouillée, ses jambes bien faites

_____
1. Bouillon léger. *(N.d.T.)*

repliées sous elle. Elle acquiesça d'un simple signe de tête, comme une collégienne, en détournant les yeux. Elle rajusta de la main son *yukata*[1] sur ses cuisses pour éviter de le froisser.

– Nous devrions sortir plus souvent, continua Mori, passer des vacances à l'étranger. Quand tout ceci sera fini, nous prendrons le bateau pour faire un grand voyage.

Il avança la main et lui effleura les cheveux et la joue.

– Ce n'est pas nécessaire. Je suis heureuse ainsi, dit-elle avec ce sourire réservé aux promesses non tenues. Mieux vaut ne pas en parler. Un jour, si cela arrive, on le fera, tout simplement.

– Je parle sérieusement cette fois-ci.

Pour une raison inconnue, Mitsuko rougit. Mori sentit la chaleur de sa peau sous sa main. Il s'inquiéta : avait-elle de la fièvre, ou était-elle en colère... ou bien était-il, lui, un salaud au cœur sec, comme Kazuo l'avait insinué...

– Tu as ta façon de vivre à toi. C'est dans les choses de l'esprit que tu trouves ton plaisir... pas dans les voyages.

– C'est vrai. Mais je vais changer un jour, tu verras.

– Je suis fière de toi. Je t'aime tel que tu es.

– Est-ce vrai?

Le regard de Mitsuko croisa brièvement le sien. L'iris de ses yeux marron était parsemé de taches jaunes. Elle était, heureusement, capable de reconnaître les symptômes évidents du désarroi masculin quand elle s'y trouvait confrontée.

– Bien sûr que je suis fière de toi. Maintenant il faut que j'aille me préparer. Est-ce que ce coup de téléphone annonçait encore une urgence?

– Non, répondit Mori en consultant sa montre et en se demandant vaguement s'il y avait une note d'ironie dans sa question. C'est le bureau qui m'a appelé. Je dois rencontrer un étranger cet après-midi. C'est très important.

– Pourquoi diable dois-tu rencontrer un étranger?

– A propos de cette jeune Américaine qui est morte. Celle que ton amie connaissait.

– Alors, ce n'était pas un accident?

– Non. Et cet étranger pourra peut-être me dire ce qu'elle faisait au Japon.

– Tu rentreras encore tard, ce soir?

– C'est difficile à dire.

Mitsuko fit le geste de se lever, mais Mori étendit la main pour l'en empêcher.

---

1. Peignoir en coton. *(N.d.T.)*

– Est-ce ça t'ennuierait beaucoup si je téléphonais à Erika pour l'inviter à déjeuner ? Elle connaissait l'Américaine et pourra peut-être m'aider.

– Est-ce pour cette seule raison que tu t'es tellement intéressé à elle hier soir ?

Mori sourit.

– Excellent. Tu es jalouse ?

– Tu es affreux. Depuis quand la jalousie est-elle excellente ?

– Quand ça veut dire que je ne suis pas en train de te perdre...

Dehors, un coup de klaxon retentit. Mitsuko alla vers la fenêtre donnant sur la rue et regarda à l'extérieur, soudain prise de panique. Mais ce n'était pas la Mercedes de Suzuki-san. C'était une voiture noire japonaise qui venait chercher son mari.

La plupart des habitants de Tokyo sont persuadés que leur ville durera éternellement, puisqu'elle a toujours survécu aux ravages des tremblements de terre et aux bombes incendiaires, à un siège, au temps des Tokugawa, et à la pestilence de l'ère Kamikura. A la même époque, Byzance et Cordoue s'écroulaient en poussière. S'il existe à Tokyo un symbole de sa permanence, c'est bien le bâtiment Matsumoto de Ginza-dori. Erika avait accepté d'y retrouver Mori pour déjeuner.

Tout en attendant l'ascenseur, Mori contemplait sur le mur les peintures retraçant l'histoire du bâtiment. Il y avait également une plaque commémorative. Matsumoto aîné avait conçu le bâtiment original en briques anglaises, en 1905, et ce fut la première construction avec ossature d'acier renforcé érigée à Tokyo. L'acier utilisé avait été fourni par des rails de trolley importés d'Angleterre, qu'on avait extraits du sol pour les remplacer par d'autres, fabriqués dans des usines de la région. Le nationalisme japonais avait acquis de la valeur avec la défaite de l'ours russe.

Il y avait aussi des tableaux représentant le fameux bâtiment resté seul debout au milieu des ruines de Ginza, après le tremblement de terre du Grand Kanto en 1923. On apercevait le portrait de l'aîné des Matsumoto, coiffé d'un chapeau de paille, trônant fièrement à l'étage supérieur. Une autre peinture, datant de 1945, exhibait des ruines plus spectaculaires. Là, le bâtiment était éventré, mais son ossature restait obstinément dressée pour marquer la fin de la guerre.

Arrivé au restaurant du dernier étage, Mori commanda un Suntory et de l'eau et se demanda ce que pouvait bien signifier pour un chrétien le poster de Jeffrey Reusch représentant un

ange bien posé sur ses pieds, qui tendait des coktails à deux offi-
ciants... Il avait laissé à Erika le choix du lieu, un de ces pubs de
style étranger fréquentés par la jeunesse japonaise : des affiches
art déco, du cuir rouge partout, du cuivre brillant et, au plafond,
des ventilateurs de bois laqué tournant paresseusement - de quoi
donner le vertige à n'importe qui.

Il espérait qu'Erika pourrait le renseigner sur le milieu où évoluait la jeune Américaine, et lui donner des informations qu'il ne
trouverait pas sur les fiches. Il avait passé la matinée à relire les
déclarations du personnel de la C.J.E. Sans aucun résultat.

Revoir Erika – il le savait – était chose dangereuse. Mori se rendait compte qu'il était en train de se rapprocher inexorablement
du bord d'une falaise abrupte. Certains disent qu'il n'y a qu'un
pas à franchir entre le stoïcisme et l'hédonisme et son mariage
était déjà branlant... Il lui faudrait se surveiller de près dans ses
rapports avec la séduisante amie de sa femme.

Erika se faufila avec assurance entre les tables, un sourire
impertinent aux lèvres, balançant des hanches avec ce qu'il fallait
de provocation, et donnant à ses seins un mouvement troublant
sous la blouse de soie. Mori ne put deviner si – oui ou non – elle
portait un soutien-gorge.

Elle s'inclina avec une timidité affectée et ils échangèrent
d'agréables banalités. Puis elle commanda un verre de mercian [1]
rouge et le questionna sans plus attendre :

– On peut passer tout de suite aux choses sérieuses si vous voulez. Vous m'avez dit au téléphone qu'il y avait urgence.

Elle parlait d'une voix froide. Mori posa son carnet de notes
noir sur la table avec le plus grand soin.

– Je souhaite simplement vous poser quelques questions. C'est
tout.

Les grands yeux de faïence et le visage d'Erika se tournèrent
vers le carnet qu'elle regarda fixement.

– Vous allez tout noter dans ce carnet et faire un rapport sur
moi ?

Mori sourit hypocritement et toussa derrière sa main.

– En fait, je n'appartiens pas à la police de la circulation.

– Je sais, dit rapidement Erika, comme si la chose avait peu
d'importance. Elle se tenait assise très droite en parlant, comme
le font les jeunes Japonaises dotées d'un corps superbe. Vous vous
occupez de terrorisme, n'est-ce pas ?

– C'est Mitsuko qui vous l'a dit ?

---

1. Vin fabriqué au Japon. *(N.d.T.)*

Les yeux d'Erika se posèrent sur le verre de Mori.

– Mitsuko ne sait pas trop garder un secret.

– Je vois que la brigade antiterroriste vous intéresse, dit-il.

– J'ai suivi un cours sur la justice et la criminalité à l'université : l'affaire Sondheim, les émeutes étudiantes des années soixante, l'incendie de la gare de Shinjuku.

– Votre professeur était sans doute un libéral?

– Mais très ouvert. Il nous a fait remarquer qu'Aristote et Lao-tseu avaient vanté, en leur temps, les mérites de la torture et de l'assassinat politique. La répression n'est pas le privilège du seul Japon, bien que nous y soyons passés maîtres.

Elle croisa ses jambes gainées de soie et tira sur sa jupe pour ne pas trop montrer ses cuisses aux tables voisines.

– Les étudiants ont tous bénéficié des garanties de la justice, Erika. Je souhaite juste vous poser quelques questions, et non pas résoudre l'avenir de la société.

– Vous n'avez pas encore passé mon test de jugement, vous savez!

Une serveuse rôdait autour de la table pour prendre la commande. Mori lui fit signe d'attendre encore cinq minutes. Elle leur laissa deux menus et s'en alla.

– Plus de la moitié des condamnations ont été assorties du sursis, soyez juste. Qu'aimeriez-vous manger?

Un sourire de victoire illumina le visage d'Erika.

– Ce qui nous amène au cas de Kathy Johnson. C'est bien pour cela que vous vouliez me voir, non?

– Passons nos commandes, suggéra Mori. Je recommande l'*abi* grillé ou le steak.

– J'ai lu ce matin un article dans *Asahi*, disant qu'elle avait été victime d'un accident. L'article occupait à peu près la surface d'un timbre-poste. Alors, monsieur le policier, s'agit-il d'un acte de terrorisme ou d'un accident?

– L'enquête n'est pas terminée, Erika. On m'a demandé de recueillir une déclaration volontaire de votre part.

– Quelle blague!

– Il y a combien de temps que vous travaillez pour I.C.O.T.?

– Quelques mois seulement.

– Et combien de temps êtes vous restée à la C.J.E.?

– Dans l'apostasie! soupira Erika. C'est comme ça que nous vivons tous, dans un conformisme obligatoire... Rien n'est écrit! On ne nous laisse que la liberté que donne la sécurité... Qu'est-ce que Kathy a fait? Menacé de dénoncer le système?

– J'ai pensé que vous en saviez là-dessus bien plus long que nous.

Mori appela la serveuse tout en souriant d'un air obstiné. Erika succomba à l'attrait du steak Matsuzaka tandis que Mori commandait des crevettes frites. En attendant que les plats arrivent, Mori expliqua que Kathy Johnson travaillait peut-être sur un projet qui pourrait aider à clarifier sa mort. Non. Ce n'était pas un accident.

Il lui dit que, étant donné qu'elle avait travaillé avec Kathy Johnson, elle savait peut-être à quoi exactement travaillait l'Américaine. Erika possédait peut-être des informations internes sur le mobile, que la compagnie était dans l'incapacité de fournir. Erika ponctuait les paroles de Mori de petits signes de tête, tiraillait le lobe d'une oreille parfaite et sirotait son vin de ses lèvres en bouton de rose, en relevant le menton d'un geste très érotique.

— Eh bien, elle travaillait sur un ordinateur miniaturisé de la cinquième génération. Vous savez ce que c'est?

Ses joues s'étaient teintées d'un rose délicat. Mori hocha la tête et se plongea dans ses crevettes.

Erika coupa soigneusement sa viande en petits morceaux avant de commencer ses explications. Les ordinateurs de la cinquième génération étaient tout à fait spéciaux – ils avaient un énorme cerveau et savaient penser, quasiment comme les humains. Le problème était leur taille et la chaleur dégagée. Il leur fallait des millions de microchips qui dévoraient une énorme énergie. Plus d'un gigabite – un milliard de bits mémoire – rien que pour un seul prototype 5 G – sans chromes ni fioritures.

— Est-ce que vous me suivez jusque-là?

Mori assura que oui et elle continua sur un ton quasi professoral. Si on assemble trop de chips, la chaleur produite peut faire fondre l'ordinateur – à moins que la distance entre les chips ne les en rende incapables (I.B.M. possédait un ordinateur 5 G qui mesurait plus de dix mètres de long) ou à moins de produire un nouveau micro chip permettant la miniaturisation.

— C'est là-dessus que Kathy Johnson travaillait?

Mori commençait à y voir plus clair : Kathy Johnson avait accès à une technologie qui pouvait conduire au meurtre l'un ou l'autre des Super-Grands.

Erika acquiesça. Elle précisa que Kathy Johnson travaillait avec une équipe japonaise à la création d'un microchip doté d'une rapidité de fonctionnement d'un ordre de grandeur qui dépasserait de loin celui des chips habituels. Ce serait l'une des clefs de la miniaturisation de l'ordinateur 5 G – des particules faites de conducteurs hyper-refroidis, avec une résistance zéro, et ne dégageant par conséquent que très peu de chaleur. Un agglo-

mérat de plusieurs millions de chips ne produirait qu'une chaleur de quelques watts. Des fibres optiques remplaceraient les fils
électriques pour réduire encore plus la taille. Le but à atteindre
était de produire un ordinateur 5 G pas plus grand que la boîte où
on range des sandales de paille.

– Un *zori bako*? Mori s'efforçait de ne pas montrer qu'il était
impressionné.

– C'est fantastique, n'est-ce pas?

Elle se pencha en avant, finit de boire son vin et reposa délicatement son verre. Elle semblait être en train de prendre une
décision. Finalement, elle continua :

– Je ne sais pas si la C.J.E. a réussi ou non. Tout cela s'est fait
en accord avec I.C.O.T., mais le projet est très secret. Si vous voulez en savoir plus, Suzuki donne une réception chez lui, à la fin de
la semaine prochaine. C'est lui qui dirige I.C.O.T. Mitsuko sera
certainement invitée, et les maris sont toujours les bienvenus. J'y
serai également.

Mori crut deviner comme une promesse dans sa voix. Puis il
reprit le carnet noir resté discrètement posé sur la table pendant
toute la conversation, appuya sur un bouton d'arrêt parfaitement
dissimulé et le glissa dans sa poche. Ces enregistrements faisaient
partie de la procédure habituelle lorsqu'il s'agissait d'obtenir des
déclarations sans témoin.

Tandis qu'ils attendaient l'ascenseur, Mori remarqua d'épais
nuages noirs au-dessus du grand magasin Takashimaya, de
l'autre côté de la rue. L'avant-garde annonciatrice d'une tempête.
Erika l'observait d'un air pensif.

– Je ne devrais sans doute pas vous en parler, dit-elle, mais
votre femme est furieuse que vous ne soyez pas rentré tôt un seul
soir de la semaine.

L'arrivée de l'ascenseur évita à Mori d'avoir à répondre.

Quand ils débouchèrent dans la rue, le ciel s'était assombri et
les premières gouttes de pluie se mirent à tomber. Erika lui prit
instinctivement le bras. Mori sentit contre lui la rondeur de ses
seins. La pluie se fit plus drue et ils se mirent à courir vers l'abri
d'une station de taxis. Il y avait déjà une file d'attente, mais ils
arrivèrent à se frayer une place à l'abri du toit métallique. Elle
continuait à lui tenir le bras et à se serrer contre lui pour se protéger de la pluie. Libéré du comportement officiel adopté au restaurant, Mori avait l'impression d'entrer dans une nouvelle phase de
sa vie : sa rencontre avec cette ravissante et mystérieuse jeune
fille en annonçait le début.

La pluie redoublait de violence. Une sorte de gaieté détendue s'était emparée de la file d'attente où fusaient les plaisanteries de gens obligés de supporter ensemble une catastrophe mineure. Mori s'aperçut tout à coup qu'Erika l'observait en souriant.

Sans savoir pourquoi, Mori lui rendit son sourire et dit :

– Vous savez, je crois bien que ma femme a un amant.

La réaction d'Erika fut tout à fait inattendue. Elle rejeta la tête en arrière et se mit à rire.

– Écoutez-moi, dit-elle, en s'arrêtant de rire. Je vous aime beaucoup tous les deux. Ne me demandez pas de prendre parti. D'accord?

Elle sortit un poudrier pour examiner rapidement son visage. Pas un taxi ne s'arrêtait; il devenait évident qu'elle allait être en retard. Elle fronça les sourcils.

– Ciel, je suis dans un bel état! La pluie m'a complètement décoiffée, et je n'ai rien sur moi pour m'arranger. Il faut que j'appelle le bureau.

Elle se précipita vers une cabine téléphonique tandis que Mori gardait leur place. Il la regarda insérer sa télécarte et se détourner pour parler d'un air animé pendant quelques secondes. Quand elle revint, elle était tout sourire.

– Ils ont dit que ça n'avait pas d'importance si j'étais un peu en retard.

Leur tour arriva enfin. Quand la porte automatique s'ouvrit, il la regarda monter avec une admiration évidente. Il allait donner au chauffeur l'adresse d'I.C.O.T. quand elle l'interrompit.

– Si ça ne vous ennuie pas, je voudrais passer chez moi juste une seconde. Il faut que je me recoiffe, et c'est pratiquement sur la route.

Son appartement était tout petit, mais arrangé avec goût, ce qui voulait dire, pensa immédiatement Mori, que le soir le temps devait lui sembler long. Il y régnait une odeur de tatami bien brossé et de parfum français. Il n'y avait qu'une chambre et une cuisine. La literie avait été rangée et il n'y avait sur le tatami que deux chaises sans pieds qui servaient d'appui pour le dos et les bras, et une petite table basse bon marché.

– Voilà, nous y sommes, est-ce que ça vous plaît?

– Très fonctionnel fut tout ce que Mori trouva à répondre, tandis qu'elle lui faisait signe de s'asseoir. La plupart des Japonais vivent comme ça, pensait-il dans un espace confiné avec seulement quelques objets personnels faciles à emporter rapidement. On appelait ces appartements *ippiki unagi*, des nids pour anguilles. L'histoire de leurs désastres les avaient tous conditionnés à être prêts à partir d'une minute à l'autre : les typhons dévas-

taient régulièrement les îles, on annonçait d'épouvantables tremblements de terre dans les années à venir, des incendies se
déclaraient souvent dans les immeubles fragiles et surpeuplés.
Pour une raison ou pour une autre, les Japonais s'étaient habitués
à l'idée que leurs maisons n'échapperaient pas à la destruction.

– Otez votre veste, proposa Erika avec empressement. Je n'en
ai que pour une minute.

Avant d'aller dans la salle de bains, elle lui prit sa veste, fit des
commentaires sur les initiales entrelacées fixées à l'intérieur du
revers, lui donna un coup de brosse et la rangea dans un minuscule placard. Quand elle ressortit quelques minutes plus tard, elle
tenait à la main une serviette pour se sécher les cheveux et s'installa sur la chaise voisine. Ses cuisses effleurèrent brièvement les
siennes.

– Je pense que vous ne pourriez pas vivre dans un endroit
pareil, n'est-ce pas?

– Cela dépendrait de qui m'y tiendrait compagnie, répondit
Mori.

– Si jamais Mitsuko vous met dehors, vous serez toujours le
bienvenu ici.

Elle éclata d'un rire cristallin.

Mori comprit pourquoi cette fille exotique l'attirait. Elle ne
jouait pas le jeu féminin classique des Japonaises arborant cet air
faussement timide qui signifiait «attrape-moi, si tu peux». Elle
laissait libre cours à ses pensées les plus intimes sans la moindre
dissimulation.

Erika arrêta de sécher ses cheveux avec la serviette comme si
elle devinait son humeur.

– Nous pouvons être amis? demanda-t-elle d'une voix douce.

– Oui, nous pouvons être amis.

– Je n'ai pas l'intention de briser votre mariage, ni rien de ce
genre. Mais vous me plaisez.

Mori la regarda un moment, ne sachant pas trop ce qu'on lui
proposait. Elle consulta sa montre.

– Si nous prenions un verre de vin. Vous avez le temps?

Il acquiesça, se rendant parfaitement compte que quelque
chose s'était mis en marche dont le contrôle lui échappait. Elle
apporta du Mercian blanc, un peu rugueux en raison du manque
d'expérience des fabricants locaux à effectuer les mélanges mais
jugé délicieux en la circonstance.

Elle se roula en boule, s'appuya confortablement contre lui et
se mit à lui parler de son enfance à Osaka. «Je ne respectais
aucune règle, vous savez.» Elle leva brusquement la tête et lui

adressa un sourire espiègle, comme le font les enfants avec quelqu'un en qui ils ont confiance. Son père buvait trop, voilà pourquoi. Et parfois il la battait parce qu'elle n'était qu'une fille. Et maintenant elle n'aimait que les hommes qui buvaient un peu trop, conclut-elle en regardant Mori d'un air pensif.

La pluie tambourinait contre les vitres, mais à l'intérieur la pièce était chaude et accueillante. Soudain, Mori regarda sa montre et se leva d'un seul coup.

— Désolé, dit-il en rougissant, j'ai rendez-vous avec un étranger dans moins d'une heure. J'avais complètement oublié!

Une fois arrivés en bas, ils s'arrêtèrent sur le seuil. La pluie tombait toujours à verse et il n'y avait aucun taxi en vue. Mori allait lui proposer de prendre le métro à quelques pâtés de maisons de là quand une Nissan Gloria grise s'arrêta à leur hauteur. La porte avant s'ouvrit.

— Il me semblait bien que c'était vous, fit une voix masculine qui ne marquait aucune surprise. Est-ce que je peux vous déposer quelque part, vous et votre ami, Erika?

Erika poussa un petit cri de joie.

— Merci, Tomu. Nous étions vraiment coincés ici. Puis-je vous présenter l'inspecteur Mori, de la police de Tokyo. Nous venons de finir de déjeuner.

Le conducteur – chance inespérée – travaillait pour I.C.O.T. et habitait l'immeuble voisin. Il était revenu chez lui chercher des papiers. Mori ne dit pas grand-chose le long du parcours jusqu'à Shiba où ils le déposèrent à l'entrée de la ligne d'Akasuka. S'il était une chose qu'il avait apprise au cours de ses années passées dans la police, c'était bien à ne jamais – jamais – croire aux coïncidences.

9

Un chiffre fatal

L'après-midi, le temps tourna au froid, tandis qu'un épais brouillard venu de la baie de Tokyo enveloppait le centre-ville. Aux yeux de Ludlow qui arrivait en taxi, le quartier général de la police métropolitaine de Tokyo offrait l'image fantomatique d'un cuirassé émergeant soudain au cœur de l'obscurité.

A la porte, des sentinelles arrêtèrent poliment Ludlow pour lui demander ce qu'il désirait. Il leur donna le nom de l'inspecteur Mori. Des voix résonnaient dans le vestibule pavé de granit. Aucun espace n'était perdu, l'endroit était conçu pour l'action. Les vérifications du service de sécurité étaient rapides et efficaces. Chacun affichait une attitude de volonté concentrée et un soupçon de supériorité.

A gauche de l'entrée se trouvait une vitre à l'épreuve des balles derrière laquelle deux gradés observaient toutes les allées et venues. Quand Ludlow fut autorisé à passer dans la salle d'attente, l'un des gardes passa un coup de téléphone. Mori apparut quelques minutes plus tard.

Dans ce décor, tout de discipline et d'efficacité, l'inspecteur offrait une image insolite. Son aspect n'avait rien d'officiel. Son beau visage et ses yeux écartés restaient vigilants, son costume était dans un état de délabrement incroyable et sa cravate aux couleurs vives jurait avec la gravité du cadre. Il ne mesurait sûrement pas plus d'un mètre soixante. Par contre ses mains étaient révélatrices. Elles étaient beaucoup trop fortes pour sa taille – une décoloration permanente en marquait les articulations gonflées et leur peau était dure comme du fer, Ludlow le constata en lui serrant la main... les bains chimiques et la pratique constante des arts martiaux, se dit-il. Il avait naguère bu quelques verres avec Carter Wong, le champion du monde de tae-kwon-do qui avait été contraint par la police de déclarer ses mains comme armes mortelles. Et elles étaient loin d'être comparables à celles de Mori.

Ludlow feignit de ne pas avoir de carte de visite. Il savait que les Japonais considéraient la non-présentation d'une carte de visite lors d'une rencontre comme une attitude aussi aberrante que celle d'un restaurateur qui ne proposerait pas de menu. Les cartes de visite précisaient le statut, les titres et l'importance de la personne qui leur faisait face. Les Japonais avaient la réputation de changer de personnalité selon l'individu auquel ils s'adressaient... Le pays n'était que masques.

Mais Mori ne réagit pas. Il garda la tête inclinée tout en conduisant Ludlow vers une série d'ascenseurs à portes d'acier. Une fois arrivés au quatrième étage, il se redressa légèrement. Quatre s'écrit *shi* en japonais, et Mori expliqua dans un anglais passable que c'était l'étage de la mort. Quatre était un chiffre porte-malheur au Japon et, dans certains immeubles, il n'y avait pas de quatrième étage. Le département de médecine légale de la police, par contre, avait naturellement droit à ce chiffre. Mori sourit comme si tout cela n'avait pas d'importance et poussa la porte pour que Ludlow puisse le précéder.

Le laboratoire de médecine légale était le plus moderne et le plus beau que Ludlow ait jamais vu. Il avait cet aspect de blancheur empesée qu'adorent les Japonais et qu'on retrouve dans les représentations les plus sophistiquées de leur image spécifique. Les garçons de salle portaient des uniformes blancs amidonnés, les halls étaient blancs... les murs et les plafonds étincelaient comme d'immenses couches de glace.

Mori ouvrit une autre porte et fit entrer l'Américain à l'intérieur. La salle d'autopsie était une pièce tout en longueur où des tables d'acier inoxydable s'alignaient le long d'un des murs. On y voyait des placards blancs bourrés de produits chimiques. Le sol était revêtu d'un carrelage blanc et noir, évoquant les cases d'un jeu d'échecs.

Tout au bout de la salle, le corps de la jeune femme gisait sur une table brillamment éclairée. Un drap la recouvrait des pieds à la taille. Il était fixé à la table par un petit poste de radio branché sur un programme sportif consacré aux éliminatoires du championnat de base-ball. On y discutait des mérites respectifs des lanceurs des deux camps.

Komatsu, qui pratiquait des autopsies à temps partiel, serra maladroitement la main de l'étranger. Sa poignée de main était hésitante, tant les Japonais répugnent à ce type de contact direct avec la peau.

En guise d'accueil, Komatsu déclara à Mori :

– Egawa va jouer aujourd'hui. S'il tient six rounds, je baiserai le cul de ta mère!

Et il tendit à Mori son dernier rapport d'autopsie.

Ludlow eut du mal à cacher son amusement devant le japonais que parlait Komatsu. Le légiste avait l'accent des montagnes de l'Ouest, il venait sûrement de la province d'Iwate. Il était tout rabougri, et ses dents étaient déchaussées.

Mori déchiffra le document écrit à la main dont certains caractères kanji étaient mal formés. Pendant ce temps-là, les commentateurs de la radio arrivaient à la conclusion que le match dépendait du contrôle qu'Egawa opposerait à la vitesse de Kaku. Mori se déclara finalement satisfait du rapport à une exception près. Komatsu resta sans réaction.

– On ne mentionne que deux balles, dit Mori en japonais, mais on en a tiré trois.

Komatsu soupira. Ils se mirent à parler rapidement tous les deux dans leur langue. On avait dit à Mori que l'Américain ne savait pas le japonais, mais il avait remarqué une esquisse de sourire sur les lèvres de l'étranger quand Komatsu avait ouvert la bouche. Mori n'était donc plus certain de l'incapacité linguistique de l'étranger. La langue japonaise était un obstacle que peu d'étrangers pouvaient franchir, mais cet étranger-là était peut-être une exception.

Komatsu expliquait que la troisième balle n'avait pu être entièrement extraite; le rapport ne traitait que des points confirmés à ce jour. Mori fit un signe de tête compréhensif. On manquait de pathologistes de médecine légale à Tokyo – la mort n'est pas à la mode au Japon. Par conséquent, l'attitude officielle consistait à faire montre de tolérance envers ceux qu'on avait. La plupart des pathologistes compétents, comme Komatsu, dépendaient d'un hôpital et ne travaillaient pour la police qu'à temps partiel. Cela leur donnait un certain prestige parmi leurs pairs, et ils pouvaient se procurer les produits dont ils avaient besoin au laboratoire bien pourvu de là police à des prix bien au-dessous du coût habituel. Le Dr Hayama, qui dirigeait le département de médecine légale, se montrait également très souple, quant au rendement, à l'époque des Championnats du monde.

La radio donnait la liste des joueurs rangés sur la ligne en attendant qu'on siffle le début du match.

– Est-ce que ce rapport a été transmis aux Américains? demanda Mori en tapotant les feuillets au rythme de ses paroles.

– On en a envoyé une traduction, ce matin, à l'ambassade des États-Unis. On voulait essayer d'expédier le corps avant le coup d'envoi du premier lanceur, mais s'il n'y a pas urgence...

Mori se tourna vers Ludlow et s'adressa à lui dans son anglais laborieux :

– Nous allons examiner le corps. Ne touchez à rien, s'il vous plaît, et ne fumez pas. Deux des trois balles qui l'ont frappée ont été identifiées. Merci.

– Quel type de balles ? fit Ludlow.

– Des pointes creuses...

La porte s'ouvrit et un personnage petit, râblé, bronzé par la fréquentation des terrains de golf et vêtu de blanc immaculé, se rua vers eux. Le Dr Hayama était responsable à la fois du secteur balistique et de la salle d'autopsie. Il considérait les légistes à temps partiel comme ses ouailles.

– Oui, des pointes les creuses. Bonjour. Ravi de vous rencontrer. Le docteur s'était précipité vers l'Américain, et Mori les présenta l'un à l'autre avec un certain soulagement. L'anglais d'Hayama était aussi immaculé que sa blouse.

– C'est le nom technique que nous employons, continua Hayama sans se laisser interrompre ; c'était son domaine. Les Anglais les avaient baptisées dum-dum à cause du faubourg de Calcutta où on les avait d'abord fabriquées. Drôlement inventifs, les Anglais !

Hayama était en passe de devenir chauve ; il avait un visage large et portait des lunettes cerclées d'or qui scintillaient sous la lumière incandescente du plafond.

– Quand on les utilise pour des pistolets, nous les appelons « pointes creuses » et non « dum-dum ». En fait ce sont les mêmes. Seule différence : la vitesse de passage dans le canon. Quand le tireur se trouve dans une foule, elles sont particulièrement efficaces. La balle ralentit sa course dès qu'elle a pénétré la chair de quelques centimètres – cela évite les ricochets... et d'atteindre des passants innocents. Elles sont très appréciées de la police américaine. Naturellement, ici, au Japon, leur usage est illégal.

– Et qu'est devenue la troisième balle ? demanda aimablement Ludlow.

– Elle a explosé, répondit Hamaya en grimaçant un sourire. J'ai bien peur qu'il n'en reste pas grand-chose à analyser. Si nous allions voir le corps ?

Ils le suivirent jusqu'à la table au fond de la salle. Le corps était d'un blanc spectral, où ressortaient par contraste les blessures rouge vif qui avaient déchiré son abdomen et sa poitrine. Tout autour on pouvait voir un réseau satellite d'incisions, là où Komatsu avait fouillé pour extraire les balles.

Mori ne pouvait supporter de regarder sa tête. La mâchoire et presque tout le bas du visage étaient noirs. Ses cheveux blonds étaient collés et agglomérés dans des coulées de sang séché. Il sentait son estomac se révulser. Pourtant, le grand Américain, lui, se penchait sur ce visage et semblait en quelque sorte immunisé contre le spectacle de cette atroce destruction. La station Sanyo en avait terminé avec la revue des joueurs. Mori éteignit la radio.

– Elle était comme ça quand on l'a amenée? interrogea Ludlow. Je parle de sa figure?

On commençait à pouvoir lire dans ses yeux une férocité contenue jusque-là.

Hamaya et Komatsu firent l'un et l'autre signe que oui.

– Quel est l'angle de pénétration des balles?

Docilement, Komatsu fit un rapport sur chacun des angles. Ludlow fronça les sourcils. Les mots correspondaient exactement à ceux du rapport écrit.

– On n'a retiré que des fragments de la balle qui a atteint la tête, ajouta Hayama. Vous pourrez venir les examiner au microscope balistique, si vous voulez. Dans un jour ou deux.

– Oui, dit l'Américain, prenant une décision rapide, cela me conviendra tout à fait.

Ils quittèrent la salle d'autopsie tandis que Komatsu s'excusait de ne pouvoir les accompagner jusqu'en bas. Aujourd'hui, il avait trop de travail. Mori approuva d'un hochement de tête. A peine la porte de la salle s'était-elle refermée qu'ils entendirent à nouveau la radio.

L'incident qui donna lieu au premier conflit entre Mori et Ludlow se produisit quand ils eurent quitté le département de médecine légale. Mori avait proposé à Ludlow d'aller rapidement prendre un café dans un coin tranquille – une des agréables salles de conférence du bâtiment de la police. Le brouillard s'était dissipé. Ils s'installèrent sur des chaises et Ludlow admira un instant la vue : le fossé et la pente verdoyante qui s'étendait devant le mur extérieur du palais impérial et Kitano, la tour du nord.

– Je voudrais bien savoir quel jeu vous jouez tous, dit-il tout à coup, les yeux toujours fixés devant lui.

L'étranger n'avait pas l'air en colère. Mori était certain qu'il en aurait reconnu les signes. Non, le visage de l'Américain ne reflétait qu'un sourire étrange.

Sans répondre, Mori fouilla ses poches à la recherche d'un paquet de Mild Sevens, et offrit une cigarette à l'Américain. A sa grande surprise, Ludlow accepta le rameau d'olivier. Il sortit même de sa poche un objet préhistorique plaqué de nickel et tout cabossé et alluma leurs deux cigarettes. Mori ouvrit de grands yeux. Il s'agissait d'un de ces briquets bon marché qu'on vend dans le quartier des bordels de l'Asie du Sud-Est, et cela lui donna à réfléchir quant au passé de Ludlow. Watanabe, l'ami de Mori, en avait rapporté un semblable de Bangkok. L'Américain le posa entre eux, sur la table.

— On m'a dit que les agents du carrefour avaient été témoins de l'assassinat. Ludlow rejeta la fumée par le nez. Par conséquent, je suis allé au *koban* de Sukiyabashi pour leur poser quelques questions. Le moins qu'on puisse dire est qu'ils ne se sont guère montrés coopératifs.

Mori écrasa sa cigarette dans le cendrier.

— Désolé, dit-il.

— J'ai également bavardé avec la gardienne du parc voisin du carrefour. Elle m'a raconté que juste après le meurtre un Japonais était entré en titubant dans le parc et avait vomi dans la fontaine. C'est une des voitures-radio de la police – réservée aux gradés – qui l'a ramassé. Sa description de l'homme correspond étonnamment à la vôtre, inspecteur.

Mori regardait vaguement par la fenêtre. Sur le talus qui menait aux murs du palais, des moineaux picoraient dans l'herbe à la recherche de quelque nourriture. Un oiseau plus gros – un geai – atterrit au milieu d'eux, effrayant les petits oiseaux qui s'envolèrent. Un présage? se demanda Mori. L'étranger reprit la parole, et cette fois sa colère était évidente.

— Écoutez-moi bien, Ninja, nous ne sommes pas ici en train de discuter du déficit de la balance commerciale, bon Dieu! Une Américaine a été tuée à coups de pistolet sous vos yeux. Si vous êtes décidé à traiter l'affaire comme vous le faites d'habitude, en niant tout et en mentant sans vergogne, je suis en train de perdre mon temps.

Ludlow fit mine de se lever pour partir.

Mori l'arrêta d'un geste de la main. L'étonnement se lisait sur son visage.

— Comment m'avez-vous appelé?

— Ninja. C'est le nom que nous donnons aux membres de vos services spéciaux. De plus, je n'arrive jamais à me souvenir des noms japonais. Enfin, je pense que vous n'avez pas acquis les mains que vous avez en faisant la vaisselle.

Mori regarda ses mains et sourit.

— Alors ce n'était pas une insulte?

— Non. Et je connais le proverbe asiatique : « Ne méprisez pas un ennemi parce qu'il est petit. » Je sais que vous pourriez me cracher dessus et me tuer, Ninja, mais ce n'est pas le problème. J'ai un meurtre à résoudre et vous ne m'aidez guère.

— Bon... rasseyez-vous. Mori lui désigna sa chaise et hocha la tête. Vous êtes très soupe au lait, vous savez. Vous avez peut-être d'autres défauts, mais c'est à celui-là que je m'intéresserais d'abord. Cependant, avant que vous recommenciez à vous mettre en colère, je vais vous dire pourquoi nous ne savions pas exactement ce que nous pouvions vous révéler. Oui, je la suivais. Nous la soupçonnions d'être une espionne américaine de haut niveau.

Ludlow acquieça, puis déclara :

— O.K., Ninja, je commence à comprendre. Et pour que désormais l'équilibre soit préservé, je vous précise que mon vrai nom n'est pas Brown, mais Ludlow, et que je travaille pour la C.I.A.

Le reste de la rencontre avec Ludlow se passa bien. Mori se montra plus que généreux. Il expliqua les circonstances du meurtre, qu'un étranger de haute taille s'était approché d'elle, qu'ils étaient en train de rechercher sa nationalité, que le D.P.M. avait toutes raisons de croire qu'il s'agissait d'un Soviétique, que l'étranger portait un imperméable sur le bras, et qu'il avait dû tirer à travers, que tout cela s'était passé au milieu d'une foule considérable et que c'était un miracle que personne d'autre n'ait été blessé, et, finalement, qu'il avait appris que la jeune femme travaillait sur un ordinateur miniaturisé de la cinquième génération qui avait des applications militaires.

— Qu'est-ce que c'est qu'un ordinateur de la cinquième génération, bon Dieu?

— Un ordinateur doté d'un logiciel particulier et sachant penser comme un être humain.

— Seigneur!

Ludlow secoua la tête.

— Absolument. Le mobile du meurtre est très clair. Nous aimerions que vous reconnaissiez qu'elle espionnait pour le compte de l'Amérique et qu'elle essayait de se procurer des données essentielles pour l'armée américaine. Et que c'est pour cela que les Soviétiques l'ont descendue.

— Mais c'est tout à fait ridicule!

Plus tard, quand il fit entendre l'enregistrement à son chef et à Aoyama, Mori déclara d'un ton satisfait qu'à partir de ce moment précis il avait su qu'il pourrait manipuler le grand étranger.

L'émotion était une faiblesse. L'étranger riait sans raison et se mettait en colère pour des affronts imaginaires. L'Américain était instable, conclut-il. Son chef et Aoyama complimentèrent Mori d'avoir si bien engagé l'affaire. « Une seule bonne action vaut mieux que trois jours de jeûne devant un autel. » Mori sourit. Il leur dit qu'il souhaitait obtenir la coopération de l'étranger, sa confiance et sa bonne foi... Cela se terminerait certainement par un compromis : il aiderait l'étranger émotif, et l'étranger lui dirait tout sur la jeune Américaine. A la fin de la réunion, Mori leur dit qu'il avait demandé à Ludlow de mettre en commun toutes les informations qu'ils recueilleraient sur la jeune femme. L'Américain avait accepté. Et pour mettre à l'épreuve son honnê-teté, Mori lui avait finalement demandé s'il parlait le japonais. Mori avait acquis la certitude que l'Américain avait une relative connaissance de la langue.

Dans l'un de ses rares élans de générosité, Ludlow lui avait dit que oui, mais qu'il devait s'excuser quant à sa qualité, et qu'il vau-drait mieux que les autres n'en sachent rien. Mori lui dit qu'il comprenait.

– Je l'ai appris en fréquentant les bars, avait dit Ludlow. Vous savez que ça n'est pas bon pour la syntaxe.

– Alors il vous arrive de prendre un verre de temps à autre?

– Je n'ai guère le temps. Mais ça m'arrive. La prochaine fois, c'est moi qui vous inviterai.

– D'accord, avait répondu Mori. Vous l'ignorez sans doute, mais notre travail se fait généralement en dehors des heures de bureau. Il avait souri et levé sa tasse de café en guise de toast.

10

Le kanzashi

Graves n'appela pas en personne de son bureau. D'une voix rapeuse, à la Laureen Bacall, sa secrétaire pria Ludlow de se trouver dans une des pièces intérieures avant un quart d'heure. Après quoi, elle raccrocha sans dire au revoir. Les secrétaires reflètent généralement l'attitude de leur patron. Ludlow maîtrisa sa colère parce que sa mission commençait à l'intriguer. Il n'avait ce jour-là, qu'à remettre le code de Kathy Johnson à son chef de station. Mieux valait retarder autant que possible le moment où Graves voudrait en savoir plus. Graves était un politicien lié au secteur Plans : il ferait tout pour couler la section « Sciences et Technologie », s'il en avait l'occasion.

Le nom de « pièces intérieures » venait de ce qu'elles n'avaient pas de fenêtres qui puissent permettre un espionnage acoustique. Pour en souligner l'austérité exemplaire. Celle où se trouvait Ludlow n'était agrémentée que d'une modeste table, d'une pendule réduite à un œil de cyclope et d'un portrait du Président. Pas de téléphones. Les murs blancs sillonnés d'électricité statique en assuraient la sécurité intérieure et on n'aurait pu percevoir le moindre cri venant du hall extérieur. On pouvait donc s'y permettre les discussions les plus franches. Graves était déjà arrivé et l'attendait.

— Washington m'a contacté ce matin. Graves avait adopté un ton sec, officiel, celui de quelqu'un ayant en tête des problèmes autrement plus importants. Ils voulaient savoir où en était notre enquête. Seulement ils n'ont pas employé des termes aussi polis.

Ludlow posa sur la table l'enveloppe contenant le code.

— Et alors, quel est le problème?

— Roger Harrington, fit Graves en louchant vers Ludlow pour

voir sa réaction. Il s'est débrouillé pour avoir l'autorisation d'intervenir avec sa propre équipe, et d'enquêter lui-même sur la mort de Kathy Johnson. Je suppose que vous vous en foutez complètement, je me trompe?

Ludlow prit tout son temps pour lui répondre. Il avait espéré pouvoir éviter de se trouver sous les feux croisés d'une guerre ouverte entre la direction de « Sciences et Technologie » et celle du « Plan ». Ce n'était plus possible désormais. A l'époque de McCone ou d'Allan Dulles, on avait retiré son équipe de recherche au département de « Sciences et Technologie » pour l'affecter à la Direction aux plans. Depuis lors ils essayaient de la récupérer. Les opérations d'Exodus Soixante étaient leur principal atout. Elles n'étaient contrôlées que par Washington et ils utilisaient soit des correspondants, comme Kathy Johnson, soit des agents de moindre importance. Les gens au courant assuraient que « Sciences et Technologie » était sur le point de diriger à nouveau son propre service de renseignements. Une autorisation renouvelée d'utiliser à plein temps leur propre équipe signifierait que le pouvoir changeait de mains. La part du lion des budgets élaborés par la C.I.A. commençait à être imputée à la Direction des techniques. Si le S.&T. contrôlait également son propre réseau de renseignements, aucun autre groupe n'aurait autant de pouvoir au sein de l'Agence. Tous les postes importants seraient attribués au S.&T. C'était bien là ce que craignaient Graves et les autres : que la C.I.A. devienne une équipe de technocrates. Ludlow, quant à lui, se disait qu'après tout les technocrates seraient peut-être de meilleurs dirigeants.

— Merde, Graves, je ne vois pas en quoi l'intervention – ou non – d'Harrington nous concerne.

— Réfléchissez. Harrington a été autorisé, au plus haut niveau, à intervenir et à promener ses fesses par ici sous notre couverture!

Pour compenser le peu de poids de ses paroles, Graves se mit à faire de grands gestes. Il brassait l'air de ses mains tout en dénonçant l'opération non autorisée qu'Harrington avait déclenchée au Japon... opération qui menaçait l'Union soviétique, et que la jeune femme avait payée de sa vie. Graves se mit à arpenter la pièce. Ce serait la fin de l'Agence telle qu'ils l'avaient connue, si n'importe quelle direction de département qui en éprouvait l'envie pouvait créer sa propre équipe de renseignements et se livrer au pillage aussi bien chez les alliés que chez les ennemis.

Graves s'arrêta pour observer Ludlow de près.

— Vous vous en foutez éperdument, n'est-ce pas? Mais je vais vous dire quelque chose. La règle de tous les services de renseignements quels qu'ils soient est de séparer totalement la collecte des renseignements et leur analyse. Le chef de station pointa un doigt accusateur en direction de Ludlow. Regardez ce qui arrive aux Russes! Ils déversent leurs renseignements à l'état brut au sein du Praesidium à la moindre occasion. C'est de la folie – et c'est dangereux.

– Okay, dit Ludlow. Tout ce que je veux, c'est qu'on me laisse une chance de découvrir les tueurs qui l'ont descendue.

– A quoi est dû cet enthousiasme soudain? ricana Graves. Quand nous étions dans le bureau de Yuki, ça n'avait pas l'air de vous intéresser beaucoup.

– J'ai vu son corps à la morgue de la police. Elle a été assassinée délibérement et d'une manière horrible.

– Vous ne seriez pas en train de chercher un petit supplément de célébrité suite à votre frasque de Colombo, par hasard? Graves examinait froidement le visage de Ludlow, à la façon d'un officier d'artillerie cherchant à corriger sa première évaluation de la position de tir.

Ludlow ne réagit à l'attaque ni par une grimace, ni par un rictus mélodramatique. Après tout, Graves avait peut-être raison.

– On ne peut pas toujours gagner, dit-il. Alors, je dispose de combien de temps?

– Dix jours, répondit Graves d'un ton neutre. Harrington doit venir en personne. Le grand homme ne peut guère arriver avant. Peut-être que vos amis de la police auront de la chance. Il n'y a d'ailleurs pas grand mystère – on sait qui est derrière tout ça, n'est-ce pas? De même pour le mobile. A propos, qu'est-ce que vous avez trouvé dans son appartement?

Ludlow lui indiqua d'un geste de la tête l'enveloppe contenant le code. Il savait que Graves appartenait à une clique qui se battait pour obtenir le contrôle de la C.I.A. – une clique composée de conservateurs, de patriotes, qui estimaient qu'il fallait constamment garder l'ennemi dans le collimateur, que toute souplesse équivalait à une faiblesse et que toute sensibilité était preuve d'incapacité. Pour Ludlow, ils restaient fidèles à une époque révolue et à une tradition que les événements du monde d'aujourd'hui reléguaient dans le passé.

Graves réceptionna le livre de code, le parapha conformément à la procédure standard d'Exodus Soixante, puis se tourna vers Ludlow de son air le plus hautain.

– Et qu'est-ce que vous avez trouvé d'autre?

– Quelques petits machins.

– N'essayez-pas de les couvrir, Ludlow! C'est un des plus beaux cafouillages de « Sciences et Technologie » que je connaisse. Ils ont utilisé cette pauvre fille pour une opération non autorisée, et qui la dépassait totalement. Il faut que quelqu'un mette fin aux agissements de ce salaud d'Harrington, et pourquoi pas moi... Je veux trouver demain sur mon bureau tout ce que vous avez déniché dans son appartement.

Mori mettait environ dix minutes à pied de la station de métro à son domicile. On avait découpé le trottoir en escaliers pour faciliter l'escalade de la dernière partie d'une montée très raide. Il passa devant la cour d'une école et devant le bâtiment voisin où se trouvait le club Ryojin fréquenté par les gens du troisième âge.

Il allait franchir le seuil lorsqu'il remarqua la voiture noire parquée un peu plus haut. Normalement, il n'y aurait pas prêté attention, s'il n'y avait eu une longue antenne fixée sur l'aile arrière. Il jura à voix basse, poussa brutalement la barrière et remonta l'allée. Sa mère lui ouvrit la porte.

– *Okairinasai.* Bienvenue à la maison. Tu aurais dû téléphoner, parce que Mitsuko rentrera tard.

Sa mère était une belle femme toujours vêtue d'un kimono, généralement de couleur sombre, qui faisait ressortir la blancheur de ses cheveux. Elle avait des doigts longs et ses gestes étaient gracieux. Elle avait naguère été reputée pour sa maîtrise des danses japonaises; aujourd'hui, elle veillait surtout à garder les ongles courts pour jouer du *koto* [1], ce qu'elle faisait à la perfection. Une femme de l'ancien temps, disaient les voisins... une femme dont la propre famille était célèbre bien avant son mariage. Quel dommage qu'ils aient tout perdu pendant la guerre.

– Il y a combien de temps que cette voiture est garée dans la rue? demanda Mori.

– Ne t'occupe donc pas des voitures. Entre, je vais te faire du thé.

Elle se retourna pour faire glisser les *shoji* qui donnaient accès à la petite salle à manger-salon.

– Bon, mais à qui est cette voiture? insista Mori tandis qu'elle le tirait par la manche pour le faire entrer.

Comme la plupart des femmes japonaises à forte personnalité, elle était toute petite. Sa peau avait gardé sa fraîcheur et avait la couleur du sable de Shimoda.

---

1. Sorte de cithare à treize cordes. *(N.d.T.)*

– Elle est là depuis midi, dit-elle, tout en le poussant vers un *zabuton*, et en le débarrassant de son manteau d'une main experte avant de le faire asseoir. Quand je suis sortie faire les courses, il y avait un homme qui dormait à l'intérieur. Quand je suis revenue, l'homme avait disparu, mais la voiture était toujours là.

Elle alla dans la cuisine et en revint avec le thé.

– Ta femme ne mange jamais à la maison, et toi tu t'inquiètes parce qu'une voiture est garée dans notre rue.

Elle lui versa du thé tout en l'observant.

– Tu es nerveux, n'est-ce pas? Tu n'as jamais su cacher la vérité.

Mori tira une petite boîte de sa poche et la lui donna en souriant.

– Oh! Qu'est-ce que tu m'as apporté!

Elle secouait la tête comme pour dire : c'est trop beau. Il s'agissait d'un médiator pour jouer du *koto*, taillé dans l'ivoire le plus fin, provenant de la boutique Noguchi d'Asakusa, dont le nom figurait sur la boîte. Elle était aussi enchantée par la boîte que par le cadeau lui-même, car Noguchi était le plus célèbre fabricant de *kotos*, et cela depuis plus de trois cents ans. Elle fit tourner le médiator entre ses doigts.

Erika est passée ici tout à l'heure. Voilà une fille vraiment charmante. Elle a laissé quelque chose pour Mitsuko. Est-ce que tu la connais?

– Je l'ai rencontrée au dîner de Kazuo, répondit Mori en détournant les yeux.

Sa mère rangea le médiator dans sa boîte.

– Tu sais, je souhaiterais que Mitsuko ressemble à Erika. Elle sourit à Mori et lui dit en lui montrant la boîte : Je l'essaierai après le dîner.

Mori avait l'impression que quelque chose la tourmentait.

– Je reste à la maison ce soir. J'aurai peut-être un peu de travail à faire, plus tard.

– Tu dis toujours ça... et puis tu te lèves et tu pars Dieu sait où sans finir ton dessert. Eh bien, pas ce soir! Et tant pis si le sort du Japon est en jeu. Bon, j'ai assez parlé. Je m'en vais préparer le dîner.

Mori alluma la télé. Pendant dix minutes, ce fut la litanie des tragédies quotidiennes de la région de Kanto. Encore une explosion de gaz dans un des faubourgs de Tokyo... à Ijimeru, un incident grave : le suicide d'un garçon de quinze ans que des étudiants avaient brimé. Cela fait partie de notre caractère national, se dit-il. Nous sommes capables de fabriquer les meilleures voitures, et nous cafouillons dès qu'il s'agit de choses simples. Nous sommes la race la plus polie du monde dans nos rapports individuels, et la plus cruelle dans le domaine des brimades mentales. Nos enfants ne font que nous imiter.

Une fois les catastrophes locales épuisées, on passa aux nouvelles internationales. Aujourd'hui, il s'agissait de rumeurs à propos d'entretiens américano-nippons concernant le désir des Japonais d'élaborer et de construire leur propre avion de combat. Les États-Unis insistaient pour que le Japon achète la technologie américaine conçue pour le F-16. L'annonce officielle des pourparlers serait rendue publique à la fin du mois.

L'émission se termina par les sports, et fut entièrement consacrée aux Championnats du monde de base-ball : les Lions s'étaient encore fait battre 2 à 1, et traînassaient en queue.

Au dîner, ils mangèrent des sardines du Nord agrémentées d'une sauce succulente, de *tofu* [1], d'*horenzo* – autrement dit des épinards japonais – et un plat de riz *ebi* passé à la poêle. Bien que sa mère eût l'air de bonne humeur, elle ne fit que peu de commentaires au cours du repas. En fait, elle n'aimait pas qu'on bavarde en mangeant. Une fois qu'elle eut servi le dessert – des pommes d'Aomori [2] coupées en lamelles –, elle en arriva à ce qui la tourmentait.

– Ce n'est pas bien qu'une femme japonaise soit si souvent absente de sa maison.

– Elle travaille, Okasan. J'ai épousé une Japonaise moderne.

– Tenir une maison ne l'intéresse pas. La cuisine non plus. Ce qu'elle te sert comme nourriture est une honte. Elle ne pense qu'à son imbécile de programme gouvernemental et à ses ordinateurs.

– Elle participe à un travail important ; elle s'en lassera peut-être un jour. Mais le fait qu'on l'ait choisie parmi le personnel de MITI est un honneur pour elle.

– Mais elle rentre tard très souvent. Elle me laisse faire tout le travail de la maison. Elle dépense de l'argent comme un homme.

Sa mère hochait tristement la tête.

– Okasan, elle est trop jeune et trop occupée pour se comporter de façon traditionnelle.

Mori se sentait un peu coupable. Est-ce que, par hasard, son propre comportement, l'habitude qu'il avait prise de rentrer tard, avait pu déterminer la réaction de Mitsuko ?

---

1. Pâte de soja. *(N.d.T.)*
2. Région du Japon. *(N.d.T.)*

– Elle se fait emmener tous les matins par cette énorme Mercedes. Qu'est-ce que les voisins vont penser?

Mori essaya de ne pas réagir.

– Il s'agit de quelqu'un de son bureau qui habite tout près d'ici. Elle a dû te le dire, je suppose? Maintenant, raconte-moi ce qui s'est passé au club Ryojin aujourd'hui?

Le visage de sa mère s'éclaira et elle lui expliqua qu'on lui avait demandé de chanter *Enka* pour le récital de samedi prochain. On la prévenait bien tardivement, mais Mme Watanabe était soudainement tombée malade.

– Je ne sais pas si je dois accepter, dit-elle en regardant son fils.

Mori savait qu'elle chantait très bien l'*enka* – la musique folklorique traditionnelle du Japon et qu'elle s'accompagnait magnifiquement au *koto*.

– Pourquoi pas? Tous tes amis seront présents.

– Bon, alors je vais accepter, dit-elle d'un air satisfait. Mais Mori savait bien qu'elle pensait toujours à Mitsuko.

– Un kimono neuf. Il te faut un kimono neuf pour le récital, il me semble. On ne va pas te laisser jouer pour tes amis avec un vieux kimono.

– Oui, ça serait très bien, mais je n'en ai pas vraiment besoin.

– Allons donc, dit Mori. Ce n'est pas comme si nous manquions d'argent.

Après avoir pris son bain, sa mère descendit pour lui dire bonsoir. Elle regarda la pendule et soupira. C'était la première fois que Mitsuko restait dehors aussi tard, se plaignit-elle. Naturellement, elle n'avait pas choisi Mitsuko comme épouse pour son fils, comme une bonne mère devait le faire. Elle méritait sa part de blâme.

– Je serais désolée d'être obligée de la renvoyer, bien sûr, dit-elle en hochant la tête avec tristesse, avant de se retirer dans sa chambre.

Mori éprouva un grand choc en réalisant la portée de ses paroles. Sa mère suggérait qu'il pourrait se trouver obligé de choisir entre elle et sa femme. Traditionnellement, l'acquittement de la dette qu'un fils a envers ses parents – un devoir – ne lui permettrait jamais de s'opposer aux vœux de l'un d'entre eux. Selon la tradition confucéenne, un fils était redevable envers ses parents de son existence, de sa santé, de sa force d'âme, de ses dons. Dans ce cas précis, et sur un plan plus pratique, Mori devait à sa mère la maison où ils vivaient. Elle était petite selon les critères occidentaux : une seule pièce à l'étage en plus de la salle de bains et trois au rez-de chaussée en comptant la cuisine. Il avait cherché assez longtemps avant de la trouver. Le vendeur en voulait soixante millions de yens. Mori décida qu'ils allaient d'abord la louer pendant un certain temps pour voir s'ils s'y plaisaient, avant de se décider à l'acheter. Sa mère lui avait prêté l'argent nécessaire. Et, bien sûr, les prix avaient doublé depuis l'année précédente. Il ramassa le journal du soir en se demandant si sa mère parlait sérieusement. Il espérait que non. En ce moment, il avait bien d'autres choses en tête.

Il avait à peine eu le temps de déplier le journal et de commencer à le lire lorsqu'il entendit un cri. Il se précipita vers la chambre de sa mère. Elle était couchée sur le côté et se tenait le cou. Il y avait du sang sur son oreiller.

La blessure s'avéra superficielle : une égratignure à la nuque. Il la nettoya à l'alcool, la badigeonna de menthol et lui banda le cou. Après quoi il en chercha la cause. Il y avait quelque chose de pointu dans l'oreiller. C'était un *kanzashi*. L'ancienne épingle à cheveux, longue et acérée, était en argent aiguisé pour former une pointe mortelle. Au cours des siècles précédents, les geishas utilisaient les *kanzashi* pour se protéger et pour goûter la nourriture de leur maître. L'argent s'oxydait et devenait noirâtre au contact des traditionnels poisons japonais. Sa mère avait eu de la chance de s'en tirer avec une simple égratignure.

Il lui fit prendre une tisane sédative et resta à lui parler jusqu'à ce qu'elle se soit calmée. Il lui dit que c'était un accident – tout en sachant qu'il n'en était rien. Il se demandait qui diable avait pu faire une chose pareille et pourquoi ? Il obligea sa mère à lui parler jusqu'à ce que ses yeux se ferment sous l'influence de la tisane. Au bout d'un moment, elle s'endormit.

Il emporta l'objet dans la salle de séjour et l'examina longuement avec une grande perplexité. Finalement, il sortit et scruta la voie étroite dans tous les sens. La voiture avait disparu. La rue était vide.

11

Le glazer

Les vêtements de la victime étaient soigneusement rangés sur les tables d'une annexe du même blanc brillant que la salle d'autopsie, et disposés selon les critères croissants de son intimité. Seuls, le soutien-gorge et la blouse portaient des taches brunes de sang séché. Un assistant apporta au trio des masques de gaze et des bonnets blancs. Ceux de Ludlow étaient trop petits pour lui.

— Les Japonais excellent à pratiquer des rites dont les résultats n'ont qu'un intérêt secondaire, observa le Dr Hayama d'un ton sec. Il désigna la première table d'un geste qui évoquait un marchand d'Asakusa. Il souleva le chemisier : De bonne qualité, dit-il. Français. La jupe et la veste du tailleur portaient un label italien : La jeune femme avait du goût, et il fit un clin d'œil à l'Américain. Rien de japonais. Et il ajouta, en quittant la première table : Aoyama, notre génie, a terminé l'analyse d'une des fibres sur son ordinateur. Il s'agit de fibres incrustées dans les plaies. Elles ne venaient pas de ses vêtements.

— Et qu'est-ce que le génie a trouvé ? demanda Mori.

— Du coton de très bonne qualité, qu'on ne produit qu'en Union soviétique, dans l'Ouzbékistan, pour être précis. Le genre de matière dont ils se servent pour fabriquer leurs imperméables.

Hayama eut un petit rire satisfait et les emmena vers la table suivante où il ramassa un sac à main en cuir qu'on avait vidé de son contenu. Il le brandit triomphalement :

— Italien, mais amélioré.

Hayama retourna le sac à l'envers. On avait coupé la luxueuse doublure d'un trait net.

— Tout cela s'insérait parfaitement dans la bordure. Impossible à déceler de l'extérieur.

Hayama leur tendit un passeport d'Allemagne de l'Ouest, un permis de conduire et une carte de crédit de la Westdeutsche Landesbank. Chacun des documents était établi au nom de Katina Josefson.

— Et les visas? suggéra Ludlow.

Hayama avait enfilé des gants spéciaux pour manipuler les papiers et tournait les pages :

— Timbres et visas pour le Canada. Et une autorisation spéciale d'entrée à Hong Kong.

Ludlow se détourna vers la table suivante avec l'air de quelqu'un qui vient d'entendre une plaisanterie obscène. Un Beretta en aluminium posé sur le dessus poli de la table renvoyait des reflets coupables.

— Il n'a pas servi. Hayama s'était rapidement déplacé avant eux. Nous l'avons ramassé à quarante centimètres du corps. Vous trouverez les diagrammes dans le rapport définitif. On n'y a relevé que ses propres empreintes. Le canon n'est pas usé. Apparemment, elle n'a pas dû s'entraîner souvent avec.

Il se dirigea vers un autre bac.

— Les chaussures, annonça Hayama en les soulevant. Pas grand-chose à en dire, j'en ai peur.

C'étaient des souliers à talons plats.

— Elle devait sans doute beaucoup marcher, supputa Ludlow.

— Je ne saurais le dire, monsieur. Les balles viennent en dernier. Si vous voulez bien me suivre.

Il sortit un mouchoir et essuya ses lunettes tout en les conduisant vers les microscopes. Il agita son mouchoir en direction d'un des techniciens.

— Notre sérologiste est en train d'effectuer des tests radio-immunologiques pour chercher des traces de drogue – de la thorazine au cas où elle aurait été psychotique – ou des médicaments habituels. Ce sont des tests de routine... Nous y voilà.

Il s'arrêta devant une rangée de microscopes et consulta du regard le technicien de service :

— Ce sont bien les balles tirées sur Kathy Johnson?

Le technicien approcha l'œil d'un des microscopes et en ajusta la mire avec une certaine nervosité. Après quoi il effectua deux pas en arrière avec une précision militaire. Hayama approuva.

— Balle X, annonça-t-il. Une balle à pointe creuse.

Ludlow se pencha sur le microscope et étudia longuement l'affreux petit objet métallique en forme de champignon. Il calcula qu'il s'était dilaté d'environ un centimètre trente-cinq. Quand Ludlow en eut terminé, Hayama désigna un autre microscope où se trouvaient les débris de la balle qui l'avait atteinte à la tête. Cette fois-ci, Ludlow passa plusieurs minutes à examiner les grains mortels. Puis il se releva.

– Combien avez-vous pu en extraire?

– Deux, répondit Hayama. A peu près gros comme de la chevrotine calibre 12. Les autres avaient trop profondément pénétré le cerveau pour qu'on puisse les en extraire. C'est cette balle-là qui a causé la mort. Sa pointe a explosé après s'être enfoncée d'environ douze centimètres, et a projeté ses particules avec une force fantastique. C'est abominable.

– Avez-vous trouvé des traces d'autre chose dans la blessure?

Ludlow regardait le médecin, les yeux mi-clos, et l'observait avec la vigilance d'un gros animal face à un plus petit qu'il surveille pour qu'il ne s'échappe pas.

– Du plastic-nylon. Et nous ne comprenons pas du tout.

Le médecin ôta ses lunettes et se gratta la tête, comme un golfeur qui, ayant choisi la mauvaise canne pour l'approche finale du trou, se trouve confronté à une situation difficile. Qu'il admette la défaite sur son propre terrain était rarissime.

– Et qu'est-ce que vous en pensez? interrogea Mori en sachant qu'Hayama ne donnait jamais son avis sans se faire prier.

Ludlow se tenait tout près des deux Japonais, les dominant de toute sa taille, et réfléchissait. L'expression de son regard ne trahissait ni hostilité, ni sympathie. Il rappelait à Mori un matelot de la marine marchande qui aurait essuyé maintes tempêtes et qu'un sixième sens avertissait qu'une autre se préparait.

– Toutes ces balles ont été fabriquées aux États-Unis, dit finalement Ludlow. Les balles creuses sont des « têtes argentées » de chez Winchester, ou proviennent de la Fabrique fédérale de plomb. Vues au microscope, elles se ressemblent beaucoup. La tête explosive à retardement est un produit californien qui se targue de réussir à quatre-vingt-dix-huit pour cent. C'est un Fusible de chez Glazer. Le support en plastic-nylon les identifie.

– Nous n'en avons jamais vu jusqu'à maintenant au Japon, s'excusa Hayama.

Ludlow acquiesça.

– Ce sont des spécimens rares. Quelqu'un sait-il comment se sont déroulées les choses? Est-ce que le Glazer l'a atteinte à la première, deuxième ou troisième balle?

– A la deuxième, répondit Mori.

– Félicitations, inspecteur. Vous venez d'apporter une preuve.

– De quoi?

– C'était bien un assassinat.

Mori et Ludlow s'étaient rendus au bar du Club de la presse. Avec la troisième tournée, leur discussion se faisait de plus en plus franche. Pour sa part, Mori se montrait persuadé que les États-Unis avaient lancé une importante opération d'espionnage contre le Japon. La jeune femme en était la clef. Les Soviétiques avaient découvert son rôle et étaient passés à l'action. Après tout, elle avait un faux passeport tamponné de visas pour l'Amérique du Nord caché dans son carnet ... de toute évidence un itinéraire prévu pour s'échapper en cas d'urgence. Elle transportait une arme à feu, et – comme il en avait averti Ludlow lors de leur première rencontre – elle était employée dans un laboratoire où l'on travaillait sur un ordinateur de la cinquième génération. Tout cela conduisait à la même conclusion : une espionne américaine – un assassinat soviétique. De toute façon, le crime était imputable à un étranger.

Ludlow commanda une quatrième tournée avant de réfuter sa théorie. Le passeport, l'itinéraire de fuite, l'arme à feu... Tout cela pouvait très bien faire partie de l'équipement obligatoire requis par le programme d'Exodus Soixante. Ce qui expliquerait bien des choses. Il ajouta qu'il inviterait Mori à une rencontre avec les gens du département de « Sciences et Technologie » et qu'ils pourraient leur poser carrément la question.

En plus, on avait trouvé dans son appartement un appareil photo Minox pour microfilms, des formulaires codés et un poste émetteur sur ondes courtes. On pourrait aussi leur poser des questions là-dessus.

– Jusque-là, Ninja, évitons de tirer à l'aveuglette. Ludlow s'absorba un moment dans la contemplation des vitres qui entouraient la salle. Les feux violets des néons de Ginza commençaient à s'allumer. Et il n'est pas certain que ce soit les Soviétiques...

Mori leva la tête, stupéfait.

– Ce n'est pas possible que vous pensiez ça !

Ludlow posa son verre.

– Il est à peu près l'heure où on l'a descendue, dit-il en se levant. Combien mesurez-vous, Ninja ?

– Un mètre soixante, fit Mori avec fierté.

– Ça peut aller. Elle portait des talons plats.

Ludlow montra du doigt un endroit situé à environ soixante-dix centimètres.

– Levez-vous et postez-vous là-bas, ordonna-t-il. Je vais vous montrer quelque chose.

Mori obéit avec mauvaise grâce.

– Je plie le bras. Je tire. Bang.

De son doigt, il fit semblant de viser la mâchoire de Mori. Le Japonais sursauta instinctivement.

– Alors, quel est l'angle de tir, Ninja, essayez de l'évaluer au plus près?

– Trente-cinq, peut-être quarante degrés.

– Vous avez droit à une autre tournée. Que nous disait donc le rapport du médecin légiste?

Ludlow tira d'une poche intérieure un exemplaire tout froissé et maculé de taches d'eau du rapport et le posa sur le bar.

– Un angle de soixante-dix degrés pour la balle qui a atteint la tête, dit Mori sans même consulter le rapport.

– Ce qui veut dire que la balle a été tirée du bas vers le haut. Vous n'avez pas vu le grand étranger tirer, n'est-ce pas, Ninja?

– Non, quelqu'un m'a poussé juste à ce moment-là.

Ludlow s'assit lentement sur le tabouret du bar. Il était 18 h 30. Dehors, dans Ginza, la nuit commençait à tomber. Les premières lueurs vacillantes du néon avaient fait place à un fantastique feu de forêt qui durerait jusqu'à l'aube. Dans la rue, les « polos » se dirigeaient vers les cafés où ils retrouvaient leurs clients. On appelait ce trafic *dohan*, par politesse. On payait pour emmener dîner une fille, plus tard on la déposait à son club. Encore plus tard, on pouvait peut-être obtenir autre chose... Dans les années soixante, quand la plupart des soldats américains étaient rentrés chez eux, les « polos » cessèrent d'être considérés comme des agents d'un service nécessaire à cette industrie partriculière. Peu après, on vota une loi interdisant la prostitution. Cependant, personne ne s'attendait à ce qu'un interdit légal mette fin aux faiblesses de la nature humaine. Ludlow observait le spectacle de ce bouillonnement et songeait à la victime.

– Dites-moi donc, Ninja, s'il vous plaît, dit-il calmement, comment vous pourriez installer un étranger mesurant presque deux mètres à soixante-dix centimètres d'une femme d'environ un mètre soixante, lui faire lever le bras, un revolver à la main, et obtenir les angles de tir donnés par le rapport des légistes?

Mori soupira.

– Je crois que vous compliquez inutilement les choses. L'étranger s'est penché en avant. Si on diminue la distance, l'angle de tir se décale vers le haut. C'est de la géométrie élémentaire.

– Exact, reconnut aimablement Ludlow. Seulement il a tiré trois fois. D'abord la balle qui a touché le ventre. Un tir horizontal? Impossible pour un homme de cette taille. La deuxième fois, il a visé la tête. Comme elle est déjà en train de s'écrouler, l'angle de tir va obligatoirement vers le bas, pas vers le haut. Quant au troisième coup tiré dans la poitrine, qu'ils situent à un angle de quarante-deux degrés... c'est également impossible quand il s'agit d'un homme de presque deux mètres. Un homme de cette taille ne pourrait pas tirer dans cet ordre selon les angles indiqués.

Ludlow tira d'une poche un schéma qu'il avait dessiné et où figuraient les angles qu'il avait soigneusement calculés. Il le posa sur le rapport des légistes.

– Le tireur ne pouvait en aucun cas être un homme aussi grand, Ninja. C'est un homme d'environ un mètre soixante-six, soixante-huit, je pense. La taille moyenne d'un homme japonais. Il a tiré avec son arme sans lever le bras.

Mori secoua la tête et resta silencieux. Ludlow regardait les lumières de Ginza qui se diffusaient maintenant à travers un halo dû soit au brouillard qui venait de la mer, soit à la pollution, soit aux deux.

Finalement Mori posa une question :

– Qui d'autre que l'étranger pourrait avoir tiré ?

Il acceptait pour l'instant le raisonnement de Ludlow, mais au fond il pensait que le légiste – en l'occurrence Komatsu – s'était tout simplement embrouillé en calculant les angles.

Ludlow s'était tapi derrière son verre comme s'il ajustait une arme pour mieux viser. Il savait que les Japonais n'étaient jamais vraiment à l'aise dans le domaine de la logique linéaire. Dans son esprit, ce n'était pas un reproche. Ils étaient capables de raisonnements logiques, mais leur logique s'apparentait à celle du joueur de go, qui plaçait ses pions apparemment au hasard, mais suivait un plan parfait qu'on ne découvrait qu'à la fin du jeu. Il se dit que le tueur avait peut-être agi de même et fit part de ses hypothèses à Mori :

– Il peut s'agir de quelqu'un qui se tenait tout près de l'étranger... d'un complice qui a vu qu'elle sortait son arme, ou d'un inconnu payé pour la tuer... quelqu'un de plus petit, un Asiatique... peut-être un Japonais. Personnellement, je vote pour un inconnu... quelqu'un que l'étranger ne connaissait pas.

Mori grimaça.

– Mais les fibres trouvées dans ses blessures provenaient d'un imperméable soviétique ? Quel est l'Asiatique qui se promènerait avec un imperméable soviétique ?

– Celui qui voudrait faire croire à un crime soviétique.

Mori secoua la tête.

– Quel pays serait assez fou pour faire une chose pareille ?

– Je n'en sais rien, Ninja. Rien ne vous vient en tête?

– Rien du tout.

– Et si certains avaient pensé qu'elle faisait partie d'un complot pour voler les secrets de leur technologie de pointe? S'ils avaient décidé de faire un exemple parce que les Services secrets du monde entier continuaient à les dépouiller sans vergogne. Ça ne vous dit rien?

Mori posa son verre avec précaution et regarda fixement l'Américain.

– Mes compatriotes ne sont tout de même pas aussi bêtes.

Mitsuko était rentrée tôt. Elle ouvrit le *shoji* du living-room dès qu'elle entendit Mori enlever ses chaussures dans le *genkan*. Sa montre marquait 9 heures du soir.

– *Okairinasai*, dit-elle en s'inclinant pour masquer son léger zézaiement. Un kimono bleu, très simple, ceinturé d'un *obi* de couleur sombre, faisait ressortir sa peau blanche. La masse de ses cheveux noirs était rassemblée sur le dessus de sa tête et retenue par un peigne d'écaille de tortue, simple et élégant. Elle prit la veste de Mori en silence et se toucha les cheveux comme pour s'assurer qu'aucune mèche ne s'était échappée. La lumière mettait en valeur la courbe élancée de son cou.

– Est-ce qu'il y a du saké? demanda Mori qui savait pertinemment qu'elle en avait fait tiédir pour lui et qu'elle désirait lui faire plaisir... Il se sentait découragé après sa discussion avec l'étranger. Si ce qu'il disait était vrai, son propre gouvernement le trompait. Ils ne valaient pas mieux que sa femme. Il se sentait deux fois cocu.

Elle posa le flacon de saké sur la table basse en cèdre – un cadeau de l'oncle de Mori, l'amiral. Mori but le saké, puis il lui tendit la tasse et en versa à son tour pour elle. Elle sourit de plaisir : tous les maris n'auraient pas eu ce geste.

– Ta mère dort déjà. Elle ne se sentait pas très bien aujourd'hui.

Mori hocha la tête d'un air grave tandis que Mitsuko lui versait de nouveau du saké. Elle observait son visage avec intensité, comme si elle essayait de lire dans ses pensées. Elle pencha son corps en avant d'un mouvement rapide qui lui permit de se lever sans se servir de ses bras. Comme le port du kimono restreint les mouvements, les femmes japonaises ont mis au point certains gestes pour les faciliter, et Mitsuko prit son essor, tel un bel oiseau, sans bruit et sans effort, puis s'envola vers la cuisine.

Elle garnit avec le plus grand soin les assiettes d'Imari : du cal-
mar avec une sauce au soja et du *wasabi*, du *tofu* avec du riz et
des oignons. Elle fit un second voyage à la cuisine et en rapporta
un *surumi* composé de poissons et de chair de crabe. Mori mangea en silence pendant un bon moment en se servant de baguettes
noires laquées.

— Est-ce qu'elle t'a dit quelque chose? demanda-t-il enfin.

Mitsuko resta un instant sans comprendre la question. Puis elle
se souvint :

— Elle m'a montré la coupure. Elle a l'air de se cicatriser correctement. Mori observait son visage.

— C'est un accident, dit-il. Mitsuko inclina lentement la tête en
signe d'approbation, les yeux fixés sur la table comme si elle avait
peur de les faire bouger.

— Oui, dit-elle, c'est un accident. L'épingle est un héritage qui
vient de sa famille. Elle la range d'habitude dans son *tansu* [1]. La
voix de Mitsuko était douce et mélodieuse, on aurait dit un soupir. Elle oublie les choses. Je me demande parfois... »

— Ça suffit, fit Mori d'un ton sec. La question est réglée. Il
savait qu'elle ne mentait pas. Cela lui faisait encore un problème
à élucider.

Mitsuko se leva et emporta la vaisselle dans la minuscule cuisine. Mori entendit le chauffe-eau se mettre en marche. D'habitude, elle laissait sa mère faire le vaisselle le lendemain matin.
Mori se demandait s'il devait se taire, et la laisser choisir son
heure pour s'expliquer à propos de la Mercedes. Après tout, cela
ne voulait sans doute rien dire.

Mitsuko revint avec une pomme d'Aomori épluchée, et coupée
en fines lamelles disposées sur une assiette ancienne. C'était un
des desserts préférés de Mori, mais ce soir-là il n'en avait pas
envie. Mitsuko retourna à la cuisine et se mit à laver la vaisselle.

— Comment marche ton travail en ce moment? lui cria Mori
sans trop élever la voix pour ne pas réveiller sa mère.

Mitsuko passa la tête par la porte de la cuisine et le regarda
avec étonnement pendant un instant.

— Il devient vigoureux, fit-elle, comme si elle parlait de l'enfant
qu'ils n'avaient jamais eu. Erika est passée tout à l'heure. Un
moment de silence. Elle a dit de te dire bonjour.

— Nous avons déjeuné ensemble hier. Elle a accepté de nous
aider pour l'affaire en question.

— Elle m'a dit que tu t'étais conduit comme un ours, exactement comme un flic.

---

1. Petit bureau à tiroirs. *(N.d.T.)*

Mori sourit.

– Je n'ai pas été si terrible. Est-ce que tu la connais bien? Il se demandait pourquoi il évitait d'aborder le vrai problème.

– Erika est une grande amie à moi. Quelle drôle de question.

– Elle a l'air de prendre son travail très au sérieux.

– Erika songe à sa carrière, dit Mitsuko d'un ton net, comme si elle aussi y pensait. Quel genre de questions est-ce que tu lui as posées?

– Il semble que la firme où elle travaillait avant ait fabriqué un ordinateur de la cinquième génération... avec l'aide d'I.C.O.T. Est-ce que tu en as entendu parler?

– Non. Mitsuko sortit de la cuisine et s'encadra dans la porte. Elle secouait la tête d'un air ahuri. En quoi cela peut-il concerner la police?

– Tu n'es pas contente que ton mari s'intéresse enfin à ton travail?

– Est-ce que ton cerveau se ramollit? Ne te fatigue pas.

Mori la regarda d'un air sérieux.

– Si tu savais quelque chose, est-ce que tu me l'aurais dit?

Mitsuko porta rapidement une main à ses cheveux dont elle se mit à enlever les épingles, libérant une cascade noire et brillante qui lui retomba sur le cou.

Va donc prendre ton bain. J'ai préparé l'*ofuro* [1] avant que tu rentres.

Tandis que Mori se savonnait assis sur le petit banc de bois, il repensait à l'incident du *kanzashi*. Si Mitsuko n'en était pas responsable – et il en était sûr –, qui pouvait bien avoir fait une chose pareille? Y avait-il un rapport quelconque avec son enquête sur la vie et la mort de Kathy Johnson? Était-ce une sorte d'avertissement? Il hocha la tête. Il se laissait abuser par son imagination, il cherchait à donner un sens à ce qui n'en avait pas. Il se plongea dans l'*ofuro* brûlant, une serviette mouillée d'eau froide pliée sur la tête, et se laissa glisser petit à petit dans cet état où le cerveau se vide, où l'âme trouve enfin le repos total. Si le temps n'existait pas, se disait-il, il n'y aurait pas non plus d'éternité. Il sentait l'eau drainer progressivement toute fatigue et toute tension et l'entraîner aux frontières du sommeil. Il dut faire un effort pour sortir de la baignoire. Il s'essuya debout sur le sol dallé, et ouvrit la porte-glissière de la salle de bains. Il trouva un *yukata* propre parfaitement plié dans le coffre parfumé du hall. Il se glissa dans le vêtement de nuit tout frais et ressentit le petit frisson de l'air froid qui s'attaquait à la chaleur emmagasinée sous sa peau.

---

1. La « baignoire » de bois dans laquelle on prend son bain. *(N.d.T.)*

Bien des tempêtes se préparent en ce moment, songeait-il en se dirigeant vers la chambre à coucher... mais les branches d'un saule ne se brisent jamais sous le poids de la neige. Il faut vivre du mieux qu'on peut et, quand le moment s'annonce, savoir bien mourir. Tout le reste n'est que futilités.

Mitsuko avait installé le lit sur le tatami immaculé de leur chambre. Elle l'avait sorti du placard où elle le rangeait pendant la journée et il sentait bon les herbes odorantes. Le matelas d'épais coton capitonné était utilisé par temps tiède; mais en hiver elle rajoutait un matelas en mousse pour les isoler davantage du tatami froid. On ne chauffait jamais les maisons la nuit – en tout cas dans leur quartier.

Il se glissa entre le matelas et la couette dans son enveloppe de coton blanc. Son oreiller était soigneusement disposé à côté de celui de sa femme. L'une des faces était remplie de cosses de riz séchées, l'autre était bourrée de duvet d'oie pour l'hiver.

En entendant sa femme monter l'escalier, il éteignit la lumière, écouta les bruits du bain, et imagina son corps souple dans l'eau et les diamants que formaient les gouttes d'eau sur sa peau. Quand elle entra en faisant glisser la porte, l'éclat de sa peau et sa crinière de cheveux luisaient dans l'ombre grâce à la lointaine lueur de la ville filtrant à travers l'unique fenêtre. Un parfum délicat de lotus et de jasmin s'exhala de son corps lorsqu'elle défit la ceinture de son kimono de nuit, avant de se glisser près de lui. Cela voulait dire qu'elle avait envie de lui.

Il lui caressa l'épaule et effleura de la main ses petits seins parfaits et ses hanches. Elle eut un frémissement, l'entoura de ses bras et l'embrassa dans le cou.

– Serre-moi fort, s'il te plaît, chuchota-t-elle en l'attirant contre son jeune corps chaud et lisse.

12

L'affaire MicroDec

Le Bureau de la sécurité publique se trouve dans l'aile gauche du quartier général du département de la police métropolitaine. Là, des fenêtres à l'épreuve des bombes donnent sur des talus herbeux qui tapissent le flanc de la colline où se dresse, lourd et massif, dominateur, le bâtiment de la Diète. Au pied de la colline, une partie de la douve intérieure se déverse dans l'eau sacrée qui entoure le palais de l'empereur. Il arrive que deux cygnes s'aventurent dans ce coin perdu... Leurs rares visites sont considérées comme un présage de bon augure. Les cygnes ne s'étaient pas montrés depuis un certain temps.

Mori avait organisé un déjeuner avec Watanabe, le directeur de la deuxième division du D.P.M., la section qui surveillait les organismes travaillant sur des technologies de pointe. Il y apprendrait tout ce qui concernait le passé de Kathy Johnson. Après quoi il appela l'ambassade américaine pour rappeler à Ludlow l'heure de leur rendez-vous. Il appela aussi Komatsu pour lui parler de l'angle de tir des balles, mais le laboratoire de médecine légale prit très mal l'idée que leur travail puisse être contesté. Ils réagirent dans la plus pure tradition japonaise en regrettant le manque de confiance qui régnait entre les divers départements. Komatsu se perdit dans des détails sans intérêt pour démontrer que leurs conclusions étaient les seules correctes. Mori raccrocha en soupirant. Ce qu'avait dit le légiste confirmait que Ludlow avait raison. La théorie de l'Américain sur les angles de tir impliquait que n'importe qui pouvait avoir tiré.

Mori rouspéta à voix basse en voyant Aoyama pénétrer dans la pièce et se diriger vers son bureau. Aucun officier de police n'avait droit à une pièce personnelle. Les bureaux étaient disposés par groupes de neuf, un chiffre porte-bonheur. Le pouvoir – dans la mesure où il existait – était symbolisé par des signes plus subtils : la position d'un bureau, la déférence des jeunes filles qui servaient le thé, l'importance des invitations à des soirées. Aoyama s'assit sur le bord de son bureau.

– Seibu a de nouveau perdu, ce qui veut dire que vous me devez dix mille yens de plus.

Aoyama grimaça d'un air satisfait tout en ajustant sa nouvelle cravate de soie. L'assistant du patron n'était pas arrivé à cette situation par hasard. Son père était membre de la « Commission » composée de cinq membres désignés par le gouverneur de Tokyo. La « Commission » fixait les règles générales et la politique du département de la police métropolitaine. C'était elle, également, qui nommait le chef de la police.

Mori fouilla dans sa poche et lui tendit l'argent.

– Ne dessinez pas le dernier œil du *daruma* [1] avant la fin de la Coupe du monde, dit-il.

– Bien entendu! Alors, la même mise pour la suite des jeux?

Mori fit signe que oui. Il savait très bien que l'assistant du chef était venu le voir pour d'autres raisons. Les visites de courtoisie n'étaient pas du tout dans son style. Il avait sûrement un message à lui transmettre.

– Le chef voudrait savoir dans combien de temps vous en aurez terminé. On ne peut pas dire qu'il s'énerve, mais il commence – comment dire? – à s'agiter.

Mori haussa les épaules.

– Je fais tout mon possible. Je sors tous les soirs avec l'étranger.

– Oui. J'ai entendu dire que la trésorerie a eu une crise d'apoplexie ce matin en recevant la note d'un bar de Shimbashi. Est-ce que vous ne devenez pas trop intime avec cet Américain?

– Il m'avait invité au Club de la presse. J'étais bien obligé de lui rendre la pareille...

– Ah bon, et qu'est-ce que vous avez appris?

– Qu'il ne sait pas vraiment de quoi s'occupait la jeune Américaine. Il m'a dit avoir découvert différentes choses à son domicile. Il m'a promis de me les montrer dans un jour ou deux.

– Des choses? Quel genre?

– Des objets utilisés pour l'espionnage, Aoyoma-san. Des fiches de code, un poste émetteur.

– Excellent. On pourra ajouter tout ça à son faux passeport et à

---

1. Poupée-personnage porte-bonheur d'origine chinoise avec un œil blanc. Quand la méditation a permis d'atteindre le bonheur, on devine un dernier œil noir. *(N.d.T.)*

son pistolet – les preuves s'accumulent. Continuez à le voir, payez-lui tous les verres que vous voudrez.

– Je ne fais que rechercher la vérité, Aoyama-san.

– La vérité? C'est une négociation que vous menez, inspecteur. La vérité n'a rien à faire là-dedans. C'est comme la négociation que nous avons menée avec les Américains à propos de la non-réciprocité commerciale. Ils veulent quelque chose – nous voulons quelque chose. Chacun des deux pense qu'il a raison. Nous pensons qu'ils nous imposent leur point de vue – ils pensent que nous les trompons. Où est la vérité?

– Watanabe a enquêté sur elle quand elle a été recrutée par la C.J.E. Il a un dossier sur elle. Il la croit innocente en ce qui concerne les accusations d'espionnage.

– Naturellement! Ça se retournerait contre lui.

– L'Américain est persuadé qu'elle a été tuée par un Japonais. Il a une théorie sur les angles de tir – valable pour l'essentiel – selon laquelle un étranger de haute taille n'aurait pas pu la tuer. Watanabe a une fiche confidentielle sur la jeune femme morte... et suffisamment de preuves pour confirmer qu'aucun Japonais n'est impliqué. Nous déjeunons tous les trois ensemble aujourd'hui pour confronter nos points de vue.

– J'ai l'impression que l'Américain vous a fait adopter une attitude défensive, inspecteur. Ne vous y trompez pas, son seul but est de vous détourner de la piste.

– Ne vous inquiétez-pas, Aoyama-san, je garde l'esprit ouvert.

La plupart des compagnies japonaises installent leurs cafeterias au sous-sol. Pas question de disposer d'une salle bien aérée, dans les étages, avec un cadre agréable... comme si le fait de manger rendait le travail moins noble. Mori prit Ludlow à part avant de l'emmener rejoindre son ami.

– Ne tenez aucun compte de sa froideur, ni de ses façons bizarres, lui conseilla-t-il en le mettant au courant du passé de Watanabe.

Watanabe avait des cheveux grisonnants coupés très courts qui lui mangeaient le front. Il avait également une maladie de peau récurrente qui aurait pu faire croire à des cicatrices de petite vérole, si l'on ignorait qu'il avait passé son enfance à Hiroshima. Son visage avait une expression figée – avec une peau ni jeune ni vieille – après que la chirurgie esthétique eut terminé son œuvre. Le matin où la bombe avait explosé, il se trouvait dehors à ramasser du petit bois pour faire cuire le repas de midi que ni sa mère ni sa sœur ne mangeraient jamais. On ne trouvait plus de charbon de bois depuis des mois. La pénurie lui avait sauvé la vie. Depuis lors, il ne s'en était plus jamais servi.

Après avoir fait la queue avec leurs plateaux, Mori choisit une table. Dès qu'ils furent assis tous les trois, il se tourna vers Ludlow :

– Nous avons sur Kathy Johnson des informations qui pourraient vous intéresser.

Puis il regarda son ami Watanabe d'un air interrogateur. Une partie de son travail consistait à placer des policiers clandestins dans les compagnies privées et les agences gouvernementales pour y déceler les infiltrations de révolutionnaires ou d'espions des gouvernements étrangers. C'était un travail ingrat puisqu'on avait toujours peur de ce qu'on pourrait découvrir... mais aussi un travail qui convenait à un homme d'un caractère méticuleux et dépourvu de réactions émotionnelles – attitudes que Watanabe avait acquises en arpentant ce qui restait d'Hiroshima, à travers les incendies apocalyptiques et les rues jonchées de corps carbonisés, à la recherche de sa mère et de sa sœur.

Watanabe tira un dossier de la poche de son veston. Puis, sans même le consulter, et entre deux bouchées de riz au curry, il se lança dans un bref compte rendu des activités de la jeune femme assassinée.

Kathy Johnson avait obtenu à Berkeley un diplôme en sciences électroniques et ordinateurs avec mention « excellent ». Son père était mort quand elle était encore très jeune et elle avait été élevée par sa mère. Une fois diplômée, elle avait été engagée par Micro-Dec... l'une de ces firmes d'électronique spécialisées dans la fabrication des « microchips » – et qui avaient poussé comme des champignons dans les années soixante, dans le nord de la Californie. Ludlow en avait peut-être entendu parler ?

Ludlow fit signe que oui :

– J'ai même lu dans les journaux tout ce qui se rapportait au procès.

Watanabe, qui n'avait ni souri, ni beaucoup parlé pendant les préliminaires, leva la main d'un air assez revêche. Il allait maintenant aborder l'affaire, et l'étranger était prié de bien vouloir l'écouter. Comme s'il avait personnellement une opinion divergente sur la question, Watanabe rappela que, un an et demi auparavant, MicroDec avait accusé les Japonais d'avoir tenté de voler des informations confidentielles sur les « microchips ». Un de leurs consultants était impliqué. Watanabe consulta rapidement son dossier pour retrouver son nom : Carl Lawson. La conversation pendant laquelle il négociait la vente de ses informations à un représentant de trois firmes japonaises avait été enregistrée.

Des agents du gouvernement américain avaient arrêté le consultant et le représentant des Japonais, qui s'était effondré très vite et déclaré tout de suite prêt à coopérer. On arrêta également, dans des hôtels de San Francisco, cinq ingénieurs de haut niveau appartenant aux firmes japonaises. L'affaire était limpide.

Le contact de Carl Lawson chez MicroDec était Kathy Johnson. Cependant, comme aucune preuve n'existait contre elle, elle ne fut pas poursuivie. Lawson fut condamné à trois ans de prison. Pendant toute la durée du procès, il refusa obstinément de la mettre en cause. Elle reconnut plus tard – au cours de l'enquête liée à son recrutement par la Compagnie japonaise d'électronique – qu'il avait agi ainsi parce qu'ils avaient été amants.

Pendant le compte rendu de Watanabe, Ludlow avait presque constamment fait montre d'indifférence, voire d'ennui. Quand il eut fini de tripatouiller ses spaghettis à la napolitaine comme les dockers du port, il sortit un vieux mouchoir de sa poche pour s'essuyer le menton, et se mit à regarder la pièce d'un œil vague. En fait, il n'avait cessé de tourner et de retourner dans son esprit tout ce qu'on lui disait, à la recherche d'invraisemblances possibles. L'allusion à Carl Lawson finit de le convaincre. Les lettres qu'il avait trouvées dans l'appartement de Kathy Johnson l'autre soir étaient signées « Carl », d'une écriture arrondie. L'adresse était celle d'un pénitencier du Wyoming. Tout cela correspondait parfaitement. La victime japonaise de la Bombe disait la vérité. La police japonaise se montrait apparemment d'une franchise totale. C'était rafraîchissant.

Quand Watanabe en eut terminé avec son dossier, il se retira de nouveau derrière un mur de silence. Mori se racla la gorge et dit que, de toute évidence, la police japonaise n'avait aucune raison de s'en prendre à Kathy Johnson. En fait, la C.J.E. l'avait recrutée pour montrer sa bonne volonté. Qui plus est, Mori venait d'apprendre que la Compagnie allait organiser un service funèbre consacré à sa mémoire dans une église d'Omotesando. Ce n'était pas là le geste d'une firme qui aurait eu à se plaindre d'elle.

Ludlow se croisa les mains derrière la tête et se balança sur sa chaise.

— Je dois dire que ça me coupe le sifflet, Ninja. Mais, alors, de quoi essayez-vous de me persuader ? Que l'assassin, quel qu'il soit... russe, japonais ou polyglotte... travaillait pour le compte de l'Union soviétique ?

Mori fit un signe de tête affirmatif :

– Pour le compte de qui on voudra, sauf du Japon.

– Écoutez, voilà ce que je vais faire, Ninja. Demain nous allons avoir une conversation avec le département de « Sciences et Technologie » et essayer d'apprendre ce qu'ils savent des activités de Kathy Johnson. Après, seulement, nous reviendrons à la question de savoir si oui ou non le K.G.B. est impliqué dans l'affaire.

13

La cible du K.G.B.

L'intérieur de la camionnette Toyota empestait la fumée refroidie de *papirosi* bon marché. Yuri Konstantin, installé à l'avant, à côté du chauffeur, essayait de comprendre ce qui se passait, tout en fumant cigarette sur cigarette. Pourquoi le chef de la « Referentura » de Tokyo – le plus puissant des Russes de la section Asie – avait-il surgi brusquement sans prévenir et se trouvait-il tapi au fond de la camionnette d'où Konstantin surveillait les murs de l'ambassade américaine? Il devait avoir reçu une information de la plus haute importance.

Tout avait commencé trois jours auparavant, quand Konstantin avait signalé par radio qu'un homme de race blanche était sorti du territoire de l'ambassade à Roppongi, en franchissant le mur du fond. A 20 h 21 exactement. Sur le moment, l'événement n'avait pas semblé avoir grand intérêt. Quatre franchissements identiques avaient eu lieu depuis que le chef direct de Konstantin, Gregorov, le responsable des unités de surveillance, avait installé une planque pour surveiller le mur du fond de l'ambassade, cinq semaines plus tôt. Il n'en était rien sorti.

Les traits de Konstantin révélaient ses origines centre-asiatiques, et sa peau était encore lisse et sans rides. Son faciès asiatique le désignait normalement pour une affectation à Tokyo. Il n'avait terminé que tout récemment son entraînement à Tashkent. Le K.G.B. connaissait un développement trop rapide de ses opérations sur le terrain asiatique à Moscou, depuis le Centre avait reconnu tardivement l'importance future du circuit asiatique. Pour les recrues récentes, on avait donc dû abandonner les deux ans d'entraînement, les longues séries de cours et d'endoctrinement soutenu, en faveur d'un entraînement plus court – d'un an – mais plus intensif. Dès la fin de son programme, on expédia sur-le-champ Konstantin à Tokyo. Son visa indiquait : « Employé de bureau à l'ambassade soviétique ». Il n'était à Tokyo que depuis six semaines quand l'affaire avait éclaté.

– Recommencez encore une fois, camarade Konstantin, dit le chef du K.G.B. de Tokyo du fond de la voiture, en contrôlant la puissance de sa voix. Il voulait réentendre le rapport une fois de plus.

– Selon mes instructions, dit Konstantin, j'ai pris la relève à 20 heures précises. La camionnette était garée en haut de la pente, en face du mur pour que nous puissions avoir un bon angle de vue sans être repérés.

– Une très bonne idée de vous poster là... Bon, quand il s'est trouvé en haut du mur, comment cela s'est-il passé? S'est-il comporté en professionnel?

– Non. Il a pris beaucoup de précautions. Il est d'abord resté suspendu par les mains, les jambes pendantes, et puis il a tout lâché. Il boitait un peu en descendant vers la grande avenue.

– Bien. Décrivez-moi ce qui s'est passé ensuite, après qu'il eut sauté le mur.

– Il a longé l'avenue jusqu'au carrefour de Roppongi. Ça lui a pris à peu près dix minutes. Il n'avait pas l'air pressé.

– Et où l'avez-vous perdu?

– Le carrefour est très encombré à cette heure de la nuit, camarade directeur. Il y a des quantités de taxis.

– Entendre raconter une chose mille fois ne vaudra jamais un seul coup d'œil direct sur l'événement, camarade Konstantin. Dites-moi exactement ce qui s'est passé.

– J'ai dit au chauffeur de faire le tour du pâté de maisons pendant que je me postais au carrefour. C'est la procédure habituelle, je crois. L'Américain était en train de lire un magazine pornographique dans la librairie Sanseido, et paraissait très absorbé. Tout à coup une Nissan de sport blanche a frôlé le trottoir. Il s'est précipité dedans. La voiture s'est à peine arrêtée... et elle est repartie à toute vitesse. A ce moment précis, les feux sont passés au rouge. Ils ont tourné au bas en direction de Kasumi-cho. En quelques secondes, ils avaient disparu. Ma camionnette était coincée dans un encombrement à plusieurs rues de là. On aurait cru qu'ils le savaient.

– Oui. Puis-je vous rappeler à tous les deux – le regard sévère de Pachinkov s'adressait cette fois également au chauffeur – que vous n'êtes plus à Tashkent, et qu'il ne s'agit pas d'un exercice. Ces Américains sont des gens extrêmement efficaces et dangereux. Vous, Konstantin, vous avez pensé qu'il s'agissait encore d'une fausse alerte, n'est-ce pas?

Le jeune Soviétique acquiesça timidement.

– Les détails, camarade. Il faut toujours concentrer son attention sur les détails. Avez-vous relevé leur numéro?

Konstantin fouilla dans sa poche et en sortit ses notes, soulagé de les avoir conservées. Il hésita en voyant son griffonnage... haussa les épaules, arracha la page et la tendit à son supérieur. Le chef du K.G.B. y jeta un coup d'œil et fourra le bout de papier dans sa poche.

Son âge? De quoi a-t-il l'air...? Des précisions si possible.

Dans le jargon du K.G.B., le chef était le *Kappelmeister*, le chef des chœurs. Son travail consistait, entre autres, à découvrir les individus les plus doués pour le genre d'opérations menées à Tokyo. Il n'en avait trouvé qu'un trop petit nombre depuis qu'il occupait son poste. Ce garçon, qui semblait avoir hérité de la patience de ses ancêtres, donnait au moins quelques signes prometteurs.

– Plus de quarante ans, bien bâti. Des cheveux noirs, gris sur les tempes. Des épaules larges et l'air costaud – mais pas du tout le type ambassade, qui fait du jogging et s'intéresse aux femmes.

Oleg Pachinkov, directeur de la région sept, et résident en chef de l'ambassade soviétique, feignit de ne pas remarquer la tentative d'humour du jeune homme. Il lui dit brutalement :

– Décrivez-moi la façon dont il boitait.

– Comme s'il avait eu un accident, peut-être, et qu'il s'en remettait.

La réponse était venue presque trop rapidement. Pachinkov ouvrait la bouche pour dire quelque chose quand la radio se mit à grésiller. Le jeune Asiatique saisit l'appareil et répondit aux vérifications de routine. Le chef du K.G.B. s'appuya sur le dossier et plissa les yeux, luttant contre une fatigue croissante. Il n'était plus jeune et la journée avait été longue. Il aurait voulu fermer les yeux... se laisser aller au sommeil, mais il savait qu'il n'en avait pas le temps. Il n'en avait jamais plus le temps, ces jours-ci.

Il était vraisemblable que les Américains utilisaient leur meilleur élément. Pourquoi donc, lui, était-il surpris? Parce qu'il avait espéré contre toute vraisemblance qu'ils n'étaient pas au courant de la fabrication du fantastique ordinateur que les Japonais avaient conçu. Parce qu'il avait cru que l'opération du K.G.B. consistant à voler le prototype Starfire pouvait être menée à bien sans que les Américains interviennent... Le plan du K.G.B. pour se procurer le Starfire se déroulait dans les temps prévus, mais le jeune garçon avait parfaitement décrit Ludlow. C'était lui l'expert patenté des Américains en Asie. La présence de Ludlow impliquait que l'opération Starfire du K.G.B. risquait de manquer du temps nécessaire à sa réussite. Il était tout à fait possible que les Américains s'intéressent également au Starfire.

– Camarade, veuillez appeler ma voiture.

Pachinkov parlait d'une voix ferme. Ne jamais montrer ni tension ni fatigue était une règle d'or. Les préparatifs d'infiltration à l'intérieur de la Compagnie japonaise d'électronique étaient presque terminés. L'accès au local lui-même restait le principal problème. Pour mener à bien l'opération, il fallait trouver quelqu'un ayant ses entrées au laboratoire de la C.J.E., quelqu'un qu'on puisse faire chanter ou utiliser sans qu'il s'en rende compte. On avait retenu dix « candidats », dont une moitié étaient des sympathisants de l'Union soviétique. Il existait des listes de participants à des excursions, de visiteurs réguliers du splendide centre culturel proche de l'ambassade, d'emprunteurs de livres avec noms et adresses, d'amateurs qui écoutaient des cassettes de balalaïka, ou de gens inscrits à des leçons de russe gratuites. Les employés étaient sélectionnés selon des critères de séduction, de charme, et en raison d'intrigues sentimentales qui pouvaient se révéler utiles.

L'autre moitié se composait d'employés de la C.J.E, et d'une femme mariée qui travaillait pour I.C.O.T. Chacun d'eux laissait deviner des points faibles qu'on pouvait utiliser avantageusement. Des équipes spécialisées surveillaient les domiciles de tous ceux dont les noms avaient été retenus. Le choix final devait intervenir dans un délai d'une semaine. La femme qui travaillait pour I.C.O.T. apparaissait comme particulièrement intéressante. Elle et son mari semblaient sur le point de se séparer. La femme serait donc vulnérable.

– La voiture est là, monsieur.

Pachinkov se glissa dans la voiture de ramassage en se faisant remarquer le moins possible. Il avait besoin de réfléchir avant de communiquer avec le Centre à propos de l'Américain, Ludlow, et de décider d'un mode d'action. Une fois arrivé à l'ambassade, il prit l'ascenseur – toujours très surveillé – qui menait au dernier étage où se trouvait son bureau et donna l'ordre qu'on ne le dérange pas. Pachinkov fit les cent pas dans la pièce spacieuse pendant un bon moment, tout en regardant s'écouler les minutes à la pendule de porcelaine richement décorée. Elle lui avait été offerte par le vieux général soviétique aux cheveux gris qui dirigeait actuellement le K.G.B. La pendule avait jadis appartenu à un membre du cabinet du dernier tsar.

A l'intérieur de l'ambassade soviétique, l'équipe du soir avait rejoint son poste dans la salle de contrôle des opérations, où se faisaient les liaisons radio haute fréquence, et où l'on codait et décodait les messages. Il y avait plus de deux heures que le chef était rentré et il n'avait pas encore fait son rapport au général, à Moscou. Là-bas, il était 8 heures du soir, et le bâtiment de la place Dzerjinski s'animait à l'arrivée de la deuxième équipe de relève. Le vieux général servait de mentor à Pachinkov et ils communiquaient tous les jours. Le général saurait très bien que, si l'un de ses subordonnés préférés ne l'avait pas encore contacté, c'est qu'il se passait des choses importantes à Tokyo.

Oleg Pachinkov contempla une douzaine de feuilles de papier froissées qui gisaient sur le plancher. Il était certain que l'Américain était un spécialiste des systèmes de sécurité... le meilleur que la C.I.A. possédait en Asie. Comment annoncer la mauvaise nouvelle au Centre? Cette découverte arrivait trop tôt après la mort de la jeune Américaine. Ses agents n'avaient rien à voir avec le crime. Son subordonné le plus sûr, Serguei, s'était fait posséder comme un amateur. Cela suggérait l'intervention de quelqu'un de chez eux, de quelqu'un qui était parfaitement au courant de l'objectif du K.G.B. Et maintenant le Centre allait pousser des hurlements – mais que pouvait-il leur dire? Le message qu'il allait passer serait peut-être le plus important de toute sa carrière. Il faudrait qu'il indique très précisément comment ils allaient s'emparer du prototype Starfire! Le message devrait aussi préciser comment ils allaient régler le problème de l'Américain, Ludlow.

Quand il eut terminé son message, il le fit porter au chiffre, et demanda en même temps qu'on lui envoie Serguei. En l'attendant, il relut son texte, d'une précision laconique : la C.I.A. avait dépêché son meilleur spécialiste pour s'emparer lui aussi du Starfire. Sa propre opération, qui se déroulait conformément au calendrier adopté, se trouvait désormais menacée. Il se proposait de réduire de moitié le temps prévu pour en terminer. Malheureusement, le coût et les risques en seraient considérablement accrus. On pouvait, bien entendu, passer par-dessus sa tête, si on le jugeait nécessaire. Le réseau de Pachinkov, dont le travail consistait à « récupérer » les techniques de pointe, se trouvait en compétition directe avec les opérations menées par le colonel Malik. Puisque celui-ci dirigeait le directorat technique, on pourrait le laisser prendre l'affaire en main, si on le désirait. A lui, alors, de porter le fardeau.

Il n'avait mentionné Ludlow que brièvement dans son message. On mettrait l'Américain sous surveillance rapprochée. Dès qu'il semblerait prêt à tenter de s'approprier le Starfire, on le « retiendrait » quelque part. On ne ferait contre lui que le strict nécessaire, et on le relâcherait dès que l'opération du K.G.B. aurait été menée à bien. Pachinkov, à ce sujet, demandait qu'on lui donne le feu vert de toute urgence. Il savait, dans son for intérieur, qu'il ne l'aurait pas aussi vite que souhaité, et qu'il se passerait plusieurs jours avant qu'il reçoive une réponse et une approbation définitives. Il haïssait les lenteurs administratives du Centre.

Il ne leva pas les yeux quand la porte s'ouvrit. Personne n'entrait dans son bureau sans y être attendu. Serguei Ivanovitch Vassiliev se tenait au garde-à-vous devant l'énorme bureau de Pachinkov.

— Merci d'être venu, Serguei. Asseyez-vous.

Il avait dix ans de moins que Pachinkov, mais on retrouvait chez lui les mêmes traits rudes et les mêmes yeux de paysan rusé. Ils avaient été élevés, l'un et l'autre, dans des villages voisins de l'Oural. Officiellement, Serguei avait été nommé chef du G.R.U. sous la direction de Pachinkov... mais il était aussi son confident, le seul parmi tout le personnel de l'ambassade. Chacun des deux avait reçu récemment le conseil inquiétant d'avoir à se méfier de l'autre.

On avait chuchoté à l'oreille de Serguei que Pachinkov n'en avait plus pour longtemps. Sinon, pourquoi cet homme si accoutumé à la ruse, au secret et à l'ombre aurait-il été extrait de Londres et propulsé ici? Quittez-le, avait-on chuchoté à l'oreille de Serguei, et le plus tôt possible. Mais Serguei savait pourquoi Pachinkov avait été envoyé à Tokyo.

A Pachinkov, on avait dit que Serguei avait été un des meilleurs, un agent plus efficace que la plupart des autres, aux temps difficiles du contre-espionnage, à Berlin-Est et à Rome. Mais qu'aujourd'hui il descendait la pente. On lui avait conseillé : débarrassez-vous de lui, et prenez-un homme plus jeune pour veiller sur vous.

Aucun des deux hommes n'avait tenu compte de ces avis. Pachinkov s'installa confortablement à son bureau, comme si la discussion allait porter sur le choix d'un bon vin.

— Nous avons un Américain sur le dos. Nos garçons l'ont vu

sortir des logements de l'ambassade et sauter le mur au début de la semaine. Il se pourrait qu'il soit ici pour d'autres raisons, mais ce serait stupide de compter là-dessus. L'homme est l'expert en électronique de la C.I.A. pour l'Asie. Faites-le surveiller de près et, le moment venu, je vous demanderai de le cravater. Utilisez la maison clandestine de Yotsuya. Avez-vous le temps de vous en occuper, Serguei Ivanovitch, ou dois-je m'adresser à quelqu'un d'autre?

Serguei sourit. Il savait que le résident ne lui donnait jamais d'ordre péremptoire quand il y avait danger.

— Je suis prêt à aller en enfer si je peux compenser mon imbecillité du début de la semaine, camarade résident. Quand on a tiré sur la jeune femme, j'ai été pris de panique et j'ai filé.

— Aux échecs, on dit que ceux qui regardent prévoient les huit coups à venir bien avant les joueurs, n'est-ce pas, Serguei? Ne vous découragez pas. Ma carrière et la vôtre ne courent aucun danger si nous jouons correctement la partie. Heureusement, pour les Japonais, tous les étrangers se ressemblent. Ils ne vous reconnaîtront pas. D'ailleurs, nous collaborons avec eux. Au pis, je pourrais toujours vous envoyer dans le Sud prendre le ferry à Pusan. Tout le monde sait que les contrôles des services d'immigration au point de passage en Corée sont les plus laxistes de tout le Japon.

— Pourtant, si j'avais su...

— Ce que nous ignorons encore c'est le pourquoi? Quand nous l'aurons découvert et que nous saurons qui se trouve derrière toute cette affaire, vous aurez une autre opération à mener, que le Centre soit d'accord ou non! déclara le chef d'un air décidé.

Serguei fit un signe d'adieu peu protocolaire en sortant, mais ferma soigneusement la porte derrière lui. Pendant un moment, Pachinkov arpenta son bureau, les mains derrière le dos. Son visage aux traits lourds – sculpté par le passé de servitude de ses parents – se plissa dans un froncement de sourcils. Au cours de sa dernière visite à Moscou, le général – dans le secret de son appartement et encouragé par un alcool arménien de bonne qualité – avait fait une allusion transparente à un poste au faîte de la hiérarchie du Centre, pour Pachinkov. Chef du premier directorat – pas moins! S'il n'y avait pas d'accrocs. Cela voulait dire l'accès au plus haut grade du pouvoir à l'intérieur du K.G.B., juste après le directeur général... la responsabilité de toutes les activités clandestines de l'union soviétique à l'étranger : les illégaux – les opérations scientifiques et techniques – le planning – le contre-espionnage – l'action sur le terrain – la désinformation. Quiconque dirigeait le premier directorat était invariablement nommé plus tard au poste suprême. Et Andropov était passé du premier directorat à la présidence de la République.

Serait-il possible que d'autres groupes du Centre soient intervenus? Quelqu'un avait-il appris qu'il était candidat? Cela expliquerait-il cette soudaine série de malchances? On pouvait en douter, mais il avait connu dans le passé des cas de ce genre, accompagnés d'actions violentes. Demain, il contacterait les quelques amis qu'il avait à Moscou. Le général ne pouvait l'aider en rien : le directeur du K.G.B. vivait isolé de la réalité des luttes intestines. Dans cette affaire, le chef des opérations en Asie serait donc très isolé.

14

Le rapport Starfire

Une rousse vêtue d'un sweater blanc entra la première pour leur apporter du café.

– Je m'appelle Cheryl, dit-elle en adressant un sourire à l'inspecteur Mori et à Ludlow.

C'était bien la fille qui avait la voix de Lauren Bacall, pensa Ludlow... apparemment son attitude était moins glaciale. Peut-être était-ce dû à la présence de Mori?

Ludlow désigna Mori de la main :

– Voici l'inspecteur Mori de la police japonaise. Allons-nous attendre longtemps?

Comme promis, Ludlow avait invité l'inspecteur à la réunion avec le représentant du département de « Sciences et Technologie ».

Mori apprécia d'un long regard le sourire de Cheryl. Elle se tourna vers Ludlow :

– Edgar a demandé au réprésentant de S.&T. de venir tout de suite. Il sera là dans une minute.

Ludlow n'était pas ravi de constater qu'elle appelait Graves par son prénom. Il avait espéré s'en faire une alliée. Il dissimula sa déception en se penchant vers le sac de la compagnie aérienne qui gisait à ses pieds comme un chien obéissant. Il en tira le microphone qu'il avait découvert dans la chambre de Kathy Johnson. Avec un sourire de soupirant éconduit, il le tint un moment en l'air pour que Mori puisse le regarder à loisir. Après quoi, il demanda à Cheryl de le porter au laboratoire d'analyses pour en déterminer le pays d'origine, et chercher qui aurait pu l'installer.

Elle poussa un petit cri étouffé, acquiesça, prit le minuscule instrument comme s'il s'était agi d'un bébé, et se dirigea vers la porte. Ludlow, pendant ce temps-là, observait les yeux de l'inspecteur. Le Japonais n'avait montré ni émoi, ni surprise à la vue du micro. Aucun clignement des paupières, aucun frémissement, aucune dilatation des pupilles. De toute évidence, Mori ignorait tout d'un micro caché dans l'appartement de la jeune femme. Son absence de réaction, si elle n'innocentait pas totalement la police, la reléguait à bonne distance. Ludlow – sans savoir pourquoi – se sentit soulagé.

Le directeur de « Sciences et Technologie » pour la région de Tokyo entra juste au moment où Cheryl quittait la pièce. Il avait un visage décharné et un long corps cadavérique. Il n'avait pas l'air de quelqu'un d'important. Cependant, étant donné que le S.&T. était l'étoile montante au firmament de la C.I.A., il était probablement titulaire d'une dizaine de doctorats en technologie spatiale.

– Je m'appelle Jim Cooper, dit-il, ne sachant trop quelle main il devait serrer en premier.

Mori lui fut présenté avec la décontration habituelle aux Américains. Conformément au cérémonial observé par les Japonais lors d'une première rencontre, Mori se leva, prêt à s'incliner avec la raideur requise. Il se retrouva en train de plonger sur le côté pour éviter un coup droit du directeur de S.&T. – quelque peu myope – qui lui tendait tout simplement la main. Ludlow expliqua que Mori l'aidait dans son enquête sur la mort de Kathy Johnson.

– Un flic japonais? Est-ce qu'il parle anglais. Cooper regardait Mori d'un air soupçonneux.

– Juste un peu, dit Ludlow, en adressant un clin d'œil à Mori.

Pour la première fois, Ludlow remarqua une lueur d'humour dans les yeux du Japonais.

– Je déteste ces salauds, marmonna Cooper à voix basse, tout en souriant à Mori. J'ai été arrêté par la police de la route en ramenant une amie chez elle. C'était sa voiture. Ils arrêtent tout le monde, sauf les taxis. Ils ont un petit machin à lecture numérique qu'ils vous collent sous le nez en vous demandant poliment de souffler dedans. Je n'avais bu qu'un ou deux verres.

Ludlow fit semblant d'être horrifié :

– L'ambassadeur n'a pas pu vous aider?

– Non. On m'a dit à son bureau qu'on ne pouvait rien faire pour moi. Ces salauds-là m'ont retiré mon permis pour deux ans.

Ludlow se contenta de sourire et hocha la tête. C'était l'un des cas où il éprouvait de l'admiration pour ces gens-là. Ils avaient étudié les statistiques américaines des accidents provoqués par la conduite en état d'ivresse. Le couperet tombait même si vous n'aviez bu qu'un seul verre. Deux transgressions... et on vous retirait le permis à vie.

— Je crois comprendre qu'ils n'ont pas de problèmes de conduite en état d'ivresse ici, fit Ludlow sans réfléchir.

— Je ne suis pas venu pour subir un cours de morale, aboya Cooper. De quoi vouliez-vous me parler?

Ludlow se pencha sur son sac avec la rapidité d'un hôte avisé qui sait que ses invités ont faim. Il en sortit dans l'ordre : le Minox, les formulaires d'appel, les cinq cristaux pour la radio et les listes des fréquences de transmission. Il les posa sur la table et attendit la réaction. Il présenta d'abord le Minox.

— Où avez-vous trouvé tout ce fatras? grogna Cooper.

— Je compte ouvrir une boutique, répondit Ludlow en regardant fixement l'homme de S.&T. Vous ne sauriez pas, par hasard, d'où ça vient? Il agita l'appareil photo dans son énorme main.

— Non. Cooper examina l'appareil. Ça sert à prendre des microfilms dit-il.

— Ninja?

Ludlow fit un clin d'œil à Mori, mais l'inspecteur secoua calmement la tête. Il savait qu'il était là en tant que juré – pas en tant que suspect.

Ludlow répéta le même processus pour chacun des objets. Et à chaque fois, il n'y eut aucune réaction, ni de la part de Mori, ni de celle de Cooper. S.&T. n'avait pas procuré ces outils d'espionnage à Kathy Johnson. Un doute restait donc possible quant à la culpabilité du K.G.B. soviétique.

Il y avait encore deux objets dans le sac de Ludlow : la photographie de Kathy Johnson avec Roger Harrington, et l'enveloppe contenant le rapport sur les tests de l'ordinateur et qu'il avait trouvée dans son code. Il n'avait pas l'intention de faire circuler la photo étant donné qu'il avait déjà acquis des renseignements suffisants. Par contre le rapport sur les tests de l'ordinateur devenait désormais le seul moyen pour lui de tirer quelque chose de valable de cette rencontre.

Au moment où Ludlow posait le rapport sur la table devant Cooper, Graves fit irruption dans la pièce. Le chef de la station de Tokyo adressa à Cooper un sourire exubérant, celui réservé aux vieux amis, et se mit en quatre pour Mori, lui énumérant toutes les choses formidables qu'on lui avait rapportées sur la coopération japonaise. Il ne pouvait rester que quelques minutes, dit-il – au grand soulagement de Ludlow. Soudain, il aperçut le document qui se trouvait devant Cooper.

– Qu'est-ce que nous avons là? demanda-t-il avec enthousiasme, tout en allongeant le bras pour ramasser l'enveloppe et en sortir les feuillets du rapport.

– Je ne sais pas ce que c'est, répondit Ludlow. C'est pourquoi j'ai demandé à rencontrer Cooper.

– Ça ressemble à des résultats de test, hein?

Graves remit solennellement les feuillets à Cooper.

– Nous aimerions avoir votre avis là-dessus. Sérieusement, Coop, nous avons besoin de votre aide.

Cooper obéit et se mit à lire. Pendant ce temps-là, Graves regardait l'appareil photo, la radio et les formulaires d'appel que Ludlow avait tenté de soustraire à sa vue, lors de son arrivée. Le tout était maintenant empilé sur le dessus de son sac de voyage.

Ludlow fouilla dans sa poche et en tira un paquet de cigarettes japonaises. Leur goût plus âpre l'avait agréablement changé des cigarettes américaines édulcorées qu'on trouvait à Hong Kong. Il avait tout à coup une envie irrésistible de fumer.

Graves jeta le regard supérieur du non-fumeur sur les cigarettes du cru.

– Vous vous êtes bien assimilé aux coutumes indigènes, il me semble, Ludlow? Pourrais-je voir ce que vous avez entassé sur votre sac?

Ludlow lui tendit à contre cœur l'appareil photo, le carnet de formulaires et la radio. Le regard de Graves laissa apparaître cette lueur qui s'allume dans les yeux de l'amateur d'art quand il découvre un objet rare et de grande valeur.

– Ça vient de son appartement, exact?

Ludlow fit lentement signe que oui.

Cooper se racla la gorge.

– Si je me fonde sur un simple coup d'œil, dit-il, je dirais que ce rapport concerne un ordinateur d'avion. Il ôta ses lunettes et se frotta le dessus du nez. Ce sont les résultats d'un vol d'essai. Cooper se tourna vers Mori et gratifia le Japonais d'un sourire rayonnant. Est-ce que je me trompe, inspecteur?

Mori était resté assis, les yeux fermés, comme s'il pensait profondément. Il les ouvrit et remua sur sa chaise.

– L'inspecteur n'en a pas la moindre idée, intervint Ludlow.

Graves regardait Cooper d'un air dubitatif.

– Parfait, il s'agit donc d'un ordinateur pour avion. Mais est-ce que ça vaut la peine de passer du temps là-dessus?

Il voulait qu'on lui réponde « Non ».

– Le test montre qu'il est foutrement meilleur que tous les ordinateurs utilisés par nos avions.

– Qu'entendez-vous par « foutrement meilleur »?

La voix de Graves était passée de l'optimisme au doute.

– C'est un instrument que le D.O.D. [1] et Roger Harrington aimeraient bien recevoir comme cadeau de Noël.

– Formidable, rétorqua Graves avec une pointe de sarcasme. Vous serait-il possible d'être un peu plus précis, monsieur Cooper?

– Bien sûr. Avez-vous jamais entendu parler de PAVE PILLAR ou de STOLNAYA? Certain que la réponse serait négative, il enchaîna aussitôt : « Le ministère de la Défense, expliqua-t-il, a donné le nom de code PAVE PILLAR à son projet d'avion tactique de pointe avec la firme Grumann. Le programme soviétique équivalent s'appelait STOLNAYA. L'A.T.F. [2] appartenait à la nouvelle génération de chasseurs – bombardiers – des sortes d'aéroglisseurs capables d'atteindre les limites de l'espace. Pour mener à bien ce programme, on cherchait désespérément un ordinateur d'avion intégrant toutes les fonctions. Ni les États-Unis, ni l'U.R.S.S. n'en possédaient. L'ordinateur japonais « Starfire » – Cooper tapota les feuillets qu'il tenait à la main – correspond exactement à ce que le D.O.D. recherche depuis longtemps : un ordinateur capable de régler la navigation, de guider, de désigner l'objectif, d'en tracer la route, de prendre l'armement en charge et d'exécuter les lancements...

– Attendez, attendez. Graves agitait les mains comme pour arrêter la musique. Vous me racontez qu'il existe un ordinateur capable de faire tout ça? Et depuis quand?

– Depuis l'arrivée de la Cinquième Génération, Graves. Cooper feuilleta de nouveau le rapport. D'après ce que je lis, les Japonais ont réussi à miniaturiser un ordinateur de la Cinquième Génération. Non seulement il agit bien plus rapidement que tous les nôtres, mais il supprime l'encombrement du poste de pilotage. Le bénéfice opérationnel qu'on en tirerait pourrait atteindre des proportions fantastiques.

– Le prototype n'en est qu'au stade préliminaire? exact? Ils en sont encore aux tâtonnements, non?

– Je crains bien que non, monsieur Graves. Le rapport en question est un NO-SPEC.

– Nom de Dieu!

Graves prit un carnet et y écrivit quelques mots.

L'inspecteur Mori leva la main.

Graves regarda le Japonais et se tourna vers Ludlow.

---

1. D.O.D. : Department of Defense. *(N.d.T.)*
2. A.T.F. : Advanced Tactical Fighter = chasseur tactique de pointe. *(N.d.T.)*

– Pour l'amour du ciel, ne m'avez-vous pas dit qu'il ne comprenait pas l'anglais?

– Juste un tout petit peu, répondit Ludlow. Il veut sans doute savoir ce que veut dire NO-SPEC.

Mori sourit et approuva d'un signe de tête. Cooper jeta un coup d'œil à Graves qui l'autorisa à répondre d'un signe imperceptible.

– C'est le test final appliqué à toute production militaire, inspecteur. On le pratique dans le cadre des pires conditions possibles. Pas de spécification limitée, voilà ce que ça veut dire.

– Alors il est en avance de combien d'années? demanda Graves.

– Les tests indiquent quelques bavures, mais il a environ cinq ans d'avance sur ce que nous avons de mieux sur nos planches à dessin, peut-être même plus. On pourrait l'installer dans les postes de pilotage dès l'an prochain. Il faudrait bien entendu que je puisse voir l'objet de près pour en être tout à fait sûr.

Cooper jeta un coup d'œil vers Ludlow et se mit à jouer avec ses lunettes.

Ludlow dédia à l'homme de S.&T. le genre de sourire amical et complice qu'on adresse à quelqu'un qui cache un secret peu important qu'on aimerait partager.

– Cessons de finasser... Vous étiez déjà au courant de tout ça, n'est-ce pas?

– Nous n'avons eu que des informations préliminaires, des indications, seulement. Ses collègues – il agita la main en direction de Mori – se sont montrés très réticents à nous informer des progrès réalisés.

Ludlow regarda Mori. L'inspecteur avait fermé les yeux et semblait dormir. Ludlow inhala une énorme quantité de fumée et ne rejeta rien.

– Votre jeune amie s'est fait tuer en essayant de sortir le rapport sur le test final – c'est bien ça? Vous aviez prévu un rendez-vous le jour de son accident?

– Bien sûr que non. Cooper reniflait d'indignation Grand Dieu, vous nous accusez de l'avoir volé? Ce rapport est pour moi une surprise totale!

Graves se leva.

– J'aimerais bien rester jusqu'à la fin de ce débat passionnant, mais je suis attendu par l'ambassadeur. Je ferai parvenir ces renseignements au Département du plan à Washington par les voies habituelles.

Cooper regardait fixement les deux agents du Département du plan, et son visage ascétique trahissait la consternation.

– Écoutez-moi une minute, s'il vous plaît. Il ouvrit un paquet de chewing-gum et en offrit autour de lui – « Parfumé au thé vert ». Personne n'en voulut. Ce rapport ne devrait pas être transmis à l'heure actuelle, si vous voulez mon avis en toute honnêteté.

– J'écoute, dit Graves d'un air intéressé.

– Ça éviterait bien des ennuis au cas où le rapport serait un faux.

– Et pourquoi serait-ce un faux? demanda poliment Graves.

– Où l'avez-vous trouvé? rétorqua Cooper.

– Dans l'appartement de cette jeune femme, dit Graves, tout en regardant Mori du coin de l'œil.

– Peut-être que l'appartement n'était pas sûr.

Cooper mastiquait son chewing-gum avec application. De toute évidence, il se rendait compte qu'il s'aventurait sur un terrain dangereux. Pourquoi diable les Japonais auraient-ils inventé de toutes pièces un ordinateur miniaturisé 5 G?

Graves croisa les bras et poussa un soupir excédé.

– On l'a trouvé moins de quatre heures après sa mort. Vous pensez vraiment que l'appartement n'était pas sûr? Voyons, Coop, donnez-moi une chance – dites-moi ce que vous savez!

Cooper haussa les épaules, et continua à mâchonner patiemment son chewing-gum, comme s'il pouvait attendre jusqu'à la fin du monde.

– Je pense qu'il faut reconnaître à ces gens de grandes capacités. S'ils sont capables d'approcher d'aussi près le fonctionnement d'un mini-ordinateur 5 G, ou de fabriquer des faux tests aussi vraisemblables, ils sont tout aussi capables d'organiser un coup monté et de planquer tout ça dans un appartement en quatre heures. Je ne tiens pas à faire d'histoires, comprenez-moi bien. Je suis fondamentalement un joueur d'équipe.

Ludlow se pencha et ramassa son sac. Il l'ouvrit et en sortit la photo d'Harrington et de Kathy Johnson.

– Coop a peut-être raison, finalement, dit-il en étalant la photo sur la table pour que tout le monde puisse la regarder.

Elle avait déjà été examinée en laboratoire par un spécialiste, qui s'appelait « Saûle bleu ». Ludlow ne se rappelait jamais son nom en Japonais. Il avait longuement étudié l'image du beau monsieur et de la jolie dame – d'abord en la tenant à bout de bras pour en apprécier la composition, puis de plus près pour en examiner la technique et enfin à la loupe pour déterminer l'endroit où l'on pourrait trouver des traces de colle. Après quoi, il s'était renversé en arrière avec un grognement de satisfaction et avait déclaré : « Oui, c'est un collage, mais très bien fait. A propos, est-ce que la jeune personne envisageait d'en tirer un peu d'argent?

– Oui, et alors?

La question de Graves ramena Ludlow sur terre.

– J'ai trouvé la photo dans sa chambre, dit Ludlow. Si c'est un coup monté, on peut douter de la valeur de preuve des autres objets découverts dans son appartement... D'accord? Cela confirmerait la théorie de Cooper : la présence du rapport et toute la panoplie du parfait espion feraient partie du coup monté pour l'incriminer.

– Et on attribuerait aux Soviétiques la responsabilité de l'assassinat, ajouta Cooper.

– La photo me paraît tout à fait authentique, dit Graves avec force.

– Retournez-la. Vous trouverez au dos l'expertise du labo signée par le responsable, répondit doucement Ludlow.

Graves prit la photo, la retourna et lut. Après quoi, il la fourra dans le sac de Ludlow avec le reste de l'attirail et tira la fermeture Éclair.

– O.K., fit-il en secouant la tête, Coop a dix jours pour en apporter la preuve, pas un de plus.

Il ramassa le sac, sourit à la cantonade comme si tout s'était passé selon ses prévisions, et partit pour son rendez-vous avec l'ambassadeur.

– Monsieur Cooper!

L'homme de S.&T. sursauta en entendant Mori se mettre soudain à parler anglais.

– Est-ce que votre programme Exodus Soixante impose à vos agents de porter toujours certains objets sur eux?

Avant de répondre, Cooper adressa un rictus furieux à Ludlow.

– Oui, un pistolet, inspecteur Mori, un passeport de remplacement sous un faux nom, et les visas nécessaires pour regagner les États-Unis. Pourquoi?

15

Le comploteur du K.G.B.

L'ambassade soviétique était plongée dans le silence des petites heures de la nuit... Aucune lumière ne filtrait dans les tours où logeait le personnel de l'ambassade. Le seul signe de vie tangible apparaissait au dernier étage des bureaux. Pachinkov venait d'appeler les cuisines au téléphone.

– Katinina? Nous allons encore attendre longtemps? Je ne peux plus tenir, et mon ami a si faim qu'il en a mal à l'estomac. Serguei fit entendre un rire qui, en l'occurrence, ressemblait plutôt à une quinte de toux.

– Ils sont en train de cuire dans le four, camarade! Vous en avez voulu des frais, il me semble? Cessez de vous énerver, ça ne va plus être très long maintenant.

C'était une des rares personnes qui pouvaient se permettre de parler sur ce ton au résident.

– Désolé de vous avoir dérangée, dit Pachinkov.

Katinina n'était pas du genre à accepter des excuses aussi facilement.

– Il est plus de 2 heures, dit-elle en bougonnant, et elle raccrocha.

Pachinkov soupira, leva les bras en l'air, se retourna et s'apprêta à reprendre l'histoire qu'il avait commencé à raconter. Mais auparavant, il remplit à nouveau leurs verres de vin.

– Ils étaient donc au Bolchoï pour la première du ballet Kirov. La femme de Brejnev était présente et le général se trouva à côté d'elle dans le hall. Personnellement, elle ne représentait rien, mais comme elle était la femme du secrétaire général du Parti, il souhaitait lui adresser un compliment quelconque. Et en bredouillant comme d'habitude, il lui dit : « Vous êtes splendide, ce

soir ! » Elle répondit en le congédiant d'un geste de la main :
« Désolée de ne pouvoir en dire autant de vous ! » Elle faisait, bien
sûr, allusion à son visage – le directeur du K.G.B. n'est pas un
homme agréable à regarder. Le général se contenta de sourire
poliment et ajouta : « Alors, faites comme moi, mentez. »

Serguei se pinça le lobe de l'oreille et sourit vaguement.

Pachinkov soupira :

– Personne n'a jamais dit que vous étiez brillant, Serguei Ivanovitch, mais je préfère avoir affaire à un homme loyal capable
d'exécuter mes ordres avec l'entêtement farouche du taureau,
plutôt qu'à un « béni-oui-oui » qui s'esclafferait à chacune de mes
plaisanteries.

Il finit le reste de son vin et remplit à nouveau leurs verres. Serguei affecta un air modeste et satisfait.

– Le plus difficile, continua Pachinkov en levant le doigt, est
d'arriver à dire la vérité sans vexer les gens. Cela demande des
années d'expérience. Le danger est de finir par agir comme les
Japonais. On commence par s'exprimer de manière oblique...
puis on se met à mentir.

Serguei approuva de la tête avec énergie.

– Il vaudrait mieux ne pas rester trop longtemps dans cette
ville, suggéra Serguei, on risque de devenir comme eux.

– Je ne pense pas que ça posera de problème.

Pachinkov dirigea son regard, à travers Serguei, vers des
espaces lointains. Serguei approuva de la tête d'un air ravi. C'était
la réponse qu'il avait espéré entendre.

– Y a-t-il du nouveau ?

Pachinkov haussa exagérément les épaules :

– On ne sait jamais, mon vieil ami. On ne sait jamais.

Ils passèrent alors au debriefing habituel – qui avait lieu toutes
les nuits, concernant la marche de l'opération en cours pour
l'appropriation du « Starfire ». Bien qu'il n'ait pas encore eu de
réponse à son message, Pachinkov s'en était tenu à son programme. Il ne pensait pas que le Centre lui retirerait l'opération
« Starfire ». D'ailleurs, qui pourraient-ils envoyer ? Le directorat
technique était jaloux de son succès, mais le colonel Malik y réfléchirait à deux fois avant de s'attaquer à lui.

– Qu'avez-vous à me dire à propos de Ludlow ? questionna le
résident en changeant brutalement de sujet.

– Il agit de façon très bizarre, dit Serguei. D'après nos renseignements, il est arrivé deux jours avant le meurtre de la jeune
Américaine. Après l'évènement il y a eu une pause. Puis on l'a
chargé d'enquêter sur sa mort. Il passe ses nuits à parcourir

Tokyo avec un petit Japonais qui appartient à la police et ses journées dans des réunions à l'ambassade américaine ou au D.P.M. Tout ça n'a aucun sens.

— C'est une ruse – une couverture. Y a-t-il des signes indiquant qu'il se sait suivi?

Serguei toussa.

J'utilise bon nombre d'équipes et de voitures. Mais vous savez bien qu'ils envoient leurs meilleurs agents à Tokyo.

Pachinkov acquiesça sans remarquer la réponse évasive de Serguei. Il pensait à une autre possibilité.

— Ludlow a une vieille expérience de l'Asie, mon cher. Il serait dangereux qu'il vous reconnaisse, même si votre tête ne figure pas dans leur album de photos. Ce serait très mauvais pour vous, mais aussi pour l'opération « Starfire ». Si, avec leur patriotisme aberrant, les Américains s'imaginent que c'est vous qui avez tué la fille, ça pourrait très mal tourner : Effusion de sang et temps perdu... Je tiens à ce que vous vous arrangiez pour que cela n'arrive pas, Serguei.

— Je prends toutes les précautions possibles – je me sers même de déguisements si nécessaire. A propos de la police de Tokyo... Est-ce qu'ils ont pris contact avec notre ambassade?

— Oui. Mais ne vous inquiétez pas : nous leur avons dit qu'il nous faudrait un certain temps pour nous procurer des photographies de tout le personnel : plus de trois mille personnes. Une tâche monumentale. Nous leur avons demandé d'avoir la bonté d'attendre... leur propre méthode!

— Qui aurait pu vouloir me faire porter le chapeau? Qui a tué la jeune Américaine? Y a-t-il des indices?

— Nous sommes en train de vérifier les activités des terroristes japonais que le Centre tient en laisse en Corée du Nord, et qui se sont donné le nom d'Armée rouge. Ce pourrait être l'un d'entre eux. Mais nos contacts pensent que non. Il semble aussi que le camarade Malik soit furieux de ne pas être le seul candidat à la direction du Premier directorat. Il existe donc des manœuvres politiques sur lesquelles je n'ai malheureusement aucune possibilité de contrôle. Il n'est pas impensable que Malik ait provoqué le meurtre de la jeune Américaine pour me discréditer. Il est bien trop intelligent pour se mouiller directement. Mais il a le génie de savoir exploiter les émotions d'autrui et de perpétrer ses machinations les plus dangereuses par procuration.

— Vous pensez donc que celui qui l'a tuée n'appartenait pas au K.G.B.?

— Non. Très franchement, je ne le crois pas. Peut-être un Japonais tombé sous la coupe de Malik – un Japonais doté de réactions émotionnelles non contrôlées. Peut-être quelqu'un qui connaissait la jeune femme... Malik a pu fournir « en guise de faveur » des informations capables de déclencher une réaction violente de façon à récolter lui-même quelque chose en retour... C'est surtout cela qui m'inquièterait, si mon scénario se révélait exact.

On frappa timidement à la porte. La vieille dame arrivait avec un plateau de *pirochki*. Quand Serguiev lui ouvrit la porte une odeur de farine fraîche et d'herbes parfumées envahit la pièce. Pendant ce temps-là, Pachinkov avait mis un disque d'Orlando di Lasso sur le tourne-disque stéréo.

La vieille dame installa les plats à l'odeur si appétissante sur une petite table annexe, avec des couverts d'argent et des serviettes. Puis elle recula pour apprécier l'ensemble de son œuvre et dit :

– Vous ne pouvez pas mettre une musique moins ancienne ?

Pachinkov renâcla, mais sans mauvaise humeur, et monta le son d'un cran.

– Alors, vous aussi, vous faites partie des gens qui pensent que la musique a commencé avec Mozart, Katinina ? Que Haydn est douteux, et Bach, assommant ? Si je comprends bien, Katinina, vous faites partie des nouveaux libéraux ? Je n'aurais jamais cru ça de vous.

La vieille dame se mit les mains sur les hanches :

– Pourquoi aller chercher des musiciens étrangers, alors qu'il y a en Russie des quantités de musiciens patriotes qui plaisent à tout le monde... et qui plus est, vous vous servez d'une chaîne stéréo qui vient de la Gestapo.

– Dehors, lui ordonna Pachinkov. Heureusement que vous êtes trop âgée pour qu'on vous pende. Moi, par contre, il faut que je fasse attention à ce que je dis. Disparaissez.

Mais avant qu'elle ne sorte, il lui versa un verre de vin blanc de Roumanie qu'elle but avec plaisir. Après quoi, elle fit une révérence, s'essuya la bouche et partit, les laissant reprendre leurs discussions personnelles.

TROISIÈME PARTIE

KIBARASHI
LA DIVERSION

*L'homme qui calcule est un lâche.
Mourir implique une perte, vivre, un
gain. On décide, par conséquent, de ne
pas mourir. L'homme instruit occulte
la lâcheté ou l'avidité de sa vraie
nature grâce à des spéculations intel-
lectuelles et à son éloquence. La plupart
des gens n'en ont pas conscience.*

Yamamoto Tsunetomo,
Hagakure

16

Le carrefour

Le mardi matin, Mori étant occupé ailleurs, Ludlow appela le standard de l'ambassade et se fit brancher sur le service politique numéro deux. Hiroko, qui l'avait aidé à se procurer le curriculum vitae de Mori, accepta avec joie de se joindre à lui pour le déjeuner.

Ils se retrouvèrent dans le hall de l'hôtel Okura – à quelques minutes à pied des locaux de l'ambassade. Elle avait un peu grossi, mais arborait toujours ces larges épaules trahissant en elle la femme qui trouvait son plus grand plaisir à passer un jour ou deux au lit avec un homme bien bâti.

Il opta pour le bar Shushi; il se sentait plein d'euphorie et décida que la dépense était tout à fait légitime. Ils mangèrent du *Chu-toro*, de l'*Odori* dont les crevettes frémissaient encore, et de l'*Uni*, un plat d'oursins dont le jus avait été versé dans des coques d'algues... Hiroko admira la vue. Ludlow remarqua qu'elle avait de beaux yeux. Elle avait environ trente-cinq ans, et s'était fait de ces relations diverses qu'on acquiert avec le temps quand on a un travail intéressant. Mais elle n'occupait pas un poste élevé dans la hiérarchie, et n'y accéderait sans doute jamais. Toujours est-il qu'elle pouvait fournir des informations détaillées sur les dernières sessions du Club du jeudi et les thés donnés au consulat. Elle savait aussi que le chef de station de la C.I.A. de Tokyo n'était que premier secrétaire – ce qui expliquait sans doute pourquoi il n'arrivait pas à contrôler les gars du département de « Sciences et Technologie ».

Elle appréciait le saké, et à eux deux, ils finirent par en vider trois très bonnes bouteilles en provenance de Niigata.

– J'ai un service à vous demander, dit Ludlow vers la fin du repas.

Il était désormais absolument convaincu que sa théorie sur les angles de tir était exacte et que le tireur ne pouvait être qu'un Japonais ou en tout cas un Asiatique. Si Graves entrait en guerre contre le S.&T., il resterait peu d'espoir de découvrir les rapports réels entre la C.I.A. et Kathy Johnson. Les renseignements qu'il possédait sur elle étaient contradictoires. Si ce que Watanabe, membre de la police de Tokyo, lui avait raconté était vrai – elle aurait été compromise dans le vol des secrets de MicroDec au bénéfice des Japonais – pourquoi la C.I.A. lui aurait-elle fourni une arme et un faux passeport et lui aurait-elle demandé de travailler pour elle sur l'opération Exodus soixante ou plus encore? Il existait forcément quelque part un lien avec les Japonais, en rapport, sans doute, avec le scandale MicroDec qui avait porté un rude coup au prestige japonais à travers le monde et ruiné quelques réputations locales. Les services secrets japonais étaient-ils impliqués?

– J'ai besoin d'informations sur un agent des Services de renseignements japonais qui aurait eu des liens avec Nobusuke Kishi.

Ludlow regrettait d'avoir dû mentionner le nom de l'ancien Premier ministre, figurant naguère au premier rang de la liste des criminels de guerre, mais il avait absolument besoin de ces renseignements. Les dossiers classés pourraient lui fournir des indices.

– L'agent des services secrets est un certain colonel Yuki, acheva-t-il.

Hiroko examinait de près le vernis de ses ongles. « Oui, dit-elle, les interrogatoires des criminels de guerre, et les minutes des jugements avaient été enregistrés sur microfilms et se trouvaient dans les archives... » Elle n'aurait aucune difficulté à en retirer la documentation concernant Kishi. Après quoi, la conversation tomba. Ludlow se demanda si elle l'avait mal compris. Pensait-elle qu'il l'avait invitée à déjeuner uniquement pour lui demander un service? Mais il avait aussi autre chose en tête.

Pendant qu'ils mangeaient des melons comme dessert, Ludlow lui demanda quelles étaient ses activités préférées? à quoi elle passait ses week-ends?

– Je lis et je fais de l'escalade, répondit-elle, dans les Alpes japonaises ou à Niigata. Je lis surtout des livres d'histoire ou des biographies. Rarement des romans. Mais j'aime Kawabata quand je me sens triste et García Márquez quand je suis heureuse.

– Vous êtes donc une incurable romantique?

– Non. Je crois qu'il ne faut pas séparer l'homme de la nature, ni la nature de l'homme. C'est le secret de la vie.

– Parfait. Il faudra me l'apprendre.

Hiroco sourit et resta silencieuse.

Ludlow remarqua qu'elle ne portait pas d'alliance. Quand on apporta dans un superbe pot de céramique le thé vert qui indiquait la fin du repas, Ludlow se mit à tripoter sa tasse, puis finit par lui demander ce qu'elle penserait d'un week-end à Hakone? On disait que les montagnes étaient magnifiques à cette époque de l'année, et il avait très envie de partir un peu. Il serait peut-être possible de dénicher un endroit où l'homme et la nature ne feraient qu'un, en toute amitié seulement.

Elle se mit à rire de plaisir, déclara qu'il était certainement un fieffé menteur et ajouta qu'elle n'était pas libre pour le week-end à venir, mais que si le suivant lui convenait...

Le vendredi après-midi, Ludlow et Mori longeaient la façade du palais et arpentaient une vaste place coupée de chemins de graviers, agrémentée d'une pelouse bien entretenue et ornée de pins dont les branches tendues à l'horizontale rappelaient les gestes des acteurs de nô. Avant qu'il ne quitte l'ambassade, après le déjeuner, on l'avait appelé du bureau de Graves pour l'informer que des experts arriveraient de lundi en huit. Il avait réclamé du temps, Graves lui en donnait. Cependant, en raison de la complexité de l'affaire, il doutait fort que ce répit soit suffisant.

Ils continuèrent à marcher jusqu'au Palace Hotel, puis firent demi-tour et rebroussèrent chemin. Les habituels amateurs de jogging les dépassaient en haletant. Il y avait maintenant une semaine qu'ils travaillaient ensemble. Ludlow essayait de déterminer la direction à prendre, compte tenu du peu de temps qui lui restait. Ils discutèrent des balles américaines, de l'imperméable soviétique, des angles de tir incompatibles avec un tireur de haute taille. Ils tombèrent d'accord pour estimer que le meurtrier n'était sans doute pas l'étranger, que celui-ci aurait pu être accompagné d'un homme plus petit pointant son arme à bout de bras. – Une arme qui ne ressemblerait pas à un pistolet.

La « Criminelle » japonaise n'avait que des indices trop fragiles pour prouver que l'étranger était un Soviétique, et membre important du G.R.U. Les Russes n'étaient guère coopératifs, dit Mori. Le problème était de trouver qui avait intérêt à compromettre les Soviétiques? Et pourquoi?

Ludlow hocha la tête. Il acceptait l'idée qu'il restait bon

nombre de questions sans réponse, qu'ils avaient abouti à une théorie, mais qu'ils n'avaient aucune preuve tangible. Il était temps peut-être de passer à l'action et de sortir des laboratoires et des bureaux. Qu'en pensait Mori?.

Celui-ci sourit intérieurement. Il haïssait les Américains. Et il se trouvait là en train de se faire du souci pour un Américain. Nous ne nous connaissons même pas. Il paraphrasa dans sa tête un kaïku très connu : « Nous sommes unis par les montagnes que nous avons escaladées l'un et l'autre. » Mais le fait qu'ils aient affronté des dangers similaires au cours de leur vie, qu'ils aient combattu des démons du même ordre, n'expliquait pas pourquoi Mori en était venu pour la première fois à faire confiance à un Américain.

Ludlow avait fait ce qu'aucun Japonais ne ferait jamais avec un étranger : il lui avait transmis ses informations. Que Ludlow lui ait permis d'assister à une réunion interne de la C.I.A. entre le département aux Plans et celui de « Sciences et Technologie » l'avait sidéré. Et l'esprit d'ouverture et l'honnêté dont Ludlow avait fait preuve au cours de la réunion avaient levé tous ses doutes. Ludlow était un homme intègre.

Qui plus est, leurs équipées nocturnes dans les bars lui avaient ouvert d'autres horizons sur la personnalité de l'Américain. Ludlow avait assimilé la culture asiatique. Il pouvait citer Lao-tseu et le *Livre des modifications*. En de nombreuses occasions, après un nombre considérable de bouteilles de *shochu*, il avait affirmé très calmement qu'il avait rejeté le monde pseudo-idéaliste auquel les humains aspirent dans leurs moments de fai-blesse... « L'obscurité est supérieure à la lumière, mais elle ne signifie rien par elle-même. » Il reconnaissait la vanité de tous les désirs humains, la résistance de la matière et l'imprévisibilité de l'existence. Il pouvait discuter des enseignements de Mencius, le philosophe chinois, ou du zen japonais avec le même « aplomb ». Il était capable d'écrire sur des nappes tachées – dans un atroce *kanji* – des bribes de poésie chinoise pour des serveuses de bar estomaquées. Il comprenait parfaitement la magnificence de la simplicité. Malheureusement, l'intimité croissante de leur cama-raderie, et les vastes perspectives que leurs ouvraient leurs pen-sées n'avaient apporté aucun éclairage nouveau au cas qui les intéressait. Il était temps de changer d'attitude.

— Oui, il vaut mieux travailler sur le terrain, dit Mori. Alors par quoi allons-nous commencer? Où allons-nous chercher?

— Tous les crimes sont signés, répondit Ludlow au moment où les feux passaient au rouge au carrefour tout proche du D.P.M.

On va donc commencer par là : par les balles américaines exotiques... Cherchons qui les a fournies au meurtrier.

Mori attendait pendant que son chef écrivait. Celui-ci ne leva les yeux qu'au bout de deux minutes, et posa enfin sa plume.
– Oui, inspecteur? La voix profonde du directeur remplit la pièce d'une chaleur amicale. Nous attendions vos résultats avec anxiété. Est-ce pour nous les donner que que vous êtes venu?
Mori connaissait tout le rituel classique des marques de respect. Aoyama, par exemple, ne se présentait que des papiers à la main, et les mains agitées d'un tremblement. D'autres transpiraient, certains bégayaient. Plus on se présentait comme inférieur, plus vos supérieurs appréciaient votre valeur. Mori ne montrait guère de patience pour de telles inepties. Il commença cependant par un *Domo sumimasen*, l'excuse pour un travail inadéquat, et que tous les Japonais éduqués utilisaient quand ils venaient présenter leurs rapports à leurs supérieurs. Peu importait le degré de leur réussite.
Grâce à la protection de ses ancêtres, expliqua Mori, un certain nombre d'éléments positifs avaient été obtenus concernant cette affaire. Il ne souhaitait pas, cependant, en divulguer le contenu avant d'avoir amassé toutes les preuves possibles. C'est seulement à ce moment-là qu'il pourrait présenter un rapport factuel complet.
Le directeur sortit un coupe-papier du fouillis qui encombrait son bureau. C'était un de ces objets de luxe venant du grand magasin Mitsukoshi, la réplique exacte du sabre d'un célèbre samouraï, Oishi, le chef des quarante-sept *ronins* d'Ako. Il le pointa droit sur l'inspecteur Mori.
– Quand?... Quand aurais-je vos conclusions?
– Pour terminer l'enquête, reprit Mori, plusieurs informations restaient à confirmer. De toute évidence, la jeune femme était une espionne. Aucun doute sur ce point. Découvrir et identifier qui lui donnait des ordres se révélait encore difficile. On ne pourrait y arriver qu'en se montrant encore plus coopératifs avec l'Américain qui désirait maintenant poursuivre l'enquête sur le terrain et chercher l'origine des balles américaines.
– On raconte que vous êtes devenu très ami avec cet Américain, fit le directeur en haussant les épaules pour montrer qu'il n'accordait aucun crédit aux bavardages.
– Rien de vrai là-dedans, monsieur.
Le directeur se renversa sur son fauteuil et fit tourner l'épée du samouraï entre ses doigts. Au bout d'un moment, il dit :

– Quel est le renseignement la concernant que vous estimez le plus significatif à ce jour ?

Mori acquiesça de la tête, comme s'il avait prévu la question et ne souhaitait qu'une chose : fournir une réponse satisfaisante.

– Un micro-espion, découvert par les Américains dans son appartement.

Il expliqua que l'appareil que Ludlow avait exhibé à la conférence avec le S.&T. lui était très familier : le même que ceux utilisés par la police de Tokyo et par les Services de renseignements du ministère de la Défense. Une coïncidence, sûrement. Il avait vérifié qu'aucune autorisation de poser des micros n'avait été donnée par la police. Bizarre... M. le directeur en serait sûrement d'accord. Mori secoua la tête. Quels que soient ceux qui avaient posé les micros, ils devaient savoir de façon précise, par exemple, quand et où devait se passer le rendez-vous de Ginza, le jour où elle avait été tuée. Les responsables pourraient, sans aucun doute, fournir des masses d'informations sur la jeune Américaine. Pourrait-il s'agir d'une opération des Services secrets de la défense ?

Le directeur fit semblant de n'être nullement surpris.

Si ce n'était pas le cas, insista Mori, il recommanderait de continuer à coopérer avec l'Américain, si désagréable que cela puisse être. On ne pouvait espérer trouver de nouvelles informations sur la jeune Américaine sans se montrer coopératif. D'après ses renseignements, la brigade criminelle n'avait rien trouvé. De vagues indices impliquant un Soviétique, rien de sérieux. Ils n'étaient pas plus près de trouver les tueurs que l'étranger. Non pas que Mori se plaignît d'eux, insista-t-il. De toute façon, il lui semblait évident qu'il fallait toujours procéder par échange pour obtenir des informations...

Le directeur répondit que la recherche de l'origine des balles prendrait beaucoup de temps, pour peu de résultats. Les enquêteurs japonais travaillaient sur une approche tout à fait différente. Puis il décrocha le téléphone, et, l'air maussade, appela le colonel Yuki.

Le colonel arriva moins d'une demi-heure plus tard. On demanda à Mori d'attendre. Une autre demi-heure passa tandis que les éclats de voix du directeur et de Yuki passaient à travers la porte, comme des grondements de tempête à l'horizon. La mauvaise humeur du directeur – Mori l'apprit plus tard – ne provenait pas tellement de la requête concernant l'origine des balles, mais plutôt de sa découverte qu'on avait posé un micro dans la chambre de l'Américaine.

Le colonel adressa un salut très raide à Mori quand celui-ci fut rappelé dans le bureau du directeur. Ce dernier commença par confirmer que le micro avait bien été installé dans la chambre de l'Américaine par les services du colonel Yuki... A l'avenir, l'Agence de sécurité se montrerait plus soucieuse d'avertir la police de ses opérations. Malheureusement, l'appareil avait mal fonctionné et l'Agence n'avait pu recueillir aucune information de valeur. D'où la demande faite au D.P.M. de participer à la surveillance et la mission dévolue à Mori.

La discussion avait également eu pour objet un autre problème : le rôle que devait jouer l'inspecteur Mori. Dès qu'il en arriva à ce point de la discussion, le directeur passa la parole au colonel Yuki. Le colonel toussa en s'abritant la bouche de la main et déclara, avec la plus extrême politesse, qu'on s'inquiétait quelque peu de la manière dont Mori avait accompli sa mission jusqu'ici. Pour illustrer sa remarque et lui donner plus de poids, le colonel se lança dans l'histoire de l'amiral Perry et du Meiji.

C'était une anecdote qu'on racontait souvent pour démontrer la traîtrise des étrangers, une histoire enfoncée dans la tête des élèves japonais dès l'école primaire. L'amiral américain Perry avait humilié leur pays, imposé des traités injustes au Japon, installé sur leur territoire des troupes étrangères qui n'obéissaient pas aux lois japonaises, réclamé l'ex-territorialité et des tarifs d'importation préférentiels pour les marchandises américaines. On avait forcé le Japon à signer des traités de commerce et de navigation, parce que les batteries côtières savaient qu'elles ne pouvaient résister ni aux navires de guerre du commodore, ni à un quart des forces navales américaines. Cela avait été la première humiliation subie dans toute l'histoire du Japon, et la cause du renversement du gouvernement Tokugawa et de son remplacement par un retour au pouvoir du Meiji.

Le colonel dédia à Mori un sourire éclatant. On ne doit jamais, au grand jamais, faire confiance aux étrangers, conclut-il. Cette règle était absolue et inviolable. Ces gens-là étaient des ingrats qui tenaient rarement leur parole. Qui plus est, ils ramassaient des amis, comme les prostituées ramassent des clients, les serrant sur leur cœur un moment, pour mieux les rejeter plus tard. Il était à moitié décidé à demander qu'on retire Mori de l'enquête.

– Quel est le problème ? demanda Mori.

– Vous êtes sorti tous les soirs pour aller boire avec l'Américain.

Mori, qui se tenait jusque-là au garde-à-vous, haussa soudain les épaules et sourit d'un air désarmant.

– Là où il y a de la lumière, il y a également de l'ombre.

Le directeur, qui avait écouté avec une certaine nervosité, s'était maintenant rejeté en arrière sur son fauteuil :

– Et voilà, colonel ? Qu'est-ce que je vous avais dit !

Le colonel observa Mori avec attention pendant un moment.

– Malgré tout, je crois qu'il vaudrait mieux lui retirer l'affaire. Nous n'avons plus de temps à perdre.

Le directeur acquiesça et se tourna vers Mori.

– Vous vous rapprochez de l'Américain pour arriver à déterminer la culpabilité de l'Américaine en tant qu'espionne. Cela, je le comprends. Mais nous manquons de temps. Vous savez qu'il est essentiel que nous ayons une nouvelle agence de sécurité ; tout le monde compte sur vous, inspecteur.

Mori fit un petit salut.

– Je ferai tout ce que je dois faire. L'obligation – pensa-t-il –, la genèse du succès japonais : Nous travaillons plus, parce que nous avons encore plus peur d'échouer.

Le visage du directeur s'éclaira :

– Il nous faut la confirmation que cette jeune femme était un espion important, inspecteur. Et très rapidement. Nous avons des voyages prévus. Comme à l'époque Meiji. Nous envoyons déjà nos gens en stage à l'étranger pour étudier les méthodes les plus avancées dans le domaine de la sécurité. N'est-ce pas, colonel ? Vous êtes vous-même allé à Moscou ?

Le colonel fronça les sourcils.

– Il me semblait que cela devait rester confidentiel.

Mori était persuadé de la véracité de ce qu'il entendait. C'était bien dans la tradition des dirigeants d'emprunter à l'Histoire. Tous les Japonais connaissaient par cœur l'histoire du mouvement Meiji. L'opinion publique – si jamais elle l'apprenait – leur serait favorable. C'était pendant l'ère Meiji qu'on avait pris la décision de faire du Japon une puissance mondiale et qu'on avait envoyé des émissaires à l'étranger pour la première fois chez les Allemands – pour étudier leur armée – chez les Anglais – pour étudier leur marine. Les troupes japonaises avaient été entraînées, armées et testées : d'abord contre les Coréens – puis contre la Russie. Avec la conquête de la péninsule coréenne et la défaite du tsar en 1905, le Japon avait, pour la première fois, gagné le respect du monde entier grâce à la force des armes. Et ce respect avait grandi avec le temps.

Le directeur souriait avec bienveillance.

– Il nous faut apprendre à protéger notre technologie stratégique, la nouvelle clé du pouvoir dans le monde. Pour y réussir, nous envoyons des émissaires étudier ce que le monde peut nous

offrir de mieux en matière de contre-espionnage... Votre stage au
K.G.B. vous a été des plus utiles, je crois, colonel?

– Des plus utiles, le colonel eut un bref sourire.

Le directeur se tourna fièrement vers Mori.

– Maintenant vous comprenez? D'autres iront étudier au
M.I.5 [1], à la D.S.T., à la C.I.A. quand vous aurez terminé votre
enquête, inspecteur. Nous devrions donc prendre votre étranger
au sérieux, n'est-ce pas? Faire au moins semblant, en tous cas...
Une recherche impossible de l'origine des balles... d'accord, colonel?

– Si vous insistez.

C'est ainsi qu'on accepta, avec réticences, l'enquête très aléa-
toire sur l'origine des balles. Le directeur chargea le colonel Yuki
de fournir à Mori une liste de contacts auxquels lui et son ami
américain pourraient s'adresser. Les balles étaient illégales, bien
entendu, et ne pouvaient avoir été introduites au Japon par les
voies ordinaires. Les valises diplomatiques n'étaient plus utilisables depuis qu'un diplomate colombien avait été pris en train
d'en faire passer une remplie de cocaïne. Ils tombèrent tous
d'accord sur la source de renseignements la plus logique : les
yakusa, autrement dit le milieu des gangsters. Yuki fit cependant
remarquer que n'importe quel Soviétique pouvait, s'il le voulait,
prendre un vol de l'Aéroflot, les poches pleines, sans courir le
risque d'être pris. Mori acquiesça – puis expliqua que l'Américain
ne croyait pas qu'il s'agissait d'un Soviétique.

Le directeur fit preuve d'une grande sollicitude et donna des
conseils sur la manière de se comporter avec les *yakusa* : Ce
n'étaient pas des gens si affreux, chuchota-t-il, en racontant comment ils avaient aidé à mâter la grève des chemins de fer et les
émeutes qu'elle avait causées, et étaient également intervenus
dans d'autres problèmes d'après guerre, quand les Américains
avaient répandu leurs idées d'égalité et de liberté de parole.

– Sans eux, nous serions peut-être tous communistes
aujourd'hui, avait-il dit en riant, et il avait souhaité bonne chance
à Mori pour sa mission impossible.

Finalement, au moment où Mori franchissait la porte, il ajouta
qu'il serait préférable d'arriver à des résultats positifs au cours de
la semaine à venir. Et il eut un petit rire embarrassé, sa façon à
lui d'indiquer que sa décision était définitive.

---

1. Military Intelligence : service secret britannique de contre-espionnage. *(N.d.T.)*

17

Une bouteille de Koshin Kamaï

Ludlow et Mori consacrèrent leur samedi et leur dimanche à rechercher l'origine des balles. Leurs contacts ne donnèrent aucun résultat. Ils avaient beau passer leur temps à se fondre dans le fameux quartier de Sanya, et autres lieux très particuliers de Tokyo, pour rencontrer les émissaires des *yakusa* – des messieurs aux visages sombres, fort élégants et très réticents – ils en revenaient chaque fois avec le même sourire figé, signe d'une nouvelle défaite.

Le lundi soir, après une nouvelle journée de rencontres inutiles, ils décidèrent finalement de laisser tomber la liste des contacts fournie par le colonel Yuki. La conversation se déroulait selon un schéma trop évident, les réponses se ressemblaient – comme si tout avait été prévu à l'avance – comme si tous les interlocuteurs avaient été avertis des questions qu'on leur poserait et des réponses qu'il faudrait fournir. Mori commença à utiliser ses propres contacts. Ils ne donnèrent pas non plus de résultats, mais du moins, les réponses offraient-elles une variété réconfortante.

Ludlow combattait son sentiment de frustration en consommant chaque soir d'énormes quantités de *shochu*, un alcool râpeux que boivent les ouvriers japonais. Mori, lui, s'en tenait à son scotch préféré. Le mardi soir, ils se réconfortèrent mutuellement, en réaffirmant qu'ils suivaient la bonne piste. Ce n'était qu'une question de temps. Ludlow en tira la conclusion finale le mardi soir, dans un bar de Shibuya, guère plus grand qu'une salle de bains occidentale : Trouvons qui a fourni ces balles au tueur, et nous l'aurons, pieds et poings liés.

Le mercredi, Ludlow passa à l'ambassade américaine pour la première fois de la semaine. Il trouva sur son bureau une enveloppe provenant de la section politique numéro deux. Il l'ouvrit, mais ne fit que parcourir rapidement les pages qu'elle contenait. Mori avait organisé une entrevue à Yokohama pour ce matin-là, et Ludlow ne voulait pas être en retard, même si, de fait, ils en étaient arrivés à racler les fonds de tiroir.

Il y avait aussi un mot gentil et très féminin d'Hiroko : elle se faisait une joie de leur prochain week-end à Hakone – que Ludlow avait presque oublié au milieu de tous ces événements. Elle espérait qu'il trouverait intéressants les documents ci-inclus. Il n'y avait pas grand-chose sur le colonel Yuki, ni sur l'ancien Premier ministre Kishi. Cependant, elle espérait que ce qu'elle avait aussi découvert sur le général Mori pourrait lui être utile ; il s'avéra qu'elle était bien au-dessous de la vérité. Ludlow lut d'abord les passages soulignés. N'en croyant pas ses yeux, il lut le document en entier. Il mit les feuillets dans sa poche en hochant la tête et quitta son bureau. Ce n'était pas du tout ce à quoi il s'attendait. Peut-être ferait-il mieux de tout oublier ! Il regarda sa montre : il était déjà en retard. Il espérait que, pour l'amour du ciel, les événements ne le forceraient pas à en révéler le contenu à l'inspecteur Mori.

Les quais de Yokohama font partie des lieux où la tradition du bushido reste extrêmement forte. La loyauté envers les chefs prônée par le shintoïsme est aussi vivante pour la « famille » mafieuse Ishigami qui supervise les docks, Motomachi et la ville chinoise, qu'à l'époque du shogunat Tokugawa, quatre cents ans auparavant. La théologie shinto, aujourd'hui comme alors, n'accorde aucune place au dogme du péché originel. Étant donné que la polygamie était ouvertement pratiquée aux siècles passés, les aventures extraconjugales et certains penchants à la vénalité sont encore *de rigueur* aujourd'hui.

En plus de sa femme, Shintaro Shigeyama, qui régnait sur la « famille » du crime Ishagari, entretenait ce qu'on aurait appelé autrefois une concubine et trois dames de compagnie. Leur nombre signifiait plus une marque de prestige qu'un signe de vitalité personnelle. M. Shigeyama était un homme très occupé. Cependant il donnait généreusement à chacune d'elles une certaine somme par mois pour couvrir les dépenses essentielles – qu'il déduisait de ses impôts au titre des dépenses courantes inhérentes à ses affaires. Sa favorite, Asako – l'Enfant du matin –, recevait une enveloppe légèrement plus substantielle deux fois par an, à l'époque du *Chunankaï* et du *Bonankaï* [1]. Elle travaillait le soir au bar Isamu à Ginza, et c'était elle qui avait organisé l'entrevue de Yokohama avec l'inspecteur Mori et le gigantesque Américain du Nord. Shigeyama savait profiter de toutes les occasions.

– Des pointes creuses? répéta Shigeyama, tout en éjectant de l'ongle une poussière imaginaire de son impeccable complet rayé.

Il avait la carrure d'un docker, et c'était effectivement sur les docks qu'il avait fait son apprentissage. Le pouvoir se transmettait par héritage du moment que l'héritier montrait des caractéristiques acceptables : la ruse, l'avarice, la force physique, l'honnêteté envers ses séides et la chance. Shigeyama aurait réussi dans la plupart des entreprises japonaises, si ses origines avaient été différentes...

– Un Parabellum 45. Il me faut du matériel américain, ajouta Mori.

La présence de Ludlow avait été mieux acceptée que prévu. La « famille » mafieuse Ishigami faisait depuis un certain temps un certain nombre d'affaires avec New York et la côte Ouest. Tout récemment, une société mixte avait ouvert un cercle de mah-jong dans le New Jersey, à Fort Lee. Shigeyama expliqua que des visiteurs étrangers venaient souvent au Japon pour discuter affaires, prendre des bains sulfureux, séjourner à Hakone et tomber amoureux de nos femmes. Il ne montra aucune réticence particulière quand l'étranger s'installa avec eux. Surtout quand on lui eut précisé qu'il ne parlait pas le japonais. Ludlow fut présenté comme un expert en armes, et on en resta là. Après tout, on savait que l'inspecteur Mori était un homme d'honneur.

Le clan Ishigami se réservait l'usage d'une pièce au Grand Hôtel de Yokohama, sur le front de mer, pour les transactions qui nécessitaient un certain décorum. L'hôtel jouissait d'une solide réputation de respectabilité. Il avait survécu malgré ses origines très britanniques, des coupoles de bois, de style gothique agrémentant un toit d'ardoises. A tous les étages et dans toutes les chambres, on trouvait des parquets magnifiquement cirés, qui craquaient comme le pont d'un bateau de guerre.

– Nous ne vendons pas de pointes creuses. Trop dangereux!

Shigeyama regarda Mori d'un air étonné. Deux de ses lieutenants se tenaient assis de l'autre côté de la table à café et surveillaient Ludlow. Mori s'était assis dans un fauteuil recouvert de

---

1. Fêtes annuelles. *(N.d.T.)*

velours, et Ludlow, tout près de la porte, sur une chaise qui convenait à son peu d'importance.

Ludlow admirait la manière dont Mori avait – jusque-là – mené la réunion. Pendant tous les préliminaires, et après les plaisanteries habituelles, qui les avaient conduits à ce moment précis où l'on allait commencer à poser des questions sérieuses, Mori avait laissé le caïd monopoliser la conversation, et était resté suspendu à ses moindres paroles. Ludlow comprenait qu'il était très important d'agir ainsi, pour offrir l'image adéquate de partenaire respectueux sans laquelle au Japon on ne peut espérer recevoir de réponses exactes aux questions posées. La phase préparatoire était terminée maintenant. Ludlow fit signe qu'il voulait poser une question. Mori acquiesça. Un étranger peut souvent poser des questions qu'un Japonais éviterait de peur qu'elles ne soient trop directes, trop brutales.

– Leur arrive-t-il d'être contactés par des gens inconnus qui proposent des marchandises sans passer par une filière? demanda Ludlow en anglais. Mori traduisit.

– Nous ne répondons à aucune offre de ce genre, répondit Shigeyama.

– Et qu'offre-t-on? Mori profita immédiatement de la brèche ouverte par Ludlow.

Shigeyama haussa les sourcils et leva les épaules en signe d'innocence.

– Des winchester pointe d'argent, et des « nez ronds », des automatiques artisanaux à un coup, fabriqués à Manille, des Heckler et des Koch HK91 venant d'Europe, des boîtes de balles CS. A propos, elles contiennent un des gaz lacrymogène les plus infects du monde.

– Bien sûr, dit Mori avec un sourire aimable.

Tout le monde savait, qu'à l'exception des forces de la Défense japonaise, le plus important stock d'armes du Japon était caché dans les entrepôts de la famille Ishigami et des autres familles du Milieu et disséminé à travers le Japon tout entier. On les introduisait en fraude dans le pays par les ports de Yokohama, Kôbe, Nagasaki ou Fukuoka, par exemple. Aucune des armes n'était enregistrée – la loi n'autorisait pas la vente d'armes individuelles aux civils. On pouvait se procurer des fusils de chasse avec un permis, mais les munitions étaient strictement rationnées : il fallait un permis spécial pour chacun des achats, et dans chacune des préfectures où elles allaient être utilisées.

– Et les autres *kumiaï*[1]? Mori pourchassait sa proie avec la

---

1. Chefs de clan. *(N.d.T.)*

plus grande prudence. Quelques Glazer m'intéresseraient également.

Shigeyama s'agita nerveusement sur sa chaise. Les traits accusés de son visage faisaient penser à un loup, ses cheveux épais étaient légèrement striés de blanc et il portait une barbe bien entretenue. Les armes étaient toujours un sujet délicat, le flux vital nécessaire au pouvoir des gangs.

– Il y en a très peu dans le pays, très très peu.

Shigeyama regarda ses associés : l'un avait une coupe militaire très courte, l'autre une tignasse permanentée coiffée à la punk. Shigeyama se tourna vers son lieutenant à la coupe militaire – qui était chargé des achats – dont la poitrine était couverte d'*irezumi*. Ils émergeaient de sa chemise blanche sur son cou et ses mains.

– Qu'en penses-tu, Kuni ? Les tatouages étaient très populaires chez les gangsters japonais qui les considéraient comme des symboles de force. Le *sumi* – l'encre colorée – était introduit sous la peau à la main, un procédé très douloureux, selon la technique employée des siècles auparavant. Le tatouage confirmait la capacité de supporter la douleur, et proclamait la loyauté envers le clan, quelle que soit la torture que le guerrier pourrait avoir à subir. L'*irezumi* du lieutenant représentait des serpents à bambous dont les têtes émergeaient des poignets de sa chemise et se dressaient hideusement sur le dos de ses mains.

– Ce que vous venez de mentionner, le Glazer, est une arme de très haute performance. On raconte qu'un *Gumi* de Kôbe en a acheté plusieurs de cette sorte... et aussi des pointes creuses. Nous le savons parce qu'on nous a emprunté notre chronographe Œhler. Ils auraient augmenté la surface d'impact de leurs pointes creuses en utilisant un bloc d'alésage de vingt-cinq kilos. Mais, vous savez, ce n'est qu'une rumeur.

– Demandez-lui quels résultats ils ont obtenus ? intervint tout à coup Ludlow – en anglais.

Ils conférèrent rapidement avant de fournir une réponse à la question. Avec les Winchester, ils ont obtenu une vitesse de 863 pieds à la seconde. Le Œhler ne mesure qu'en pieds et la surface d'impact est passée à 1,3. Les Glazer ont atteint une aire d'explosion de 30 centimètres.

– Ces salauds-là nous mentent, chuchota Ludlow à l'oreille de Mori. Ils ont testé les armes eux-mêmes. Je n'ai jamais entendu parler de gangs rivaux qui partagent ce genre d'informations.

Mori se tourna vers le *Yakusa*.

– Mon ami s'inquiète parce qu'il ne comprend pas comment nous réglons les affaires au Japon, parce que quand nous avons quelque chose à échanger, nous nous servons d'une troisième personne pour qu'un refus direct ne cause pas d'offense. Actuellement, un de vos hommes est retenu par le Bureau des douanes. Tout à fait injustement.

Shigeyama se gratta la barbe et réfléchit un moment. Puis il se tourna vers son lieutenant au tatouage de serpents :

– Kuni, va nous chercher des coupes de saké. La meilleure bouteille.

La voix de Shigeyama avait pris un ton cérémonieux, car pour lui, il s'agissait de concessions réciproques parfaitement correctes.

Après qu'un compte rendu déchirant de l'arrestation tout à fait injuste fut dûment entériné – le Bureau des douanes avait prétendu qu'ils avaient sous-estimé le prix des importations de whisky en provenance de Hong Kong et et qu'ils essayaient ainsi d'éviter de payer les taxes – on passa à des détails plus précis. L'immunité ? Mori s'était détourné pour recueillir l'acquiescement du gigantesque Américain... Oui : l'immunité.

– Nous ne pouvons pas non plus témoigner. Après tout, nous n'avions pas la moindre idée de l'utilisation des balles. Les acheteurs nous avaient parlé d'une partie de chasse à Nagano.

Ludlow se pencha en avant.

– Nous acceptons votre point de vue. Nous ne nous intéressons pas à l'aspect judiciaire.

Pendant toute la conversation, Mori avait pris en charge l'opération du chauffage de la bouteille de Koshin Kamaï, un saké très rare dont on ne produisait que quelques bouteilles par an. Il n'était pas à vendre, quel que soit le prix proposé. On ne pouvait pas s'en procurer avec de l'argent. C'était un symbôle de privilège plutôt que de richesse. Plus que tout le reste, le choix de ce saké avait persuadé Mori que cette journée serait celle de la réussite.

Shigeyama reconnut alors qu'ils avaient fourni les Winchester et les Glazer – une demi-douzaine de chaque. Kuni – l'homme aux serpents – s'était occupé de la transaction. Personne n'y avait accordé une signification particulière à ce moment-là. L'homme qui les avait achetés était un Japonais âgé d'environ vingt ans. La transaction avait eu lieu dans cette pièce même.

– Nous ne l'avions jamais vu auparavant.

– Était-il seul ? demanda Ludlow en anglais.

– Nous avions un garde qui est resté posté devant l'entrée de la porte principale pendant toute la durée de la transaction et qui a vérifié qu'il quittait bien l'hôtel. Il est monté dans une Toyota noire, immatriculée à Tama...

Il ne voyait pas ce qu'il pourrait leur dire de plus, sinon qu'il y avait deux passagers à l'intérieur de la voiture : l'un était le chauffeur, l'autre, un homme âgé, Japonais tous les deux.

— Est-ce que les uns ou les autres présentaient des signes particuliers? insista Ludlow.

— Non, sauf l'homme plus âgé, répondit Shigeyama. Il était complètement chauve.

18

Un transfuge correctement évalué

L'express de Kehin-Tokotu en route vers Tokyo traversait en brinquebalant un pont sur la rivière Tamagawa qui évoquait des multitudes de souvenirs. Tout le monde a la nostalgie de certains voyages en train, et ce parcours-là affectait Mori tout particulièrement. Sa mère avait emprunté cette ligne pour l'emmener vivre à Senzoku, au bord de la Tamagawa, après la fin de la guerre. Elle avait perdu ses parents au cours du bombardement du 10 mars sur Tokyo, la dernière année de la guerre. Cent trente B-29 avaient lâché des bombes incendiaires en parfaites lignes parallèles sur la cité tout entière. Des vents frais, soufflant à vingt kilomètres à l'heure avaient propagé les incendies : Plus de quatre-vingts pour cent des immeubles avaient été consumés par les flammes. Depuis ce jour, elle avait toujours voulu qu'ils habitent près d'une rivière.

Assis à côté de lui, Ludlow s'en prenait alternativement au ciel qui semblait annoncer la pluie, ou à Mori qu'il accablait de requêtes.

— Je voudrais bien avoir une photo de ce brave colonel, si vous n'y voyez pas d'inconvénients... Une où on voit bien sa figure, et on verra ce que leur planton en dira.

— Il y a des millions de Japonais chauves, s'insurgea Mori, et tout spécialement à Yokohama où le vent apporte la pollution des usines chimiques de Kawasaki, chaque fois qu'il souffle du Nord.

— Et comme on ne sait jamais, continua Ludlow, très excité, disposerait-il, par hasard, d'une voiture avec un chauffeur ? Mais oui..., bien sûr. Voudriez-vous être assez gentil pour m'en dire la couleur et le numéro d'immatriculation ?

Mori regardait par la fenêtre d'un air préoccupé. Un gros

nuage menaçant s'était détaché de la grisaille et semblait sur le point d'effectuer un bombardement en piqué sur leur train. Pourquoi diable le colonel Yuki serait-il impliqué dans le meurtre de la jeune femme? se demandait-il. Il repensa à sa dernière rencontre avec le colonel dans le bureau du directeur, et se tourna brusquement vers Ludlow.

– Vous vous souvenez de ce micro que vous avez trouvé chez elle... Est-ce qu'il fonctionnait?

Ludlow le regarda avec étonnement.

– Naturellement qu'il fonctionnait. Pourquoi?

Mori haussa les épaules.

– Juste ceci : si Yuki est impliqué d'une manière ou d'une autre, je suis en mesure de vous prouver qu'il n'agissait pas pour le gouvernement japonais.

Avant de se séparer à la gare de Shinagawa, ils prirent rendez-vous pour le soir même, à 8 heures, Chez Isamu, à Ginza.

De retour à l'ambassade, Ludlow prit le chemin du bureau de Graves. En sortant de l'ascenseur, il vit le colonel Yuki sortir rapidement du bureau du chef de station et disparaître dans l'escalier.

– Graves est occupé, fit Cheryl en souriant.

– Vous ai-je dit que j'étais follement amoureux de vous?

– Je vais l'appeler et voir s'il peut vous recevoir.

De sa main libre, Cheryl tripota le bouton du haut de sa blouse. En attendant la réponse, elle ajouta :

– Il paraît que vous partez pour le prochain week-end?

Avant que Ludlow ait eu le temps de répondre, Graves ouvrit la porte de son bureau et fit signe à l'agent en mission d'y entrer.

– Juste au bon moment, dit-il. J'ai des choses à régler avec vous.

Il y avait un tapis gris par terre et un grand bureau gris fourni par l'ambassade, muni d'un nombre incroyable de tirettes. Sur l'une d'entre elles se trouvait un ordinateur en fonctionnement. Graves se laissa tomber dans le fauteuil de son bureau, recouvert de faux cuir, et indiqua à Ludlow un divan gris sans ornements. Ludlow s'assit.

Derrière le bureau, une grande fenêtre – pourvue de ces stores vénitiens étroits qui coûtent le double des autres – donnait sur un immeuble dont on disait que le K.G.B. l'utilisait pour filmer toutes les allées et venues des invités de l'ambassade. Graves regarda son bureau où s'accumulait le désordre du mercredi après-midi. Le tas de papiers en attente atteignait des proportions incroyables. Il y prit un dossier et l'ouvrit.

– Dites-moi donc, bon sang, à quoi vous passez vos soirées?...
Est-ce que vous essayez d'acheter des terrains à Ginza? Vous pensez vraiment que je vais entériner toutes ces dépenses?

– Je me suis dit que je pouvais toujours essayer.

– Avez-vous déjà entendu parler de Gramm Rudman, Ludlow?
Avez-vous jamais entendu les hurlements que pousse Washington
chaque fois que j'envoie le bilan financier à la fin du mois? Seigneur!

Il jeta le dossier sur la montagne de papiers.

– Vous connaissez les habitudes japonaises. Rien de sérieux
n'est jamais traité dans les bureaux. Croyez-vous que les trente
mille bars de Tokyo vivent de gens qui y dépensent leur salaire?
Il faut bien que je paie ma part, non?

– Bon, ne vous énervez pas... Est-ce que ça avance?

– A pas de géant.

Ludlow connaissait les règles du jeu. La présentation en était
l'élément essentiel : être succinct, net, sûr de soi, maîtriser le jargon. Et qu'est-ce que ça pouvait bien vouloir dire? Si on savait
parler et présenter un rapport avec de belles phrases, le reste
n'avait que peu d'importance. Il commença par faire le tour de
tous les éléments qui le portaient à croire à une implication japonaise. C'était cela qui l'avait conduit à rechercher l'origine des
balles. Aujourd'hui même, ils en avaient apparemment identifié
la source – à Yokohama!

– Alors, qui était l'acheteur, Ludlow, crachez le morceau : un
Soviétique?

– Un Japonais.

– Bon! c'était peut-être un crime par procuration – ou alors
l'acheteur n'était qu'un garçon de courses...

– Il y avait trois personnes. L'un a fait l'achat. Deux autres
l'attendaient dans une voiture. Je pourrai probablement en identifier un.

– Vous allez me dire qui il est?

– Pas encore, je veux vous faire la surprise.

– Ce n'est pas mon anniversaire.

– Il me manque deux ou trois éléments pour en être sûr à cent
pour cent. Vous vous souvenez du procès MicroDec, il y a deux
ans?

– Naturellement. Plusieurs firmes japonaises se sont ramassées
pour avoir tenté de voler les secrets de MicroDec. Bien fait pour
elles.

Kathy Johnson a été mêlée à cette histoire. Les Japonais sont
persuadés qu'elle travaillait pour eux. Mais maintenant, je n'en

suis plus si sûr. J'ai besoin de consulter son dossier pour avoir la preuve que mon idée tient debout. S'il y avait vraiment une vaste opération en cours pour voler les secrets techniques des firmes américaines... et si l'affaire MicroDec était bien un piège organisé par le gouvernement américain pour prendre les voleurs la main dans le sac... alors, je pense que le mobile du meurtre peut très bien être une vengeance.

— N'accusez-pas le gouvernement japonais, Ludlow, pour l'amour du ciel. Je vous l'ai déjà dit, nous avons bien assez de problèmes sans nous en prendre aux autorités locales.

— Ce n'est pas le gouvernement, précisa Ludlow qui se souvenait que Mori s'était porté garant de son innocence. Plutôt une vendetta personnelle, un compte à régler.

— Je crois toujours qu'il s'agit des Soviétiques, Ludlow. Vous vous laissez influencer par votre aversion pour ces gens et par vos réactions émotionnelles. Les Soviétiques sont responsables de la mort de Kathy Johnson.

— Nous avons peut-être raison tous les deux. L'espionnage fonctionne sur une base d'échange, il me semble. Seulement, ce sont des vies qui sont en jeu, pas du chewing-gum ou des cartes postales. Kathy Johnson a peut-être été échangée... au bénéfice d'un Japonais.

— Vous pensez que le K.G.B. a découvert le rôle supposé qu'elle aurait joué pour nous dans l'affaire MicroDec? et l'aurait alors bradée à un Japonais d'ici qui avait pâti de toute la publicité donnée à l'affaire?

— Je ne sais pas, Graves. Mais vous savez aussi bien que moi à quel point les Japonais tiennent à régler leurs comptes.

— Vous savez que mon opinion ne compte plus. Si j'avais encore quelque chose à dire, je vous avertirais qu'il vous faudrait accomplir un travail de Romain pour convaincre Washington. Les choses étant ce qu'elles sont, l'équipe d'experts doit arriver lundi prochain. Expliquez-leur tout ça : Lundi, à 4 heures au Club américain. Ils ne veulent pas d'une réunion officielle. Invitez-y votre copain japonais. Je ne peux jamais me rappeler leurs noms.

— Harrington vient quand même?

Graves eut un rictus amer.

— Oui votre vieil ami Harrington vient aussi. Il y a vraiment de quoi rire! J'envoie un message en urgence recommandant qu'on fasse une enquête sur lui... et c'est lui qu'on envoie pour mettre de l'ordre dans toute cette pagaille. On a du mal à y croire, pas vrai?

— Après réception du message? demanda Ludlow.

— Ça va encore plus mal à Washington que je ne pensais... Graves regardait par la fenêtre d'un air furieux.

– S'il ne me reste qu'un jour ou deux, je vais vous demander un service. Cooper s'accroche au dossier Kathy Johnson ; or j'ai besoin d'y jeter un coup d'œil pour arriver à une vue d'ensemble.

– On peut certainement régler ça. Rien d'autre ?

– Je viens de voir le colonel Yuki quitter votre bureau il y a un instant. Rien qui concerne mon enquête ?

Graves vérifia du regard que la porte était bien fermée.

– Non, dit-il. Quelque-chose de totalement différent. Il m'apporte son aide pour une certaine opération. Nous sommes sur le point de nous offrir un transfuge correctement évalué.

Ludlow toussa en se couvrant la bouche de la main.

– Qu'est-ce que c'est que ce machin-là ?

– Nous avons tout lieu de croire qu'un Soviétique de haut niveau va faire défection, ici, à Tokyo. Je ne peux rien vous dire de plus.

Graves se leva pour reconduire Ludlow. Un sourire espiègle transformait ses traits. Ludlow eut l'impression de se trouver en face d'un adolescent à qui on venait d'offrir une arme dangereuse comme cadeau de Noël.

Ludlow était prêt à partir et à appeler Hiroko, quand une femme maigre, d'âge moyen, portant un tailleur de tweed, et des chaussures basses – absolument silencieuses –, entra, un dossier à la main.

– Je m'appelle Devon, dit-elle, en se laissant presque aller à sourire. Elle posa le dossier bordé de noir sur le bureau de Ludlow avec le plus grand soin, lui fit signer trois formulaires et disparut en direction des ascenseurs, laissant derrière elle une traînée d'eau de toilette de chez Yardley. Le dossier était simplement intitulé : *Kathy Johnson.*

La bordure noire signifiait : « ultra secret-circulation minimum » – l'échelon le plus protégé dans l'ordre des priorités de consultation des dossiers. Ludlow l'ouvrit prudemment comme s'il craignait de trouver un ennemi caché parmi les mots.

Kathy Johnson avait été recrutée trois ans auparavant. La position clef qu'elle occupait dans l'une des entreprises de MicroDec les plus en vues avait certainement pesé lourd dans la décision. Les circonstances de son premier contact avec Carl Lawson restaient peu claires. Toutefois la possibilité qu'il fût également membre de la C.I.A. fut confirmée quand Ludlow trouva dans le dossier des références à un autre fichier. Carl Lawson avait son propre dossier dans le secteur « contre-espionnage » du département S.&T.

Il faut toujours un peu de chance pour qu'un coup monté réussisse. Celui-là en avait eu. On ne précisait pas si le couple avait « approché » les Japonais, ou si c'étaient ces derniers qui les avaient contactés. Une fois que Kathy eut « volé » les documents de MicroDec, la scène où Lawson les remettait au représentant des firmes japonaises avait été filmée en vidéo. Au cours du procès qui suivit, le « consultant » de la C.I.A. fut condamné pour aliénation de biens publics, et pour éviter d'autres poursuites, les compagnies japonaises signèrent un compromis. Chacune des trois firmes prises en flagrant délit dut payer deux millions de dollars au Trésor américain. L'affaire était close.

A ce point du dossier, Ludlow s'arrêta de lire et ferma les yeux. Les informations que lui avait données Watanabe, l'ami de Mori, au cours de leur déjeuner au quartier général de la police montraient que, à l'heure actuelle, les Japonais ne soupçonnaient rien de tout cela. Ils pensaient toujours que Lawson avait travaillé pour eux – et Kathy Johnson aussi. Un véritable exploit, cette opération !

Après le procès, Kathy Johnson avait tout simplement disparu. Il trouva une brève référence à un voyage aux Antilles, avec des adresses à Moustique et à Saint-Martin, lieux privilégiés réservés à la détente et à l'amusement des gros bonnets de l'Agence. Il aura bien fallu un mois de debriefing après une opération de cette importance, se dit Ludlow. L'euphorie provoquée par un jugement qui châtiait les Japonais – les drapeaux qu'on brandissait – et la preuve renouvelée que les U.S.A. défendaient le droit et en avaient le pouvoir – tout cela était parvenu aux oreilles des fonctionnaires des plus hauts échelons de l'administration à Washington, et avait ouvert à l'Agence l'accès à des fonds secrets spéciaux et indétectables.

Ludlow reconnaissait que toute l'opération avait été menée de main de maître. Les Japonais avaient certainement volé des secrets concernant les techniques de pointe de Silicon Valley, et les U.S.A. avaient réagi en leur tapant sur les doigts. Excellent.

Les chefs de Kathy Johnson avaient organisé la phase suivante de l'opération avec MicroDec. On répandit le bruit qu'elle y était en butte à des persécutions et qu'en conséquence, elle était partie. Elle se trouvait dans la situation suivante : Personne ne voulait l'employer en raison de son passé où elle s'était compromise avec les Japonais. On fit circuler un peu partout une adresse où l'on pouvait lui adresser des messages – aucun résultat. Kathy Johnson était donc désespérée...

Comme toujours en cas d'« intox » la cible, en l'occurrence les

Japonais, semblait ne pas avoir grand-chose à perdre, et on en arriva bientôt au stade où, grâce à des filières au plus haut niveau, on la présenta à des responsables de plusieurs firmes japonaises. Elle leur fit grosse impression – à juste titre – en tant qu'expert possédant une grande expérience des recherches actuelles de vitesse pour les micro-ordinateurs, pratiquées à Silicon Valley. Qui plus est, la jeune femme s'était trouvée compromise à leur côté lors du procès. Ludlow se demanda un instant si ses atouts physiques avaient également attiré leur attention : ses cheveux blonds – ses yeux bleus –, une silhouette qu'envierait n'importe qu'elle hôtesse de bar à Ginza. En tout cas quelqu'un de loyal envers eux.

Finalement les Japonais firent la seule chose correcte possible. Comme d'autres firmes et d'autres organisations très structurées qui pratiquaient le paternalisme pour s'assurer de la loyauté de leurs employés, ils prenaient soin des leurs. La C.J.E. offrit à Kathy un poste à Tokyo. Pendant la première année, comme ils étaient soumis à l'obligation de collaborer au nouveau système de régulation d'Exodus Soixante – en guise de pénitence, ils furent très heureux de pouvoir y affecter Kathie Johnson.

La dernière page du dossier était consacrée à un rapport de contrôle, datant de trois semaines, déclarant que Kathy Johnson faisait du bon travail, et recommandant que tout continue comme prévu. Le rapport venait de Washington et était signé d'un nom de code : Robin.

Ludlow téléphona immédiatement à Hiroko et après l'avoir remerciée pour les renseignements concernant Kishi, lui demanda si elle pouvait avoir accès à la fiche de Carl Lawson au département S.&T. Elle lui dit de rester en ligne et reprit l'appareil au bout de quelques minutes. Pendant ce temps-là, Ludlow avait allumé une cigarette. Le dossier Lawson n'était pas accessible, lui dit-elle. « Fermé » : Il était mort plusieurs mois plus tôt au cours d'un accident de voiture, en Allemagne de l'Ouest. Ludlow la remercia et ils échangèrent des propos badins pendant quelques minutes avant qu'elle ne raccroche. Elle était vraiment très enthousiasmée par leur projet d'aller à Hakone, avait-elle ajouté.

Il resta assis un moment, à essayer d'organiser les idées qui lui trottaient dans la tête. Une vengeance : un mobile pour l'élément japonais de l'équation ? Deux des acteurs compromis dans l'affaire étaient morts. Coïncidence ? Il se demandait qui était Robin... où il se trouvait. Une vengeance ? la réponse classique des Japonais ? Oui. C'était possible. Mais qui alors ? Quel Japonais ?

Quelqu'un appartenant à l'une des trois compagnies impliquées?
Il réfléchit à ce qu'il avait appris le jour même : L'origine des
balles remontait à des Japonais – dont l'un était âgé et totalement
chauve. Il savait désormais ce qu'il devait faire en priorité.

Pour la première fois depuis son arrivée au Japon, Ludlow
appliqua la méthode standard pour s'assurer qu'il n'était pas filé,
lorsqu'il se rendit à Ginza ce soir-là. Demain, il quitterait l'ambassade et adopterait un processus qui rendrait difficile à quiconque
de le suivre ou de l'attaquer par surprise. Il valait mieux – il en
était maintenant persuadé – ne rien prendre pour argent
comptant.

19

La dispute

Le bar d'Isamu est situé dans les quatre *chome* de Ginza au cœur du quartier des clubs et lieux de plaisir du centre de Tokyo. Isamu lui-même faisait figure d'excentrique dans un Japon où le conformisme est toujours payant. Son père était mort à bord d'un avion-suicide Zéro chargé d'explosifs qu'il avait lancé sur un contre-torpilleur américain – dont on sut plus tard qu'il s'agissait du U.S.S. *Houston*. Isamu avait affiché une photographie du contre-torpilleur au-dessus du bar. Les murs étaient également décorés des pavillons de combat de diverses unités japonaises – dons de ses clients – et à la place d'honneur, il avait installé la coupe de saké que son père avait bue avant son dernier vol – son dernier toast à l'empereur.

En général, Isamu n'acceptait pas d'étrangers dans son bar. D'un côté, les prix pratiqués étaient trop capricieux – Isamu en était persuadé – pour ne pas décourager les gens de l'Ouest dont le raisonnement était bien trop logique et rationnel pour s'en accommoder. D'un autre côté, la plupart de ses clients incluaient leurs consommations dans leurs notes de frais, et les prix exorbitants d'Isamu n'avaient aucune importance. De plus, à Ginza, on considérait les buveurs *gaijin* comme des gens ayant tendance à devenir querelleurs, attitude que les Japonais réprouvaient sauf, bien entendu, lorsqu'ils se trouvaient eux-mêmes à l'étranger – de l'autre côté de l'océan.

Deux places au bar avaient été réservées pour Mori et l'Américain. L'inspecteur avait téléphoné à l'avance, et promis que le *gaijin* se conduirait correctement.

L'Américain commanda un Suntory[1] à l'eau, ce qui confirma qu'il savait vivre. Mori demanda du *sochu* d'Hiroshima et de la bière de Sapporo pour le faire passer, rétablissant ainsi l'équilibre géographique. Isamu se pencha au-dessus du comptoir pour préciser à Mori qu'il s'en tiendrait au prix normal. Les comptes financiers d'un bar de Ginza sont aussi complexes que ceux d'une compagnie de holding dans les îles Marianne.

Quand les consommations arrivèrent, Ludlow enserra son verre de ses deux mains géantes, comme pour l'empêcher de s'évader.

– J'ai besoin d'une ultime faveur, dit-il, après quoi... je serai prêt à baiser le cul du premier bouddhiste qui se présentera.

– Je suis bouddhiste.

– Les personnes présentes sont exclues.

Mori fit signe à Isamu de s'approcher et lui demanda s'il était bouddhiste.

– Seulement aux enterrements, dit-il. Aux mariages, je suis shinto. Le reste du temps, je suis ce qu'on voudra. Pourquoi?

– Remettez-nous ça, dit Mori en regardant Ludlow. Quelle est cette faveur?

– Jeter un coup d'œil sur la fiche du colonel Yuki à la police nationale.

Mori se mit à rire, secoua la tête et avala la moitié de son verre.

– Bravo, dit Ludlow, en sortant de sa poche un paquet de cigarettes Peace, tout froissé.

Mori en prit une et Isamu leur donna du feu à tous les deux, avant de se retirer pour se joindre à une autre conversation. Il avait compris que celle-ci avait un caractère très privé.

– J'ai besoin de ces derniers renseignements pour terminer mon rapport, dit Ludlow.

Il se rendait parfaitement compte qu'ils en étaient arrivés au point crucial de la négociation.

– Vous voulez dire que vous avez résolu le problème?

Mori tira une longue bouffée de sa cigarette Peace.

– Oui, en ce concerne l'élément japonais de l'équation. Le reste est lié à la défection d'un Soviétique. Je n'ai pas encore réglé ce problème-là. Il s'agit d'un arrangement, vous savez : Nous avons affaire à un échange entre le côté soviétique et le côté japonais. Ils sont arrivés à un compromis. Les informations contenues dans le dossier de la police sur le colonel Yuki m'aideraient à découvrir le mobile de l'échange... en tout cas, celui du Japonais. Il ne s'agit

---

1. Marque de whisky. *(N.d.T.)*

pas de votre gouvernement, Ninja. Je ne crois pas qu'il soit le moins du monde au courant de ce qui s'est passé.

– Pourquoi ne pas le demander tout simplement à Yuki?

– Parce qu'ou bien il ne sait rien, ou bien il est dans le coup. Quelqu'un le fera d'ailleurs un jour ou l'autre. J'essaye simplement de reconstituer l'enchaînement des faits.

Ils commandèrent une nouvelle tournée. L'une des filles assises aux tables du fond se dirigea vers eux et prit Mori par le bras. Elle avait un charmant visage – de ceux dont les diseuses de bonne aventure vous disent qu'ils portent chance aux hommes : un visage ovale, un nez très légèrement retroussé, avec des narines minuscules et un front net et bien dégagé. Mori la présenta à son ami américain. Elle s'appelait Asako, l'Enfant du matin. Elle insista pour que Mori soit le premier à chanter.

Isamu posa les verres devant l'Américain tandis que Mori se laissait conduire sur la petite scène, tout en faisant mine de protester. *Kara-Oke*, précisa Isamu, en essayant d'expliquer que Mori était l'un des meilleurs interprètes de chants guerriers. MacArthur les avait interdits au temps de l'occupation, ce qui expliquait sans doute leur vogue actuelle. Il sourit comme s'il venait de faire une bonne plaisanterie.

Mori s'installa devant le micro, comme s'il avait fait ça toute sa vie. Asako mit une cassette. Les haut-parleurs fonctionnaient avec des projections de lumières, dignes d'un vaisseau spatial, sur le fond du podium. Devant le microphone se trouvait un tableau où les paroles de la chanson allaient s'inscrire dès que la musique se ferait entendre. Chanter en play-back était devenu une mode qui avait déferlé sur les « cadres » japonais avec la force d'un *tsunami* [1]. Une caméra vidéo en couleurs avait été installée sur le devant de la scène, avec des relais T.V. disposés tout autour du bar, pour ceux qui ne souhaitaient pas voir Mori en direct.

L'Américain fronça les sourcils devant cette orgie d'électronique, et retourna à son verre. Mori venait d'entamer *Les Cerisiers de Kudan*, et tout le monde aurait pu lui dire que cette chanson avait joué auprès de l'armée impériale japonaise le même rôle que le *Non, je ne regrette rien* d'Édith Piaf pour les Français d'Algérie. Mais Robert Ludlow n'écoutait pas.

L'auditoire, lui, avait apprécié et applaudit avec beaucoup d'enthousiasme. En principe, les Japonais ne tapent pas des mains sauf pour appeler un serveur. Mori laissa la scène à quelqu'un d'autre et retourna au bar. Ludlow le regarda venir... effaçant d'un sourire les traits jusqu'alors figés de son visage.

---

1. Raz-de-marée. *(N.d.T.)*

Quand Mori eut regagné son tabouret, Ludlow le félicita de sa belle voix en termes si chaleureux qu'il arriva presque à s'en persuader lui-même.

Mori but une gorgée de *sochu* pour se rafraîchir la gorge.

– J'ai plusieurs questions à vous poser, dit-il.

– Bien. Vous êtes encore plus doué que je ne pensais, si vous pouvez chanter et réfléchir en même temps.

– Première question : Une fois le tueur identifié, par vous ou par quelqu'un d'autre, que se passera-t-il ?

– C'est difficile à dire.

Ludlow expliqua que tout cela serait étudié à Washington. C'est là que la décision serait prise. S'ils se fondent sur un verdict de culpabilité rendu par un tribunal, il se pourrait qu'une demande officielle d'extradition soit faite au gouvernement du meurtrier. S'il s'agit des Soviétiques, par exemple, il y aura des discussions entre les officiels américains et les leurs. Si on ne trouve pas de solution adéquate – ce qui se produit souvent – les États-Unis prennent quelquefois les choses en main.

– Et alors, vous exécutez les suspects ?

– C'est très rare. Nous prenons une décision claire, que le suspect soit coupable ou non. Après quoi, nous essayons de trouver une solution civilisée. Il peut arriver, par exemple, que des terroristes soient enlevés et ramenés dans notre pays pour y être jugés officiellement par le jury d'un tribunal.

– Et si c'était un Russe du K.G.B. qui avait tué la jeune femme ?

– Ce serait plus compliqué. Si notre tribunal juge coupable quelqu'un qui travaille pour un service de renseignements étranger et que la filière gouvernementale échoue dans ses pourparlers, il peut alors arriver qu'on dépêche une équipe spéciale pour le supprimer. Le K.G.B. fait la même chose. Je dois souligner que ce genre de cas est extrêmement rare.

– J'ai une petite faim, dit tout à coup Mori. Que diriez-vous d'un peu de *sushi* ?

Mori appela Isamu et ils commandèrent du *maguro*, du *taco*, un légume enveloppé d'algues et une bonne quantité de *wasabi*. Mori se recula sur son siège, regarda Ludlow et dit :

– Je ne peux en aucun cas vous donner accès aux dossiers de la police.

– Patriote, hein ? railla Ludlow, tout en regardant le Japonais prendre une cigarette dans le paquet qui traînait sur le comptoir.

Il remarqua que Mori ne se servait pas du briquet de Ludlow bien qu'il soit à sa portée. Au lieu de cela, pour éviter de laisser des empreintes digitales ou des traces d'A.D.N., il utilisait ses propres allumettes. C'était révélateur d'une habitude acquise sur le terrain pendant de nombreuses années, la marque d'un professionnel. Il savait que Mori avait très bien compris que Ludlow ne s'intéressait pas à un Soviétique, dans cette affaire, mais à un Japonais.

Tout à coup, il y eut une grande agitation : Un client entra portant une longue boîte splendidement laquée, entourée d'un cordon de soie. Isamu sortit précipitamment de derrière son bar et lui fraya un chemin jusqu'aux tables. Mori expliqua à Ludlow que les représentants d'une firme de Yokohama étaient arrivés en ville, ajoutant qu'il s'agissait de vendeurs de spiritueux – importateurs et grossistes. Mori regarda Shintaro Shigeyama, chef des *yakusa* Ishigami, se faire escorter jusqu'à la meilleure des tables, qu'on avait réservée pour l'hôte le plus honoré. Deux hommes l'accompagnaient, tous deux très élégants. L'un avait une coupe de cheveux militaire et des tatouages, l'autre, une tignasse punk permanentée.

– Mais ce sont nos trois amis de Yokohama!

Ludlow fit mine de quitter son siège, mais Mori lui fit signe de se rasseoir. Tout cela ne les concernait pas, dit-il.

Les trois personnages restèrent le temps d'offrir leur cadeau qui s'avéra être un sabre de valeur. Shintaro fit un bref discours pour le présenter, puis le remit cérémonieusement à Isamu-san, qui se mit au micro pour remercier ses hôtes, disant qu'en fait il s'agissait d'un bonus lié à l'importance des affaires qu'ils avaient traitées au cours du trimestre précédent. Mori sourit de sa subtilité.

Quand l'Américain demanda les raisons de ce cadeau, Mori lui expliqua qu'Isamu avait rendu un très grand service au Président. Le cadeau était le symbole d'un remboursement – la reconnaissance d'une dette. D'autres paiements suivraient certainement, mais de façon plus occulte.

– Un grand service! L'Américain regardait le sabre d'un œil approbateur.

– Oui. Il a raconté qu'il s'agissait de leurs affaires, mais en fait je crois savoir qu'Isamu leur a récemment présenté des gens qui pouvaient contribuer à la réussite de l'entreprise de Shigeyama.

Mori avait remarqué qu'au moment où Isamu avait sorti le sabre de sa boîte, et attiré l'attention sur son tranchant acéré, le regard de Ludlow s'était illuminé – comme la première fois qu'il avait vu Asako – l'Enfant du matin – et avec la même flamme. Tandis que le sabre faisait le tour des tables, Mori expliqua à Ludlow les procédés de fabrication de ces anciens *katana* japonais, comment il avait fallu plier et replier le métal à très haute température pour leur donner un tranchant capable de fendre une pierre. Il fut tout étonné d'apprendre que l'Américain savait déjà tout cela. Tous les Japonais en connaissaient les bases, mais le luxe de détails précis donnés par l'Américain – y compris la température exacte nécessaire à chaque stade et les différentes catégories d'argile employées pour le polissage final – était le signe d'une érudition et d'un savoir considérables.

Quand Mori orienta la conversation sur d'autres armes, l'Américain se montra tout aussi impressionnant. Il était capable de dresser la liste de toutes les armes de main et des fusils dont les Japonais s'étaient servis pendant la guerre et après. Il connaissait même leurs défauts et les améliorations qu'on avait apportées.

– Mon dada..., avoua Ludlow.

Le sabre arriva aux tables du fond où se trouvaient les buveurs invétérés. Chacun d'eux la brandit et en fendit l'air plusieurs fois. Finalement, dans un tonnerre d'applaudissements un ancien officier de marine – cinquième dan au Kendo – se dirigea à grands pas vers le podium où il se battit en duel contre le microphone avec une rare maestria. Encouragé par des *Banzaï* de plus en plus pressants, il décapita le micro, tige et fil compris. Tout le monde reconnut qu'il s'agissait d'une épée vraiment extraordinaire.

A ce stade, le groupe de Yokohama se leva et fit assaut de courbettes avec Isamu jusqu'à la porte. Arrivés là, ils accordèrent à Isamu le privilège du dernier et plus profond plongeon avant de quitter le club.

Leur *shushi* arriva dans un grand plat laqué. Isamu posa les poissons devant eux, gratta deux séries de baguettes de bois, et se retira dans un coin écarté. Mori n'avait pas l'air commode.

Mori avala d'abord un morceau de pieuvre qu'il fit glisser avec du *shochu*. Ludlow s'attaqua au *maguro*. L'Américain finit de mâcher le premier. Il tâta dans sa poche – avec réticence – l'enveloppe provenant de la section politique numéro deux et lourde d'informations.

Ludlow étudiait Mori, évaluait son attitude. Quel était le but de Mori? De quoi avait-il peur? Quelles raisons pouvait-il avoir de protéger son compatriote? S'il fallait le mettre en colère pour briser ses défenses, Ludlow allait bientôt savoir à quoi s'en tenir.

– Vous êtes la proie d'une obsession, lui dit-il. Cette obsession consiste à vous venger des États-Unis par n'importe quel moyen. Reconnaissez-le, inspecteur. J'ai fait des recherches sur vous et sur votre père.

– Ce n'est pas vrai du tout.

– Vraiment? Vous tenez les Américains pour responsables de la mort de votre père. Inexact?

– Il a choisi sa mort... répondit Mori d'un ton neutre.

Pourtant, une goutte de sueur perlait sur sa lèvre supérieure. Ludlow avait presque pitié de lui. Mori était sous l'emprise de deux motivations puissantes : l'une concernait son passé, l'autre son avenir. Il avait peur de trahir les deux. Ludlow avait déjà rencontré ce genre de dilemme, en Afghanistan, au Laos et au Viêt-nam. Il était sous-jacent dans toutes les régions soumises à la guerre où – pour survivre – bien des hommes étaient conduits à renier leur passé. Des hommes qui avaient tenté de vivre dans deux mondes à la fois, mais qui avaient finalement dû choisir entre les deux. Mori – Ludlow en était certain – hésitait entre ce qu'il devait au passé et ce qu'il attendait de l'avenir : entre le sens d'une obligation et la réalité. Pour libérer cet homme, Ludlow devait détruire l'un ou l'autre. A des fins égoïstes, bien entendu : s'il n'était pas libéré, le petit Japonais ne lui serait d'aucune utilité. Ludlow plongea la main dans sa poche et en tira le document.

– Qu'est-ce que c'est que ça? siffla Mori.

– Le témoignage d'un prêtre, les déclarations d'un ancien ministre.

– Ça ne m'intéresse pas. Des fruits mûrs cueillis sur un arbre mort...

– Cela vous concerne, inspecteur. Il s'agit de votre passé.

Mori secoua la tête pour indiquer qu'il n'en croyait rien.

– Impossible. Je ne connais ni prêtres, ni Premier ministre.

– Non. Mais votre père, lui, en connaissait...

Ludlow déplia le document et se mit à le lire. C'était la transcription d'un microfilm – les questions et les réponses d'interrogatoires datés. Un certain nombre de réponses étaient soulignées en rouge. Hiroko avait dû lire tout ce qui lui avait paru intéressant pour sélectionner les passages appropriés... Elle avait classé et remis le tout en ordre soigneusement.

– L'État avait envoyé un prêtre assister à la mort de votre père.

Ludlow s'arrêta tout à coup. Est-ce que ces révélations n'allaient pas détruire l'homme assis à côté de lui? se demanda-t-il. Il ne voulait pas avoir cela sur la conscience et pourtant, il devait bien continuer.

– Le prêtre représentait la religion officielle du Japon impérial de l'époque. C'étaient donc, par conséquent, l'empereur, l'État et les ultra-nationalistes qui avaient le plus à craindre de votre père.

– Qu'est-ce que vous essayez de me dire, *gaijin*?

La voix de Mori enrouée par l'émotion trahissait une colère qu'il ne maîtrisait plus.

– Il leur fallait donc trouver une personne dotée d'un grand courage moral. Quelqu'un qui obéirait aux ordres sans broncher, qui accepterait d'être blâmé publiquement, tout en conservant une attitude digne et honorable. Le meilleur choix serait un général – tout le monde en était d'accord –, un militaire.

– De quoi parlez-vous?

Mori se leva et regarda Ludlow avec haine.

– De 1945. De la fin de la guerre. Du premier jour de la paix.

– Je ne veux plus rien entendre. Vous êtes en train de violer une cause sacrée!

– Le Haut Commandement japonais a arrêté votre père à la fin de la guerre, Mori, et l'a accusé d'avoir trahi l'empereur. En fait, à l'époque, on a procédé à un grand nettoyage. On a brûlé tous les documents impliquant l'empereur : sa décision d'entrer en guerre, la conduite de celle-ci, l'attaque contre Pearl Harbor. Votre père a refusé de s'en faire le complice. On l'a jugé pour trahison et condamné en secret. Personne n'en a rien su, même pas votre famille. Il a choisi de faire *seppuku* plutôt que de se soumettre à un peloton d'exécution. On a raconté au public qu'il agissait ainsi pour assumer le blâme qu'il méritait pour sa part de responsabilité dans la défaite. Ils ont donc utilisé sa mort, d'abord pour en faire un martyr aux yeux de l'opinion publique et pour se dédouaner eux-mêmes ensuite en donnant un gage de bonne volonté pacifique aux Américains. Un bouc émissaire... Tout est là-dedans.

Ludlow tapota les pages qu'il tenait à la main.

Mori foudroyait Ludlow d'un regard brûlant de haine. Il remuait les lèvres, mais aucun son n'en sortait. Son front était luisant de sueur.

– Yuki faisait partie du complot – et Kishi aussi, en n'intervenant pas, continua Ludlow. Vous n'avez aucune raison de protéger le colonel. Il faisait partie de ces gens au pouvoir. Ils se sont servis de votre père.

– Non! Mori secoua la tête avec colère.

Ludlow essaya d'entrer dans les détails, tout en pesant ses paroles.

– Les criminels de guerre, dit-il, essayaient tous de s'innocenter des ordres qu'ils avaient donnés aux autres pendant la guerre, révélant qu'au fond, ils n'étaient que des lâches. Certains réussirent à s'en tirer. Pour Nobusuke Kishi, cependant, l'ironie du sort joua à plein. Il n'essaya pas d'échapper à la colère des Américains. Il ne négocia pas avec d'autres prisonniers pour qu'ils l'épargnent au cours de leurs interrogatoires par les Américains. Lui, Hosaka et Tojo furent les seuls à réagir avec bravoure. Mais, de l'extérieur, certaines gens observaient ce qui se passait – des gens riches et puissants : le Koromaku, le Brouillard noir... Ils admiraient Tojo et Hosaka, mais ils savaient que l'un était un homme fini, et l'autre trop âgé. Kishi, par contre, leur apparut comme l'homme de la situation, un homme ayant du caractère, un meneur d'hommes. Ce sont ces gens-là qui ont tout agencé.

– Vous mentez!

Mori avait les yeux fixés sur les feuillets que tenait Ludlow, prêt à les lui arracher. Mais l'Américain enchaîna d'une voix tranquille, qui réussit à percer la colère d'un Mori fou de douleur :

– On s'arrangea pour faire parvenir aux oreilles des interrogateurs américains des rumeurs suggérant que Kishi avait fait de son mieux pour éliminer les éléments dangereux vers la fin de la guerre. Ils ont cité votre père comme le meilleur exemple : Un des pires communistes, ont-ils affirmé, un libéral à tous crins. Ils ont aussi suggéré que votre père était le responsable des pires atrocités... à Nankin, à Singapour, à Bataan. Ce sont les hommes du Tigre qui ont fait tout ça, disait – selon eux – la rumeur publique.

– Pourquoi? siffla Mori. Pourquoi auraient-ils fait une chose pareille?

– Pour que Kishi et les autres soient libérés, expliqua Ludlow. On ne pendit finalement que deux d'entre eux : Tojo et Hosaka. Kishi protesta, naturellement, puisqu'il était homme d'honneur. Mais cela même joua en sa faveur. Les procureurs n'y virent qu'une forme de loyauté envers ses compatriotes. Il ne fut condamné qu'à trois ans de prison au lieu d'être pendu... Le temps pour la Russie de devenir un danger sérieux... pour Mao de conquérir la Chine... le temps pour les forces américaines d'occupation de se rendre compte qu'il fallait réintroduire dans la politique japonaise des anticommunistes convaincus. Ce fut d'abord Yoshida pendant l'occupation, puis Kishi. Une remontée graduelle de gens connus. Sato, Tanaka, Nakasone... le colonel Yuki les connaissait tous. Et ils sont toujours au pouvoir. Vous voyez bien, ce sont les descendants des mêmes groupes qui se sont servis de votre père. Vous ne leur devez rien, Mori. Vous ne devez rien à Yuki et à sa bande. Pourquoi le protéger?

Le visage de Mori était inondé de sueur.

— Vous, se mit-il soudain à hurler, *Baka Yaroo!* Levez-vous. Je vais vous tuer, *gaijin*.

Ludlow ne bougea pas. Isamu et plusieurs de ses assistants se précipitèrent pour retenir Mori.

— Le prêtre qui était présent lors du suicide de votre père n'était pas vraiment un membre de la foi shinto, Mori-san. C'était un membre du Tokko – la police du contrôle des idées.

Mori cessa de se débattre contre ceux qui le tenaient. Il se souvenait du sourire perfide du prêtre... de lui-même, petit garçon réagissant par un sentiment instinctif de haine. Qu'est-ce qu'il disait de ce prêtre?

— Il s'appelait Komatsu, dit Ludlow lentement. Il a été l'un de ceux qui ont témoigné de l'innocence de Kishi, en faisant les déclarations qui lui ont finalement apporté la liberté, des déclarations contre votre père. L'agent du Tokko, déguisé en prêtre, n'a assisté au suicide de votre père que pour s'assurer de sa mort. Il a affirmé sous serment aux enquêteurs américains qu'il avait caché un pistolet sous sa robe, ce jour-là. Ses ordres étaient de tuer votre père s'il hésitait. Ludlow prit le dernier morceau de thon du *shushi* qui restait sur l'assiette et le mit dans sa bouche. Puis il se leva lourdement, posa le document sur le bar et se dirigea vers la porte.

Là, il s'arrêta et se retourna. Les yeux de Mori étaient emplis de larmes. Il regardait son bourreau, imaginant qu'il lui coupait le cou du plat de la main. D'un seul coup, il aurait pu tuer cet homme qui venait d'ôter tout sens à sa vie.

— L'agent du Tokko a changé de nom après la guerre comme la plupart des Japonais qui s'étaient conduits de façon douteuse pendant les événements. Le nom qu'il utilise depuis lors est Yuki. En anglais, ce nom rappelle la neige, qui est pour nous symbole de pureté. Un peu d'ironie de la part du brave colonel, j'imagine.

Ludlow ouvrit la porte et sortit du bar. Dehors, la pluie s'était mise à tomber.

20

L'agence de la police nationale

Il faisait presque jour quand Mori quitta le bar d'Isamu. Ses amis l'avaient retenu, avaient essayé de le consoler en le faisant boire. Mais, il savait, lui, qu'il ne serait plus jamais le même. La pluie avait cessé et la chaussée luisante semblait régénérée. On ne voyait presque pas de taxis. Il se dirigeait vers l'immeuble de Sony où se trouvait une station de taxis, lorsqu'une voix sortant de l'entrée de la boutique du tailleur Borodom, le fit sursauter.

— A la santé du peuple japonais.

— Allez-vous-en, *gaijin*. Je hais tous les Américains et vous en particulier.

— Il me semble que vous avez besoin d'un coup de main.

— J'ai décidé de vous tuer.

— Vous en êtes bien incapable en ce moment, Ninja. Pourquoi ne pas remettre à plus tard?

— Vous n'avez pas peur de moi?

— J'ai vu trop de Japonais ivres me dire soit qu'ils m'adoraient, soit qu'ils allaient me tuer... Ça passe au bout d'un certain temps, si vous voyez ce que je veux dire?

Ludlow se leva et suivit le Japonais qui oscillait d'un côté de la rue à l'autre.

Ils traversèrent la rue, à l'endroit même où Kathy Johnson avait été tuée, juste après le grand magasin Hankyu. Il n'y avait pas de taxis à la station. La suivante se trouvait quelques pâtés de maisons plus loin, devant l'hôtel Impérial. Mori en prit le chemin, en traînant les pieds.

— Je crois que je vais être malade.

Ils étaient tout près du petit parc que Ludlow avait fouillé le premier jour, et l'Américain y conduisit doucement Mori.

– Faites attention de ne pas salir la chaussée, l'avertit Ludlow. Elle était drôlement en colère après votre première visite. Elle ne vous apprécie guère.

Mori s'assit sur l'un des bancs en ciment.

– Qui ça? murmura-t-il.

– La dame qui s'occupe du parc.

– Je me sens mieux maintenant. Pourquoi ne me laissez-vous pas en paix?

– Parce que, quand je suis sorti du bar, on m'a suivi. Deux hommes et une femme qui ont chacun pris le relais – le K.G.B. Je les ai emmenés faire une balade à Shimbashi pour les semer dans les ruelles derrière la gare. Ludlow sourit en regardant ses mains. Je ne les ai pas revus depuis, mais je me suis dit qu'il valait mieux que je vous raccompagne chez vous pour qu'il ne vous arrive rien. C'était la moindre des choses, puisque je vous ai gâché votre soirée.

– Vous pouvez le dire. Vous êtes un beau salaud. Vous le savez, je pense. Vous n'aviez pas besoin de me raconter tout ça. Vous auriez pu vous taire.

Ludlow soupira.

– O.K. J'aurais peut-être dû. Mais ce n'est pas bon pour vous d'être obsédé par tout ce que vous renfermez au plus profond de vous-même. Donnez-vous une chance, pour l'amour du ciel. Débarrassez-vous du passé.

– Tout est vrai, n'est-ce pas? Mori tâta dans sa poche l'enveloppe qu'il y avait mise. Je sentais que vous disiez la vérité. Vous êtes très honnête pour un *gaijin*. C'est plutôt rare, vous savez.

– Oui, tout est vrai, j'en ai peur, Ninja. Et le colonel Yuki est impliqué... Vous n'avez aucune raison de le protéger – plus maintenant.

– C'est un beau salaud, lui aussi. Et je le tuerai également. Je crois que nous pouvons arriver à nous entendre, l'Américain. C'est bien ce que vous vouliez, n'est-ce pas?

– Je vous écoute.

– Si je vous donne accès au fichier de la police nationale, je vous demande en retour de ne rien révéler sur le colonel Yuki dans votre rapport. Je ne veux pas qu'une équipe de chasseurs de la C.I.A. fasse mon travail. Je veux m'en occuper moi-même.

– Nous ne savons pas encore s'il est impliqué dans le meurtre, Ninja. Mais, O.K. Je ne dirai rien. Vous allez me donner accès aux dossiers de la police nationale?

Mori fit signe que oui, mais leva le doigt.

– Il faut aussi que vous me disiez exactement qui était Kathy

Johnson. D'accord? Était-elle une espionne importante travaillant pour le gouvernement U.S.? Ce sont mes conditions. A prendre ou à laisser.

Ludlow sortit sa flasque de sa poche, l'ouvrit et dit :

– Vous êtes dur en affaires, inspecteur. Je n'ai vraiment pas le choix. Il tendit sa flasque à Mori et ajouta : A la santé du peuple japonais. Pas d'offense, j'espère...

Mori avala une bonne lampée.

– A la santé du peuple américain, répondit-il.

Après quoi, il alla jusqu'à la vasque de la fontaine et vomit.

L'Agence de la police nationale ressemblait à une vieille dame mal attifée. Ses briques rouges lugubres et ses niches en forme d'alcôves faisaient penser à un dortoir qu'on aurait installé au milieu de Waseda Yard. Mori et Ludlow prirent un ascenseur grinçant et poussif pour se rendre au sous-sol où se trouvaient les archives.

Les employés qui travaillaient aux archives appartenaient à cette trace très spéciale qui n'encourage pas les visites, et encore moins celles des étrangers – même porteurs de toutes les autorisations possibles. Le service des archives se trouvait dans une cave souterraine sans fenêtres, et son deuxième sous-sol abritait des fichiers – qui dégageaient une odeur de moisi – et tout un équipement pour microfiches. On était là au cœur du Système qui y cachait ses secrets les plus inquiétants, gardés par quelques officiers qui avaient dépassé l'âge de la retraite, dont la vie était sans taches, la loyauté inimaginable, et qui avaient, sans doute, besoin d'un peu d'argent.

L'officier de service assis devant l'entrée étroite, dans la flaque de lumière d'une lampe de bureau, leva les yeux et regarda Mori et le *gaijin* d'un air étonné à travers ses lunettes à double foyer. Après avoir ôté ses lunettes et les avoir essuyées soigneusement, il écouta la requête de Mori. Il allait téléphoner au service central pour les faire expulser, quand Mori lui suggéra de consulter la liste des catégories spéciales. Il le fit et tamponna la carte de Mori, non sans réticence. Il décida, par contre, que l'étranger devait rester dans la salle d'attente. Il regarda les deux hommes échanger un regard et finalement le *gaijin* acquiesça.

– Et il est interdit de fumer, ordonna l'officier de service, en voyant apparaître comme par magie un paquet de Seven Stars et un briquet tout bosselé entre les énormes mains de l'étranger.

Les étagères se succédaient dans ce lieu ténébreux, des fichiers attachés avec des rubans verts s'entassaient les uns sur les autres, et répandaient des relents de carton humide et de moisi. Mori fouilla dans la section « affaires courantes » pendant plus d'une heure, pour déterrer tout ce qui concernait le colonel Yuki. Sa carrière était faite d'une série de réussites remarquables, jusqu'à une période qui commençait deux ans plut tôt. Là, était mentionnée une aventure intéressante concernant Silicon Valley, sous le titre douteux d'« Opération vengeance ».

Trois camionnettes Dodge avaient été achetées pour être utilisées dans la région de Fullerton, Sunny Vale et Palo Alto. Les camionnettes étaient équipées d'un système danois capable de localiser et de reproduire sur un écran de télévision un texte qui s'inscrivait sur le terminal de l'ordinateur visé. Yuki était au faîte de sa puissance, en tant que directeur de l'Agence de renseignements du ministère de la Défense. En plus de ses missions normales et de ses priorités habituelles, l'Agence ramassait aussi toutes les bribes d'information concernant la haute technologie à l'étranger... Yuki avait décidé d'abandonner ce programme inconsistant pour se lancer dans une attaque très organisée. Ses premières opérations dans le domaine de l'industrie des ordinateurs s'étaient révélées prometteuses, et on lui avait rapidement affecté un nombre appréciable d'agents supplémentaires.

Plusieurs firmes japonaises de haute technologie lui fournissaient des informations sur les renseignements de grande valeur qu'elles recherchaient, et localisaient pour lui les firmes américaines possédant – croyait-on – le savoir-faire et l'art et la manière de s'en servir. Les consultants apportaient également leur aide au décodage et à l'évaluation des renseignements recueillis par les camionnettes.

Quand le congrès « Securicom » de Cannes fit connaître le système danois, les utilisateurs se mirent à installer des écrans d'aluminium et des cages de Faraday autour de leurs systèmes CAD-CAM. Yuki abandonna ses camionnettes sans hésiter et se lança dans un programme d'acquisition directe. L'opération finale un an et demi auparavant avait été de nouveau centrée sur la Californie. L'acquisition de shémas électroniques de très haute valeur fut organisée et trois grandes sociétés japonaises envoyèrent à San Francisco des équipes techniques, bien que les renseignements soient plutôt minces. Yuki avait découvert une source d'informations et fait faire des vérifications approfondies sur l'homme en question, pour s'assurer de son authenticité. A partir de là, le dossier que feuilletait Mori devenait soudain laconique.

Le consultant américain ne figurait que sous son nom de code :

« Carl ». Un bref communiqué interne annonçait que cinq Japonais spécialisés dans la technologie de pointe et un consultant américain étaient détenus par les autorités américaines et inculpés d'espionnage industriel. Leur cible avait été une grande société californienne spécialisée dans les microparticules, du nom de MicroDec. Trois compagnies japonaises étaient impliquées, dont la Compagnie japonaise d'électronique.

Yuki avait rédigé le rapport sur le fiasco et semblait avoir eu beaucoup de mal à reconstruire l'historique de la catastrophe. Ses commentaires étaient succincts, et son but, visiblement, consistait à minimiser l'événement. Le bureau du Premier ministre fit parvenir une lettre au ministre de la Défense dans laquelle il blâmait tout le monde en bloc. Le ministre de la Défense, dans sa réponse, reconnaissait la validité du blâme, mettait fin à l'« Opération vengeance », reléguait Yuki à un échelon très inférieur de la section recherche, et offrait sa propre démission. La démission avait été refusée.

– J'ai bien cru que vous vous étiez endormi dans les chiottes, fut le seul commentaire de Ludlow quand Mori finit par émerger du sous-sol.

– Nous ne pouvons pas parler ici. Mori avait l'impression que sa tête allait éclater.

Ils sortirent dans le matin d'automne ensoleillé, et allèrent à pied jusqu'au parc Hibiya, qui n'était qu'à quelques pâtés de maisons... Le parc, un des plus beaux de Tokyo, offrait des sentiers et des bancs, des plantes exotiques avec des étiquettes portant leurs noms latins inscrits soigneusement – avec des fautes d'orthographe – et un amphithéâtre comportant des rangées de bancs de pierre où ils s'arrêtèrent. Ils étaient entourés de tous côtés par une végétation abondante qui les isolait parfaitement.

Mori s'assit au bord de la scène, et Ludlow s'étendit au premier rang et fit entendre un bâillement ostentatoire, signe d'une relaxation totale. Pendant tout le temps que Mori passa à l'informer, Ludlow conserva la même pose, tandis que le Japonais ne lui faisait grâce d'aucun détail. Le géant américain regardait d'un œil fixe les azalées, les cornouillers et les lilas, comme s'il songeait à embrasser la profession de jardinier. De toute façon il avait toujours cet air-là quand il se concentrait profondément.

Quand Mori eut épuisé tout ce qu'il avait emmagasiné dans sa tête et ne trouva plus rien à ajouter, il contempla l'Américain pendant un bon moment.

– Eh bien? demanda-t-il enfin... et on aurait pu entendre le vrombissement de sa respiration si une sirène ne s'était mise à déchirer le hurlement lointain de la ville.

Ludlow attendit que le bruit de la sirène s'estompe.

– Je crois que nous tenons notre homme, dit-il tranquillement, mais avec une pointe d'émotion. C'est Yuki le tueur, avec pour mobile l'incroyable soif de vengeance des Japonais.

Ses paroles avaient pris une sonorité dure et métallique. Deux fois, au cours de la discussion qui suivit, Ludlow alluma des cigarettes qu'il jeta à moitié fumées, sans y penser. Mori s'excusa et s'absenta une fois pour aller téléphoner, puis revint, les lèvres serrées. Ce qu'il venait d'apprendre confirmait que la carrière du colonel Yuki avait été ruinée par le scandale MicroDec. Les mobiles étaient plus que suffisants. Au Japon, la carrière d'un homme était l'essentiel. Réputation, honneur, travail formaient l'essence même de son existence.

– Mais pourquoi aurait-il tué Kathy Johnson? demanda Mori. Elle était du côté des Japonais.

Ludlow se mit alors à lui expliquer toute l'opération de la C.I.A. – comment l'Agence s'était servie de Kathy Johnson pour tendre un piège aux compagnies japonaises qui avaient volé les secrets technologiques concernant les chips et les ordinateurs des firmes de Silicon Valley. Quand il avait compris le rôle qu'elle avait joué, Yuki l'avait tuée... et cela faisait partie de sa vendetta contre ceux qui avaient détruit sa carrière. C'était certainement lui qui avait aussi organisé l'accident dans lequel avait péri Carl Lawson, mais on ne pourrait jamais en apporter la preuve.

– De fait, conclut Ludlow, nous n'avons que des preuves indirectes. Rien que nous puissions brandir devant nos supérieurs, ou devant un jury. Rien qui puisse le faire pendre.

– Alors, écoutez-moi bien, répliqua Mori avec un sourire. Saviez-vous que le colonel était allé à Moscou au début de l'année?

Ludlow regarda fixement le Japonais.

– Pour quoi faire?

– Pour rendre visite au K.G.B. Le Japon souhaite créer une nouvelle agence de sécurité. Yuki est allé voir comment le K.G.B. fonctionnait. Du moins était-ce son projet initial.

– Seigneur! Ludlow leva les bras en l'air. C'est exactement le genre de chose dont le K.G.B. raffole. Ils avaient l'affaire Micro-Dec dans leur fichier, ils connaissaient le rôle joué par Kathy Johnson et par Carl Lawson, ils savaient qu'il s'agissait d'agents américains de grande valeur et que selon les nouvelles règles établies par Andropov, interdisant toute action dans ce sens, ils ne pouvaient les éliminer eux-mêmes. Ils ont transmis ces informations à Yuki, parce qu'ils connaissent les réactions des Japonais dès qu'il s'agit de vengeance. Yuki a dû leur rendre un service fantastique en contrepartie. Après quoi, ils n'ont eu qu'a attendre. Remarquable!

– Et alors, qu'est-ce que nous allons faire? Mori scruta le visage de Ludlow pendant un long moment.

– Rien pour l'instant, Ninja. Nous ne pouvons pas encore nous attaquer à Yuki. L'équation comporte un autre élément : une opération soviétique à laquelle Yuki est mêlé. Il est le seul à pouvoir nous aider à découvrir ce qu'ils manigancent. Nous ne pouvons qu'attendre la prochaine manœuvre de ce brave colonel!

21

Le test

Ce soir-là, avant de passer à leur debriefing nocturne habituel, Pachinkov raconta une nouvelle anecdote. C'était l'histoire de Prokofiev, alors âgé de quinze ans, et élève au conservatoire de Saint-Pétersbourg. On lui avait demandé de présenter son travail d'orchestration à Rimski-Korsakov, devant toute la classe. Le vieux maître avait trouvé quantités d'erreurs dans ce travail et s'était mis en colère. Prokofiev, l'air ravi, avait alors adressé un profond salut à la classe : il avait réussi à mettre le grand homme en colère. On ne sait pourquoi, il était persuadé que celui-ci n'en aurait que plus d'estime pour lui. En fait, il n'a jamais pu arriver à faire une orchestration correcte.

– Comme Malik! s'exclama Serguei qui avait tout de suite saisi le sens de l'histoire.

Pachinkov, heureux que son complice ait si vite compris, lui fit un grand sourire.

– J'ai reçu un message codé de Moscou. Ils nous ont retiré l'opération Starfire.

– Impossible!

– Vivre sa vie n'est pas aussi facile que traverser un champ, mon ami. Il faut regarder les choses en face. Malik essaye de nous provoquer. Il va nous envoyer un spécialiste du Centre pour récupérer le Starfire.

– Le salaud.

Pachinkov tiqua devant cette explosion de colère. Serguei était son monstre à lui, un maître ès-violence, mais derrière cette façade se cachait un être fondamentalement doux.

– Malik va utiliser cet homme pour se faire valoir. Pour acquérir plus de pouvoir, un rang plus élevé, une position-clé.

– Vous voulez dire le premier directorat? Il essaye de vous voler votre place? La voix de Serguei n'était plus qu'un cri étouffé.

Pachinkov hocha la tête.

– Je n'ai pas encore le directorat. Il fera le maximum – c'est clair maintenant – pour que je ne l'obtienne pas.

– Mais j'y comptais tellement, camarade. Après tant d'années passées sur le terrain, nous avons le droit de rentrer à Moscou et d'y vivre, avec une datcha en Oural pour les week-ends et les vacances. Je pourrais faire la cuisine! Nous pourrions avoir un élevage de visons.

– Du calme, Serguei. Ne vendons pas la peau de l'ours... Un jour, peut-être... Mais pour l'instant, il nous faut réfléchir à ce que nous allons faire de ce *shavki* que Malik nous expédie. Le mot était un terme péjoratif pour qualifier un agent minable. Cela va changer nos plans concernant l'Américain, Ludlow. Comment marche la surveillance?

– Il y a un petit problème, répondit Serguei en ouvrant un paquet de cigarettes turques au goût âcre pour en offrir une à Pachinkov.

– Plus tard. Allons, raconte-moi tout ça.

– Notre meilleure équipe l'a perdu, la nuit dernière.

Pachinkov sourit :

– Bien entendu.

– Ça s'est passé tout d'un coup. Tous les soirs, il boit comme un Russe. Il se trouvait dans un bar appelé Chez Isamu dans Ginza, avec le petit Japonais. Ils ont l'air de sortir du Cirque de Moscou : Un géant et un pygmée.

– Combien de fois dois-je te répéter que leur aspect n'a aucune importance. Cet Américain est un homme dangereux. Mais je crois que nous pouvons arriver à lui faire faire le travail à notre place. Il faut le retrouver tout de suite.

– Nos agents n'ont pas eu la moindre chance. Quand il a quitté le Japonais, il est parti vers Shimbashi... dans ce labyrinthe de ruelles derrière la gare, vous connaissez le coin?

– Ce n'est pas de ta faute, Serguei. Mais ne le laissez pas traîner tout seul trop longtemps. Qui sait ce qu'il pourrait inventer.

Après le départ de Serguei, Pachinkov se leva et se mit à arpenter son bureau, puis s'arrêta devant la fenêtre et regarda la ville d'un œil vague. S'il avait pu disposer ici d'agents aussi capables qu'à Berlin ou à Londres, rien de tout cela ne serait arrivé. Même à Mexico, on aurait fait mieux... Une surveillance de routine! Quand lui donnerait-on les moyens qu'il réclamait, en rapport avec l'importance de cette ville détestable? Pour qui le prenait-on? Pour Lénine lui-même?

Pachinkov obligea son esprit à se calmer. C'était un test, se dit-il, le test final − et cela il l'avait compris depuis le début. Il avait été résident à Londres, à Rome et à Washington. Il y avait disposé de bons outils, et avait réussi de façon remarquable. A Tokyo, on voulait voir s'il était capable d'improviser. Et il le leur avait prouvé, lui semblait-il. Sans l'aide du Directorat T. Il avait mis sur pied le réseau d'espionnage technologique le plus efficace de toute l'histoire de leur action en Asie. Certains allaient même jusqu'à le comparer à Sorge! Les ordinateurs et les appareils les plus sophistiqués coulaient à flots du Japon vers l'U.R.S.S. et le Moyen-Orient, au même rythme que le Danube pendant les crues d'avril.

Son cerveau se clarifiait petit à petit. Il rebrancha la stéréo et termina ce qui restait dans son assiette. Stravinski... Les phrases musicales s'entrecroisaient en douceur, se conjugant bientôt pour construire une nouvelle combinaison, un crescendo magnifique des bois et des cuivres. Il se mit à l'écouter... et retrouva la paix du corps et de l'âme. Il savait depuis longtemps que dans son travail, la patience était une nécessité.

22

La réception

On dit que les Japonais, tant ce peuple est soumis à un conformisme que peu d'autres races subissent dans le monde, ne trouvent la paix que dans l'absence d'harmonie. Si c'est le cas, l'architecture de Tokyo en est une preuve supplémentaire. Tokyo, qui est plutôt un kaléidoscope qu'une cité, est le cauchemar des urbanistes – une suite sans fin d'échantillons variés qui paralyse notre vision.

« *Koko, koko*. Arrêtez-vous ici. » L'exclamation soudaine de Mitsuko fit déraper le chauffeur de taxi qui faillit percuter un scooter rouge Yamaha-Princess conduit par une fille tout en jambes et portant des jeans collants. Mori s'enfonça sur son siège et laissa sa femme donner les directives. Ils se trouvaient sur Aoyama-dori, tout près du quartier des boutiques de luxe. Mitsuko dirigea le chauffeur vers une allée à peine visible, qui faisait moins de trois mètres de large... Des promeneurs nocturnes s'y pressaient et certains regardèrent avec intérêt la robe élégante de Mitsuko et la cravate noire de Mori.

La rue tourna, se rétrécit encore et finit par déboucher devant des maisons tassées à l'intérieur de murs enduits de stuc et quelques demeures plus vastes construites en briques. Le mari et la femme avaient atteint la cité intérieure, une zone de solitude et de calme, réservée aux classes supérieures. Ils se rendaient chez le directeur d'I.C.O.T., dont la résidence se trouvait au bout du pâté de maisons.

– Tu es très élégant, ce soir, complimenta Mitsuko, en adressant un sourire en coin à Mori, tout en appuyant sur le bouton de la porte extérieure de la maison du directeur.

– Merci, répondit Mori, sans y prêter attention.

Il pensait toujours au *kanzoshi* qu'il avait trouvé dans l'oreiller de sa mère. Cela avait encore compliqué les choses à la maison. Sa mère ne disait rien, mais il était évident qu'elle en accusait Mitsuko. La tension entre elles était devenue si forte qu'on aurait pu la toucher du doigt. Encore un « accident » de ce genre, et ce serait l'explosion. Et Mori ne pouvait pas affronter ce genre de problème au moment où la preuve de la culpabilité de Yuki venait d'être démontrée par l'Américain.

– D'habitude, tu ne t'habilles pas avec autant de soin quand nous sortons, dit Mitsuko en arborant son plus beau sourire.

– Je fais des efforts, dit Mori.

Une voix dans l'interphone demanda leur nom et la porte se déverrouilla. Tandis qu'ils faisaient les quelques pas qui les séparaient de l'entrée, Mitsuko demanda soudain :

– Est-ce que tu savais qu'Erika viendrait ce soir ?

Mori rougit. La porte lambrissée glissa sur elle-même et Kazuo Suzuki, le directeur du programme avancé de recherches sur ordinateurs d'I.C.O.T., les accueillit avec un large sourire.

La taille de Suzuki-san dépassait celle de Mori d'au moins dix bons centimètres. Il avait la voix claire et sonore d'un homme habitué à parler en public. Mori avait toujours pensé qu'il était l'homme idéal pour diriger I.C.O.T. – un homme qui détestait la vieille image stéréotypée du Japon, et qui s'était donné pour tâche de prouver au monde que les Japonais étaient capables d'innover – un homme encore jeune d'à peine quarante ans qui rejetait les traditions. Suzuki avait quitté une équipe de recherche de grand prestige pour se lancer dans une entreprise correspondant à ses idées personnelles – une attitude inimaginable au sein de la communauté stable de la recherche électronique.

– La divine Mitsuko et son fidèle mari, annonça-t-il, avec le sourire enjôleur d'un homme qui saurait, lui aussi, apprécier une bonne plaisanterie.

Mitsuko se perdit dans la foule comme un nageur familiarisé avec les courants. Mori crut l'entendre murmurer « les toilettes », mais n'en était pas sûr. Une chaîne hi-fi dernier cri diffusait le nouvel album des succès d'Anzen Jidaï, le groupe de rock le plus populaire de l'année...

A Tokyo, les réceptions, comme d'autres distractions, obéissaient à certains principes. L'un d'entre eux consiste à considérer qu'on peut pardonner n'importe quelle insulte si elle est proférée par une personne qui semble être en état d'ivresse... Cette attitude offre toutes sortes d'occasions de faire des suggestions à des supérieurs hiérarchiques, ou de s'attaquer à des rivaux dangereux, de répandre des rumeurs, ou encore de laisser filtrer des informations. On peut donc comprendre pourquoi les firmes et les institutions japonaises dépensent tant d'argent en réceptions...

La soirée battait son plein, ponctuée d'éclats de rire, de protestations de voix féminines, et d'autres voix qui cherchaient à impressionner leur auditoire. Une foule de jeunes gens, vêtus uniformément à la dernière mode des classes supérieures, avait envahi le living-room. Toutes les femmes portaient des vêtements blancs ou de couleur pastel. Malgré la présence de quelques créatures splendides, on avait l'impression que toute suggestion d'animalité charnelle avait été camouflée.

– Je sais parfaitement ce que vous pensez de tout ça, dit Suzuki, apparaissant tout à coup aux côtés de Mori et faisant signe à un serveur en smoking d'apporter à Mori un autre Suntory.

– Mitsuko est encore une enfant, *yoroshiku*, fit Mori, conformément à l'étiquette masculine interdisant toute louange de sa propre femme.

Mori but d'un trait la moitié de son second verre. Suzuki rappela de nouveau le serveur pour qu'il le remplisse à nouveau.

– Tout notre personnel est jeune, sauf moi, bien entendu. Je ne suis qu'une sorte d'exilé.

Mori constata qu'il affichait la modestie de quelqu'un qui peut se le permettre. L'année précédente, les media l'avaient porté aux nues, en le qualifiant d'étoile la plus brillante au firmament de la haute technologie. Un autre couple fit son entrée. Suzuki se précipita vers eux et ils s'embrassèrent tous les trois.

La table du buffet était garnie de grands plats laqués rouge et noir, débordant de *sushi*. On la réapprovisionnait régulièrement. Mori prit un *maguro* de sa main libre et le fourra dans sa bouche. Le poisson cru était frais et succulent, et le *wasabi* juste assez épicé pour vous piquer les yeux – l'absolue perfection. Il y avait aussi des crevettes et des *tempuras* aux légumes, des *yakitori* bien dorés et une douzaine de sortes de salades, au choix. Mori remplit son assiette et se mêla à la foule.

Autour de lui, on ne discutait que d'ordinateurs. Il avait l'impression d'être entré dans un monde qui parlait une langue différente : « L'atelier de PROLOG a réussi à obtenir des millions de LIPS... une amélioration considérable par rapport au von Neumann... Ehud Shapiro de l'Institut Weizmann a déclaré, lors de sa dernière visite... »

Un jeune homme athlétique et bronzé parlait avec Mitsuko. Elle avait ôté sa jaquette dévoilant ainsi des épaules satinées et la courbe laiteuse de sa gorge. Ici, parmi l'élite de la communauté scientifique de Tokyo, elle était magnifique. Mitsuko l'aperçut et leva son verre de vin dans sa direction.

Il cligna des yeux pour lui faire signe qu'il avait à lui parler.

Elle lui répondit par un sourire distant signifiant qu'elle discutait affaires. Elle fumait une cigarette – ce qu'elle ne faisait jamais chez elle. Mori se sentit abandonné et s'éloigna. Des mots compliqués sortaient des lèvres de Mitsuko, et l'excluaient en quelque sorte : « L'effet de pulsion électromagnétique est négatif... » Il se demandait – et ce n'était pas la première fois – si elle avait honte de lui.

Mori salua de la tête des gens qu'il avait rencontrés brièvement au cours de la première année où Mitsuko avait été engagée. Parce qu'elle avait insisté, il l'avait alors accompagnée à diverses réceptions. Il y en avait, à l'époque, au moins une par semaine. Il vit que ces gens avaient le regard vague de personnes cherchant à se souvenir de l'endroit où ils s'étaient rencontrés. Il sortit dans le jardin.

Les jardins japonais n'arborent que très rarement des pelouses, et celui-ci ne faisait pas exception à la règle. Cependant, l'endroit était charmant et vaste, on y trouvait des sentiers parsemés de gros pavés où poser les pieds, des pièces d'eau et des rochers d'où admirer le point de vue. Un certain nombre d'invités s'étaient égaillés dans une partie du jardin illuminée par un guirlande de lanternes en papier *chochin*. Mori aperçut Erika en grande conversation avec un monsieur très distingué.

Tout près de Mori, se trouvait une jeune fille qu'il avait vue à la télévision. Elle parlait avec un homme plus âgé, portant à la boutonnière un ruban indiquant qu'il figurait parmi les gens inscrits sur la liste honorifique de l'empereur. Erika surgit tout à coup à ses côtés, lui prit le bras et se serra contre lui, au point qu'il sentit les contours fermes de sa poitrine.

– Je suis heureuse que vous ayez pu venir ce soir. Mitsuko m'avait dit qu'elle ne pensait pas que vous accepteriez. Vous n'aimez pas les receptions, je crois ?

– J'aime bien les vraies réunions entre amis, dit Mori.

Ce n'était pas très convaincant : on aurait dit une réplique d'Yujiro dans sa série policière de la huitième chaîne.

– Qui est ce vieux monsieur qui parle avec la chanteuse ? demanda-t-il en pointant une baguette de *yakitori* dans leur direction.

– C'est Iwasaki-san, le directeur de l'Institut de recherche d'I.B.M. Il a inventé la diode Iwasaki dans les années soixante. Vous en avez peut-être entendu parler ?

– Non. Je ne comprends rien à tout ça, dit Mori.

– Ne faites pas cette tête-là. Nous serions tous ici dans le même bateau, à une réception donnée par le D.P.M...

Mori se mit à rire. Il appréciait l'effort qu'elle faisait pour effacer le sentiment qu'il avait de ses insuffisances.

Ils arpentèrent le jardin tous les deux jusqu'au mur qui marquait les limites de la propriété. De là, on pouvait voir toute la maison, et d'un côté, un garage, construit à la manière japonaise : juste un toit reposant sur des colonnes pour protéger les voitures des intempéries.

– Il a vraiment fait du beau travail, n'est-ce pas? dit Mori.

– Qui?

– Suzuki-san.

– C'est une espèce d'animal sauvage qui défie le système japonais et s'en tire, répondit Erika. Au début, la plupart des gens pensaient qu'il n'avait aucune chance de réussir, maintenant beaucoup le jalousent, mais le plus grand nombre l'admire.

– Est-ce que ma femme en fait partie?

Erika resta un instant déconcertée, puis suivit son regard. Mori avait les yeux fixés sur la voiture garée sous le toit du garage de Suzuki : une Mercedes noire.

– Passer chez vous ne lui fait pas faire un grand détour, expliqua Erika.

– Un détour de quarante bonnes minutes, quand même!

– Je lui avais dit que ça ne vous plairait pas. Erika essayait de cacher sa satisfaction. Suzuki la considère comme la femme japonaise parfaite.

– Pourquoi parfaite? Par-ce qu'elle a fait ses études secondaires à Gakushuin et côtoyé des membres de la famille impériale?

– C'est en partie la raison, reconnut Erika.

Mori déclara d'un ton glacial que le succès d'I.C.O.T. ne justifiait en rien que Suzuki entreprenne de séduire sa femme. Qu'en pensait-elle? D'un ton peu convaincant, Erika l'assura qu'il ne s'agissait que de rapports de travail. Mori se demandait pourquoi – au Japon – la réussite justifiait à peu près tout.

Mitsuko avait la fraîcheur de la jeunesse et appartenait à la classe supérieure, expliquait Erika. Le *keigo* lui était naturel, pas comme pour les vendeuses de chez Mitsukoshi. Le *keigo* était une forme polie et respectueuse de la langue japonaise et correspondait à un idéal de féminité. Qui plus est, Mitsuko était membre du Tokiwakaï – le club de l'école des Pairs. Suzuki, par contre, n'était qu'un paysan venu de sa campagne et qui avait réussi. Il était flatté que Mitsuko ait quitté un poste de prestige chez M.I.T.I. et accepté de travailler pour lui. Mais, c'était bien là le comportement habituel de Mitsuko. C'était une femme très indépendante, n'est-ce pas? Après tout elle avait bien épousé Mori?

Ses paroles le piquaient au vif, mais Mori savait bien qu'elle avait raison. Mitsuko aurait pu choisir sans problème le genre de vie qu'elle désirait, quel qu'il soit... le luxe, la jet set internationale, des domestiques, des voitures et des vacances en Europe... Elle avait pourtant choisi d'adopter un nom, naguère célèbre, mais ayant perdu son lustre, et une belle-mère aristocratique et sans doute dominatrice. Peut-être voyait-elle en Suzuki le symbole de tout ce qu'elle aurait pu avoir. Peut-être s'apercevait-elle qu'elle avait commis une erreur.

Mori n'était pas en colère – il en était tout à fait sûr. La colère n'avait rien à voir là-dedans. Au Japon, le mari trompé ne ressentait que de la honte. Les raisons en étaient difficiles à définir. Il regrettait maintenant d'avoir abordé le sujet. Il retourna donc la question et demanda à Erika pourquoi elle n'était pas mariée.

Elle s'étira comme un chat et prit cet air heureux des gens à qui l'on s'intéresse.

– Je crois que je suis trop romantique.

Elle tourna son visage vers lui dans un geste d'innocence enfantine, et sourit pour montrer qu'elle était certaine qu'on pouvait lui confier un secret.

– Vous êtes tout à fait l'homme qu'il m'aurait fallu, ajouta-t-elle.

Mori se sentit rougir jusqu'aux oreilles.

Erika fit semblant de ne pas s'en apercevoir. Elle prit un air pensif pour lui dire que lorsqu'elle imaginait l'homme avec qui elle aimerait passer le reste de ses jours, elle préférait quelqu'un qui lui donnerait des ordres et jetterait ses vêtements par terre en rentrant à la maison. « Quelqu'un comme vous, Mori-san. » Elle rejeta en arrière ses cheveux qui lui tombaient dans les yeux et lui reprit le bras. Puis, elle leva son verre et le vida d'un seul coup. Ses lèvres pleines étaient humides et Mori sentit que son bras se resserrait sur le sien, et que la chaleur de son corps pressé contre lui l'envahissait.

D'une voix plus claire, plus gaie, comme libérée d'un fardeau, Erika lui dit :

– Mitsuko m'a raconté que votre famille était très respectueuse des traditions, et que vous aviez été élevé de manière très stricte. C'était pareil dans la mienne. On m'a appris à cacher mes sentiments, à être toujours d'humeur égale. On m'a enseigné le maniement des armes – spécialement de l'épée *nagi-nata* et aussi les arts martiaux.

– Grands dieux, mais pour quoi faire?

– Comme je vous l'ai dit, mon père était partisan des anciennes coutumes. Il voulait que je sois capable d'assurer moi-même le respect de mon intégrité personnelle.

– Et vous l'avez fait?

Elle se mit à rire.

– Avec la plus grande férocité. Les hommes d'Osaka sont particulièrement rudes. Mais les femmes d'Osaka sont plus violentes encore.

– Votre père, quel était son métier?

– Il était dans la police, comme vous. Il travaillait dans une branche très spéciale et il n'en parlait pratiquement jamais. C'était à Osaka, bien entendu.

– Votre famille descend d'ancêtres samouraï, sans doute?

– Oui. Pas d'une maison célèbre, comme la vôtre – mais nous venons aussi d'une lignée de samouraï. J'appartiens à la fois à l'ancien mode de vie et au nouveau. Je suis suffisamment fidèle à l'esprit des anciennes coutumes pour accepter d'être une deuxième épouse, si l'homme m'aime et si moi aussi je l'aime vraiment. Je n'y vois rien de répréhensible. Mais je fais aussi partie du monde nouveau et je suis prête à me battre pour mes droits, pour la liberté de vivre et de travailler comme je l'entends, et je n'accepterai ni d'être méprisée, ni d'être traitée comme un objet sexuel.

Mori comprenait maintenant ce qu'elle avait voulu dire, le jour où il était allé dans son appartement. Erika avait l'incroyable candeur d'un enfant. Il secoua la tête :

– Une rivière a parfois beaucoup de bras.

Elle se détacha de lui.

– Je n'accepte pas de quelqu'un ce que moi je ne peux donner.

Sa bouche faisait une moue charmante, ses yeux avaient pris un nouvel éclat et le défiaient du regard.

Mori se demandait si les vérités prouvées par le raisonnement valaient mieux que celles qu'on découvrait par intuition. Il savait ce qu'il voulait, mais au lieu d'en parler, il dit :

– Au Japon, ce sont les apparences qui comptent le plus... sauf pour soi-même. Je vais réfléchir à ce que vous m'avez dit. Nous nous reverrons bientôt. Ce sera mieux ainsi.

Erika s'illumina. Et, en Japonaise intelligente, elle ne tint aucun compte des paroles de Mori et n'entendit que le sens caché de ses émotions – de son *hara*.

— Très bien, dit-elle, comme si tout était déjà décidé. Cela me cause une grande joie.

Tout à coup, elle aperçut quelqu'un qu'elle connaissait. Elle fit signe à Mori qu'elle allait revenir tout de suite. En fait, il ne la revit plus de tout le reste de la soirée.

Juste à ce moment-là, un des serveurs en smoking s'approcha de lui.

— Êtes-vous l'inspecteur Mori ?

— Oui, pourquoi ?

— On m'a demandé de vous remettre ce mot.

Il tendit à Mori une petite enveloppe. Il l'ouvrit et lut le message suivant :

« Urgence. Une voiture vous attend devant la porte. »

Mori se dit qu'il allait d'abord se renseigner, puis revenir pour prévenir Suzuki ou sa femme. Il sortit rapidement de la maison et se dirigea vers une camionnette verte garée devant la barrière. Mori ne reconnut pas les deux hommes qui l'attendaient. Ils portaient des manteaux sur leurs bras comme s'ils s'attendaient à ce que la soirée fraîchisse. Quelque chose pointait sous les manteaux. Il aperçut un instant l'éclat métallique d'armes mortelles. L'un des deux lui reprit le message des mains et lui fit signe de monter dans la voiture dont la portière était restée ouverte.

L'arrière de la camionnette avait été garni d'un tapis et d'une banquette en forme d'U. En face : un fauteuil auquel était attachée une sorte de console. Le *gaijin* assis dans le fauteuil se retourna quand Mori, poussé par derrière, y pénétra, plié en deux, et alla s'affaler sur la banquette. Les deux hommes s'assirent, l'un à sa droite, l'autre à sa gauche, et la voiture démarra. L'homme assis dans le fauteuil avait des cheveux gris. Mori ne put rien distinguer d'autre dans l'obscurité. La seule source de lumière venait de la console comportant trois séries de cadrans faiblement éclairés. La camionnette était envahie d'une épaisse fumée de cigarette à l'odeur âcre et d'origine étrangère...

L'homme dit quelques mots en russe et la camionnette accéléra. Ils avaient atteint Aoyoma-dori et se dirigeaient vers le quartier Shibuya. La voiture avait de bons ressorts et la banquette était confortable : un camping-car Toyota, se dit Mori, avec des améliorations intéressantes qui auraient sûrement ravi le constructeur. L'une des lumières de la console – la verte – se mit à clignoter. L'homme décrocha un microphone. Il y parla à voix basse comme pour une conversation intime.

— *Poyekhali*, dit-il en russe. Nous avons notre homme et continuons comme prévu.

Puis il s'adressa à Mori dans un japonais à peu près correct.

— Nous nous excusons de l'heure tardive et d'interrompre votre soirée... J'ai un certain nombre de questions à vous poser. Répondez-y franchement, je vous prie. Après quoi nous vous déposerons où vous voudrez. Cela ne devrait pas prendre plus de quelques minutes. Mais je tiens à souligner que ces questions ont une grande importance pour nous. Aussi veuillez y répondre avec précision. Êtes-vous prêt?

Mori fit signe que oui. Mais il se demandait comment ces gens avaient fait pour être si bien renseignés, comment ils avaient su où le trouver, par exemple, ou encore quelles questions ils allaient lui poser. Y aurait-il une taupe au sein même de sa propre organisation? Yuki? « Attendons que Yuki nous conduise aux Russes », avait dit Ludlow. Était-ce cela qui était en train de se produire?

— Un officiel de notre ambassade vous a vu, il y a trois jours, en compagnie d'un Américain, dit le fumeur. Au Q.G. de la police, je crois. Depuis, l'Américain a disparu.

Ils bluffaient peut-être, se dit Mori. Ou alors ils étaient en train de supputer les avantages et les inconvénients de l'interroger ici – dans la camionnette – ou dans un endroit plus sûr... Il décida que sa meilleure chance de survie était de rester dans la camionnette. Donc, il fallait leur dire la vérité.

— Oui. J'ai rencontré cet Américain plusieurs fois.

— Merci de votre franchise envers nous, inspecteur. Question numéro deux : Qui est cet homme? Que vous a-t-il dit?

Mori comprit qu'il n'avait pas le choix.

— C'est un officiel américain qui travaille à l'ambassade.

— Un officiel, inspecteur?

— Oui, il fait partie de leur département des Affaires publiques.

— Donc, de toute évidence, il s'intéresse aux renseignements. Quel genre de renseignements lui avez-vous fourni, inspecteur?

— Il mène une enquête sur la mort d'une jeune Américaine.

— Son nom?

— Kathy Johnson.

Mori avait compris que la conversation était enregistrée. S'il avait été réellement un traître, ils auraient eu assez de preuves de sa culpabilité pour le faire chanter toute sa vie quelles que soient les promesses qu'ils lui feraient. C'est aussi horriblement simple que cela.

— Et le nom de cet officiel américain?

— Brown. Robert Brown.

— Il fait partie des Services de renseignements. Vous ne le saviez pas?

– Non.

Son premier mensonge, mais qui n'avait pas grande importance. L'homme haussa les épaules.

– Brown? C'est le seul nom qu'il vous a donné?

– Oui.

Le Russe garda le silence quelques instants. Mori se demandait pourquoi Robert Ludlow les intéressait tellement. Ils ne prendraient pas de tels risques, ce soir, s'il s'agissait de broutilles.

– Comment contactez-vous M. Brown, inspecteur. Imaginons que vous ayez à le joindre de toute urgence.

– J'appelle un numéro spécial à l'ambassade.

– Vous ne savez dans quel hôtel il est descendu?

– Non. Tous mes contacts passent par l'ambassade.

– Excusez-moi une minute.

L'homme se retourna et dit quelque chose au chauffeur, qui se dirigea vers Sendagaya – un quartier tranquille de Tokyo célèbre pour ses parcs et ses stades.

– Vous pouvez appeler ce numéro à n'importe quelle heure du jour ou de la nuit?

– Oui, dit Mori.

– A propos de l'enquête de M. Brown sur la mort de la jeune femme... A quelles conclusions est-il arrivé à ce stade? Vous pouvez vous montrer d'une totale franchise avec nous.

– Il croit qu'il existe un troisième participant qui cherche à dresser la C.I.A. et le K.G.B. l'un contre l'autre, ici, au Japon.

– Très intéressant. Ah, nous y voici.

La camionnette s'arrêta devant une cabine téléphonique proche du stade olympique. L'endroit était parcouru d'allées circulaires bordées de rangées d'arbres. C'était l'un des rares endroits verts de Tokyo. L'homme assis à la gauche de Mori sortit de la voiture, tout en faisant signe à Mori de rester où il était. Il arpenta le terrain autour de la camionnette pendant plusieurs minutes. Mori saisit sa chance : il se tourna vers le Soviétique le plus âgé :

– C'est vous qui avez essayé de briser mon ménage? C'est vous qui surveilliez ma maison?

Le Russe poussa un soupir pratiquement inaudible.

– Nous avons surveillé votre maison, c'est vrai. La surveillance a été levée. Nous n'avons rien fait pour briser votre ménage. Nous n'avons rien à y voir.

– Alors, pourquoi me faire surveiller?

– L'Américain. Nous pensions pouvoir le retrouver grâce à vous. Ça n'a pas marché, comme vous voyez.

Le Russe se sourit à lui-même dans l'obscurité. La réponse était irréfutable, bien qu'entièrement fausse. Le Soviétique qui avait scruté le terrain autour de la camionnette revint et frappa trois coups sur la portière. *Poyezhaytye* – rien à signaler.

– Nous aimerions que vous téléphoniez à l'ambassade américaine pour laisser un message à l'intention de M. Brown. Demandez-lui de se rendre d'urgence – dans l'heure qui suit – à cette adresse.

Il tendit à Mori un morceau de papier. Il s'agissait d'une zone inhabitée d'Harumi, près des bâtiments de l'Exposition. Mori acquiesça et dit :

– *Hai.*

– Vous pouvez sortir maintenant.

Mori laissa l'homme qui se trouvait derrière lui ouvrir la portière. Il sauta à terre et, profitant de son élan, frappa le garde qui l'attendait dehors d'un coup de karaté à la hanche. L'homme s'écroula... Il sentit une main s'accrocher à lui par-derrière, mais il réussit à se dégager et se mit à courir vers les arbres qui bordaient la rue. Une fois à l'abri des branches, il se lança dans une course désespérée, prenant soin de toujours laisser des arbres entre lui et ses poursuivants. Puis il plongea dans la forêt miniature qui entourait le musée municipal. Il crut qu'on chuchotait à son oreille... Était-ce son imagination qui lui jouait des tours ? Une branche lui fouetta le visage, et lui fit pleurer l'œil gauche. Il faillit tomber en perdant momentanément la vue de ce côté-là. Les taillis s'épaississaient, il s'y enfonça, tourna brusquement à gauche et se mit à zigzaguer. Il entendit la camionnette démarrer, puis le bruit du moteur et le crissement des pneus quand elle prit de la vitesse. Le bruit se rapprocha – il entendit des voix –, la sueur lui dégoulinait du front et mouillait le devant de sa chemise. Il continuait à courir, forçant ses jambes à avancer, et sa respiration haletante lui secouait tout le corps.

Il entendit alors un autre genre de bruit : le grondement de quantités de voitures. En jetant un coup d'œil vers sa droite, il aperçut l'entrée du *shuto*, l'autoroute, à environ cent cinquante mètres et aperçut le gardien du péage installé dans sa cage de verre. Il courut de plus belle, avec un point de côté qui lui déchirait le corps. Les arbres et les branches s'espaçaient : une route apparut qui menait à l'entrée de l'autoroute. Des voitures faisaient la queue au péage. Mori atteignit la dernière et se retourna enfin... Les Russes avaient disparu.

23

La planque

Le trajet en voiture se passait en silence, si l'on exceptait l'Américain, assis à côté du chauffeur, qui parlait sans se retourner. Mori avait appelé le numéro de Ludlow réservé aux urgences, pour le prévenir que le K.G.B. était à ses trousses. Les occupants de la voiture avaient reçu l'ordre de ne se charger de Mori qu'en cette seule et unique occasion. Ses futures rencontres avec Ludlow auraient toutes lieu à l'endroit où il se rendait – sauf instructions spécifiques en décidant autrement. L'appartement était une planque sûre. Mori ne devait en parler à personne. – Était-ce clair ? – Mori fit signe qu'il comprenait. Ludlow ne voulait prendre aucun risque.

Ils le déposèrent à Ju-san-ken-do, tout près du pont de chemin de fer de la ligne d'Yamate, lui laissant des directives écrites précises et une clef neuve collée au papier. Ils lui expliquèrent qu'il ne devait pas ôter la clef du papier avant d'être arrivé à l'adresse indiquée. Car, dès qu'il le ferait, elle déchirerait le papier et détruirait les instructions qu'il comportait. Ces gens-là, se dit Mori, appartenaient au genre de personnes qui mettent leur argent à la Caisse d'épargne, et ne finissent jamais le verre qu'on leur a servi.

Le temps était gris et frais, ce matin-là, et le vent du nord avait poussé sur la côte les brumes du Pacifique. Tout près, se dressaient les écoles de rattrapage *rônin juku* que fréquentaient les malheureux qui avaient raté l'examen d'entrée à l'université – un péché majeur pour les Japonais. Des taudis pour étudiants et des bâtisses abritant des industries légères se disputaient l'occupation du terrain, mais apparemment les industries étaient en train de gagner la bataille : il y avait des fabricants de déodorants pour voitures, de cosmétiques pour les jeunes, de boîtes pour emporter son déjeuner, de tissus délavés. C'était le genre d'endroits où l'on ne fait que passer, où l'on ne regarde jamais les autres droit dans les yeux, où l'on ne pose jamais de questions, où l'on ne frappe jamais à la porte de son voisin. Bref, un endroit où chacun reste sur son quant-à-soi.

L'immeuble ne comportait que deux étages. Il avait été construit en bois, recouvert d'une couche de béton imputrescible pour s'harmoniser avec la couleur grise des bâtiments de l'industrie locale. Mori entra et alluma le petit réchaud à gaz Rinnaï pour chasser l'humidité et l'odeur de moisi. Il y avait une table basse, quelques coussins sales, et pas grand-chose d'autre. Le tatami était devenu luisant à force d'être piétiné, et portait par endroits des taches indélébiles. Rien n'indiquait une présence féminine dans l'appartement – ni rideaux, ni fleurs, ni traces de nettoyage. La seule chose insolite était une chaîne stéréo à cassettes, recouverte d'une épaisse couche de poussière.

A l'une des extrémités de la pièce se trouvait une porte à glissière en verre opaque. Mais quand Mori l'ouvrit dans l'espoir de chasser l'humidité, il ne fit qu'en laisser entrer un peu plus. La porte s'ouvrait sur un passage humide, où le soleil ne se montrait jamais, et où on ne voyait même pas un coin de ciel. L'inspecteur secoua la tête, s'assit et se mit à attendre.

Ludlow arriva avec quinze minutes de retard, les sourcils froncés de colère. Il ôta laborieusement ses chaussures, plia avec soin son vieil imperméable militaire, puis le tassa sur le tatami, tout en saluant Mori d'un signe de tête. Il se frotta longuement les mains – le réchaud n'ayant pas encore réussi à atténuer le froid et l'humidité et, pensa Mori, n'y arriverait certainement pas.

– Confortable! dit Ludlow.

Il fouilla dans son sac de voyage, en sortit des feuilles de papier et un crayon à bille, et mit le tout sur la table. Pendant ce temps-là, Mori avait fini par dénicher du thé et avait mis une casserole d'eau à bouillir. Quand il revint, il s'assit devant la table sur un coussin déchiré, en face de l'immense Américain qui, entre-temps, s'était installé, sur le sol, les jambes croisées.

– Ces salauds ont vraiment un sacré culot.

Ludlow, l'air furieux, contemplait la feuille de papier qu'il avait devant lui. Mori remarqua qu'une nouvelle tension se lisait sur son visage : la vigilance de l'animal traqué.

– Vous aurez tous les renseignements sur Kathy Johnson, Ninja, lundi à 3 heures, au Club américain. Une équipe d'experts arrive des États-Unis pour faire le point sur son assassinat... Ils auront le dernier mot, en quelque sorte. Ils ont demandé que vous assistiez à la réunion.

Mori acquiesça. Ludlow demanda alors à l'inspecteur de rejouer pour lui son enlèvement par le K.G.B. – du début à la fin. Quand il eut terminé, Ludlow réagit négativement. Il expliqua finalement qu'il recherchait une preuve impliquant les Russes. Si son intuition ne le trompait pas, c'étaient eux qui avaient déclenché le meurtre de Kathy Johnson. Ils auraient également fourni à Yuki les noms des agents de la C.I.A. en sachant qu'il les tuerait. Mais avant de s'en prendre à Yuki, il leur fallait découvrir qui, au K.G.B., avait lancé l'opération.

Ludlow se leva, se dirigea vers la radio et trouva un programme où l'on interviewait Seiko Matsuda, la chanteuse la plus populaire du Japon. Il revint vers la table. Il était désormais prêt à parler.

– Graves, mon patron, est en train de monter une opération avec Yuki, dit-il. Il prétend qu'il s'agit de recueillir un « transfuge correctement évalué » – autrement dit un transfuge soviétique d'un rang élevé –, ce qui vaudrait un avancement intéressant sur les échelons de la hiérarchie à celui qui ramènerait le poisson. Graves compte sur un poste de directeur adjoint – rien de moins. Comme, par ailleurs, Yuki n'irait pas perdre son temps dans une opération étrangère à son accord avec les Soviétiques, ce que manigancent M. Graves et le colonel Yuki peut nous donner des indices sur le côté soviétique de l'équation. Est-ce que vous me suivez?

– Absolument pas.

Mori se leva pour aller préparer le thé. Il versa deux tasses et les posa sur la table. A la radio, la chanteuse populaire racontait qu'on lui avait récemment demandé de tourner dans un film avec Tetsu Tamba.

– Il s'agit d'une sorte d'échange, Ninja. Faites-moi confiance. Du côté japonais, Yuki a obtenu le nom de ceux qui ont ruiné sa carrière : Kathy Johnson, Carl Lawson et une troisième personne dont je n'ai pu découvrir l'identité. Je ne connais que son nom de code : Robin. Deux d'entre eux sont morts, nous en avons la certitude. Et pour autant que je sache, le troisième a peut-être subi le même sort... Qu'ont eu les Soviétiques en échange? C'est cela que nous devons découvrir. Et j'ai l'impression que la raison pour laquelle ils me recherchent fait partie de l'équation.

– Vous croyez que c'est Yuki lui-même qui a commis le meurtre? Qu'il était présent au carrefour en même temps que moi, l'étranger et la jeune femme?

– Absolument, Ninja. Il y était, sans aucun doute. Le crime parfait. Il vous envoie filer la jeune femme : vous, un des meilleurs limiers de la police, exact ? Puis, devant tout le monde, il la tue. Tout a été agencé à la perfection – depuis l'heure : la nuit tombante pour qu'on n'y voie pas très clair – la foule – et jusqu'au déguisement qu'il avait choisi – et finalement, l'arme qui lui a servi à tuer la jeune femme : un pistolet, mais qu'il a camouflé de façon telle que personne ne l'a remarqué.

Mori se frotta les yeux d'un air las.

– Il y a trop d'impondérables. Trop de choses que nous ne comprenons pas... Par exemple, nous sommes certains que l'étranger présent au carrefour était un Soviétique de haut rang... donc, pourquoi Yuki – s'il travaillait avec eux – aurait-il tué la fille en s'arrangeant pour faire soupçonner les Soviétiques ? Des gens envers qui il avait une dette ? Cela n'a aucun sens.

– C'est vrai, inspecteur. Je suis tout aussi perplexe que vous.

Ludlow ferma le poing, puis en détacha ses doigts un par un, comme le font les Asiatiques, pour résumer un problème. Un : Qui, au K.G.B., a opéré une transaction avec Yuki ? Dans quel but ? Deux : Pourquoi Yuki désignerait-il un Soviétique comme l'assassin de Kathy Johnson ? Trois : Comment Yuki s'y est-il pris pour la tuer ?

Ludlow se mit à douter de lui-même. Tous les éléments en sa possession n'apportaient que des preuves indirectes. Aurait-il bâti toute cette intrigue sur des hypothèses imaginaires ? Ludlow ne disposait plus que de trois jours, puisqu'il devait rendre son rapport à Harrington et à Graves le lundi suivant au Club américain. Après quoi, l'équipe d'experts prendrait la suite. Lui, il en aurait fini... Et il n'avait à leur fournir que des questions.

En fait, l'excursion à Hakone avec Hiroko fut le point culminant de la semaine pour Ludlow – mais pas du tout pour les raisons qu'il avait pu imaginer. Le dernier typhon de la saison avait pris la direction du nord. Dans les montagnes, le temps hésitait entre les nuages et le ciel bleu, un temps bien plus agréable qu'à Tokyo, constamment soumis à des averses pendant ces deux jours. Ils grimpèrent tous deux par des sentiers étroits entre des roches volcaniques pour émerger enfin sur des surplombs sans arbres qui descendaient par paliers vers le Pacifique : une vision à vous couper le souffle. Ils voyaient les pentes majestueuses du mont Fuji se dérouler sous des angles multiples. Ils vagabondèrent au milieu de taillis de bambous d'un vert éclatant et de champs tapissés de la brume violette des chardons. Ils passèrent de longs moments à observer les changements du ciel.

Le soir, ils prenaient des bains chauds merveilleusement relaxants dans l'*ofuro* de marbre de l'hôtel Fujiya. Après quoi, vêtus seulement de leurs *yukatas* et de leurs sandales, ils retournaient dans leur chambre en traversant des salles recouvertes de tapis vieillots. Cette chambre devint leur refuge, un havre de repos après leurs journées sportives. Elle était imprégnée de la bonne odeur des tatamis et du parfum de cèdre des tiroirs du *tensu*. De l'autre côté de la fenêtre tapissée de papier *shoji*, un ruisseau coulait en murmurant vers l'est en direction de l'océan. Pour la première fois depuis si longtemps qu'il en avait oublié la possibilité, Ludlow se laissait vivre.

Il savait qu'il pouvait faire confiance à Hiroko. Une confiance qui n'était fondée sur rien de tangible, seulement sur des années de réactions instinctives et aussi sur son regard franc et direct, sur le son clair de sa voix. Il se retrouva en train de lui parler librement, sans se soucier le moins du monde des murs ou de la loi sur les secrets d'État. Elle lui posait des questions et il lui répondait sans se préoccuper de ses motivations. Elle passa le doigt sur la cicatrice qu'il avait au genou, et il lui parla des montagnes de l'Hindu Kuch, de leur incroyable aridité. Il lui dit comment les Afghans établissaient astucieusement leurs embuscades derrière les montagnes dénudées, comment, le jour où « l'accident » s'était produit, il avait vu un signe prémonitoire : un arc-en-ciel. Depuis il en avait peur, et elle lui dit que c'était stupide – que les arcs-en-ciel étaient signes de chance. « Pour certains... » dit-il en détournant les yeux.

Quand elle toucha une vieille cicatrice ronde qu'il avait sur le côté, il lui expliqua la tragédie du Viêt-nam. Elle l'écoutait en ouvrant de grands yeux intelligents, souriait tristement et insistait pour tout savoir.

Quand elle prit son briquet qu'il avait laissé sur la table, elle lut pour la première fois sur son visage la marque d'une hésitation. Il lui dit que ce n'était qu'un simple briquet. Rien de plus. Mais, plus tard, une fois la nuit tombée, après leur bain et quand ils eurent bu leur premier saké de la soirée, elle lui en parla de nouveau. Alors, d'une voix calme mais imprégnée de colère, il lui raconta l'histoire du briquet, et pourquoi il l'avait conservé, après avoir quitté Colombo, pour lui porter chance. Il lui dit pourquoi, dans la vie, les moments les plus dangereux étaient précisément ceux où tout semblait aller pour le mieux. Comme maintenant, ajouta-t-il.

Avant d'aller à Colombo, il avait agi conformément à toutes les règles, même idiotes. Pourquoi pas? Il était apprécié, il parlait un excellent allemand, et quant au poste de Francfort – la station la plus prestigieuse du vaste réseau de la C.I.A. à travers le monde, la station la plus importante et la plus développée – il n'avait qu'à tendre la main pour y accéder. C'est à Francfort que les agents les plus ambitieux séjournent avant de repartir pour Washington, salués comme des héros, où les postes les plus haut placés les attendent. On pouvait supporter une mission dans ce trou infernal qu'était Colombo, si un poste à Francfort se profilait à l'horizon.

A Colombo, la cible de l'opération était relativement simple à atteindre... Il fallait se procurer les moyens de pénétrer dans les bureaux de l'Aéroflot près de l'hôtel Galeface. Le G.R.U. finançait les Tamouls du Nord et le directeur de l'Aéroflot était le résident du G.R.U. Les papiers qui se trouvaient dans son coffre pourraient entamer sérieusement, sinon détruire complètement, le prestige des Soviétiques au Sri Lanka. C'était d'autant plus important que les Russes exerçaient une forte pression pour que leurs bateaux puissent relâcher dans le port. Jusque-là, les navires de l'Ouest étaient seuls autorisés à pénétrer dans le port de Colombo – une des places stratégiques de l'océan Indien.

Tout cela avait été expliqué en détail à Ludlow dans le bureau de l'ambassadeur, par un de ces après-midi étouffants caractéristiques de Colombo. Sur le plan politique, beaucoup de choses dépendaient de la réussite de l'opération, mais la méthode opérationnelle elle-même était fondamentalement assez simple. Ludlow avait ouvert des douzaines de coffres similaires – des copies russes de l'antique Diebold. Ludlow monta donc l'opération. On donna à l'ambassadeur l'assurance que tout se passerait sans accrocs.

L'entrée dans les lieux s'était effectuée comme sur des roulettes – Ludlow se trouvait donc dans le bureau de l'Aéroflot, devant le coffre. Il avait à peine commencé à s'occuper du vieux dinosaure qu'on se mit à tirer. Les Soviétiques descendirent les deux guetteurs, des Sénégalais qui vivaient à Colombo. Dans le hall, un expert en sceaux nommé Goldman fumait une cigarette. Goldman était un de ses bons amis – un homme sympathique qui avait un faible pour les gourmettes et les femmes à peau sombre. Il avait travaillé pour le Mossad, et avait raconté à Ludlow des histoires savoureuses sur l'occupation du Liban. Un Parabellum soviétique 92 lui fit sauter la cervelle. Ludlow réussit tout juste à s'échapper en forçant une persienne d'acier verrouillée et en fonçant sur une sentinelle ébahie qu'il mit K.-O. Ludlow ne portait jamais d'arme sur lui. Un des Soviétiques le poursuivit : un grand blond, très sûr de lui, armé d'un pistolet Makarov.

Bien plus tard, quand le désastre de Colombo eut été étudié par un expert envoyé spécialement de Washington pour désigner les coupables, on aboutit à la conclusion que le Soviétique blond avait tout déclenché. C'était un expert technique qui avait eu la veine d'être affecté à la sécurité : cela lui vaudrait une belle promotion. L'un des Sénégalais avait oublié de verrouiller une porte. Étant donné que Ludlow avait monté l'opération et était le seul survivant, l'expert de Washington lui fit porter tout le blâme. Ses supérieurs notèrent soigneusement qu'à la suite de l'affaire, Ludlow avait pris quelques cuites mémorables. Ce fut le tournant décisif. On le réaffecta à Peshawar et la sale guerre de la frontière. Évidemment, cela n'avait rien d'une promotion – encore moins d'une étape vers Francfort. Il avait fait des cauchemars pendant un certain temps. C'était normal. Petit à petit, ses rêves du Soviétique blond s'étaient estompés.

– Oublie-le, dit Hiroko en massant le dos de Ludlow.

Ludlow remplit de nouveau leurs tasses.

– Celui qui a mangé du sel doit boire de l'eau, dit-il en buvant d'un trait le liquide transparent qui lui brûle délicieusement la gorge.

Elle ramassa la tasse vide, la mit soigneusement de côté et embrassa Ludlow très fort sur la bouche. Après quoi elle le fit basculer sur elle et, pour la première fois, lui permit de lui faire l'amour.

24

Une opération marginale

Il était presque minuit, et dans son appartement tout en haut des monts Lénine, Valeri Kovalenko, premier directeur adjoint du directorat T., fumait tranquillement tout en regardant les lumières s'éteindre au centre de Moscou. Derrière lui, Raya dormait sur le lit, ses cheveux d'un noir profond étalés sur les draps de satin. Il se retourna pour l'admirer à nouveau. Dans son sommeil, son visage avait une expression d'innocence enfantine...

Son regard se porta sur le déshabillé qu'elle avait jeté négligemment sur le dossier d'une chaise, et il sentit une bouffée de chaleur lui envahir les cuisses. Ils étaient amants depuis plus d'un an et elle continuait à le stupéfier quand ils faisaient l'amour.

L'officier blond du K.G.B. se sourit à lui-même en repensant à ce qui s'était passé plus tôt dans la soirée : à la fermeté de ses fesses contre ses cuisses, tandis qu'elle le chevauchait en hurlant en anglais toutes les obscénités qu'il lui avait apprises. Elle était géorgienne et réagissait avec toute la sensualité de son pays. Il avait finalement consenti en riant à lui acheter la robe qu'elle avait vue cet après-midi-là au Goum.

Elle avait fait passer son négligé par-dessus sa tête, tout en secouant négligemment sa magnifique chevelure. Les pointes de ses seins d'un blanc laiteux se dressaient déjà comme les gouttes gelées d'un bon vin du Causase.

– *Khorosky!* Ça te plaît? avait-elle demandé d'un air provocant en essayant d'imiter les filles barbouillées de rouge à lèvres qu'on trouvait après 8 heures du soir aux abords de la station de métro Kievsky.

– Beaucoup, avait-il chuchoté. Combien dois-je payer?

– *Skolko!* Elle avait eu un rire qui ressemblait à un frisson. Ça dépend – pour combien de temps?

– *Sto Lyet*, avait-il répondu sérieusement, « Cent ans ».

– Lénine, viens à mon secours. Tu bandes plus haut que la tour Spassky, ce soir.

Le téléphone sonna doucement, avec insistance, rompant le cours de ses pensées. C'était le téléphone spécial – les autres avaient été débranchés. Kovalenko, directeur adjoint au directorat technique du K.G.B. souleva le récepteur. Il était le plus jeune – d'au moins cinq ans – de tous les gradés de l'organisation. Ses connaissances et ses capacités en faisaient un virtuose dans le domaine de l'électronique à fins stratégiques, et tout spécialement dans celui des ordinateurs que l'U.R.S.S. ne possédait pas. Il jeta un coup d'œil rapide vers Raya. Elle ne s'était pas réveillée.

Malik parlait d'une voix pincée et d'un ton de conspirateur. Le directeur du directorat T. déclamait:

– La Fortune paraît surtout aveugle à ceux qui ne reçoivent pas ses faveurs.

Ils jouaient souvent à ce jeu en buvant un verre au Caprice Club, sur la Perspective Kalinine: Il s'agissait d'identifier des citations. Cependant, Kovalenko savait qu'un appel aussi tardif du camarade Malik impliquait quelque chose de beaucoup plus important qu'un jeu. Le département T. faisait partie du premier directorat. Son importance avait été confirmée, un mois auparavant, au moment de la publication des listes honorifiques, et le directorat technologique du K.G.B. s'était taillé la part du lion.

– La Rochefoucauld, répondit Kovalenko, qui se demandait où il voulait en venir.

– Ah, Ah! vous vous trompez.

Le camarade Malik riait assez fort pour qu'on devine un léger abus de vodka.

– De qui, alors?

Kovalenko ne se trompait jamais et le savait conscient. Ses études avaient été poussées au maximum et il avait suivi les cours de l'école spéciale qui formait les clandestins. Il avait également appris le japonais et le chinois.

– Le camarade Pachinkov en est l'auteur, répondit Malik avec une nuance de triomphe dans la voix.

– Le directeur de la région sept? Le résident de Tokyo?

– Exactement. Vous êtes bien d'accord qu'il faut un élément de chance pour réussir une carrière dans le Renseignement? Apparemment, son ascension météorique s'est ralentie. Surtout depuis

que son équipe s'est trouvée impliquée dans le meurtre non autorisé d'une Américaine. Je rentre à l'instant de dîner avec le chef
du premier directorat. Il prend sa retraite en décembre.

– Que faut-il faire, camarade?

– Vous trouverez votre ordre de départ demain matin. Il est
essentiel que vous arriviez à Tokyo à temps pour assister à un service religieux à la mémoire d'une jeune Américaine. Faites, je
vous prie, très attention de suivre l'ordre chronologique de l'opération avec la plus grande précision. Trois officiers supérieurs, un
psychologue et un expert du Japon vous donneront vos instructions demain. Je dois malheureusement me rendre à Leningrad.
Nous avons reçu aujourd'hui dix dossiers japonais par la valise.
Nous en avons choisi un. Ne révélez pas notre choix à la Referentura de Tokyo. Ils ont un avis différent du nôtre, et nous ne voulons pas qu'ils connaissent les pions que nous allons utiliser. Ne
contactez le camarade Pachinkov qu'après vous être installé et
seulement quand tout sera prêt.

– Je comprends.

Kovalenko détestait les rivalités, les jeux de cache-cache auxquels chaque côté se livrait contre l'autre. Mais il savait aussi que
c'était nécessaire pour assurer la sécurité des participants. Des
bruits avaient couru sur des disparitions et des morts mystérieuses... sur un espion américain qui se serait infiltré en leur
sein.

– Le produit est un prototype A 1, pas plus gros qu'une
machine à écrire électrique. Du matériel pour l'aviation. La voix
de Malik était enthousiaste, et se faisait de plus en plus forte...
Nous voulons que vous le rameniez tout seul.

– Une opération marginale?

Kovalenko essayait de ne pas trahir sa surprise. Il venait de
tomber sur un filon fantastique.

– Nous ne pouvons pas utiliser les filières habituelles : Trop de
risques.

Kovalenko sourit. Il connaissait très bien les autres raisons.
Malik ne voulait pas partager le butin. Que Pachinkov ait effectué
sa propre opération sous le manteau lui servait d'excuse. Le
K.G.B. avait toujours insisté pour que le « bâtiment » soit composé
de compartiments absolument étanches. Malik utilisait cette politique pour son compte personnel.

– Personne ne doit connaître l'opération à l'ambassade soviétique de Tokyo. Ceci pour assurer votre propre sécurité. Il y a
encore, là-bas, un manque de discipline évident. Ne voyez
Pachinkov que pour lui annoncer votre arrivée – Aucun détail.
S'il y a des fuites, il sera considéré comme responsable.

– Naturellement, dit Kovalenko. Et pourquoi n'est-ce pas lui qui s'occupe de l'affaire ?

Malik étouffa une remarque insultante.

– Pachinkov a réagi trop violemment à une opération de la C.I.A. A l'origine, son équipe devait pratiquer l'opération. De plus, le directorat T. procède à sa chasse annuelle aux espions américains qui auraient pu s'y infiltrer. Parfaitement grotesque ! De toute façon, cette mission nécessite un secret absolu. C'est pourquoi je m'en occupe personnellement. Tâchons de réussir. Sinon, qui sait ce qu'on pourrait aller raconter au Politburo.

– Je ferai ce qu'il faudra.

– Ce soir, on a rappelé au directeur vos remarquables succès, à Genève, à Colombo, à Hong Kong, et maintenant ici même. Il tenait à ce que nous mettions notre meilleur agent sur cette affaire, et il a été très impressionné. Je crois bien qu'on pourra vous trouver une datcha. Il faudra sans doute la partager : un week-end sur deux – la première année.

– Cela me conviendrait parfaitement.

– A Kuntsevo, très probablement. On me dit qu'à l'automne on y peut y chasser le sanglier... Faites mes amitiés à Raya...

Le chef du directorat T. riait sous cape en raccrochant le téléphone.

Kovalenko se tourna vers l'endroit où dormait la très belle Soviétique. Elle représentait pour lui une suprême récompense. Il la devait au pouvoir qu'il avait acquis – à ses succès... La réussite débouchait sur le pouvoir, avec bien d'autres choses en prime : des cartes d'achat « spéciales » pour le magasin Voyentorg, qui lui procurait des draps de soie, des chaînes stéréo, toutes sortes d'appareils pour son appartement luxueux, bien qu'un peu petit, une voiture avec chauffeur. Il avait même le droit d'aimer Raya – tout en sachant pertinemment qu'elle rapportait tout à ses supérieurs... Était-ce dû à la nature perverse de son travail ? ou à l'influence persistante d'un père autoritaire ? toujours est-il que Kovalenko préférait le risque à la sécurité.

Le Russe aux cheveux blonds alla vers la fenêtre et contempla la ville. Moscou s'était pratiquement englouti dans les ténèbres à l'exception des lueurs lointaines des réverbères et de la lumière des phares qui balayaient les avenues de temps à autre. Il avait, bien entendu, parfaitement compris le but de l'opération.

Malik visait la présidence du premier directorat quand le poste en serait libre, dans quelques semaines. C'était le prochain échelon de la hiérarchie qu'il voulait atteindre. Seulement, d'autres pouvaient également y prétendre, y compris Pachinkov. Établir subtilement une documentation recensant des erreurs telles, qu'elles avaient conduit à l'intervention experte de Kovalenko au sein de la région sept était le moyen d'y parvenir. La réussite de Kovalenko prouverait son extrême compétence et démontrerait aux instances supérieures comment on menait à bien une opération. Lui, naturellement, serait entraîné dans le sillage de la promotion de Malik. Ce qui était en jeu avait une tout autre portée qu'une datcha à Kuntsevo.

Il se mit à préparer les outils de sa profession.

Les premières lueurs de l'aube atteignaient les flèches du Kremlin quand il termina enfin ses bagages. Il s'étendit aux côtés de la splendide créature et s'endormit presque aussitôt.

25

Le typhon

Mori regarda le bulletin d'informations du matin – on y parlait du typhon qui venait d'atteindre l'extrême nord du Japon. L'insistance du présentateur sur sa force de destruction s'inscrivait en contrepoint des sons qui provenaient du *koto* de sa mère – son récital était prévu pour 2 heures de l'après-midi.

Les vagues submergeaient les brise-lames à Hokkaïdo, et un vent de tempête aplatissait les forêts de bambous près de Sapporo. Le visage grave, les commentateurs avertissaient les populations que le vent soufflait en rafales à plus de quatre-vingts kilomètres à l'heure. La télévision et tout particulièrement les chaînes gouvernementales adoraient les catastrophes. Cela leur permettait de jouer le rôle du « père », de donner des conseils détaillés et répétitifs sur ce qu'il fallait porter, de signaler les endroits épargnés et d'annoncer le moment où les régions du nord retrouveraient le calme. A Tokyo, il fallait s'attendre à des averses et même par moments à des pluies diluviennes.

– Je croyais que tu ne devais pas rentrer tard hier soir, dit Mitsuko en entrant dans leur minuscule salle à manger-living-room.

– Il est arrivé quelque chose d'imprévu.

Au lieu de la robe d'intérieur qu'elle portait généralement, elle avait revêtu un ravissant *yukata* bleu et blanc, ceint d'une grande ceinture jaune.

– Tu étais encore en train de boire, je parie?

– Non, pas du tout. Je n'ai bu que deux verres.

– Ce n'est pas la peine de te mettre en colère.

La télévision annonça que la tempête avait causé la mort de dix personnes. Ils prédirent avec enthousiasme qu'il fallait s'attendre à ce qu'il y en ait bien d'autres.

– Ce *yukata* te va très bien. Est-ce qu'il se passe quelque chose de spécial aujourd'hui?

Mori avait espéré passer une journée tranquille à la maison.

– Non. J'ai juste invité Erika à déjeuner.

– Est-ce qu'il le fallait absolument?

– Faut-il que je donne une explication chaque fois que je fais quelque chose? C'est une amie. Et il me semblait que vous vous entendiez bien. Du moins, c'est ce qu'elle dit.

– Qu'est-ce qu'elle dit?

– Oh, rien. Mais tu l'a vue deux fois cette semaine; plus que tu ne m'as vue, moi. Tu n'as pas ouvert la bouche depuis que tu m'as abandonnée à la soirée de Suzuki.

Mori faillit se mettre à jurer.

– Elle joue un rôle dans l'affaire dont je m'occupe. J'espérais pouvoir me reposer ce dimanche. Il s'est passé quelque chose qui m'a obligé à quitter la réception. C'est tout.

– La présence d'Erika ne t'empêchera pas d'aller te reposer, il me semble. Nous ne sortons plus jamais. Qu'est-ce qui est arrivé? Est-ce que ça a un rapport avec ton travail?

– Je ne peux pas en parler pour l'instant.

– Okay, si tu ne veux rien dire, c'est moi qui vais parler. Erika m'a dit que tu avais remarqué la Mercedes de Suzuki, le soir de la réception. C'est pour ça que tu m'as abandonnée. Je me trompe?

– Non. On est venu me chercher à la réception : une urgence.

– Tu es un fieffé menteur, Mori-kun. Si tu y tiens, je lui dirai de ne plus passer me prendre le matin.

– Je comprends parfaitement. Tu n'as aucune explication à donner.

– Est-ce que tu as bu ce matin? Qu'y a-t-il dans ce verre?

– J'avais besoin de me relaxer.

– Tu te trouves toujours des excuses, n'est-ce pas?

Elle poussa un soupir et alla à la cuisine. Elle avait vraiment essayé, se disait-elle. Elle avait fait de son mieux. Mais maintenant, il n'y avait plus aucun doute. Leur mariage était sans espoir.

On sonna à la porte.

Mitsuko servit un *nabemono* de poisson et du *cha* pour le déjeuner. La mère de Mori avait décidé de manger dans sa chambre. Erika fit montre d'une grande politesse. Elle déclara que Mori avait très bonne mine – un mensonge patent – puis félicita Mitsuko de ses capacités de femme d'intérieur, alors qu'elle était l'une des personnes les plus occupées et les plus indispensables d'I.C.O.T. Mitsuko rougit devant l'énormité du compliment et tiqua sur le mot « indispensable » qu'Erika avait souligné.

– Je me rends compte qu'elle est très appréciée de son patron.

Mori mordit dans une lamelle de pomme servie avec une crème, pour le dessert. Mitsuko adressa un sourire d'excuse à Erika... son mari se montrait déraisonnable. Elle se leva pour aller faire le café.

– Ils n'ont que des rapports de travail, chuchota Erika, purement et simplement. Je vous l'ai dit à la réception.

Mitsuko revint de la cuisine avec le plateau à café.

– Et qu'est-ce que vous chuchotez tous les deux?

Elle posa le café sur la table avec un pot de lait et un bol rempli de morceaux de sucre.

– Erica est en train de me dire que je n'ai rien à craindre, récita Mori. L'intérêt que te porte ton patron est strictement d'ordre professionnel.

Mitsuko secoua la tête.

– Vraiment! est-ce qu'on ne pourrait pas parler d'autre chose? s'exclama-t-elle en versant du lait dans la tasse d'Erika, puis dans la sienne.

– Il y a une solution très simple, dit Mori, d'un ton décidé. Je vais acheter une Mercedes. Mitsuko pourra s'en servir pour aller travailler sans rien perdre de son prestige. Comment vous rendez-vous à votre travail, Erika?

– Je prends le métro.

– Bon. A partir de demain, je prendrai le métro, fit Mitsuko. Es-tu satisfait?

– A vrai dire, cela me donne plutôt l'impression de ne pas être à la hauteur. Je me sens coupable de n'avoir pas pensé à te fournir une Mercedes.

– Et notre maison! C'est par là que tu devrais commencer si tu te souciais vraiment de moi. Mais tu ne t'en soucies pas! Tu dépenses tout ce que tu gagnes avec des gens que je ne connais pas. Tu ne me dis jamais où tu vas, ni quand tu rentreras. Ces temps-ci, tu sens l'alcool chaque fois que tu reviens à la maison le soir et cela m'empêche de dormir. Mercredi, tu ne t'es même pas donné la peine de rentrer à la maison. J'en ai plus qu'assez de ton égoïsme.

Mitsuko finit son café et disparut dans la cuisine.

Mori ne toucha pas à son café. Il s'excusa auprès d'Erika de l'émotivité de sa femme, puis la pria de lui pardonner s'il quittait la table pour monter se reposer. Il s'installa dans le bureau et écouta la pluie qui s'était mise à tomber dru sur la maison. Elle arrivait et repartait en rafales, rebondissait sur les vitres, puis s'éloignait dans un murmure. Il se versa un Suntory et le but sec. Qu'arrivait-il à Mitsuko? se demandait-il. Son travail à I.C.O.T. l'avait changée. Elle avait compris que la vie ne se réduisait pas à s'occuper d'un mari.

Il sommeilla pendant une demi-heure. Tout d'un coup, il y eut comme un branle-bas au rez-de-chaussée. Il entendit le rire haut perché de sa mère, puis le bruit d'une porte qui claque, puis plus rien. Il descendit. Erika était seule, en train de lire un magazine. L'horloge marquait 2 h 10.

— Votre mère a oublié l'heure et nous aussi. Erika le regardait droit dans les yeux. Elle a eu peur de manquer son récital – alors Mitsuko l'a accompagnée. Elles n'ont pas voulu vous déranger.

Mori alla jusqu'à la porte. La pluie avait augmenté et le vent s'était mis de la partie.

— Elles portent le *koto*?

— Mitsuko l'aide. Elles sont parties très vite.

— Elle aurait dû m'appeler, dit Mori en prenant son manteau et son chapeau.

— Elles sont sans doute déjà arrivées au club Ryojin. Mitsuko m'a dit qu'il se trouvait juste en haut de la côte. Calmez-vous. Elle tapota le coussin tout près du sien.

— Le festival Torino-ichi commence lundi soir. Voulez-vous m'y emmener? S'il vous plaît?

— Est-ce que ma mère avait mis son kimono neuf?

— Elle était très élégante. Vous savez comment elle est quand elle se décide... Mitsuko a essayé de la persuader d'attendre que la pluie s'arrête. La télé dit que ça allait passer. Votre mère n'a rien voulu savoir.

Mori s'assit.

— D'accord pour lundi, dit-il.

Il ne savait que dire de plus. C'est elle qui rompit le silence.

— J'ai bien peur d'être tombée amoureuse de vous, Mori-san. J'ai pourtant fait de grands efforts pour que ça n'arrive pas. J'en suis désolée...

Avant que Mori n'ait eu le temps de réfléchir, le téléphone sonna. C'était Mitsuko, affolée.

— Elle s'est presque trouvée mal en montant la côte. Il a fallu que je la porte jusqu'ici. Viens vite, s'il te plaît! Apporte ses pilules.

La Porte des tigres

Mori faillit tomber sur le *koto* de sa mère abandonné dans la rue en haut de la côte. Il le ramassa et arriva au Ryojin Club hors d'haleine. Sa mère allait mieux. Plusieurs vieilles dames s'empressaient autour d'elle. Elle agita le bras en voyant son fils.

— Mon amie prend les mêmes pilules que moi, dit-elle fièrement. Je vais simplement me reposer quelques minutes. Quelle heure était-il quand tu as quitté la maison?

Mitsuko se tenait à côté de sa belle-mère. Une expression bizarre, inquiète, se lisait sur son visage.

— Deux heures et quart, répondit Mori.

— C'est bien ce que je pensais. Nous avons dû courir en montant cette côte raide parce que je me croyais en retard. Je ne voulais pas rater mon propre récital. On se serait moqué de moi. Regarde donc la pendule, là-bas.

La vieille horloge murale marquait 1 h 30.

— Quelqu'un a délibérément avancé notre pendule d'une heure, pour qu'il m'arrive quelque chose. Et avant, il y a eu le *kanzachi*!

Le visage de Mitsuko était devenu livide. Ses yeux allaient de son mari à sa belle-mère.

Mori secoua la tête comme pour s'éclaircir les idées:

— La pendule est peut-être détraquée. N'allons pas trop vite.

La colère lui nouait l'estomac.

— La pendule marche très bien! C'est ma mère qui me l'avait donnée, et je la fais vérifier tous les ans. Quelqu'un a fait ça exprès, quelqu'un qui me déteste.

La mère de Mori regardait calmement la porte qu'Erika venait de pousser. Elle secoua la pluie de son imperméable d'un rouge insolent et s'avança rapidement.

— Est-ce que ça va, Oka-san?

La mère de Mori regarda Mitsuko.

— Je survivrai. Mais il y a des gens, semble-t-il, qui souhaitent que je m'en aille.

Mitsuko n'arrivait plus à contrôler son visage. Des larmes lui sillonnaient les joues. Elle se précipita dans les toilettes des dames. Erika la suivit. La mère de Mori secoua la tête:

— Je ne veux plus voir Mitsuko dans ma maison. Plus jamais. C'est définitif. Elle essuya une larme au coin d'un œil. Je ne peux pas non plus donner mon récital, maintenant.

Mori se mit à rassembler ses affaires. Ils appelèrent un taxi, mais on leur demandait deux heures d'attente. Il finit par la porter sur son dos, à la manière *ombu*, dès que la pluie eut cessé. Arrivé à la maison, il s'assura qu'elle n'était pas mouillée et la mit au lit. A 5 heures du soir, Mitsuko n'avait toujours pas appelé. Mori se dit que cela valait sans doute mieux. Il dormit seul pour la première fois depuis son mariage. Son sommeil fut troublé par des rêves récurrents : il était entraîné par un énorme *tsunami* – des vagues de fond qui l'emportaient de plus en plus loin de la côte.

26

L'étang de Shinobazu

— Au nom de Lénine! Qu'est-ce qui se passe ici?

Pachinkov, résident du K.G.B., se leva d'un seul coup et manqua renverser sa chaise. Les poings sur les hanches, il se mit à arpenter son bureau.

— Sommes-nous devenus incapables de réussir la moindre opération? Qu'est-ce qu'il nous arrive, Serguei?

Le chef du G.R.U. restait assis humblement devant l'énorme bureau de Pachinkov.

— Ce n'est pas si simple, camarade, dit-il. Ce Japonais a reçu un entraînement spécial, j'en suis sûr. Je n'ai jamais vu des mains comme les siennes. Nous avons eu de la chance qu'il n'ait pas tué le pauvre Popov.

— Donc, Ludlow a disparu et Mori ne s'est pas montré coopératif?

— Nous le retrouverons.

— Je le sais bien, Serguei Ivanovitch. Je le sais bien. Mais nous manquons de temps. Pachinkov revint à son bureau et s'assit lourdement. Je vais vous dire ce qui vient d'arriver.

Il lui raconta alors en détail toute cette affaire ridicule : On avait déposé une enveloppe à la porte. Les gardes n'avaient rien compris au message qu'elle contenait – heureusement. Elle était adressée au résident. Il ne lui avait fallu qu'un coup d'œil pour comprendre d'où elle venait :

SHINOBAZU QUATRE ACGF BLANCHE-NEIGE

Serguei, très intéressé, se pencha en avant :

— Qu'est-ce que ça veut dire? Qui l'a déposée?

Pachinkov grimaça :

— Je dois rencontrer lundi, à l'étang de Shinobazu, l'agent

qu'on nous a envoyé pour récupérer le Starfire. Il s'appelle Valeri Kovalenko, du directorat T. C'est l'une des stars de Malik.

– Il serait relativement facile de nous en débarrasser. Un accident. Les yeux de Serguei eurent un regard entendu.

– S'il se produisait un accident avant qu'il n'ait mis la main sur le Starfire, c'est nous qui en porterions la responsabilité. D'autre part, nous ne saurions jamais le fin mot de l'histoire.

– Ça pourrait être un piège ?

– Oui. L'a-t-on envoyé spécialement pour nous détruire... Ou alors, le Starfire est-il son véritable objectif ? C'est une entreprise très risquée.

– Vous vous faites du souci pour ça aussi ?

– Naturellement, s'écria Pachinkov. Il n'y a eu aucune confirmation des renseignements sur le Starfire. Depuis quand – cherchez dans vos souvenirs – le Centre s'est-il fié à une source unique ? Jamais, camarade. Alors dites-moi pourquoi nous avons tout à coup hérité d'un agent minable, qui se trémousse comme un ver au bout d'une ligne ? Expliquez-moi ça, Serguei Ivanovitch Vassiliev !

– Si vous me promettez de me faire ériger une statue sur la place Rouge, je vais vous le chuchoter à l'oreille, répondit Serguei.

– L'oubli est le lot naturel des absents. C'est Pouchkine qui a écrit cela. Est-ce que vous ne seriez pas d'accord avec lui, Serguei Ivanovitch ? Vous ne pensez pas, sans doute, que nos chers amis du directorat T. souhaitent qu'on nous oublie ? Bon, voilà ce que vous allez faire.

L'étang de Shinobazu, qui est assez grand, s'étend non loin du parc Ueno. Des allées le divisent en trois nappes d'eau – dont deux sont peu profondes et couvertes de roseaux. Elles fournissent un terrain d'atterrissage idéal aux oiseaux migrateurs d'automne. Ce jour-là, les eaux étaient couvertes de milliers de canards. Ils profitaient de la chaleur hors saison du soleil (après un typhon, il y a toujours des journées claires et ensoleillées) et flottaient sur une eau calme comme un miroir, caquetant et jouant dans les roseaux, ou tout simplement occupés à regarder leurs congénères s'approcher en parfaite formation, tourner en rangs serrés pour prendre les courants descendants et amorcer leur descente finale.

Pendant sa traversée du parc, Pachinkov avait identifié des cols verts, des gelinottes et des sarcelles à ailes bleues. Sans aucun doute, certains d'entre eux venaient de très loin, d'aussi loin que la Sibérie. Cette évocation lui replongea l'esprit dans des préoccupations plus immédiates. Serguei devait déjà être là.

Un pont recouvert d'une peinture rouge écaillée permettait d'accéder à une toute petite île. Le sanctuaire shinto qui s'y trouvait avait été vidé de ses objets de culte. Il ne restait qu'un miroir sur l'autel. Pachinkov le contempla un moment, et jeta deux pièces de monnaie dans la cheminée de bois... pour se concilier leurs dix mille dieux. Il se souvint que le miroir était le symbole du « cœur » japonais, de la bonté innée d'une race qui trouvait son origine dans la réflexion plutôt que dans la contemplation. Il sourit. Les admirateurs du Japon y verraient un nouveau joyau à ajouter à son identité unique. Et pourtant l'Histoire nous apprend que les Romains avaient adopté le même point de vue, plus de deux mille ans auparavant.

En contournant l'autel, il trouva l'escalier conduisant au grenier où l'attendait Serguei, le seul homme de l'ambassade à qui il puisse faire confiance. Ils avaient étudié la situation en détail dès que Serguei se fut procuré des cartes de l'étang. Le petit sanctuaire était situé exactement en son centre et du deuxième étage, on pouvait exercer une surveillance dans toutes les directions. C'était là qu'on avait installé l'appareillage électronique. Dès que Kovalenko apparaîtrait, l'appareil ultra-sensible serait branché...

Tout ce que dirait l'agent envoyé par le Centre serait utilisé pour le faire pendre, et Malik avec lui, si la chose était possible. Les intérêts en jeu étaient trop importants pour qu'on se fie à la chance.

Serguei avait bien décrit le sanctuaire – désormais tombé en désuétude. En face de l'entrée menant à l'étang, se trouvait le sanctuaire Yushima, célèbre pour ses pruniers, mais surtout parce qu'une geisha et son amant étudiant y avaient jadis pratiqué le suicide *shinju*. Le sanctuaire, aujourd'hui, était vide.

L'escalier était raide et couvert de poussière. Au premier étage, on voyait des idoles et des dieux mineurs couverts de suie. Il entendit le parquet craquer au deuxième étage.

– Serguei, mon vieil ami, dit-il d'une voix contenue, est-ce bien vous ?

– Venez vite, camarade, répondit la voix familière. Je crois que notre ami est déjà arrivé.

Aucune des fenêtres n'avait de vitres. Les nouveaux microphones portables et directionnels, avec leurs amplificateurs et leur système antiparasites, étaient installés du côté sud. Serguei montra cette fenêtre-là du doigt. Au début, Pachinkov ne remarqua rien d'extraordinaire : un lundi après-midi ensoleillé, des promeneurs qui commençaient à s'en aller en arpentant les allées pittoresques. Les bancs se vidaient de leurs occupants – sauf ceux où s'étaient allongés quelques citoyens moins reluisants, venus du centre-ville, qui dormaient, un journal étalé sur le visage. L'un d'entre eux s'étira, se débarrassa de son journal, puis s'assit et consulta sa montre. Pachinkov avait trouvé son homme blond.

– Est-ce qu'il m'a vu ?

– Aucune chance. Je le surveille depuis que vous êtes entré dans le parc. Un type très prudent, ce Valeri Kovalenko.

Pachinkov remarqua une certaine tension dans la voix de son lieutenant et regarda de nouveau par la fenêtre. L'homme blond surveillait les alentours sans avoir l'air de rien. Il devait sans doute s'assurer qu'aucun inconnu douteux ne traînait dans les parages.

Pachinkov le regarda se diriger sans se presser vers le bord de l'étang, et donner à manger à une foule de canards dont le nombre croissait sans cesse. Le résident du K.G.B. regarda sa montre. C'était presque l'heure du rendez-vous. Il dit à Serguei :

– Nous avons reçu aujourd'hui un message codé nous avisant que le chef du département de « Sciences et Technologie » de la C.I.A. allait arriver à Tokyo. Il s'appelle Harrington. Il s'agit peut-être de la mort de la jeune Américaine, ou du Starfire, ou des deux. Restons sur nos gardes et souvenez-vous que l'affaire va se régler entre la C.I.A. et l'agent de Malik qui est là, en bas. Pas avec nous. De toute façon, si tout se passe bien dans les jours qui suivent, nous ne tarderons pas à rentrer à Moscou. Pensons-y.

Il se leva et salua Serguei comme on le fait entre vieux amis.

– Arrangez-vous pour que tout se passe bien, Serguei, et vous l'aurez la datcha en Oural, et les zibelines. Il commença à descendre l'escalier.

– N'oubliez pas le journal, camarade.

Pachinkov se souriait à lui-même en sortant du sanctuaire et en se dirigeant vers le lieu de rendez-vous.

L'agent de Moscou n'eut pas l'air de remarquer Pachinkov quand il passa devant lui pour la première fois. Le résident de Tokyo, lui, ressemblait à un touriste se promenant avec le *Japan Times*, sous son bras gauche. S'il avait été sous le bras droit, cela aurait signalé un problème. Un tour d'étang, si tout allait bien, puis l'échange des phrases de code. Kovalenko devait rester tête nue pendant que Pachinkov effectuait son premier tour, et mettre un couvre-chef au deuxième, s'il n'avait rien à signaler. Pachinkov avait l'impression d'être redevenu un homme de terrain – ce qui ne lui déplaisait pas vraiment.

Il s'approcha pour la deuxième fois de l'homme blond qui nourrissait les canards. L'homme attirait beaucoup trop l'attention pour le genre de travail qu'il faisait : il avait l'air d'un acteur de Mosfilm. Il était sans doute très malin, ce *shavki*. Pachinkov essayait de se rappeler s'il avait déjà rencontré Kovalenko. Mais rien ne lui venait à l'esprit. L'homme avait coiffé le couvre-chef requis : une casquette avec des galons, genre casquette d'astronaute : un manquement très net à la discipline. Si ce type montrait quelque insubordination, Pachinkov briserait sa carrière.

– D'où venez-vous ?

La voix était ferme et basse. Les mots anglais, prononcés sans accent. Pachinkov, qui était tout près de lui, remarqua l'impertinence de son sourire. Il faillit se mettre en colère.

– De New York City, répondit-il avec un accent guttural.

– Moi, je suis de Chicago.

Kovalenko avait l'air de s'amuser beaucoup de la maladresse de Pachinkov. L'anglais ne faisait pas partie des meilleures connaissances linguistiques du résident.

– C'est une ville où il y a beaucoup de vent.

Pachinkov avait du mal à maîtriser son accent, mais enfin, le processus de reconnaissance s'était bien passé. Il fit demi-tour et s'éloigna. Kovalenko distribua aux canards ses derniers biscuits et le rattrapa en quelques enjambées.

– Merci d'être venu. Kovalenko enfouit ses mains dans les poches de son imperméable et se voûta légèrement comme pour compenser la taille un peu plus petite du résident. Il y a plusieurs choses dont je dois discuter avec vous.

– Eh bien, allez-y, insista Pachinkov. Je n'ai pas beaucoup de temps.

– Oui, bien sûr. J'ai d'abord à vous transmettre les salutations du colonel Malik du directorat T. Le magnifique travail que vous avez fait concernant les firmes japonaises d'électronique est un modèle qui nous inspire tous.

Pachinkov salua de la tête en guise de remerciement. Malik le ferait dégrader et passer à la casserole s'il le pouvait... le genre de collègue à qui on ne pouvait jamais faire confiance. Il se souvint tout à coup de l'endroit où il avait rencontré Kovalenko. Son visage n'avait pas tellement changé. A Genève – il y avait cinq ans au moins. On avait mis le paquet pour se procurer des DEC PDP-11 ainsi qu'un appareil WAX plus puissant grâce à une opération montée en ville. Kovalenko avait tout organisé et remporté un succès non négligeable. Il s'en souvenait maintenant. Il s'agissait de faire transiter la caisse par l'aéroport de Genève avec certificat d'origine et aval du client, après quoi, le tout s'évanouirait dans la nature... Un grand peuple, les Suisses.

— J'espère que vous n'allez pas mettre la pagaille dans nos programmes en cours, dit Pachinkov d'un ton neutre, mais qui impliquait clairement une mise en garde.

— Je mènerai mon opération tout seul. Ce qui, je pense, apaisera vos craintes.

Kovalenko parlait sincèrement et observait le visage de l'homme plus âgé pour voir ses réactions. Il faillit ne pas remarquer la colère qui avait crispé un instant les traits de Pachinkov.

Pachinkov recomposa son visage qui se mit à exprimer une patience souriante — à l'exception des yeux.

— Bien, dit-il. Dans ce cas, vous n'aurez besoin de notre aide que pour faire sortir le prototype du Japon...

— Je m'en occuperai tout seul, également, camarade résident, dit Kovalenko, sans regarder Pachinkov en face. Le prototype sortira par des voies qui me sont personnelles. Le Centre pense que cela réduira les risques.

Pachinkov resta sans voix. Il aurait voulu hurler des insanités à ce Moscovite arrogant, lui rentrer dedans, lui effacer du visage cet air de suffisance placide. Mais il ne fit que se détourner, s'éloigner de quelques pas, les épaules soulevées au rythme de sa respiration accélérée. Lorsqu'il revint, il avait retrouvé le contrôle de sa voix.

— Il existe une deuxième voie pour les colis spéciaux. Une route absolument sûre.

— J'ai entendu parler de cette route spéciale — elle est remarquable — mes compliments... Si cela ne dépendait que de moi, je changerais les ordres. Ce serait de loin bien plus facile pour moi. Malheureusement le directorat T. demande qu'on lui livre le produit de toute urgence. L'inconvénient de votre voie spéciale est sa lenteur. Vous serez le premier à le reconnaître.

— Je le reconnais.

— Qui plus est, le convoyage pourrait mal fonctionner : un conteneur pourrait, par erreur, rester sans surveillance sur un quai et souffrir des intempéries.

— Vous n'envisagez quand même pas de le transporter tout seul, sans aucune aide ?

— Je n'ai pas le droit d'en parler à qui que ce soit, camarade Pachinkov. Vous le comprenez, j'en suis sûr. Mes ordres sont très stricts. J'emprunterai une route au nord.

Pachinkov rougit.

– Si vous vous faites prendre, vous risquez de compromettre toute ma propre opération. Il a fallu des années pour mettre sur pied ce que nous avons réalisé. Le Centre fait preuve d'une indifférence scandaleuse concernant notre avenir.

– Alors, colonel, il est de notre intérêt à tous deux que je réussisse à m'en sortir.

Pachinkov hurlait vengeance dans son for intérieur. Malik avait fait tout ça pour le pousser à bout, pour l'obliger à commettre une erreur. Cette opération serait-elle tout simplement la clef qui déterminerait son accès – ou celui de Malik – au poste de directeur du premier directorat? Il cherchait dans son esprit la possibilité d'une alternative.

– Bon. Un contact en cas d'urgence, je suppose?

Ils auraient sûrement au moins besoin d'en avoir un!

– Non, camarade, répondit poliment Kovalenko. Je suis en possession d'instructions extrêmement détaillées. Toutes les situations possibles ont été prévues.

Kovalenko savait pertinemment qu'il n'en était rien, mais il lui fallait absolument empêcher cet homme de s'en mêler s'il voulait diminuer le danger qu'il courait. Il avait entendu des rumeurs sur les extrémités auxquelles pouvaient conduire les rivalités internes sur des terrains d'opérations situés à des dizaines de milliers de kilomètres de Moscou. Y compris à des morts inexplicables.

– Si vous n'avez plus rien d'autre à me dire, je vais vous laisser ici, conclut alors Pachinkov en consultant sa montre d'acier.

Il avait retrouvé sa vivacité, comme si rien de pénible ne s'était passé entre eux. Il le salua de la main comme on le fait souvent après avoir bavardé avec un étranger, et se dirigea vers une sortie qui débouchait dans une rue proche de la station Ueno, envahie de publicités pour des films pornographiques. Une fois suffisamment éloigné pour n'être plus visible, Pachinkov regarda de nouveau sa montre et sourit. Serguei devait être en train de le surveiller maintenant. On verrait bien si cet astucieux fils de pute du directorat T. pourrait le semer.

Kovalenko passa le reste de l'après-midi assis à une terrasse de café à Omotesando, au bout de la rue où se trouvait l'église unioniste de Tokyo où il se rendit en partant. Une aimable dame de l'administration vérifia l'horaire des services et lui confirma d'une voix faible et teintée de tristesse que le service funèbre de la jeune Américaine aurait bien lieu le mercredi, à 15 h 30 tout de suite après un baptême. Ils étaient un peu débordés en ce moment. Kovalenko prit une de leurs cartes où l'adresse était écrite en japonais.

– Pour envoyer des fleurs, dit-il en souriant, et il partit après s'être incliné brièvement.

27

Harrington demande une faveur

Mori et Ludlow arrivèrent en avance au Club américain, parce que Mori voulait y suivre le dernier match de la Coupe du monde de base-ball. Un Sony était installé au bar : c'était la fin du deuxième jeu. Personne n'avait marqué. Cooper, Harrington et Graves ne devaient arriver qu'une demi-heure plus tard. D'habitude un match de base-ball de ce genre aurait rendu Mori exubérant, mais il était d'humeur songeuse.

Quand on leur servit à boire, Mori leva son verre et porta un toast : « Ma femme m'a quitté. » Et il avala d'un coup la moitié de son verre.

Ludlow lui dit qu'il était désolé.

– J'espère que cela n'a rien à voir avec notre affaire.

– Je n'ai jamais pu la rendre enceinte, dit Mori en souriant. C'est ça le problème.

Pendant le silence gêné qui suivit, Ludlow tendit à l'officier de police japonais une enveloppe contenant les renseignements promis sur Kathy Johnson. Après quoi le grand Américain se perdit dans des détails inutiles concernant la façon dont on lui retirait l'enquête. L'équipe d'experts était arrivée et serait présente à la réunion d'aujourd'hui.

Mori jeta un coup d'œil sur les feuillets contenus dans l'enveloppe. Ludlow y avait inclus un résumé des activités de Kathy Johnson dans l'affaire MicroDec, un bilan de son travail pour Exodus Soixante au Japon, qui expliquait la nécessité pour elle d'avoir une arme, un faux passeport et un itinéraire pour rejoindre l'Amérique. Rien de particulier ne l'incriminait, ou indiquait une activité d'espionnage illégale.

– On en a terminé alors ? demanda Mori.

Ludlow secoua la tête.

– Je veux savoir ce que les Russes sont en train de mijoter.

– Très patriotique. Mais on vous a retiré l'affaire! Au Japon, désobéir aux ordres met fin à votre carrière.

Ludlow fit tourner les glaçons dans son verre de Bushmill.

– Je trouverai bien un moyen de rester dans le coup.

– Je ne vois pas comment, dit Mori, mais c'était exactement la réponse qu'il attendait.

– Cette équipe d'experts ne sait rien, dit Ludlow. Au bout d'une semaine, ils vont avoir envie de rentrer en Amérique. Je vais m'attacher à eux, devenir leur agent de liaison. Il y a des quantités de possibilités pour que je reste dans le coup.

– Il y a des moments où vous ressemblez beaucoup à un Japonais.

– Parce que je prends des chemins détournés?

– Non. Parce que vous êtes pragmatique. C'est le résultat d'une solide éducation. On dit chez nous : il faut vingt ans pour faire pousser une forêt, mais cent ans pour éduquer quelqu'un.

– Alors, faites-moi confiance, Ninja. Nous sommes devenus copains. Je ne vais pas vous laisser tomber.

Il y eut comme une explosion à la télé : les « Géants » venaient de marquer leur premier point. Mori fronça les sourcils et vida son verre. Ludlow commanda un autre Bushmill pour lui-même et un Suntory à l'eau pour Mori.

Cooper arriva le premier. Il portait un costume impeccable, et arborait le sourire nerveux d'un gérant dont le patron vient de débarquer en ville. Il salua Mori d'un geste de la tête, s'assit et se tourna vers Ludlow :

– Harrington va vous demander une faveur. Je me suis dit qu'il valait mieux vous prévenir.

– Prenez donc un verre, dit Ludlow. Vous venez de me gâcher ma journée, mais ça n'est pas une raison pour que vous n'en passiez pas une bonne.

Cooper commanda une vodka-tonic et laissa ses yeux errer dans le bar.

– Ça un rapport avec le F.S.X., ajouta-t-il. Je ne peux pas vous en dire plus. Tiens, voilà Joe Turner! Hey, Joe!

Ils échangèrent des saluts de la main, puis Cooper leur raconta l'histoire de Joe Turner, un capitaine d'industrie expatrié qui avait fortune au Japon, et avait finalement tout perdu. Mori partageait son attention entre le match et la conversation.

Turner avait appris qu'on manquait d'eau à Tokyo tous les étés et avait décidé d'en découvrir la cause. Quelle ne fut pas sa surprise d'en trouver la source dans le souci des femmes japonaises de ne pas perdre la face dans les toilettes publiques : péter était le signe d'une mauvaise éducation...

— Une minute, l'interrompit Mori. Est-ce que vous voudriez me faire croire que ce n'est pas un signe de mauvaise éducation dans les autres pays?

— Non. Mais les Japonais poussent parfois les choses jusqu'à l'absurde, pour éviter un contact visuel ou auditif avec la réalité.

— Ridicule... C'est une question de bonne éducation.

— Les femmes, reprit Cooper, tiraient la chasse d'eau chaque fois qu'elles sentaient venir un gaz, pour que personne n'entende. Toutes ces trombes d'eau causaient la pénurie d'eau habituelle de l'été. Turner décida de se pencher sur le problème et de se faire un bon million. Il inventa un appareil qui imitait le bruit d'une chasse d'eau quand on appuyait sur un bouton, et qu'on pouvait installer facilement dans chaque cabinet. Plus de pénurie d'eau.

— Le savoir-faire yankee gagne à tout coup, fit Ludlow en levant son verre en direction des autres.

— Ça me paraît un peu tiré par les cheveux. Mori gardait les yeux fixés sur la télévision.

— En fait, c'est la stricte vérité, dit Cooper. Seulement, il n'a pas eu son million. Les gens du coin ont démonté son appareil, l'ont copié, l'ont vendu moins cher que lui et l'ont chassé du marché. Ça ne vous rappelle rien?

— La bonne vieille tactique japonaise, dit Mori. N'allez pas me raconter que tous les ennuis de l'Amérique sont imputables au Japon!

— Non, dit Ludlow. Seulement pour quarante pour cent ou peut-être la moitié.

Cooper ôta ses lunettes, se pinça le nez et regarda Mori fixement.

— Ce que vous avez fait concernant nos industries de microchips était contraire à toute éthique. Vous avez envoyé une foule de gens à Silicon Valley pour nous voler notre savoir-faire.

Mori – stupéfait – lui renvoya son regard.

— La plupart des informations que nous avons eues nous ont été données par vous, qui en avez décidé librement. Maintenant les Américains se mettent à pleurnicher parce que nous avons travaillé beaucoup mieux qu'eux sur ces mêmes données.

Cooper pointa un doigt vers l'écran de la télé :

— C'est nous qui avons inventé le base-ball. Ça aussi, vous l'avez copié...

Ludlow leva ses énormes mains.

– Messieurs, messieurs, nous allons pas résoudre le problème ici, aujourd'hui. Je vous octroie l'égalité au score, et je suggère une pause pour le thé. Il leva son verre et fit un clin d'œil à Mori. Ce sont les gens au pouvoir qui décident, de toute façon... A la santé du peuple japonais !

Mori prit son verre de Suntory et acquiesça sans enthousiasme.

– Au peuple américain.

– A tous les perdants du monde entier ! ajouta Cooper. Et c'est à ceux-ci qu'ils portèrent finalement un toast.

Au moment où personne ne comptait plus sur la venue d'Harrington, il apparut, accompagné de Graves et de deux autres personnes que Ludlow ne connaissait pas. Harrington avait une silhouette élancée, et une allure de presbytérien avec ses cheveux épais et sa coupe sportive. Il était assez jeune pour provoquer la jalousie, mais son regard direct et la fermeté de sa poignée de main lui valaient le respect des gens plus âgés. Certains lui reprochaient de se montrer un peu trop impersonnel, d'autres assuraient qu'il était particulièrement froid avec ses subordonnés. Tout cela faisait partie du genre de commentaires qu'on entend toujours à propos de gens très impliqués et dont les réussites sont spectaculaires.

Le chef du département le plus prestigieux de la C.I.A. était jeune *et* riche. Il avait fait deux fois fortune dans le Massachusetts avant l'âge de trente ans, en élaborant des programmes d'ordinateur. A l'époque, il habitait Foxboro près de la route 128. Aujourd'hui, il vivait à Silver Springs, et possédait une maison ancienne de style Tudor dans le Maryland... Il était en train de créer sa propre légende dans le domaine de la sécurité concernant les ordinateurs. Il était venu à l'espionnage assez tardivement, se souvenait Ludlow. C'était peut-être pour cela qu'il y excellait.

On présenta les deux inconnus sous les noms de « George » et de « Mike », membres de l'équipe d'experts. Tous deux appartenaient au département de « Sciences et Technologie », et portaient la plus grande attention aux humeurs de leur patron. George était sans doute le plus important, se dit Ludlow, parce qu'il était le plus âgé, et qu'on l'avait présenté en premier.

Cooper expliqua aux gens assis autour de la table qu'Harrington était venu au Japon en tant que consultant de la Commission militaire de technologie, que tout le monde connaissait sans doute ? A sa grande surprise, personne n'en avait entendu parler. La C.M.T., comme l'appelait Cooper, était devenue légale à la signature du traité de paix, après la guerre. Ce traité interdisait aux Japonais toute exportation militaire, sauf vers les États-Unis. Il était toujours valable : les Japonais n'avaient le droit d'exporter leur technologie stratégique, leurs armes, les avions militaires qu'à destination du Pentagone. La C.M.T. effectuait le tri, et négociait les prix des produits de haute technologie au cours de voyages périodiques. Ses membres, y compris Harrington, étaient nommés par le Président.

Harrington précisa pour tout le monde, mais spécialement pour Mori, que cela jouait dans les deux sens. Le traité était équitable puisque, en compensation, le Japon bénéficiait du parapluie militaire américain. Il obtenait également des contrats. Par exemple, les États-Unis avaient, quelques années auparavant, autorisé le Japon à fabriquer – sous licence – le chasseur F-15.

– Mitsubishi fait du très bon travail, je vous assure, monsieur, ajouta Cooper pendant un instant de silence.

Ludlow acquiesça de la tête. Il avait entendu dire que Mitsubishi avait produit un chasseur plus efficace que celui des États-Unis, à partir des mêmes plans. Cela dit, le F-15 était déjà un avion dépassé quand on en avait cédé la licence au Japon.

– Ainsi donc, ils étaient partenaires, n'est-ce pas? Harrington avait adressé un sourire au Japonais, et Mori quitta le match d'une oreille, pour se concilier le grand dragon de S.&T.

– Exact, dit l'inspecteur.

– Dans ces conditions, dit Harrington prenant un air vexé et étonné à la fois, quelqu'un peut-il m'expliquer pourquoi notre gouvernement n'a pas été informé officiellement du programme Starfire? La C.M.T. est censée être prévenue de toute nouvelle initiative technologique dans ce domaine. Est-ce exact ou non?

Harrington se tourna vers Cooper.

– Exact, dit Cooper d'un air désolé.

– Peut-être bien qu'il n'existe pas encore, dit Mike en adressant un vague sourire à Mori. Il ne s'agit sans doute que d'un nom de code, et d'un bout de papier.

Mike tapota son verre d'un doigt épais. Son visage de chérubin brillait de conviction. Sa voix impliquait une sincérité totale.

– Inspecteur Mori, dit Harrington en riant. Ne tenez aucun compte de ce que raconte Mike. C'est un de nos experts, ce qui veut dire qu'il ne croit pas un mot de ce que vous, moi ou nos gouvernements peuvent dire. Par-dessus le marché, il adore insulter les gens. Ne prenez rien de ce qu'il dit à titre personnel. C'est mon bouledogue de service.

Mori passa la main dans son col de chemise, et fixa son regard sur l'écran de la télévision où un batteur Seibu venait de rentrer un but. Il se demandait si les Américains l'insultaient ou parlaient sincèrement.

— Vous devriez, je pense, discuter du Starfire avec mon gouvernement, dit-il.

— Nous en avons bien l'intention.

Harrington regardait Mori d'un air admiratif, comme s'il venait de faire une suggestion très intelligente. George, l'autre expert, s'intéressait à la télévision.

— Ce point n'aurait été homologué nulle part aux États-Unis, sauf à Fenway, affirma-t-il d'un ton assuré. Il avait l'accent de la Nouvelle-Angleterre, et un visage aussi rugueux qu'un champ rempli de cailloux.

Harrington se tourna vers Ludlow, et lui expliqua que Mike et George allaient reprendre l'enquête sur la mort de Kathy Johnson. Ils avaient l'esprit très ouvert, et étaient très impressionnés par ce qu'on leur avait dit du travail effectué jusque-là par Ludlow sur cette affaire et par les efforts faits par la police japonaise. Graves s'éclaircit la voix et ajouta qu'une coopération étroite entre le département du Plan et celui de « Sciences et Technologie » était essentielle. Harrington acquiesça et passa la parole à Ludlow.

Ludlow décida de présenter les choses brièvement. S'il savait quelque chose concernant les experts, c'est qu'ils n'aimaient pas qu'on leur fournisse les réponses. D'autre part, il ne voulait pas que Graves transmette certains renseignements à Yuki. Il se concentra donc sur le concept de l'équation : l'intervention japonaise dans cet assassinat et l'intervention soviétique. Avec l'aide de Mori, il avait retrouvé l'origine des balles chez des gangsters de Yokohama. Cependant il restait trois questions embarrassantes.

— En premier, dit-il, quel genre de camouflage a-t-on utilisé pour tuer Kathy Johnson? L'angle de soixante-seize degrés de la balle tirée dans la tête impliquait que quelqu'un d'autre que l'étranger de haute taille l'avait tuée.

George leva lentement la main.

— Attention sur ce point! Bob. Je ne suis pas sûr d'accepter cet angle de tir, étant donné que les évaluations n'ont pas été faites par notre laboratoire. Si je me souviens bien, la balle qui a atteint la tête était une Glazer à pointe explosive.

— Exact.

— Alors comment ont-ils pu déterminer l'angle de pénétration d'une balle qui a explosé à l'intérieur de la victime? Bien sûr, cela peut se faire, mais nous voudrions en savoir un peu plus avant d'en tirer des conclusions.

– Il y a eu six centimètres de pénétration avant l'explosion, dit Mori. La balle est conçue pour que la force de l'éclatement soit dirigée vers l'intérieur. J'ai posé la même question à notre laboratoire de médecine légale. Leur réponse détaillée est rédigée en japonais, mais je puis vous assurer que leurs calculs sont rigoureusement exacts.

– Je ne doute nullement de leur professionnalisme, inspecteur, mais nous aimerions avoir une copie de leur rapport, si cela ne vous ennuie pas. Quelles étaient vos deux autres questions, Bob ?

– Toutes deux sont liées à la théorie de la fausse direction. La fausse direction implique que l'attention de la victime est attirée par une menace directe, et qu'à ce moment-là quelqu'un d'autre lui tire une balle mortelle. Dans ce cas précis, le tireur se sert d'un appareil qui ne ressemble en rien à une arme à feu et n'a rien de menaçant.

– Ciel ! Mike mit son grain de sel. Qu'est-ce que vous avez bien pu fumer ? C'est une série de supputations alambiquées que vous nous proposez là ! Quelles preuves en avez-vous ?

Ludlow se gratta le nez.

– Je n'en ai pas si vous n'acceptez pas la théorie fondée sur l'angle de tir. Tout repose là-dessus.

Harrington sentait que la réunion était en train de mal tourner. Officiellement, en tout cas, il fallait maintenir un semblant de coopération entre le département du Plan et celui de « Sciences et Technologie ». Ses agents étaient en train de démolir la théorie du département du Plan, en se fondant sur ses propres sources et en négligeant son potentiel de crédibilité.

– Cessons d'attaquer les conclusions qu'émet le département du Plan, tant que nous n'avons pas eu la possibilité de relire les rapports une seconde fois. Laissez-le continuer.

Ludlow en termina rapidement avec sa présentation de l'affaire. Il précisa sa seconde question : si quelqu'un d'autre que l'étranger l'avait tuée, pourquoi l'étranger se trouvait-il là. Sa présence pouvait-elle être accidentelle ?

La brigade criminelle japonaise a obtenu une bonne description de l'homme, n'est-ce pas ? questionna George.

– Plus de cinquante témoins oculaires nous ont donné des renseignements, répondit Mori. Cependant, les témoignages ne concordent guère.

– Ça ne concorde jamais. George sourit. Avez-vous jamais été témoin d'un accident et demandé, après coup, à quelqu'un d'autre ce qu'il avait vu ? On dirait qu'il s'agit de deux événements différents. Nous avons passé à l'ordinateur les informations de la brigade criminelle. Je pense que nous savons qui est le coupable. Je ne crois pas personnellement qu'il ait pu être manipulé par quelqu'un d'autre. Cependant nous prendrons en compte toutes les possibilités.

Harrington approuva d'un geste de la tête.

— Nous pourrions peut-être alors passer au dernier argument de Bob?

Il sortit de sa poche une poignée de cigares Schimmelpenninck, et en distribua à tout le monde. Ludlow fourra le sien dans sa poche et reprit :

— Si une équipe japonaise travaillait de concert avec les Soviétiques, il fallait découvrir quel était le marché qu'ils avaient conclu. Qui, au K.G.B., se trouvait derrière l'opération, et ce qu'il avait personnellement à y gagner.

George se croisa les bras et se renversa sur sa chaise :

— Un pas entraîne l'autre, dit-il en souriant. Toutes vos hypothèses reposent sur votre théorie de fausse direction, pas vrai, Bob?

Ludlow avait la gorge sèche. Il savait qu'ils n'étaient pas d'accord, mais à quoi d'autre pouvait-il s'attendre?

— Nous n'en sommes arrivés qu'à ce stade, conclut-il en vidant son verre.

Harrington se racla la gorge et dit qu'à son avis Ludlow avait fait un travail remarquable. Il ajouta que l'idée d'un complot soviétique avec une collaboration japonaise lui plaisait beaucoup. Puis il se tourna vers Mori.

— Qu'en pensez-vous, inspecteur?

— Comme le dit votre expert, commença l'inspecteur, tout repose sur des spéculations. Mais pour répondre à votre question : oui, je pense qu'un Japonais a pu être mêlé au meurtre. Dans ce cas, il s'agit d'une homme travaillant contre les intérêts du Japon au bénéfice d'une puissance étrangère. Donc d'un traître.

Harrington remercia l'inspecteur de sa contribution éclairée et se mit à résumer les débats pour clore la réunion.

Graves n'avait pas dit grand-chose. Il n'était nullement surpris par les tentatives faites pour discréditer les théories de Ludlow. Ils jouaient visiblement leur propre jeu. Le département de S.&T. amorçait l'enterrement de l'affaire. Il ne pouvait rien faire actuellement pour les en empêcher. Il détestait Harrington tout particulièrement – trop jeune, trop sûr de lui, trop prudent, trop bien préparé. Cela rappelait à Graves un ancien épisode de sa carrière... à Bruxelles.

Un membre du K.G.B. avait contacté le département du Plan et se déclarait prêt à leur fournir des informations. Le travail de Graves consistait à le promener dans la ville, à l'« éplucher » proprement et à lui faire accepter une rencontre avec le sous-directeur du Plan qui venait d'arriver de Washington par avion. Celui-ci voulait aussi avoir l'avis de Graves sur l'authenticité du transfuge.

Graves pouvait prendre tout son temps pendant qu'ils arpentaient la ville ensemble. Mais Graves trouvait l'homme du K.G.B. trop méticuleux, trop coopératif, trop sincère... De plus il paraissait avoir anticipé toutes les questions de Graves. Avant l'heure du rendez-vous, Graves appela le directeur du Plan, lui donna un avis négatif, et l'opération en resta là. Il abandonna tout simplement son homme à un coin de rue.

Un mois plus tard, un second contact se produisit. C'était le même homme. Cette fois-là, le directeur du Plan prit personnellement l'affaire en main. Le Soviétique s'avéra être un transfuge authentique. Graves faillit perdre son poste. La taupe soviétique avait insisté pour que le directeur du Plan s'occupe de lui personnellement. Son identité, depuis lors, était devenue l'objet du secret le plus absolu du département. Le directeur était le seul à savoir exactement qui était l'agent du K.G.B. et à quel poste il était actuellement affecté. On disait qu'il était encore plus efficace que Penkovski naguère.

La réunion se termina au neuvième jeu du match de base-ball. Quand Seibu eut finalement gagné le match et les séries, on laissa Mori payer la dernière tournée.

Dans le hall de l'American Club, tandis que les participants se séparaient pour regagner leurs voitures respectives, Harrington proposa à Ludlow de le raccompagner. Il offrit également de déposer Mori, mais le Japonais refusa parce qu'il devait traverser toute la ville pour se rendre à son rendez-vous avec Erika et que le métro allait plus vite. Mori et Ludlow décidèrent de se rencontrer le mardi, à la planque, pour comparer leurs impressions. Mori serra la main de tout le monde avant de s'en aller. Ludlow sourit intérieurement, en se demandant ce qu'était devenu cet homme amer et anti-américain, qu'il avait connu à leur première rencontre.

La voiture était une de ces Cadillac à air conditionné, ornée d'un drapeau sur chaque aile, qu'utilisent les grosses légumes. Ludlow se laissa aller sur le siège confortable tout en se demandant ce qu'Harrington pouvait bien avoir à lui dire. Puis il se sou-

vint de ce que Cooper lui avait annoncé : que le directeur de
S.&T. avait une faveur à lui demander.

George était au volant. Mike était parti avec Cooper. Harrington dit à George de s'arrêter d'abord à l'Okura, et après de
conduire Ludlow où il voudrait. Harrington ne semblait nullement pressé de parler à Ludlow. Il resta appuyé au dossier de son
siège, à regarder le paysage pendant quelques minutes. Ils passèrent devant l'ambassade soviétique. Un car de police japonais
stationnait en permanence devant la porte. Le bâtiment avait un
aspect faussement calme avec ses lumières qui scintillaient joyeusement dans les étages des tours jumelles où se trouvaient les
pièces d'habitation.

Harrington montra l'ambassade du doigt :

— Comme tous les services secrets, dit-il, ils ont des gens bien et
des pommes pourries.

Puis il expliqua à Ludlow qu'il existait des preuves tangibles
que le K.G.B. poursuivait actuellement une opération d'enver-
gure. Il s'étala, la tête renversée en arrière, et son corps efflanqué
se relaxa complètement contre le coussin, à la manière d'un
boxeur entre deux rounds.

— Le Starfire, dit-il, c'est ça l'objectif du K.G.B.

Il alluma un nouveau cigare, et en tira plusieurs bouffées
jusqu'à ce que le bout s'illumine d'un beau rouge vif. Les Japonais
observaient un silence total à propos du Starfire depuis maintenant des mois. Il n'y avait eu qu'une vague déclaration quand le
projet avait été mis en route. Et, depuis, pas un mot. Auparavant,
ils se précipitaient toujours dès qu'il leur venait une idée. Harrington secoua la tête.

— Est-ce que je me trompe, George ?

— Que non ! Ils étaient comme des petits chiots qui remuent la
queue et vous lèchent les mains. Ils ont changé, vous savez. Ils
sont devenus plus renfermés que Salomon. Et maintenant, par-
dessus le marché, ils veulent construire leur propre chasseur-
bombardier.

— Oui. J'allais justement en parler, George. Un avion expéri-
mental d'assistance aux chasseurs, en abrégé le F.S.X. [1].

Il soupira et aspira une longue bouffée de son cigare. Après
quoi il se lança dans des explications sur le contexte, car, expliqua-t-il, tout cela était lié au problème du Starfire.

L'armée japonaise voulait concevoir et construire son propre
chasseur-bombardier pour pouvoir défendre ses îles au début du

---

1. Fighter Support – Assistance aux chasseurs. *(N.d.T.)*

xxıᵉ siècle. Bien que le projet soit très secret, quelques élus du Congrès américain avaient eu vent de la chose et pensaient que les Japonais allaient développer leurs usines d'aviation et dépasser les Américains dans le domaine aéronautique comme ils l'avaient fait dans celui des postes de télévision, des magnétoscopes et des circuits intégrés. Après de très longs débats, le ministère de la Défense, subissant une forte pression, offrit au Japon de lui procurer – sous licence – les plans et la technique du F-16 – le meilleur chasseur-bombardier du monde. Donnez-leur tous les plans, dirent les élus du Congrès, tout le paquet. Cela arrangera bien notre balance des paiements.

Au moment précis où on allait donner la nouvelle aux media, des critiques s'élevèrent, arguant que la technologie impliquée était trop précieuse pour être donnée à d'autres. La conférence de presse avait été repoussée à la fin de ce mois. Maintenant, le rapport sur le Starfire que Ludlow avait découvert chez Kathy Johnson compliquait encore les choses. Depuis que ces nouvelles informations circulaient au ministère de la Défense, tout le monde s'était mis à repenser le contrat de A à Z. Un Starfire incorporé à un F-16 rendrait l'avion inattaquable. A Washington, un grand nombre de gens – nombre qui augmentait tous les jours – faisaient pression pour qu'on annule le contrat ABAC. Il fallait laisser les Japonais construire leur propre avion. Pendant ce temps-là, les gens aux commandes se demandaient quelle position adopter lors de la conférence de presse prévue pour la fin du mois. Ils étaient pressés par le temps. Harrington regarda Ludlow :

– Vous commencez à comprendre ?

Ludlow acquiesça.

– Installez le Starfire sur l'avion le plus perfectionné du monde, et qu'est-ce que vous obtenez, hein, George ?

– Encore plus d'arrogance, si vous voulez mon avis. Il vaudra trois des nôtres.

– Dix des nôtres, si ce rapport se révèle exact, corrigea Harrington en jetant un coup d'œil par la vitre. Et toujours avec la politesse la plus exaspérante. C'est la clef de leur réussite, pas vrai, George ?

Ils approchaient de la tour de Tokyo, étincelante de lumières multicolores. Harrington reprit :

– C'est une des raisons pour lesquelles on a décidé de vous envoyer au labo de la Compagnie japonaise d'électronique pour y « récupérer » le Starfire, Bob.

Ludlow respira profondément.

– Pour devancer les Soviétiques ?

– Oui. Et pour étudier de près les implications de la vente au Japon de la technologie du F-16. Harrington croisa les bras, sans lâcher le cigare qu'il tenait à la main. L'autre raison est un peu plus complexe.

Le chef de S.&T. fit tomber délicatement la cendre de son cigare dans un cendrier. Puis il se renversa sur son siège et se mit à parler comme s'il s'agissait d'un bavardage sans conséquence. Mais il ne s'agissait nullement d'un bavardage. Ludlow le savait pertinemment.

– Un certain nombre de gens – Cooper et Mike par exemple – pensent que le Starfire est trop beau pour être vrai... mais moi, non. Ils disent que les Japonais en ont fait un appât pour créer un scandale... pour prendre en flagrant délit n'importe quel pays qui enverrait ici une équipe pour s'en emparer.

Harrington fit une pause pour souligner l'effet de ses paroles. Ce type-là n'avait nul besoin de s'arrêter pour réfléchir.

– Imaginez la déplorable publicité qui en résulterait. Les media s'en donneraient à cœur joie. Ils nous accusent déjà de peser sur l'aspect tactique pour des raisons économiques. Ce pourrait être une des causes du silence du gouvernement japonais sur sa spécificité.

Harrington se tourna vers Ludlow et le regarda bien en face :

– Alors, pour l'amour du ciel, ne vous faites pas prendre. Si cela arrivait, nous serions obligés de vous abandonner. Après tout, vous êtes seulement sous contrat chez nous.

Ludlow sortit son briquet. Il se demandait ce qui arriverait à un agent qui refuserait une mission. Celle-ci le perturbait.

– Cinq jours, finit-il par dire.

– Plutôt quatre.

Ludlow réfléchit et finalement acquiesça. Harrington écrasa son cigare et se retourna pour sourire à l'agent du département du Plan.

Vous avez fichu une belle frousse à nos gens de Washington, vous savez, en vous baladant un peu partout avec ces informations.

– Les informations du test du Starfire ?

– Exactement. Vous avez failli nous faire capoter.

Ludlow regardait le directeur de S.&T. d'un air étonné.

– Qu'est-ce que vous voulez dire ?

– Bon, maintenant que vous faites partie de notre équipe de contrebandiers, je peux vous éclairer. Attention, c'est confidentiel.

– Vous voulez parler du test NO-SPEC que j'ai trouvé chez Kathy ? Elle l'avait piqué ?

— Nous ne sommes pas en train de préparer un barbecue sur la plage de Crane's Beach. Vous devriez le savoir mieux que n'importe qui.

— Cooper m'a menti?

— Écoutez, mon vieux, est-ce que vous vous rendez compte de ce qui se passe actuellement au Japon. Bien sûr qu'il vous a menti. Vous sortiez tous les soirs avec votre Bruce Lee personnel. Nous ne savions pas trop ce que vous aviez en tête. Certains d'entre nous ont pensé que vous ne tourniez pas rond. Cooper est un de nos meilleurs éléments. Un jour, il me remplacera à mon poste, c'est moi qui vous le dis. Évidemment qu'il vous a menti! Voyons, Bob, vous n'allez pas me faire croire que, dans ce métier, vous n'avez accompli que des missions relativement honnêtes? Vous ne faites que voler les choses. Ça a un côté honorable, sans doute?

— Alors, la radio, l'appareil photo et tout ce que j'ai trouvé dans son appartement lui avaient été fournis par le département S.&T. de Washington?

— Après tout, Bob, nous faisions passer des groupes d'environ deux mille mots par mois par le canal-relais de Misawa qui aboutissait à son petit poste de radio. Et tout marchait si bien... c'est tragique.

— Elle vous donnait des informations sur la haute technologie japonaise?

— Seigneur! Pas du tout. Rien d'aussi mesquin, Bob.

Il sourit d'un air candide, et expliqua qu'on n'avait jamais installé d'agent résident au Japon, bien sûr que non. Nous sommes alliés, etc. De plus ils n'avaient jamais trouvé de Japonais qui trahisse son pays et en qui ils pourraient avoir confiance... De toute façon, le Japon avait choisi la voie économique, pas vrai?

— Ils nous ont eus en se joignant à la course à nos côtés, avant même que nous sachions qu'il s'y étaient engagés, continua Harrington. Le Japon, une super-puissance économique! Qui l'eût cru, il y a seulement dix ans? A l'époque ils passaient leur temps à nous saluer bien bas, à gratter nos fonds de tiroirs et à nous dire que nous faisions tout tellement mieux qu'eux. Et les jeunes, les nouveaux venus à la Diète — ceux qui n'ont pas perdu la guerre —, ils sont très agressifs, eux. Comme Mori, probablement. Pour commencer, ils veulent doubler leur budget militaire — d'accord avons-nous dit. Mais, à Langley, quelques personnes restaient méfiantes, si vous voyez ce que je veux dire? Nous sommes l'un et l'autre des super-puissances désormais, des alliés, mais en constante rivalité économique. Qui sait? disaient-ils, ces gens qui sillonnent à pas de loup les corridors de Washington. Qui sait ? Alors, ils sont venus me trouver et m'ont dit : « Roger, notre intervention n'est pas régulière et nous nous en excusons... mais notre travail consiste à nous assurer que nous ne commettons pas d'erreurs stupides dont nous constaterions les effets dans trente ou cinquante ans. Nous pensons qu'il est temps que vous vous occupiez du Japon. » Après quoi ils ont souri tristement, hoché la tête et sont partis. C'était un ordre, Bob, c'est comme ça que ça se passe.

« On a commencé à chercher la personne qui conviendrait... L'enjeu était trop important pour qu'on prenne n'importe qui. Kathy s'était remarquablement débrouillée dans l'affaire de MicroDec. Toujours au faîte de la vague, et aussi appréciée qu'une fleur de cerisier par les Japonais. Ils ne s'étaient doutés de rien, n'est-ce pas ? Elle nous convenait parfaitement.

« Je l'ai convoquée pour qu'on bavarde un peu. « Encore quelques années, Kathy, avant de redevenir tout simplement une femme. Voulez-vous être notre résident au Japon ? Qu'en dites-vous ? » Quelle fille c'était ! Elle n'a même pas pris le temps de réfléchir, et elle savait que c'était dangereux.

Ludlow restait assis, les bras croisés, étouffant sa colère. Sachant que tout cela était un mélange de bien et de mal, comme le sont toujours ces choses-là. Il ne pouvait rien faire d'autre que d'y participer.

– Ils avaient alors fait courir le bruit que Kathy se trouvait dans une situation désespérée, poursuivit Harrington. Pas de travail, pas d'argent. Beaucoup plus tôt que nous ne l'avions prévu, les Japonais se sont mis à lorgner de son côté, en nageant tout autour, comme des requins. Cela s'est fait facilement. Mais il nous a fallu faire très attention, d'autant plus que la tension politique était très forte au sein de la C.I.A. Les rares agents appartenant au département du Plan, qui avaient eu vent de la chose, étaient naturellement furieux. Ils considéraient que pour eux c'était une défaite, que nous usurpions leurs prérogatives, que c'était le commencement de la fin de leur exclusivité sur les équipes de terrain et tout le reste. Après tout, c'était inévitable. Si l'on se donnait la peine de regarder autour de soi, on s'apercevait que tous les services de renseignements se recentraient sur leurs directorats techniques. La compétence dans la production ou l'acquisition du « savoir-faire » était devenue la clef du pouvoir national, et du prestige économique et militaire. Kathy connaissait les règles du jeu, et savait qu'elle devait cacher son activité au département des Plans et opérations de Tokyo. Et cela aussi bien pour sa propre sécurité que pour des raisons politiques.

« Une fois arrivée à Tokyo, elle s'est tout de suite occupée de monter son réseau. Elle a pris des contacts, établi au sein des groupes techniques les liaisons dont ses agents auraient besoin, chez Zaibatsu et les autres. Elle s'en tirait formidablement bien, je vous le dis. Elle apprenait le japonais. Et elle avait beaucoup de charme. Et puis cette horrible affaire du Starfire est arrivée.

Harrington hocha la tête.

– « Allez donc y jeter un coup d'œil », lui avons nous dit, reprit-il. « Piquez d'abord juste ce qu'il faut pour qu'on sache de quoi il s'agit. » Elle l'a fait. Nous avons constaté que le Starfire recelait un potentiel énorme. On lui a demandé alors des informations complémentaires, pour nous aider à prendre une décision à propos de F.S.X. et découvrir pourquoi on nous cachait tout ça... « Mais préservez l'équilibre des choses », avons nous précisé par le canal de sa petite radio. Son travail de fond restait de loin le plus important : nous comptions bien pouvoir disposer, dans un délai de deux ans, d'un réseau de renseignements infiltré dans toutes les grandes compagnies japonaises travaillant dans le domaine de la technologie stratégique de pointe. On enverrait Ludlow récupérer le Starfire. Elle se rendait à un rendez-vous pour fixer le lieu de remise du rapport que vous avez trouvé dans son appartement, quand elle a littéralement explosé. Une mort très cruelle...

Harrington se tourna vers son chauffeur :

– C'est toujours quand on croit que tout va pour le mieux qu'il arrive une catastrophe. Pas vrai, George ?

– La tempête après le beau temps, je sais, ça ne rate jamais. Mais nous savons son nom, monsieur.

Harrington acquiesça de la tête, et ses yeux se rétrécirent.

– Un beau salaud, George. Le chef du G.R.U. au Japon, mais on ne l'a pas revu depuis le meurtre. C'est bien ce que vous pensez, George, après avoir étudié les descriptions que la police japonaise nous a fournies ?

– Serguei Vassiliev, articula George. On aura sa peau, quel que soit l'endroit où il se cache.

– Œil pour œil... c'est la règle, Bob. Mais le nom que je voudrais connaître, c'est celui d'un homme qui se trouve assis derrière un bureau, quelque part à Moscou. Peu importe qui a appuyé sur la gâchette, le Russe ou un Japonais, d'après vous, bien que franchement, Bob, je ne vois pas quel genre d'arme il aurait pu utiliser qui corresponde à votre théorie sur l'angle de tir. Quand on aura démêlé l'écheveau, on aboutira à un visage slave souriant dans le dernier bureau du Centre. Croyez-moi ! C'est cet homme-là que nous voulons, pas vrai, George ?

– C'est bien lui que nous voulons, répéta George d'une voix contenue.

Ludlow observait attentivement les deux hommes. Tout doucement il dit :

– Pensez-vous que les gens du Plan aient pu laisser filtrer des renseignements au K.G.B. pour casser les rouages de votre opération?

Harrington reconnut que la mort de Kathy était un coup terrible pour S.&T. et représentait une grande victoire pour le Plan. Cependant, il restait optimiste :

– Je cherche le bon côté de chacun, dit-il. Pour l'instant.

– Alors, c'est vous qui avez planté cette photo truquée chez elle, pour lancer tout le monde sur une fausse piste?

– Il faut toujours nier, Bob. Avec tout cet équipement onéreux qu'il y avait dans son appartement, il nous fallait une porte de sortie – même tirée par les cheveux. Nous nous serions mis à hurler que quelqu'un voulait monter un coup fourré contre notre pauvre petite... pour provoquer une légère hésitation, un bégaiement dans leur réaction qui nous laisse le temps de lui faire quitter le pays. N'importe quel imbécile pouvait découvrir le truquage, bien entendu. Ça vous a gêné, n'est-ce pas, Bob? Je suis content de voir qu'il y ait eu au moins une chose qui ait marché.

– Et pour l'avenir? Est-ce que vous allez essayer à nouveau?

– En ce qui concerne le réseau, nous avons perdu nos chances, pas vrai, George?

– Fini, dit George d'un ton définitif. Le Plan a gagné.

Ludlow regardait fixement Harrington :

– Alors Robin, c'est vous?

Harrington n'eut pas le temps de lui répondre. Leur voiture fit soudain une embardée et s'arrêta. George jura et se mit à klaxonner. Un piéton venait de traverser la rue en dehors des passages cloutés – on n'avait jamais vu ça au Japon. (Le rapport de police expliqua plus tard que le piéton avait été pris de panique et était tombé, bloquant le passage des voitures au moment où la grosse voiture arrivait.)

Soudain, une silhouette tenta d'arracher la portière du côté où se trouvait Harrington. En vain. Une main gantée leva une mallette. Ludlow hurla et poussa Harrington sur le plancher de la voiture. Du même mouvement, il tira son Walther de sa poche, mais une pluie de balles s'était déjà écrasée contre les vitres pare-balles. Ludlow ouvrit sa portière d'un coup de pied, plongea, roula sur l'asphalte, et se releva près de l'arrière de la voiture. L'assaillant le vit, visa avec son porte-documents et une giclée de balles ricocha sur le pavé. Le Japonais se mit à courir vers une voiture stationnant du côté opposé de la rue. Il était agile, mais pas jeune. Un masque couvrait le bas de son visage – il portait des lunettes noires. Les bords de son chapeau faisaient de l'ombre sur son visage. Ludlow jura et visa. Qui était-ce ? Impossible de le reconnaître dans la pénombre et dans ces conditions... Exactement comme à Ginza. La silhouette ouvrit la portière d'une Toyota noire et envoya une dernière giclée avant de la claquer. Ludlow tira deux volées de balles au moment où la portière claquait. Les pneus crissèrent et se mirent à fumer. La voiture partit comme une catapulte. Toucher les occupants d'une voiture en mouvement est virtuellement impossible. Les garnitures de métal et même les vitres font dévier le tir. Mais Ludlow continuait à tirer.

La voiture disparut. Ludlow resta un instant comme paralysé par les ondes de choc. Puis il revint vers la Cadillac de l'ambassade.

Harrington s'efforçait d'ouvrir sa portière, coincée par la force de l'impact des balles qui n'avaient pas réussi à traverser la vitre, ni la porte blindée. Le corps sans vie de George gisait au travers de la portière avant, grande ouverte.

Harrington était choqué, mais sain et sauf. Il regardait fixement le corps de George, dont les yeux reflétaient encore le choc subi.

Ludlow s'approcha de lui.

– Ça va ?

Harrington, sans parler, fit signe que oui.

– Vous voulez toujours que je m'occupe du Starfire ?

Harrington sursauta comme quelqu'un qui sort d'une transe.

– C'était un Japonais, Bob ! Cette ordure était un Japonais ! Et vous avez vu avec quoi il a tiré ? Bien sûr que vous continuez l'opération. Seulement, maintenant, je veux le produit dans trois jours.

28

La fête Tori-no-ichi

Mori attendait Erika devant la porte de bois du sanctuaire d'Otori à Asakusa. La nuit tombait déjà quand elle l'appela.

Elle courut vers lui, l'attrapa par le bras et se mit à tourner autour de lui comme un enfant autour d'un mat de cocagne. Elle riait, la tête renversée en arrière et animée d'une joie enfantine. Puis elle s'arrêta, lui saisit le bras des deux mains et le secoua comme un prunier.

— Vous m'avez manqué, dit-elle en l'entraînant vers la foule qui se pressait à l'entrée du sanctuaire.

Elle portait un sweater deux fois trop grand pour elle qui lui glissait sans cesse de l'épaule. Elle souriait avec ravissement, tout excitée par la foule, la belle soirée, le festival, et le fait d'être avec lui.

— J'adore Tori-no-ichi, dit-elle, je l'ai raté l'an dernier. Embrassez-moi.

Mori l'embrassa sur la joue.

— C'est ça que vous appelez un baiser?

— J'ai perdu l'habitude, dit Mori.

— O.K. Je vous aime quand même. Elle le regarda en coin et éclata de rire. Cessez de prendre cet air embarrassé. C'est à cause de Mitsuko, n'est-ce pas? Je ne sais pas où elle est. La dernière fois que je l'ai vue, elle partait quelque part avec Suzuki-san.

Des vendeurs proposaient des pommes cuites, des *okonomi-yaki* tout fumants, des galettes de fèves, des amulettes pour devenir riche tout de suite. On avait suspendu des guirlandes électriques au-dessus de chaque étal de bois, bordant la grande allée pavée menant au sanctuaire. Dans la foule, les gens se cognaient les uns aux autres et riaient avec la bonne humeur de Japonais détendus. Ils se mettaient à pousser des « oh » et des « ah » en découvrant un immense carré de lanternes de papier *chochin* limitant la scène où se produisaient des joueurs de *samisen* accompagnés de joueurs de tambour. Des lanternes rondes bariolées de caractères kanji peints en rouge scintillaient parmi les branches noires des cèdres qui protégeaient le terrain de la fraîcheur de la nuit.

– C'est beau, n'est-ce pas?

Erika avait les yeux brillants et se pressait encore plus fort contre lui. Mori la guida le long des sentiers jusqu'aux escaliers qui montaient vers le temple le plus important. Là, la foule devenait plus dense – chacun attendait son tour. En haut de l'escalier se trouvait une vasque de pierre. On s'y lavait les mains, et on s'y rinçait la bouche avec une écuelle de bois. L'eau sortait de la gueule d'un terrible dragon. En s'approchant du sanctuaire, ils aperçurent un grand bâtiment aux lignes pures, construit en bois non traité. Devant la façade se trouvait un long autel *saisenbako*, doté d'un coffre de bois recouvert d'une grille, au-dessus duquel pendait une épaisse corde blanche. Mori tira dessus pour faire tinter la grosse cloche à laquelle elle était fixée, et frappa trois fois dans ses mains pour attirer l'attention des dieux. Puis ils jetèrent tous les deux des pièces de monnaie dans le coffre et firent une prière.

La philosophie shinto ne possède aucun texte écrit. Pour la plupart des Japonais qui ne s'intéressent pas aux spéculations philosophiques, il ne représente guère plus qu'un rite. Et pourtant il signifie la reconnaissance de l'aspect sacré des phénomènes naturels. Il protège et sanctifie les arbres et les rochers, entre autres. Mais l'aspect le plus séduisant du shintoïsme pour les Japonais est dû au fait qu'il affirme que chacun deviendra un dieu après sa mort. Mori, comme la plupart des Japonais modernes, ne croyait guère à tout cela. Pour lui, le shintoïsme justifiait le choix d'une vie de pauvreté raffinée et de simplicité rustique. C'était, à son avis, le but qu'il fallait fixer à son existence.

– Qu'avez-vous demandé dans vos prières?

Erika levait vers lui un regard radieux, tandis qu'ils s'éloignaient. Ils longèrent d'autres éventaires tenus par des prêtres où l'on vendait des choses plus sérieuses: des *kumade* [1] ornementaux pour obtenir la fortune, des masques des sept dieux de la chance, des flèches blanches à pointe de caoutchouc, et des clochettes pour éloigner les mauvais esprits.

---

1. Porte-bonheur.

– J'ai prié pour l'âme de la jeune Américaine, pour qu'elle soit vengée, bien que je n'aie rien pu faire pour elle. Et vous?

– J'ai prié pour que le colonel Yuki ne se mette pas en colère.

– Qu'est-ce que vous voulez dire?

– J'ai travaillé pour lui. Elle sourit, et leva vers lui le regard anxieux d'un enfant qui a besoin d'être rassuré. Il m'a dit que c'était pour le Japon – que c'était pour votre bien. Ce sont les mots qu'il a employés. J'y ai repensé depuis la réception. Hier, je lui ai dit que je m'en allais, que je quittais aussi I.C.O.T. Il est absolument furieux.

Elle lui serrait la main très fort, s'arrêta devant l'un des éventaires et dédia à Moni un sourire éclatant.

– Je n'aurais pas dû vous en parler. Vous ne le saviez pas, n'est-ce pas?

– Que l'antique épingle à cheveux, le *kanzachi*, avait été placé selon les ordres du colonel? Non. Je n'en avais pas la moindre idée.

Elle leva son visage vers lui et l'embrassa.

– Je suis désolée pour tout, mon chéri, vraiment désolée.

Devant l'éventaire où ils s'étaient arrêtés, un client venait d'arriver à un accord sur le prix. Le *kumade* fut extrait du présentoir bourré d'objets. Il se composait d'un masque d'enfant, d'une carpe porte-bonheur, d'un petit tonneau de saké, qui devait apporter la richesse, le tout disposé autour d'une canne de bambou. Chaque année, on en achetait un plus grand que l'année précédente, et la chance augmentait dans la même proportion. Mori secoua la tête.

– Je suppose que vous avez aussi avancé l'horloge?

Erika ne répondit pas, mais montra du doigt un splendide *kumade* : un bateau d'or sur une mer de saké couverte de carpes porte-bonheur.

– Cinq mille yens, proposa-t-elle d'un ton ferme.

Les trois hommes qui tenaient l'éventaire appartenaient à une branche mineure de *yakusa*. L'un d'eux, qui avait visage rude, mais respirant la bonne humeur, s'écroula de rire. Le deuxième se tenait l'estomac comme si on l'avait scié en deux. Le troisième regarda Mori pour voir s'il y avait quelque chose à faire de ce côté-là, mais en vain.

Quand le premier retrouva son souffle, il déclara du ton d'un homme qui a l'habitude de parler devant des petites foules :

– Bon, j'ai entendu dire que les gens vertueux ont bourse plate... Vous travaillez à Ginza, sans doute?

– Bien sûr que je travaille à Ginza, répondit Erika en imitant l'accent particulier des hôtesses de Ginza.

La foule se mit à rire. Le gangster s'était mis un doigt sur la bouche pour épater la foule.

– Je vais vous dire : parce que vous êtes une jolie femme, je vous le laisse à huit mille yens – c'est la moitié de sa valeur – mais pas un sen de moins.

Ses deux partenaires prirent un air affolé. Erika sourit à Mori, puis se retourna vers le *yakusa* :

– Cinq mille cinq cents, dit-elle. Puis elle dit à Mori :

– Est-ce que vous êtes en colère ?

– Non, dit Mori. Il s'en voulait de le dire, mais au fond de lui il savait que c'était la vérité.

Le premier gangster hochait la tête.

– Bien sûr qu'il est en colère. Vous êtes en train de m'arnaquer. Vous avez de la chance que j'aie bon caractère. Allez, six mille cinq cents, mais je vais m'en vouloir toute la soirée. Regardez-moi ce travail !

– *Kimatta !* Je le prends ! cria Erika avec une joie feinte, mais il faut que vous fassiez le rite *Gambate* pour mon ami.

On lui tendit le magnifique *kumade*, et les trois hommes frappèrent dans leurs mains pour accomplir le rite, accompagnés par la foule qui se mit à applaudir spontanément. Quand ce fut fini, elle s'inclina et partit avec Mori. Elle lui donna le *kumade*.

– Pour vous porter chance, lui dit-elle.

– Ce n'était pas nécessaire.

Elle lui mit le bras autour de la taille. Ses doigts s'insinuèrent sous sa chemise et lui caressèrent les muscles du dos. Ils se dirigèrent lentement vers la rue où se trouvaient les taxis. Mori lui posa finalement la question qui lui brûlait les lèvres – et qui restait sans réponse :

– Pourquoi, Erika ? Pourquoi le colonel Yuki voulait-il que je me sépare de ma femme ?

– Il ne me dit jamais rien. Seulement : « faites ceci » ou « faites cela ». Il n'est pas généreux. Je ne l'aime plus du tout.

Mori s'efforçait de contenir la colère qui l'envahissait, afin d'éviter toute action irréfléchie.

– Et si je vous demandais de m'aider ?

– Parfait ! Je savais bien que vous auriez besoin de moi.

Ils avaient atteint la rue. La foule s'était clairsemée et disparaissait progressivement dans les taxis luisants de propreté qui s'allongeaient en une file interminable. Mori savait désormais qu'il ne lui ferait plus jamais confiance.

– Pouvez-vous découvrir pourquoi il voulait nous séparer, Mitsuko et moi ?

Erika réajusta le sweater deux fois trop large qu'elle portait.
– Bien sûr. Si j'essaie vraiment, je dois pouvoir y arriver.
Elle grimpa dans le taxi qui s'avançait et se tourna vers lui, les bras ouverts pour l'accueillir et le serrer passionnément contre elle.

29

Le rendez-vous au parc Ueno

Ludlow appela Mori d'une cabine téléphonique. Il voulait mettre son partenaire au courant des coups de feu, lui dire qu'Harrington était Robin et n'avait échappé à la mort que d'extrême justesse, que les éléments épars de sa théorie s'inséraient finalement dans un ordre logique. Mori reconnut immédiatement l'urgence qui se manifestait dans la voix de l'Américain, et accepta de le retrouver immédiatement. Il ne posa aucune question quand Ludlow lui dit que la planque ne convenait plus. De toute évidence, les chefs actuels de Ludlow auraient enregistré leurs moindres paroles. Ils se mirent d'accord pour se retrouver au parc Ueno.

« Attention – Animaux dangereux » était écrit en kanji, en allemand et en anglais sur l'écriteau. Ludlow attendait sur un chemin de gravier à proximité, tout en regardant un groupe de spectateurs agglomérés devant la cage du panda. Il y a toujours beaucoup de monde au zoo de Ueno par les matins d'octobre : des groupes d'écoliers, des touristes de l'arrière-saison, des amoureux qui avaient délaissé un moment leurs bureaux, des retraités qui ne savaient trop quoi faire.

Si l'on excepte l'immense cage des pandas, rien – ou très peu de chose – ne différenciait Ueno des autres zoos d'Asie. Son originalité résidait peut-être dans la stricte précision de ses activités. Tous les animaux étaient nourris à heure fixe, une habitude qui avait dérouté quelque temps les derniers arrivés parmi les pandas, habitués précédemment à l'irrégularité des Chinois.

Mori tardait. Ludlow se tassa encore plus dans son vieil imperméable. Ce matin-là, le vent apportait à Tokyo les premiers frissons de l'hiver, faisait trembler les fleurs hivernales qui bordaient les sentiers et agitait les rangées de pins. Un bruit de pas...

Ludlow se retourna. Mori lui faisait signe de le suivre. Sans rien dire, Mori remonta le sentier, loin des pandas et des groupes de visiteurs. Ils arrivèrent à un tournant où le chemin se divisait en deux. Il fallait choisir entre les félins de la jungle ou les singes. Mori se décida pour la cage du cougar, et attendit que Ludlow le rejoigne.

– Je n'ai pas beaucoup de temps. Que se passe-t-il?

– Le terme japonais de notre équation est passé à l'action après votre départ.

– Hier soir? Contre vous et Harrington?

– Oui. Vous vous souvenez du nom de code Robin, le chef de Kathy Johnson? Eh bien, c'est Harrington. Hier soir, on a essayé de le tuer.

– Où?

– Dans sa voiture. Sur la route, entre le Club américain et l'Okura.

– Qui?

– Difficile à dire... mais un Asiatique. Je parierais pour un Japonais. Il portait un masque, des lunettes noires et un chapeau. Les mêmes probablement que pour le meurtre de Ginza.

– Yuki?

– Ça ne pouvait être que lui.

– Harrington s'en est tiré?

– Oui. Mais pas George, il est mort. J'ai un moyen de continuer à faire partie de l'opération. Harrington m'a demandé de me joindre à son équipe.

– Excellent. Alors Yuki a pu s'échapper? Quel genre d'arme a-t-il utilisé?

– Un de ces gadgets qu'on trouve dans les bandes dessinées et dont notre organisation ne se servirait jamais – pas plus que les Russes... Un porte-document dont la poignée dissimule la gâchette. Muni d'un silencieux, naturellement, et la poudre utilisée ne fait pas de fumée.

– La même arme qu'à Ginza, par conséquent... et qui donnerait les mêmes angles de tir?

– Oui. Nous connaissons maintenant l'arme qui a tué Kathy Johnson. Nous avons la réponse à une de nos questions. Mais il nous reste encore un long chemin à parcourir.

Mori regardait fixement le cougar dans sa cage. Les yeux

jaunes de l'animal lui renvoyaient le même regard fixe que le sien.

— J'ai vu Erika hier soir.

— Erika?

— Oui. Je ne vous en ai peut-être pas encore parlé. Je ne pensais pas qu'elle pouvait avoir une importance quelconque... jusqu'à hier soir. Elle travaille à I.C.O.T. avec ma femme.

— Et alors?

— Elle a aussi travaillé pour Yuki. Il essaie de me séparer de ma femme. Est-ce que vous y comprenez quelque chose?

— Votre femme travaille à I.C.O.T.? A quoi, exactement? Ludlow était sidéré par cette révélation. Mori se remit à marcher et Ludlow le suivit. Il s'arrêta devant la cage aux tigres. Un grand tigre du Bengale, un mâle, y faisait les cent pas.

— Elle est l'assistante du directeur.

— Est-ce que I.C.O.T. a un rapport quelconque avec le laboratoire de recherche de la Compagnie japonaise d'électronique? Votre femme ou le directeur assurent-ils la liaison entre eux?

Moni regarda fixement le tigre.

— Je n'en sais rien.

— Je me renseignerais, à votre place, Mori-san. Je ne perdrais pas de temps.

— A qui devrais-je m'adresser d'abord, selon vous?

— A l'échelon le plus élevé, au directeur du laboratoire de recherche de la C.J.E. qui s'occupe du Starfire. Lui en avez-vous déjà parlé?

— Je ne l'ai jamais rencontré. J'ai seulement lu les déclarations qu'il a faites aux inspecteurs de la brigade criminelle.

— Allez le voir. Il pourra peut-être vous diriger vers d'autres personnes. Il ne nous reste pas beaucoup de temps.

Mori regarda Ludlow. Depuis son coup de téléphone, il avait remarqué cette note d'urgence dans la voix du grand Américain. Comme si Ludlow devait se conformer à un nouvel emploi du temps. Jusqu'ici, il n'avait fourni à Mori aucun indice.

— Voulez-vous me dire ce qui s'est réellement passé entre vous et Harrington? demanda-t-il. Il vous a demandé de faire certaines choses, n'est-ce pas?

— Qu'est-ce qui vous fait dire ça?

— Au Club américain, Cooper a dit qu'Harrington allait vous demander une faveur. Quelque chose en rapport avec le bombardier F.S.X. De quoi s'agissait-il?

Ludlow hésita un moment.

— Ce n'était pas exactement une faveur, mais une nouvelle qu'il voulait me transmettre : le K.G.B. est en train de monter une opération pour voler le prototype du Starfire.

– Et alors? Qu'est-ce qu'il vous a demandé de faire?

Mori observait le tigre, un animal magnifique. Quel dommage d'être obligé de les enfermer dans des cages. Leur élément, c'était la vie sauvage, la liberté.

Ludlow aurait bien voulu tout dire à Mori, mais c'était impossible.

– Je ne peux pas vous donner d'autres détails, fit-il avec réticence.

Mori reprit sa marche. Ainsi donc, ils avaient atteint les limites de leur amitié.

– Ce serait une catastrophe nationale, dit-il, si les Soviétiques s'appropriaient le Starfire.

Ludlow gardait les yeux fixés sur le sol.

– Naturellement, dit-il. Je suppose qu'il est bien protégé?

Mori se retourna vers l'Américain.

– Il est doté de la surveillance électronique la plus moderne. Et il y a aussi, bien entendu, des gardes vingt-quatre heures sur vingt-quatre.

– Bien. Donc il y a peu de chances...

– Il existe d'autres moyens, interrompit Mori. Par exemple, il y aura un service religieux à la mémoire de Kathy Johnson demain. Tous les gros bonnets de la C.J.E. y assisteront, la sécurité sera difficile à assurer. Une attaque terroriste, une prise d'otages, tout cela serait enfantin à exécuter.

– Pour permettre un échange contre le prototype?

– C'est une des possibilités.

– Ce n'est pas le style du K.G.B. – trop public. Ludlow se gratta la joue et remonta le col de son vieil imperméable pour se protéger du vent. Ils ne feront rien qu'on puisse leur imputer directement. Ils agiraient plutôt par procuration comme pour le meurtre de Kathy Johnson. De toute façon, il faut prendre toutes les précautions possibles.

Mori acquiesça d'un signe de tête.

– Je crois que vous devriez assister au service, au cas où... Je me tiendrai dans une camionnette de la police juste devant l'église. Nous sommes en train d'installer une couverture vidéo à l'intérieur. Il se passera peut-être quelque chose d'intéressant. Demain à 15 h 30, à l'église unioniste de Tokyo.

Au moment où ils se séparaient, Ludlow se tourna vers Mori et lui dit, avec une note d'inquiétude dans la voix :

– Je ne veux pas vous ennuyer, inspecteur, mais à votre place, je parlerais à votre femme. Elle peut très bien être utilisée par les Russes sans le savoir.

30

Le cauchemar

Pour Hiroshi Tsuna, la promotion sociale soudaine qui l'avait projeté à la direction de l'équipe d'entretien d'un bâtiment sophistiqué n'avait pas été facile à assumer. Il n'avait pas quitté volontairement sa chère usine de Nagoya. Il avait fallu l'y obliger. De toute façon, pour un Japonais proche de la retraite obligatoire à cinquante-cinq ans, il n'y avait pas grand-chose d'autre à faire.

Deux ans auparavant, quand la tour de la Compagnie électronique japonaise avait été achevée à Shinjuku, Tsuna avait été désigné pour prendre en charge le service d'entretien : le chauffage, l'électricité, l'air conditionné, la maintenance, le nettoyage et la sécurité. Pour quelqu'un comme lui qui avait l'expérience et le savoir d'un expert en ordinateurs, le travail ne présentait pas de grandes difficultés. Ce qui l'avait affecté le plus, c'était d'être obligé de déménager à Tokyo. Le rythme frénétique de la vie de la cité, la froideur des habitants cachée sous des visages polis, leur perpétuelle soif de distractions, tout cela fit que sa femme et lui se sentaient très seuls. Quand ils eurent trouvé un petit appartement dans le quartier d'Hachijoji, il s'était lancé à corps perdu dans son travail.

Sa tâche le surprit agréablement. Bien que son nouveau personnel soit très jeune et inexpérimenté, il réussit petit à petit à le former et à en faire une équipe cohérente. Au bout d'un certain temps, Tsuna en vint à aimer les rondes quotidiennes qu'il effectuait dans son domaine, l'élégance des bureaux des cadres dans les étages supérieurs où les tapis étouffaient tous les bruits, les appareils compliqués et ultra-secrets des chercheurs dans les étages intermédiaires, sous surveillance renforcée, l'animation qui régnait au premier étage, où se trouvaient les salles de conférences luxueuses, et enfin le grand hall où l'on se pressait dans le bruit et l'agitation. Ce magnifique immeuble était une véritable cité. Et dans cette tour de verre et d'acier étincelant, il finit par se sentir absolument chez lui.

Il avait parfaitement mis au point l'organisation de « sa » cité. Il avait appris que les améliorations de l'équipement et les réparations devaient être effectuées en hiver, quand la plupart des équipements de service n'étaient pas utilisés. La C.J.E. avait passé des contrats très importants pour la sécurité, la maintenance et le nettoyage, et tant qu'il en dirigerait l'organisation, il veillerait à ce que tout se passe sans le moindre accroc.

Quand un Allemand téléphona en expliquant qu'il n'était en ville que pour quelques jours, Tsuna lui dit qu'il serait enchanté de le rencontrer. Il avait en tête un nouvel équipement pour la sécurité. Non point qu'il songeât à acheter quoi que ce soit à un étranger – il continuerait à faire confiance aux systèmes de sécurité japonais –, cependant, le système allemand avait très bonne réputation... Ils prirent rendez-vous pour 4 heures.

La rencontre eut lieu dans les bureaux du responsable des services de l'immeuble, au premier sous-sol. Tsuna commença par déclarer qu'ils n'achetaient jamais rien à des firmes étrangères, étant donné que les équipements japonais leur convenaient tout à fait. Il serait cependant enchanté d'écouter ce que l'Allemand pouvait avoir à lui dire.

Le représentant acquiesça aimablement, puis il annonça que depuis l'année précédente la gamme des équipements s'était considérablement améliorée. M. Tsuna était peut-être déjà au courant ? A propos, de quand datait le système de sécurité de la C.J.E. ? D'environ deux ans, répondit Tsuna avec une certaine réticence. L'étranger sourit et suggéra que la Compagnie japonaise d'électronique ferait bien de reconsidérer certaines de ses options. La firme allemande qui s'appelait Hilde GmbH, et dont le siège se trouvait à Stuttgart, se situait dans son domaine en tête de toute l'Europe. Au tout premier rang quant à la précision, s'écria-t-il avec un peu trop d'insistance, en arrondissant les lèvres comme s'il s'apprêtait à emboucher un tuba.

Il pouvait, par exemple, lui proposer un nouveau système de pressurisation, avec différentiel – exactement ce qui convenait pour les espaces clos –, et qui était l'option la plus avancée actuellement sur le marché. Est-ce que le système employé par la C.J.E. marchait sur douze volts ? Oui... c'était bien ce qu'il avait pensé. Les zones de sécurité concernaient bien la Recherche et le Développement, n'est-ce pas ? Tsuna proposa de jeter un coup d'œil aux catalogues. Tout en lui remettant les brochures, l'étranger lui rappela que les appareils allemands pouvaient être branchés sans problème sur leur installation électrique. Aucun rapport avec les ordinateurs qui impliquaient la suppression totale d'un système pour en installer un nouveau.

Après avoir étudié les brochures, le technicien japonais reconnut que la firme allemande avait quelques très bonnes idées. Mais il n'avait pas besoin d'un système spécial de pressurisation étant donné qu'ils n'avaient pas de chambre forte. La plupart de leurs appareils de recherche restaient à l'air libre – en général, des prototypes de pièces d'équipement. Le représentant acquiesça de la tête d'un air entendu. L'officier de la police criminelle de Tokyo pour la prévention avait jugé le système excellent, ajouta Tsuna avec fierté, et il demanda si l'Allemand voulait boire quelque chose de non alcoolisé, ou du café. Si cela ne le dérangeait pas trop, avait répondu le gigantesque étranger, du café avec une goutte de lait lui conviendrait parfaitement.

Heureusement, Tsuna connaissait son système de sécurité sur le bout du pouce – et aimait bien s'en vanter.

– Nous offrons à l'intrus un choix considérable de pièges en option, dit-il avec un sourire malicieux. Des détecteurs de son ont été plantés dans toutes les zones ouvertes, et signalent la moindre variation au niveau du bruit ambiant. Bien entendu, le ronronnement de l'air conditionné ne déclenche pas l'alarme... Il faut une interruption de la norme habituelle des bruits. Nous utilisons le plus moderne des systèmes japonais : le Sanya 587.

– Mais comment se déclenche l'alerte? demanda le vendeur encore quelque peu sceptique. S'agit-il d'une sonnerie, de flashs lumineux, d'un contrôle à distance?

– D'un contrôle à distance. Tsuna eut un sourire de fierté. En plus, nous utilisons les ultra-sons. Des impulsions électroniques sont envoyées sur une vaste surface qui couvre toutes les cibles. Le moindre mouvement se produisant à proximité des appareils active le système.

L'étranger hocha la tête d'un air impressionné. Des rayons laser – se dit-il – qui créent un champ fermé où ne passerait pas une souris.

– Mais nous ne nous arrêtons pas là, poursuivit Tsuna avec dédain. Des capteurs de température à infrarouge réagissent au degré de chaleur de n'importe quel être humain, une fois le courant shunté, bien sûr.

L'étranger se mit à hocher lentement la tête pour exprimer son admiration. La question qu'il posa ensuite impliquait une note de résignation, comme s'il savait qu'il ne pourrait rien leur fournir.

– Et c'est vous qui gardez la seule clef.

– La compagnie de sécurité en a un double, déclara Tsuna.

Le représentant secoua la tête, apparemment béat d'admiration, tout en étudiant de près le panneau qui se trouvait sur le mur derrière le bureau. Une série de lumières indiquait le fonctionnement du système de sécurité de tout le bâtiment. Ses yeux s'attardèrent sur le téléphone placé sous le panneau, et se fixèrent sur le disque central où l'on voyait un numéro clairement tapé par une IBM électronique... Un numéro qu'il pouvait lire.

– Et des détecteurs de proximité? suggéra l'étranger, dans un dernier effort pour vendre quelque chose.

Tsuna renifla, comme si on lui avait proposé une bouteille de saké de qualité inférieure.

– Sans intérêt, je le crains. Ils ne fonctionnent que sur des distances limitées à partir des cibles, et déclenchent l'alarme au moindre changement. Je dirais que nous avons couvert cette éventualité avec d'autres équipements.

Tsuna arborait maintenant un sourire patient et consultait sa montre. L'étranger referma ses brochures avec un claquement sec. Le numéro figurant sur le cadran était définitivement enregistré dans sa tête.

– Personne n'a jamais essayé de vous avoir? demanda-t-il.

Tsuna se mit à rire tout à coup.

– En fait, on a essayé. Trois hommes se faisant passer pour des membres du service technique ont réussi à franchir la barrière de sécurité. Naturellement, ils ont déclenché le système d'alarme des services de police reliés aux ordinateurs. On les a arrêtés au moment où ils photocopiaient certains de nos manuels d'ordinateurs – ceux du JPP-33, si ma mémoire est bonne. Très bizarre. Ils n'avaient qu'à se présenter à l'un quelconque de nos bureaux de vente, pour qu'on leur donne ces manuels gratuitement. Les voleurs appartenaient à une organisation d'espionnage industriel minable et le client était apparemment un exportateur étranger basé à Hakodate... de vrais imbéciles. La firme s'appelait Finn-Pacific. Ils sont venus nous faire des excuses et nous apporter des présents en nous expliquant qu'il s'agissait d'une erreur ridicule. Bien entendu, nous ne savons pas ce qu'il y avait derrière tout ça. Nous avons porté plainte, mais finalement les poursuites ont été abandonnées. On en a un peu parlé dans les journaux. Il n'y a guère que trois mois que cela s'est passé. Mais, en tout cas, c'est une preuve de l'efficacité de notre système de sécurité.

– Je crains bien que cela ne nous dépasse, se résigna l'Allemand. A moins que vous ne cherchiez des chausse-trapes ou une machine à donner des coups de pied dans les fesses.

Il se leva et tendit la main.

Tsuna rit pour montrer qu'il appréciait la plaisanterie, et l'accompagna jusqu'à la porte où l'étranger s'arrêta un instant.

– On dirait une ligne directe branchée sur le quartier général de la police métropolitaine, je me trompe?

Il agita vaguement la main en direction du panneau et du téléphone. Tsuna se retourna pour contempler l'impressionnant dispositif d'interrupteurs et de lampes.

– Oui. Le numéro des urgences de la police est appelé automatiquement, répondit-il assez brièvement. Tout passe par l'ordinateur, naturellement. C'est l'ancien téléphone du directeur. Excusez-moi, mais j'ai un autre rendez-vous.

– Bien sûr. Le représentant montrait une sincère reconnaissance. Vous ne connaissez pas, par hasard, d'autres entreprises qui chercheraient des systèmes de sécurité sur le marché?

– Non, le seul autre centre de Recherche et Développement que nous ayons se trouve à l'usine de Nagoya. Mais ils s'occupent surtout de tester des prototypes et d'améliorer les modèles existants. Désolé de ne pouvoir vous être utile.

Tout en remontant par l'ascenseur, Ludlow s'amusait intérieurement de la facilité avec laquelle tout s'était passé, et de la vulnérabilité du bâtiment. Il avait constaté que le téléphone n'était apparemment pas piégé. La ligne qui y aboutissait passait par un câble extérieur, non protégé. Seigneur! quelle forteresse peu sûre. Les Japonais, de toute évidence, ne se doutaient de rien. Toutes les portes du sous-sol étaient des portes accordéon, avec des panneaux bordés de feuilles d'acier, ce qui voulait dire que, pour atteindre la boîte de contrôle, il suffisait de détacher les portes des gonds qui les reliaient à des poutrelles de type H et de les faire basculer vers l'intérieur sans toucher au mécanisme de fermeture. Il y avait encore bien d'autres façons de déjouer le dispositif de sécurité. Il lui en passait des quantités par la tête... Qui plus est, l'anecdote à propos de Finn-Pacific lui donnait une nouvelle piste à suivre concernant la mort de la jeune femme. Il pouvait en relier le nom à celui du Soviétique – Serguei – qu'Harrington lui avait révélé comme étant celui de l'étranger impliqué dans le meurtre. Et aussi l'arme dont le Japonais s'était servi au cours de l'attaque de la voiture : un porte-documents. Il possédait au moins deux réponses partielles à ses trois questions. Harrington avait également mentionné que les Soviétiques s'intéressaient au Starfire. C'étaient eux, sans aucun doute, qui avaient envoyé une équipe pour tester le système de sécurité de la C.J.E... Copier des manuels? Ridicule! Tsuna avait précisé que la Finn-Pacific se trouvait à Hakodate. Graves – au cours de leur rencontre avec le colonel Yuki – avait parlé d'une propriété située dans le Nord... Était-ce une coïncidence? S'agissait-il d'une compagnie qui servait de couverture aux Soviétiques et faisait partie de leur réseau d'espionnage? Fallait-il y voir un élément de l'équation soviétique?

Dès qu'il eut atteint le hall, Ludlow se précipita vers les toilettes pour hommes, cachées derrière les ascenseurs. Une fois dans les cabinets, il tira de sa poche un ruban d'un mètre de plastique fin et invisible. Puis il revint dans le hall, passa devant une statue de femme nue, près des cabines téléphoniques, ouvrit rapidement une porte de sortie de secours et jeta un coup d'œil dehors. La porte donnait sur un parking, apparemment plein. Il colla, en expert, le ruban de plastique sur la barre de fermeture de la porte, et vérifia qu'il adhérait bien. Après quoi il rejeta à l'extérieur le reste du ruban et referma la porte en l'ajustant contre le plastique invisible. Si jamais un garde au cours d'une ronde le découvrait – et il y avait peu de chances que cela arrive –, le plastique n'avait rien qui puisse l'inquiéter. Tout cela n'avait pris que quelques secondes.

Dans le hall, les gardes s'inclinèrent poliment quand il leur remit cérémonieusement son laissez-passer d'invité. Il s'était servi d'une carte au nom d'un cadre d'une firme allemande qui vendait des équipements de sécurité à Hibiya. Une fois dans la rue, il se sentit soudain angoissé, comme chaque fois qu'il montait une grosse opération et que tout semblait bien se passer.

Ludlow tassa son grand corps dans le taxi qui le ramenait à son hôtel et s'impatientait. Il parcourait des yeux les rues envahies par la foule, remplies de passants bien habillés, coincées par les voitures, écrasées par les enseignes au néon, qui commençaient à s'allumer, et recouvertes d'une sorte de treillis de câbles entre-croisés.

Son chauffeur soupirait à chaque feu rouge – non synchronisé avec ceux des autres rues de la ville. Toutes les rues étroites étaient engorgées. Cette ville se comportait avec la précision d'une montre japonaise, quand elle le voulait, mais, malheureusement, c'était plutôt rare.

Il réfléchissait à l'emploi du temps qu'il allait adopter. Il pénétrerait dans le laboratoire de la C.J.E. dans deux jours. Il pourrait donc assister le lendemain au service funèbre de Kathy Johnson. Il passa en revue les préparatifs qu'il lui faudrait faire. Ces deux jours seraient bien remplis. Le temps qui lui restait était très limité.

Il existe trois sortes de zones urbaines dans ce qu'il est convenu d'appeler le Grand Tokyo : des agglomérations culturelles comme Jimbo-cho et Ueno, où foisonnent des librairies, des écoles, des musées, des parcs, un zoo et des temples ; une zone de boutiques comme Ningyo-cho, renommée pour ses poupées faites à la main, ou Ginza, pour la mode. Enfin une véritable ville annexe consacrée aux distractions, célèbre pour ses bars, ses revues nues, ses cabarets et ses boutiques érotiques. Shinjuku en faisait partie, et c'est vers le quartier Takadanobaba que Ludlow dirigea son chauffeur de taxi. Il le quitta à proximité d'un vieil hôtel.

Ludlow dîna seul dans une échoppe de *sushi*, tout près de la gare, de poisson cru arrosé d'un saké de troisième ordre. L'échoppe était agrémentée d'un comptoir en bois, où l'on pouvait s'asseoir devant des vitrines où étaient exposés les poissons proposés à la clientèle. Il rajouta un peu plus de gingembre qu'à l'accoutumée parce que l'endroit n'était pas un des meilleurs qu'il ait fréquentés, et que le gingembre facilitait la digestion. Son enthousiasme précédent avait fait place à la réflexion. Qu'on lui ait ordonné de voler quelque chose à un allié lui déplaisait fortement, même s'il avait la preuve que les Japonais en avaient fait autant aux États-Unis. Il n'appréciait pas non plus que les mensonges de Cooper soient à l'origine d'une opération qui l'obligeait à tromper celui qu'il considérait désormais comme un ami. Quelle que soit la façon d'aborder le problème, il était obligé de renier sa parole. Harrington avait sans doute raison. Il était peut-être trop honnête pour faire ce genre de travail...

Il appela Hiroko d'une des cabines téléphoniques du square. Elle allait sortir pour se rendre à une réception à l'ambassade. Voulait-il l'accompagner ? « Une autre fois », répondit Ludlow, il n'était pas dans un état d'esprit propice aux réjouissances.

De retour à l'hôtel, il se savonna longuement sous la douche. Le bruit réveilla les rats qui se terraient de l'autre côté d'un trou dans le mur. L'hôtel était ancien, mais solide. Il avait entendu dire quelque part que les rats ne s'installaient que dans des immeubles où l'on ne risquait pas d'incendie. Ils étaient peut-être plus clairvoyants que la majorité des humains. Il avait, lui, choisi cet hôtel parce que les serrures des portes étaient solides, et qu'il comportait plusieurs issues possibles. Une fois couché, il vérifia que son pistolet était bien chargé et prêt à tirer – une précaution qu'il prenait tous les soirs depuis l'affaire de Colombo... Les rats se calmèrent et il finit par s'endormir.

Il sentait l'odeur de la rivière monter à travers une rangée d'arbres, mais il ne la voyait pas – la puanteur fétide de toutes les rivières d'Asie! Il courait. Ses jambes le portaient comme jadis et ne le faisaient pas souffrir. Une balle sifflait à ses oreilles, assez proche pour qu'il en sente la force. Il accélérait sa course, mais ses poursuivants le rattrapaient. Il fonçait à travers les arbres, les branches lui fouettaient le visage. Il se trouva soudain devant la rivière noire.

Il plongea, puis nagea vers la sécurité de ses entrailles puantes. L'obscurité le submergeait, il s'enfonçait et la masse d'eau lui oppressait la poitrine. Il jugea qu'il se trouvait environ à la moitié de la rivière, et se mit à amorcer sa remontée vers la surface; mais l'épaisseur sirupeuse de l'eau ralentissait ses mouvements et l'attirait vers le fond. C'est alors qu'il entendit un bruit : un bruit métallique qui devenait de plus en plus fort, et que l'eau amplifiait. Il ne pouvait plus respirer...

Ludlow se força à ouvrir les yeux. Il sentait la sueur lui couler le long du dos et ses draps étaient trempés. Il faisait toujours ce même rêve où il ne voyait jamais le visage de l'ennemi. Le bruit était signe de danger. Son instinct lui disait de ne pas bouger. Petit à petit, il put distinguer de vagues formes familières – rien de suspect. Alors pourquoi... Le bruit recommença : un bruit métallique : la porte, la serrure...

Il leva lentement la tête et chercha dans le rai de lumière qui passait sous la porte une ombre révélatrice. Rien. Par conséquent, quelqu'un de compétent – quelqu'un qui connaissait les lieux. Il s'assit dans son lit avec précaution – il fallait leur laisser croire qu'il dormait toujours. Il s'habilla rapidement, prit – encore plus silencieusement – son pistolet, un Walther, une arme petite mais mortelle.

Toujours en silence, il alla vers la fenêtre et écarta le rideau. L'hôtel donnait sur un square, au-delà duquel se trouvaient un commissariat de police et la gare. Le milieu du square était agrémenté de plates-bandes, de la statue d'une jeune fille japonaise portant deux colombes, et pas grand-chose d'autre. Une plaque de pierre commémorait la mémoire des morts de la Deuxième Guerre mondiale. Le commissariat de police était brillamment illuminé, et on y voyait tituber un ivrogne. A part cela, le square semblait vide. Puis il aperçut trois hommes cachés dans l'ombre sur l'un des côtés. L'un d'entre eux surveillait le commissariat, le second l'entrée de l'hôtel, et le troisième parlait dans un appareil qu'il tenait à la main.

A la porte, le bruit avait cessé, et Ludlow entendit quelqu'un s'en éloigner avec précaution. Leur problème était sûrement le verrou bloqué à l'intérieur, se dit-il. Mais ils auraient facilement pu bourrer la porte de plastic et se trouver suffisamment loin quand l'explosion aurait détruit toute la pièce! Par conséquent, ces gens-là voulaient le prendre vivant.

L'homme à la radio fit signe à celui qui surveillait l'hôtel de ramasser le sac qui gisait à ses pieds : des outils. Il leur faudrait découper la porte autour du verrou intérieur pour arriver à l'ouvrir... ils devaient être en train de monter une perceuse silencieuse. Il réfléchit aux diverses alternatives qu'il pouvait choisir. Peut-être avaient-ils laissé momentanément la porte sans surveillance s'ils le croyaient toujours endormi. Il sentait la sueur lui couler dans le dos, mais il avait les mains glacées.

Aucun bruit ne venait de derrière la porte. Pouvait-il prendre ce risque? Il se dirigea vers sa valise et en sortit deux paquets de documents. Il hésita puis arracha de la doublure où il était attaché un petit réveil assez lourd. Il le récupéra et le régla pour qu'il sonne huit minutes plus tard. Ils devraient avoir enfoncé la porte à peu près à ce moment-là. Il posa le réveil sur le lit, revint vers la porte, et ouvrit tout doucement le verrou intérieur. Il prit son pistolet et en soupesa le poids mortel. Son instinct lui disait de risquer le tout pour le tout.

Il ouvrit tout doucement la porte et se glissa à l'extérieur en frôlant le mur de son dos et avança vers la cage d'escalier en s'éloignant de l'ascenseur dont il entendit le bruit – quelqu'un montait. Il se retourna, se précipita à toute vitesse à travers le hall recouvert d'un tapis et fonça dans la porte de l'escalier à incendie qui s'ouvrit sous son poids. Il choisit de monter sur le toit.

Deux jours auparavant, il y avait effectué une reconnaissance sous prétexte de prendre des photos de l'étonnant petit square. Les bâtiments voisins ne se trouvaient qu'à un mètre ou deux – étant donné le prix élevé du terrain à Tokyo. L'un se trouvait à environ trois mètres cinquante en contrebas, l'autre à plus de six mètres. Il opta pour le saut le plus long, au cas où il serait poursuivi, car ce bâtiment-là était également pourvu d'une échelle extérieure, prévue en cas d'incendie, et celle-ci débouchait dans une petite rue. Ludlow fonça vers la porte du toit.

Quand il ouvrit la porte métallique, il vit un homme se tourner vers lui d'un air étonné. Il était en train de parler dans le micro d'une radio portative qu'il tenait à la main, et se penchait en même temps par-dessus le rebord du toit pour observer le square... Il cria quelque chose en japonais dans la radio, et essaya de se libérer les mains, de poser la radio quelque part et de sortir son arme. L'homme vit soudain le pistolet de Ludlow et resta figé sur place.

Ludlow traversa le toit à reculons jusqu'à en toucher le rebord. Là, il visa avec soin et tira. Sa balle arriva tout droit sur la radio qui fut projetée en l'air avant de disparaître par-dessus le rebord du toit. Ludlow se retourna et sauta.

Pendant un instant qui lui sembla s'éterniser, il resta dans le vide sans rien au-dessous de lui. Soudain il sentit quelque chose lui rentrer dans le genou et ses jambes se plièrent sous lui comme des chiffons. Tout à coup il y eut une secousse, un bruit de verre cassé, et il comprit que la bombe qu'il avait laissée dans sa chambre avait explosé. Il s'agissait d'une charge de plastic peu importante, non mortelle, d'un avertissement pour créer la peur et provoquer le respect.

Il se força à se lever. Il entendait le téléphone du commissariat sonner dans le square. Une fois debout, il dut se tenir le genou. Une balle siffla à ses oreilles et réduisit en poudre une plaque de ciment toute proche de lui. Il courut vers le bord de ce nouveau toit, en cherchant désespérément l'échelle d'incendie, qu'on voyait si bien dans la journée. Des barres de métal. Il se jeta dessus, les sentit plier sous son poids et finalement tenir bon. Il entendait les sifflets de la police... venant d'où ? Il descendit malaisément les barres de l'échelle, envahi par une douleur atroce chaque fois qu'il pliait les genoux. Quelques étages plus bas, il quitta son échelle pour une autre, plus large. Il se rendait compte qu'il y avait tout un remue-ménage au-dessus de lui. On criait. La deuxième échelle aboutissait à un autre toit. Il courut à la recherche d'une issue. Ses jambes pouvaient à peine le porter. Il sauta de nouveau : une chute de trois mètres cette fois-ci. De nouveau la souffrance – une douleur qui s'étendait maintenant tout le long de sa jambe... Il se trouva devant un escalier. Où menait-il ?

Il y plongea jusqu'à ce qu'il aperçoive une allée qui s'ouvrait en bas en dessous de lui. Là, il fit son dernier saut, en essayant de ne pas hurler de douleur quand ses jambes s'écrasèrent sur le béton. Quelqu'un bougea dans l'ombre et son sang se glaça dans ses veines.

Un couple en émergea : la jeune fille, dont la blouse était

déboutonnée, s'efforçait de couvrir ses seins ocrés et l'ovale plus foncé de l'aréole. Ludlow, à ce stade, aspirait l'air à grandes goulées, et se répétait que la douleur n'avait pas d'importance. Il marcha en titubant à travers un labyrinthe de ruelles, cherchant à s'éloigner de l'hôtel en évitant les artères principales, et à mettre la plus grande distance possible entre ses ennemis et lui.

Il finit par arriver à Meiji-dori, arrêta un taxi et s'y hissa difficilement. Le chauffeur faisait habituellement les nuits et ne s'étonnait de rien. Sans poser la moindre question, il abaissa son drapeau et prit le chemin de la gare de Shinjuku.

Ludlow s'aperçut tout à coup qu'il ne savait pas où aller. Il ne pouvait pas retourner à l'ambassade, les guetteurs soviétiques l'y attendaient.

– A l'établissement de bains de Shinjuku, dit Ludlow en japonais, en imitant les gestes de quelqu'un qui se lave. Le chauffeur finit par comprendre.

Il se mit alors à faire un bilan : ses mains portaient des écorchures profondes, il avait une douleur lancinante dans le genou gauche, la jambe droite de son pantalon était humide, et une vilaine plaie noirâtre se gonflait de sang là où sa blessure afghane s'était rouverte. Il espérait qu'il ne s'agissait que d'un œdème passager...

Il respira profondément plusieurs fois pour récupérer un peu de ses forces. Comment l'avait-on découvert ? et depuis quand ? Ils avaient dû travailler en équipes – sinon il les aurait repérés. Il se demanda un instant s'il vieillissait... Le taxi ralentit.

Les Bains Ushida de Shinjuku étaient les plus importants de la ville et avaient pour clients les fêtards de la nuit et de l'aube, venant de Kabuki-cho ou de quartiers moins célèbres. Grâce aux bains chauds, on s'y reposait, loin des hurlements hilares des bars surpeuplés, du rythme assourdissant des discothèques de rock et des œillades langoureuses des filles de cabaret. Le dragon japonais n'aime pas dormir, et les flashs du néon ne s'atténuaient guère avant trois heures du matin, quand les clubs commençaient à se vider. Ceux qui n'avaient pas négocié une nuit d'amour, dans les hôtels de passe, et ne savaient que faire pendant les heures qui les séparaient du moment où les premiers trains de banlieue se remettraient à rouler, ceux-là se rendaient à l'établissement de bains. Ludlow y avait souvent terminé la nuit au cours de ses précédents voyages.

A partir de 3 heures du matin, on payait un tarif spécial : mille yens exactement, comprenant les bains, la serviette, une armoire pour les habits, et un espace où dormir sur le pavé dallé – si on arrivait à en trouver un.

A partir de 5 heures, il n'y avait pratiquement plus de place nulle part. Ludlow arriva juste avant la dernière ruée des petites heures du matin. Assis sur un minuscule tabouret de bois, il se savonna, se versa de l'eau presque bouillante sur la tête, puis se glissa dans le grand bain dont la vapeur l'isolait des autres baigneurs. La chaleur s'infiltra dans tout son corps et relâcha la tension de ses muscles. Il décida qu'il effectuerait son opération à la C.J.E. le lendemain soir. Il ne disposait plus d'aucune base. Il lui faudrait ramasser le Starfire et quitter le pays aussi vite que possible. Il n'avait pas d'autre solution. Il repensa à ses poursuivants. Qui étaient-ils? Ils étaient nombreux et bien organisés. Ils n'avaient pas l'air de mercenaires du K.G.B... La police ou les hommes de Yuki? Probablement. Dans ce cas, on pourrait, au minimum, l'accuser d'avoir résisté à une arrestation, et sans doute de bien d'autres choses. Les implications étaient trop effrayantes pour qu'il s'en préoccupe actuellement. Il s'extirpa du bain et trouva un espace à peine assez grand pour s'y insinuer et s'y coucher en position fœtale. Il s'endormit sur-le-champ, sans même s'en apercevoir.

31

Une affaire de cœur

Au début, Mitsuko voulait mourir. Depuis le week-end, sa vie était devenue un véritable cauchemar. Le lundi, elle ne fit, de toute la journée, qu'une infime part de son travail. Mori avait téléphoné plusieurs fois, mais elle avait refusé de prendre les communications. Le mardi matin, les choses allaient un peu mieux. Elle se dit qu'après tout il ne s'agissait que d'une querelle stupide avec son mari à propos d'une pendule. Elle n'avait rien fait de mal. La prochaine fois que Mori l'appellerait, elle consentirait à en discuter avec lui. Elle se sentit mieux. C'est alors que Tomu lui téléphona. C'était un nouveau venu qui s'occupait du personnel. Il venait d'une section imprécise de la vaste bureaucratie gouvernementale. Il valait mieux ne pas se mettre à dos ce genre de personnage... Aussi, quand il demanda à lui parler en privé, elle lui dit de venir tout de suite.

Tomu était petit et râblé, et portait ses cheveux noirs rejetés en arrière. Mitsuko lui indiqua une chaise en face d'elle, de l'autre côté de son bureau. Tomu s'assit, déboutonna la veste de son costume italien dernier cri et en vint immédiatement au fait.

Il raconta qu'il avait pris sa voiture pour rentrer déjeuner chez lui, le mercredi de la semaine précédente. Il pleuvait ce jour-là – Mitsuko s'en souvenait peut-être. Au moment où il quittait son parking pour retourner à son travail, il avait aperçu Erika debout au bord du trottoir, et lui avait donc offert de l'emmener. Son appartement se trouvait dans un bloc d'immeubles voisin du sien. Il y avait un homme avec elle... Mitsuko ressentit une sorte d'appréhension. Tomu-san toussota. L'homme s'était présenté comme le mari de Mitsuko. Avant de venir la trouver, il avait convoqué Mlle Erika et, après de nombreuses questions, elle avait reconnu qu'elle entretenait des relations amoureuses avec le mari de Mitsuko. Tomu bafouilla encore quelques phrases. On avait décidé qu'il était préférable qu'Erika s'en aille. Il se racla de nouveau la gorge, exprima ses regrets, s'excusa et partit.

Mitsuko prit un crayon sur son bureau et le cassa en deux. Elle respira profondément pour essayer de calmer les battements de son cœur. Elle sentit les larmes lui remplir les yeux. Non! elle devait se dominer. Après tout, en Japonaise intelligente, elle savait très bien que toute femme devait un jour ou l'autre faire face à ce genre de situation, n'est-ce pas? Elle ne pleurerait pas! Pas de crise de nerfs! Elle se mordit la lèvre jusqu'à ce que la douleur lui fasse oublier sa colère. Sa rage et sa fureur laissèrent la place à un vide glacé.

– Votre mari est en ligne, annonça sa secrétaire.

– Passez-le-moi, répondit-elle, étonnée de s'entendre parler avec autant de calme.

– Écoute-moi, il faut absolument que je te voie.

La voix de Mori avait quelque chose d'urgent et d'inquiet. Très bien, pensa Mitsuko.

– Quel est le problème? Sa voix se fit distante, comme si elle s'adressait à un enfant.

– Tout ça est une erreur fantastique. J'ai découvert des choses...

– Moi aussi, j'ai découvert des choses, l'interrompit Mitsuko d'une voix froide, à propos de toi et d'Erika dans son appartement.

Le silence qui suivit ne la surprit pas.

– Ça doit en faire partie, mumura Mori.

– Partie de quoi? La voix de Mitsuko laissait percer sa colère. Qu'est-ce qu'il murmurait?

– D'un plan. Un plan pour nous séparer, toi et moi. Erika en faisait partie.

– Tu dis des bêtises, dit Mitsuko d'un ton calme. Tu racontes n'importe quoi. Rappelle-moi quand tu auras trouvé quelque chose de plus convaincant, veux-tu?

Elle raccrocha le téléphone et se renversa sur sa chaise, très contente d'elle. Elle n'avait ni crié, ni hurlé. Elle s'était contrôlée. Elle se sentait beaucoup mieux. En tout cas, une chose était sûre : l'idée d'une réconciliation possible avec Mori lui apparaissait comme parfaitement ridicule. Cette confrontation lui avait éclairci les idées – et l'avait dotée d'une énergie toute neuve pour régler le problème.

Quantité de possibilités s'offraient à elle : une de ses amies avait pris un jeune amant lorsqu'elle avait su que son mari lui était infidèle, une autre s'était consacrée à la religion, une troisième s'était lancée dans des voyages outre-mer. Le divorce représentait au Japon la dernière option possible... et la moins acceptable. Allait-elle demander le divorce ? Pour les hommes japonais, cela voulait dire la fin de leur carrière. Cela, elle le savait. Le divorce impliquait la faiblesse, l'incapacité à régler le problème le plus fondamental. De toute façon, la carrière de Mori n'offrait aucune perspective. Non, il existait certainement un meilleur moyen de rendre à son mari la monnaie de sa pièce, de lui faire subir à son tour ce qu'il lui avait fait subir à elle-même. Elle se mit à réfléchir.

Elle appela d'abord Suzuki-san pour lui demander la permission d'habiter, pour un temps indéterminé, l'appartement de la Compagnie. En général, les pièces spacieuses de cet appartement servaient aux réceptions données par I.C.O.T. ou étaient mises à la disposition de visiteurs importants. Suzuki ne posa aucune question en recevant sa requête – ce qui n'étonna pas Mitsuko. Le chef du personnel avait certainement informé le directeur du cas d'Erika. Suzuki lui dit gentiment qu'elle pouvait s'y installer pour le temps qui lui conviendrait, et ne fit aucun commentaire.

Mitsuko raccrocha en pensant à une première possibilité : Suzuki-san. Elle savait qu'il l'aimait beaucoup, et qu'elle n'aurait qu'à claquer les doigts pour qu'il devienne son amant... ou son mari. Mais avait-elle vraiment envie qu'il soit l'un ou l'autre ? Elle réfléchit à ses propres sentiments. Non. Elle éprouvait un grand respect pour Suzuki-san, mais pourrait-elle l'aimer ou non ? La question était difficile. Évidemment, l'amour pouvait apparaître graduellement. Bon. Elle garderait Suzuki-san en réserve... mais elle chercherait aussi ailleurs.

Elle passa la plus grande partie de l'après-midi dans son bureau, prétendant qu'elle était très occupée par la présentation d'un budget qui devait se faire la semaine suivante. Comme Tomu le lui avait dit, Erika ne se montra pas. Personne n'est jamais renvoyé, au Japon. Mais Erika partirait très rapidement. Vis-à-vis de ses supérieurs, elle avait perdu la face de la pire façon. Quelqu'un avait déjà lancé la rumeur de sa démission.

Elle avait presque fini sa journée, quand elle jeta par hasard un coup d'œil sur son agenda et vit qu'elle avait souligné : rendez-vous à 17 heures. Elle l'avait failli l'oublier. En général, c'était Erika qui s'occupait de recevoir les étrangers, les Américains, particulièrement. Mais celui-ci avait demandé spécifiquement à être reçu par elle. Il avait été extrêmement aimable au téléphone.

Il représentait elle ne savait plus quel groupe américain d'électronique... elle avait oublié les détails. Elle avait fini par accepter. Cela retardait son retour dans un appartement vide.

Quand, à l'heure exacte, on introduisit l'Américain dans son bureau, elle le regarda avec une certaine admiration. Il portait un costume bleu marine impeccable et une cravate classique, qui mettaient en valeur des cheveux brillants, couleur de lin. *Kinpatsu* – le mot faillit lui échapper, « les gens en or » – désignait les blonds naturels aux yeux des Japonais. Sa chevelure épaisse avait les reflets de l'or véritable. La réceptionniste adressa un petit clin d'œil à Mitsuko, et quitta le bureau en balançant les hanches un peu plus que d'habitude. Les filles allaient en parler pendant un bout de temps, se dit Mitsuko.

Il lui tendit sa carte de visite où l'on pouvait lire : C.T.M.O. Compagnie technologique de micro-électronique et d'ordinateurs. Elle connaissait la compagnie de nom, naturellement. Elle faisait concurrence à I.C.O.T. Il s'appelait Mark Curtis – un nom qui sonnait bien. Elle le lut à haute voix et l'interrogea du regard sur sa prononciation.

L'Américain lui sourit de toutes ses magnifiques dents blanches.

– Très bien, dit-il. Vous parlez anglais ?

– Non, non, s'excusa-t-elle, en essayant de ne pas montrer son trouble.

Il s'avéra que Mark Curtis parlait très bien le japonais. Il se montra très honnête en évoquant son pays. En Amérique, dit-il en s'excusant, le gouvernement et les industries ne coopèrent pas vraiment. Rien à voir avec le Japon. Aux U.S.A. on avait créé un certain nombres d'instituts dont les programmes se chevauchaient et parfois se concurrençaient. Il y avait beaucoup de gâchis, dit-il, concernant aussi bien les hommes que les dollars. C'était peut-être à cause de cela que les États-Unis étaient en retard sur le Japon dans le domaine du développement de la nouvelle génération d'ordinateurs.

Mitsuko relut le nom écrit sur la carte : Mark Curtis. Il ne ressemblait pas aux Américains qu'elle rencontrait d'habitude. En général il s'agissait d'homme âgés, qui sentaient le cigare et faisaient semblant d'être polis. Mais leur déplaisir devant les récents succès du Japon se lisait dans leurs yeux. Mark Curtis, au moins, avait étudié la question. Il avait compris comment il fallait parler aux Japonais. Il connaissait bien leur point de vue. Il avait donc implicitement établi que sa firme pouvait devenir un partenaire compréhensif. Elle se sentait également attirée par l'homme en

tant que tel. Il avait des traits réguliers et séduisants. Il était grand
– au moins un mètre quatre-vingt-cinq. Il avait des jambes
longues et bien faites qu'il croisait nonchalamment en parlant.
Elle aimait bien son allure, son corps mince et athlétique. Il était
légèrement bronzé – il faisait peut-être de la voile ou des sports
nautiques. Elle arrêta là ses pensées de peur d'aller trop loin.
C'était ridicule... cet homme était venu pour parler affaires. Les
événements de ces derniers jours l'avaient déstabilisée, rendue
vulnérable. Il allait falloir qu'elle se surveille.

La conversation s'orienta vers la raison pour laquelle Mark
Curtis avait sollicité cette entrevue. C'était vraiment très intéressant. La C.T.M.O. avait été fondée par un groupe privé, des corporations, des donateurs... On y faisait de la recherche fonda-
mentale sur les ordinateurs, sans la moindre intention cachée.
DARPA, d'un autre côté, comportait l'équipe la plus substantielle
et la plus compétitive des États-Unis – mais tout le monde savait
que cet organisme était contrôlé par le Pentagone et en recevait
des fonds. Le but de leurs recherches sur les ordinateurs était
d'améliorer l'armement, purement et simplement. Entre nous,
dit-il, C.T.M.O. ne partageait pas ce point de vue. L'utilisation
pacifique des ordinateurs de tous types restait leur seul objectif.
L'Américain dédia un sourire angélique à Mitsuko. Elle reconnut
que cette attitude méritait des éloges.

Puis il entra dans le vif du sujet. Il proposa une affiliation avec
I.C.O.T. et leva immédiatement la main en souriant comme pour
éviter un refus sec et définitif. « Rien d'officiel au début, je vous
assure. Le ciel nous en préserve. » Il comprenait très bien que les
Japonais préfèrent avoir d'abord des contacts informels et à titre
privé. Personne ne se sentirait lésé si l'opération n'aboutissait pas.
Il ne proposait qu'un concept – une exploration des arrangements
possibles.

Mitsuko comprenait maintenant pourquoi l'Américain s'était
adressé à elle. Une proposition de cet ordre ne pouvait être étu-
diée que par Suzuki-san. L'Américain avait intelligemment jugé
qu'elle était la mieux placée pour attirer l'attention du directeur
sur sa proposition.

Il était presque 6 heures. Mitsuko regarda sa montre et, pour
terminer la conversation, ajouta qu'en général elle ne recevait pas
les gens qui prenaient rendez-vous par téléphone. Les rencontres
étaient décidées après un échange de correspondance. Cependant, dans ce cas précis, elle avait trouvé la rencontre très intéressante. Elle espérait qu'il en sortirait quelque chose, mais ne pouvait évidemment faire aucune promesse. Elle se leva et lui tendit
la main.

Mark Curtis se leva mais ne lui prit pas la main, il s'inclina comme le font les Japonais et s'excusa de s'être montré si grossier. En temps normal, il aurait écrit, naturellement, dit-il, mais pour être tout à fait franc, il avait dû venir à Tokyo à l'impromptu, pour une autre raison.

Mitsuko le regarda d'un air à la fois surpris et ravi. Ses manières d'agir n'étaient pas celles d'un étranger. Il se conduisait en véritable gentleman. Elle regrettait déjà la manière abrupte adoptée pour mettre fin à leur rencontre.

– Et quelle est cette autre raison qui vous a fait venir ici ? J'espère ne pas être indiscrète en vous le demandant.

– En aucune façon, répondit l'étranger aux cheveux blonds, en détournant son regard. Je suis venu pour assister au service funèbre de Kathy Johnson. Sa mère et elle faisaient partie des amis de ma famille. Sa mère est morte l'an dernier.

– Vous ne pouvez savoir à quel point nous avons été affectés par la mort de Kathy Johnson, et moi particulièrement.

Mitsuko s'emmêlait dans les mots, tant elle était embarrassée. En fait, elle n'avait jamais vu la jeune Américaine. Mais c'était la mort de Kathy Johnson qui avait rapproché son mari d'Erika, et mis en danger son mariage. Quelle ironie du sort, que cet étranger y soit également mêlé. Tel était sans doute le destin de Mitsuko.

– J'ai une dernière faveur à vous demander avant de vous laisser retourner à votre travail. L'étranger regarda sa montre et tiqua sur l'heure tardive. Pourriez-vous m'indiquer un endroit où je pourrais dîner pas trop loin d'ici. Je suis fatigué de la nourriture de mon hôtel, et je voudrais changer. Mais je ne cherche pas un endroit particulièrement original.

– Oui, bien sûr, dit Mitsuko.

Après quelques secondes de réflexion, elle suggéra un restaurant japonais renommé pour ses pâtes, à quelques rues de là. Elle lui expliqua que les pâtes étaient faites avec une farine de froment très spéciale, et à partir d'une recette secrète. Tout d'un coup, elle se mit à avoir une envie folle de manger l'un de ces plats délicieux... Elle eut une inspiration.

– Écoutez, dit-elle surprise par la hardiesse de la personnalité toute neuve qui était devenue la sienne. J'étais justement en train de penser que j'allais moi-même dîner là ce soir. Permettez-moi de vous inviter en guise d'introduction au vrai Japon.

– Je ne voudrais pas que vous vous donniez tout ce mal, et je ne pourrais pas vous laisser payer, vraiment...

Elle lui sourit. Il réagissait exactement comme un Japonais... en refusant une invitation, alors qu'elle sentait très bien qu'il aimerait dîner avec elle.

— Aucun problème, fit Mitsuko, en fait, cela me fera du bien. Il y a une ou deux choses dont je dois encore m'occuper. Retournez dans le hall, je vous y rejoindrai dans quelques minutes.

Elle appuya sur le bouton qui convoquait la réceptionniste et lui tendit de nouveau la main, sans réfléchir. Cette fois il la prit, et à son contact elle perçut la force et l'assurance qui émanaient de cet homme. On aurait presque pu imaginer qu'il savait ce qui allait arriver depuis le début.

Juste au moment où elle allait partir, Suzuki-san entra, comme par hasard. Apparemment, son radar personnel l'avertissait du moment où elle quittait les lieux. Il avait dans les yeux son regard habituel de chiot rempli d'adoration.

— On dîne ensemble? demanda-t-il plein d'espoir.

— Je suis prise ce soir, répondit-elle, tandis qu'il s'efforçait de cacher sa déception.

— Alors, demain peut-être, murmura-t-il en quittant le bureau. Elle ne comprenait pas pourquoi elle se sentait légèrement coupable.

Une fois libérée de son travail, elle se sentit bien plus en forme. Ses problèmes étaient vraiment mineurs comparés à ceux de l'Américain. Ses relations avec Kathy Johnson avaient peut-être été très intimes. Qui sait s'ils n'avaient pas été amants. Mais il affrontait tout cela avec une sorte de bravoure. Elle devrait agir comme cet étranger, se disait-elle, et ne pas se laisser accabler par les changements qui affectaient sa vie.

Les pâtes *udon* du restaurant étaient délicieuses. Elle avait décidé de l'inviter, et quand elle insista pour demander l'addition, il la laissa faire gentiment. Pour elle, le dîner s'était terminé trop rapidement. Mark Curtis avait parlé de ses voyages et des pays qu'il avait visités. Il avait, semblait-il, été partout où elle avait rêvé d'aller.

Au moment de se séparer, il dit tout à coup :

— Ça ne va pas!

Surprise par le ton de sa voix, elle se demanda ce qui n'allait pas, après une soirée si parfaite.

— Qu'y-a-t-il?

Mark Curtis eut un sourire d'adolescent et dit :

— Vous m'avez invité à dîner et je ne pourrai jamais vous rendre la pareille. Accepteriez-vous que je vous prenne en charge pour la soirée? Mais c'est moi qui vous invite, j'insiste. Après quoi je ne vous ennuierai plus. J'aurai la conscience tranquille.

Elle se mit à rire, soulagée qu'il ne soit pas vraiment fâché. Elle se rendait compte, à présent, que les quelques moments passés avec cet Américain avaient transformé sa journée.

Pour commencer, ils allèrent au Pub Cardinal, puis dans une discothèque proche. Il avait beaucoup d'esprit et connaissait toutes sortes d'histoires osées. Elle remarqua qu'il ne buvait que très peu, et n'avalait qu'une ou deux gorgées chaque fois qu'ils changeaient d'endroit. La soirée lui coûtait une fortune, mais cela n'avait pas l'air de le gêner. Il était sans doute très riche.

Pour boire le coup de l'étrier, ils se rendirent dans un lieu au nom approprié : Les Derniers Vingt Yens. Ils ôtèrent leurs chaussures avant d'entrer, car il s'agissait d'un club japonais classique, et dansèrent en bas et chaussettes. Bien qu'il fût très tard, le club était plein d'une foule de gens jeunes et enthousiastes... Il y avait longtemps qu'elle ne s'était autant amusée. Bien qu'il soit plus de 2 heures du matin, elle n'était pas du tout fatiguée. Elle se sentait de nouveau libre et au seuil d'une nouvelle vie. Il l'avait embrassée deux fois quand ils dansaient des slows, et elle ne l'avait pas repoussé. Sa montre miniature marquait 3 heures quand il la raccompagna chez elle.

L'idée de faire l'amour avec Mark lui traversa l'esprit – elle était sûre qu'il avait envie d'elle –, mais elle était toujours restée fidèle à son mari. Si elle prenait un amant, ne fût-ce que pour une nuit, sa séparation d'avec Mori deviendrait irrévocable. Comme la plupart des Japonaises, elle restait influencée par les images pures, sécurisantes de son adolescence : les nuits d'été où elle dansait en kimono blanc et *hakama* rouge aux sons de la *kagura* – la musique des dieux –, au son plaintif des flûtes et au rythme des tambourins, sur les estrades avoisinant le temple local. Elle permit à Mark de l'embrasser quand il lui souhaita bonne nuit à sa porte, et lui retint la main au moment où il se préparait à s'éloigner.

– Puis-je vous voir demain? demanda-t-il. Nous pourrions dîner ensemble après le service en l'honneur de Kathy Johnson. Je vous appellerai pour que nous fixions l'heure.

– Bien sûr, répondit-elle sans réfléchir.

Puis il était parti, et elle s'était retrouvée dans sa chambre vide. Quand elle eut refermé la porte, elle resta un moment debout sur le seuil, immobile, à se demander ce qui avait bien pu lui arriver.

Le directeur du laboratoire de recherche de la C.J.E., Minobe-san, salua Mori qui était un peu en retard à son rendez-vous.

L'homme était un de ces intellectuels élégants dotés de cette dignité qui ne procède que d'une réussite personnelle au plus haut niveau. Avant que Mori ait eu le temps d'ouvrir la bouche, il se mit à parler :

– Il faut m'excuser. J'ai un déjeuner dans trente minutes. Est-ce que cela vous suffira ?

Il jeta un coup d'œil à sa montre. C'était une forme de politesse de s'excuser quand le visiteur était en retard.

– Ce sera plus que suffisant.

– Parfait. Bon, j'ai cru comprendre que votre visite concernait la jeune Américaine ?

Minobe n'arrêtait pas de parler. Mori se demanda s'il s'agissait d'un signe d'anxiété. Le directeur du laboratoire de recherche commença par se plaindre de l'imprécision des circonstances de sa mort, et espérait que Mori ne s'en formaliserait pas. Le département de la police métropolitaine parlait d'accident, mais on n'avait pas daigné répondre à toutes ses demandes d'informations précises. Il y aurait, cet après-midi, un service funèbre en son honneur, et ils ne savaient pas quoi dire dans leur « éloge », et cela parce qu'on ne savait pas grand-chose sur les causes de sa mort. Mori hochait la tête d'un air compréhensif.

– Je puis vous dire à quel point nous sommes tous très, très affectés. J'espère surtout que sa mort n'a rien à voir avec le rôle que nous jouons.

– Votre rôle, Minobe-san ?

– Oui, bien sûr.

Minobe se lança alors dans sorte de synthèse, aussi brillante qu'imprécise, du genre de celles qu'on présente lorsqu'on propose un projet à un comité de directeurs susceptible de fournir des fonds.

Il s'agissait de super-conducteurs – comme Mori l'avait espéré – et Kathy Johnson faisait partie du projet. Au lieu d'utiliser des alliages de métal, la C.J.E. avait décidé de se servir d'oxydes métalliques pour leurs fils conducteurs – autrement dit de céramique. Un mélange de baruum, de lanthanum, de cuivre et d'oxygène. Ils avaient atteint 200 °Kelvin avec des bâtons de céramique affinés aux dimensions d'un fil, et refroidis à très basse température grâce à l'hydrogène liquide. C'était tout à fait passionnant.

– Je me rends parfaitement compte de l'excellence de vos recherches, interrompit Mori, mais quel est le rapport avec la mort de la jeune Américaine ?

– Nous voulions seulement nous assurer qu'il n'y avait pas eu d'accroc.

Minobe ôta ses lunettes et les essuya soigneusement.

Mori, ayant jugé l'homme, demanda :

– Je suppose qu'on a vérifié sa « biographie » avant de l'engager ? C'est bien la procédure habituelle ?

Minobe regardait ses mains d'un air accablé.

– Oui, bien entendu. On a étudié son cas de très près. Elle a passé le test à la perfection – presque un peu trop bien, en y réfléchissant.

– Que voulez-vous dire ?

– L'Agence de renseignements du ministère de la Défense nous a contactés au printemps dernier. Rien de précis, en fait, nous a dit le colonel. Rien qu'un doute qu'il valait mieux éliminer. J'imagine que c'est le genre d'opération que vous faites souvent dans la police ?

– Constamment. Qu'est-ce que le colonel a proposé ?

– Un test de loyauté.

Poussé aimablement dans ses retranchements, Minobe expliqua qu'il s'agissait de lui donner périodiquement accès à des informations sur les tests effectués, dont on avait sciemment gonflé les modestes résultats obtenus par la C.J.E. On verrait alors comment elle réagirait, avait dit le colonel. Ils avaient d'abord annoncé de bons résultats dans l'utilisation d'un caisson permettant la production sous vide de pellicules très minces pour superconducteurs, et qui réagissaient toujours en positif. Étant donné que de tels conducteurs n'étaient pas équipés d'une résistance, et par conséquent ne dégageaient pas de chaleur, la miniaturisation d'un ordinateur de la cinquième génération devenait théoriquement possible.

– En fait, c'est beaucoup plus compliqué que ça.

Minobe pinça les lèvres et se tut.

– En d'autres termes, conclut Mori, vous n'avez pas de miniordinateur 5 G au laboratoire de la C.J.E. qui soit opérationnel actuellement.

– Rien d'opérationnel, confirma Minobe. Il faudra d'abord résoudre le problème de la pellicule ultra-fine, puis construire un nouveau bloc architectural avant d'espérer aboutir à un 5 G miniaturisé. Cela prendra du temps. Le faux prototype que nous avons élaboré a l'air vrai, cependant, et le rapport de tests était très convaincant.

– Et vous avez donc peur que ce prototype et le test de loyauté aient un rapport avec sa mort ?

– Remarquez : on ne nous a rien dit. Pas un mot sur ce qu'elle aurait pu faire de malhonnête.

– Et depuis quand se livre-t-on à cette opération, Minobe-san?

– Depuis avril, environ... moins de six mois. C'était une jeune femme très intelligente, vous savez. J'étais certain depuis le début qu'elle s'apercevrait de la supercherie. Et alors, qu'est-ce que j'aurais bien pu lui dire?

– Où en êtes-vous de vos recherches sur la pellicule extra-mince, en fait?

– Eh bien, en gros, nous en sommes arrivés au point où nous produisons régulièrement des Squids.

– Des Squids, Minobe-san...?

– Un processus préliminaire de gravure pour les pellicules extra-minces. Nous arrivons à y faire apparaître régulièrement des modèles électroniques qui créent des interférences de quantum qu'on appelle Squids.

– Et vous croyez qu'elle s'est aperçue de la supercherie?

– Nous ne le saurons jamais, maintenant, n'est-ce pas, inspecteur?

Mori offrit son paquet de Steven Stars au directeur qui refusa poliment.

– Ça ne vous gêne pas si je fume?

– Je vous en prie. J'espère que rien de ce que je vous ai dit ne vous a choqué. Je suppose que vous étiez au courant de cette opération?

– Naturellement.

Mori alluma sa cigarette. Il réfléchissait. Elle ne travaillait pas dans ce domaine depuis assez longtemps. Cette sorte de sixième sens n'apparaissait qu'au bout d'un certain temps. Elle avait dû s'apercevoir que le test des résultats avait été gonflé, mais elle n'avait pas su en tirer les conséquences et cela lui avait coûté la vie.

– Encore un détail, mais je crois que ça n'a aucun rapport avec le reste, reprit Minobe en vérifiant l'heure. Un représentant allemand d'une firme de matériel de sécurité est venu voir le responsable de l'immeuble, hier. Comme toujours, il m'a téléphoné après leur rencontre. Je lui ai demandé de m'apporter les brochures de cette firme, bien qu'il n'ait rien remarqué de particulier. L'un des systèmes allemands a attiré mon attention : un système différentiel de pression... J'ai donc passé un coup de fil à la firme sur-le-champ. Quand j'ai eu le représentant au téléphone, il m'a dit qu'il n'était jamais venu chez nous... et qu'il n'existait aucune référence à des contacts antérieurs. Plutôt bizarre, non?

– En effet, dit Mori. Qu'avez-vous fait, alors?

– Eh bien, j'ai appelé le colonel Yuki, et je l'ai mis en rapport avec le responsable de notre immeuble. Je crois que ce dernier le lui a décrit, et que le colonel a dit qu'il s'en occuperait. Apparemment, il sait qui est cet homme.

– Très bien, il va sûrement faire ce qu'il faut. Rien d'autre ?

– Non, mais avec tous ces problèmes...

Minobe soupira et consulta de nouveau sa montre. Mori inclina la tête en signe de sympathie, mais lui dit qu'il ne voyait pas pourquoi un faux représentant ferait perdre le sommeil au directeur du laboratoire de recherche. Il fallait encore à Mori la réponse à une dernière question avant de pouvoir s'en aller. Celle que lui donna Minobe lui apporta le second choc de cette entrevue.

Le laboratoire était totalement protégé des visiteurs indésirables. Les gardes qui assuraient la sécurité n'y laissaient entrer personne en dehors du personnel de la C.J.E. Et même eux devaient se soumettre à une fouille à leur entrée et à leur sortie. Bien entendu, le directeur d'I.C.O.T. et son assistant personnel – une femme – étaient autorisés à y pénétrer. Il leur arrivait quelquefois d'y amener quelques pontes étrangers – sans doute pour les impressionner. I.C.O.T. avait beaucoup contribué au développement du 5 G, surtout dans le domaine du design. La C.J.E. essayait de leur accorder toutes les faveurs qu'ils demandaient. Minobe s'excusa et dit qu'il allait falloir qu'il se dépêche. Mori pourrait peut-être lui téléphoner s'il avait autre chose à lui demander ?

Une fois dans le hall de la C.J.E., Mori réfléchit aux deux fantastiques informations qu'il avait recueillies. D'abord, Starfire était un faux, un appareil factice. Tout aussi factice que l'opération de MicroDec en Amérique. Le gouvernement japonais essayait-il de leur rendre la monnaie de leur pièce ? Deuxièmement, sa femme était l'une des deux seules personnes, en dehors de la C.J.E., à pouvoir pénétrer dans le laboratoire secret.

Il chercha une cabine téléphonique et finit par joindre Mitsuko. Pour une raison inconnue, elle était moins sarcastique que la veille. Elle lui parut plutôt gaie. Mais ce n'est qu'après qu'il eut expliqué qu'il s'agissait d'un problème extrêmement urgent, qu'elle finit par accepter de le voir ce soir-là pour bavarder.

32

Attrape-moi si tu peux

L'intérieur de l'église unioniste de Tokyo offre un mélange du style chrétien moderne et de l'ancienne orthodoxie japonaise : des murs revêtus de stuc couleur crème, des encorbellements de poutres teintées, et fixées sans clous avec des chevilles de bois, à la façon des constructeurs de bateaux de l'ancien Japon. Il en résultait une harmonie très complexe. A croire que la crucifixion des chrétiens n'avait jamais eu lieu.

Quand Mitsuko arriva, Mark Curtis se trouvait déjà assis dans une des premières rangées de sièges, réservées aux proches. A son entrée, il se retourna et lui adressa un signe de tête imperceptible. Un préposé plaça Mitsuko dans la deuxième moitié de l'église, derrière le groupe compact des représentants de la C.J.E. – les hommes impeccablement vêtus de costumes de ville bleu marine, et les femmes d'uniformes bleus à liséré blanc.

L'orgue jouait doucement *Plus près de Toi, mon Dieu*, tandis que les derniers arrivants se glissaient à leurs places. Un ministre du culte d'un certain âge et d'aspect paternel parut et s'agenouilla dans la sacristie, tournant le dos à l'assemblée des fidèles. Mitsuko observait tout ce qui se passait dans l'église – fascinée par les rites de la cérémonie chrétienne qui allait se dérouler. Elle s'étonna du nombre important d'étrangers présents. Kathy Johnson avait dû avoir beaucoup d'amis.

Assis au premier rang, Valeri Kovalenko se sentait envahi d'une sorte d'angoisse. Il avait vu deux camionnettes de la police garées sur l'avenue Omotesando, juste devant l'église. Cette artère – un des centres de la mode pour jeunes gens – avait pris, ce jour-là, un air de carnaval. Les petits marchands à la sauvette s'échelonnaient le long du trottoir, et les diseurs de bonne aventure ne manquaient pas de clients. Il fronça le sourcil. Cela facilitait la surveillance. Il aurait dû se douter que la police serait là, ne serait-ce que pour des raisons de sécurité, étant donné que l'assemblée des fidèles comprenait certains membres de l'élite. Il avait reconnu le directeur des laboratoires de la C.J.E. d'après des photos qu'on lui avait montrées au Centre. Il y avait aussi l'ambassadeur des États-Unis avec ses gardes du corps. Il fut surpris, par contre, de la présence du chef du département de « Sciences et Technologie », Roger Harrington. Est-ce que le Centre savait qu'il se trouvait au Japon ? Pourquoi, alors, ne lui avait-on rien dit ? Il remit la question à plus tard, pour le moment. Harrington était entouré d'un groupe important d'Américains musclés. Ils ne prenaient aucun risque. L'agent du Centre ne devait permettre ni aux Américains, ni à la police de lui compliquer les choses. En principe, s'il respectait strictement son plan, cela ne devrait pas se produire. Il supposait que le Centre avait envisagé tous les angles de l'opération – y compris ceux dont on ne lui avait pas parlé. De toute façon, il était lié par son emploi du temps : explorer le laboratoire de la C.J.E. ce soir et s'emparer du Starfire le soir même ou le lendemain. S'il en terminait ce soir, il aurait deux jours devant lui pour gagner la côte d'Hokkaido, et le village de pêcheurs de Nemuro où le bateau l'attendrait. Il s'agissait d'un bateau de pêche japonais, dont le capitaine était un homme du village en qui on pouvait avoir confiance – nom de code Samuraï. Il serait prêt. La clef de sa réussite, Mitsuko Mori, était en ce moment assise sur un des bancs situés au fond de l'église. La façon dont elle réagirait durant les prochaines heures déterminerait non seulement le succès de l'opération, mais beaucoup, beaucoup plus. Il ferma les yeux en faisant semblant de prier, mais, en fait, il repassait dans sa tête toutes les démarches à accomplir à partir de cet instant précis.

Mori, assis dans la camionnette spéciale de la police, écoutait les bruits du trafic radio, et essayait d'y voir clair. Il revoyait l'image d'un des étrangers entrés avec la foule dans l'église pour assister au service funèbre : un homme relativement âgé, aux épaules solides, avec des cheveux gris aux tempes. Il plissa les yeux, s'obligea à revivre l'horrible épisode du carrefour de Ginza, et essaya de faire coïncider les deux images. C'était possible – tout à fait possible. La radio se mit à crachouiller.

« Voiture deux cent trente. Voiture deux cent trente. » Assis à la place du chauffeur, son ami Watanabe prit l'appel. « Ici la voiture deux cent trente. Parlez. » La radio appartenait au type d'appareil de haute fréquence qui laissait toujours entendre un léger sifflement. Watanabe la brancha sur un haut-parleur pour que Mori puisse écouter.

– Deux cent trente. Nous avons une identification en réponse à votre première demande.

Mori hocha la tête avec satisfaction devant la preuve de l'excellent travail qui se cachait derrière cette simple affirmation. On avait installé des caméras cachées qui couvraient toute l'assemblée. L'église avait fait preuve d'une grande coopération quand on leur avait expliqué que bon nombre de personnages officiels appartenant à des gouvernements étrangers seraient présents, et que ce genre de mesure de sécurité faisait partie de la procédure habituelle. Les opérateurs des caméras isolaient à l'image un suspect dans une rangée et le présentaient vu de face et de profil. Ces images étaient relayées des caméras aux camionnettes par des lignes spéciales reliées à l'église. L'image était alors de nouveau relayée de la camionnette au poste de commandement du troisième étage du quartier général de la police métropolitaine, où aboutissaient les demandes, et les images ciblées étaient immédiatement confrontées par scanner à celles stoquées dans l'ordinateur. Il ne fallait que quelques secondes pour obtenir la confirmation d'une identité. Mori n'avait nul besoin de pénétrer dans l'église. Il pouvait suivre tout ce qui s'y passait sur trois écrans disposés dans la voiture de police.

– Allez-y, dit Watanabe, donnez-nous l'identification, s'il vous plaît.

– Serguei Ivanovitch Vassiliev. Passeport d'U.R.S.S. – Agent du gouvernement. Directeur du bureau de l'Aéroflot. Au Japon depuis le 1er août 1984. Permis de séjour valable jusqu'au 1er août 1988. Rien à signaler à son encontre. Avez-vous des questions ?

Watanabe se retourna vers Mori qui était assis au fond de la camionnette, les yeux fixés sur les écrans. Mori secoua la tête.

– Non. Merci, terminé.

Mori parla, sans quitté les écrans des yeux :

– Il est à l'Aéroflot, donc il fait partie du G.R.U. Un dur.

– Et c'est lui que tu as vu à Ginza ?

– Je pourrais presque en jurer, s'il n'y avait l'absence de cicatrice.

– Quelle cicatrice ?

– Derrière son oreille gauche. Comme une trace de coup de couteau, ou d'un éclat d'obus pendant la guerre, qui sait ? Une sorte de zébrure rouge sur le cou derrière l'oreille... Je l'ai vue très clairement... On ne voit rien sur les gros plans vidéo.

— Alors, qu'est-ce qu'on fait?

— On ne le lâche pas d'une semelle.

— Et ta femme? Tu savais qu'elle serait là?

— Oui, elle me l'avait dit au téléphone. Par contre, on ne nous avait pas prévenus que l'ambassadeur des États-Unis serait présent — manque de confiance en nous, je suppose. De toute façon, c'est Serguei Ivanovitch qui nous intéresse au premier chef. C'est peut-être bien lui la pièce manquante du puzzle. De plus, j'ai rendez-vous avec ma femme à 8 heures ce soir et nous pourrons en parler, elle et moi.

— Où est donc ton ami américain, aujourd'hui?

— Je ne sais pas vraiment. Il devait me retrouver ici. Il a dû arriver quelque chose, je suppose.

Robert Ludlow était accroupi sur le toit d'un vieil immeuble d'habitation couvert de lierre, situé juste en face de l'église unioniste de Tokyo. Les bâtiments devaient dater d'avant la guerre. Il avait monté à pied les quatre étages sans être inquiété. Ludlow regardait, à travers des jumelles, les grandes marches de l'église d'en face, qui montaient jusqu'au portail resté grand ouvert. Il avait passé une journée pénible, à pratiquer toutes les astuces possibles et imaginables pour ne pas se faire repérer. Malgré le feuillage épais des arbres qui limitait son angle de vision, il avait réussi à identifier les plus importants acteurs présents au service funèbre : Harrington et Graves, une foule de gens avec l'insigne de la C.J.E. épinglé à leurs revers, tout un assortiment d'étrangers dont la plupart avaient l'air d'Américains, et d'autres appartenant sans doute au K.G.B., mais celui qui avait vraiment attiré son attention était l'un de ceux qui étaient arrivés très tôt : un grand blond portant un imperméable des Surplus américains. Il lui rappelait quelqu'un. Les arbres l'avaient empêché de le voir nettement... C'était peut-être son imagination qui faisait des siennes, mais son subconscient tentait de l'alerter...

Il y avait un certain nombre de passants qui traînaient dans la rue, attirés par l'agitation autour de l'église. Ludlow avait repéré les camionnettes de la police et les câbles de télévision qui les reliaient à l'église. Mori se trouvait certainement dans l'une d'elles, mais il était hors de question de le contacter à l'heure actuelle. Ceux qui avaient essayé de s'emparer de lui la veille n'appartenaient pas au K.G.B., il en était certain. C'étaient des gens du cru, donc soit la police, soit les hommes du colonel Yuki. De toute façon, les deux équipes étaient représentées à l'église et, sans aucun doute, la plupart des badauds étaient des agents qui soit le recherchaient, soit surveillaient les abords pour s'assurer que rien ne menaçait les très importants personnages qui se trouvaient à l'intérieur. En tout cas, il lui faudrait faire très attention. Il avait remarqué que quelques marchands s'étaient installés le long des trottoirs – des vendeurs de bijoux de pacotille, de montres... et une diseuse de bonne aventure. Il savait ce qu'il avait à faire : attendre la sortie de l'homme blond, puis le suivre pour l'examiner de plus près, et éviter de provoquer une émeute...

Serguei Ivanovitch Vassiliev savait depuis le début que la journée serait mauvaise pour lui. Il en avait l'intuition. Pour commencer, l'homme de l'équipe du matin qui surveillait Kovalenko s'était fait porter malade. Serguei soupçonnait qu'il s'agissait d'une crise grave... due à la vodka. Mais pour l'instant, il ne pouvait rien y faire. Bien plus, il n'avait personne pour le remplacer. La mission était délicate, et il ne pouvait y impliquer toute l'équipe de surveillance, et surtout pas les plus âgés, les plus expérimentés... L'un d'entre eux s'apercevrait forcément que la surveillance concernait l'un d'eux et poserait des questions embarrassantes. Pourquoi surveiller un émissaire du Centre ? Le moment était des plus mal choisis, si l'on considérait l'avenir de sa carrière et de celle de Pachinkov. Ainsi, l'équipe réduite d'agents de surveillance inexpérimentés avait-elle été informée que le « sujet » était un spécialiste américain de la C.I.A. Rien d'autre. La décision que Serguei avait dû prendre de remplacer lui-même son agent indisponible pendant la matinée lui avait coupé la digestion.

Il observa le pupitre une fois de plus. Un bel objet de chêne sculpté, mais ce n'était pas sa beauté qui avait attiré l'attention de Serguei. On avait accumulé des bouquets de fleurs tout autour du pupitre, des lys et des iris, principalement, et il aurait regardé ailleurs si une brève lueur, provenant d'un bouquet situé juste devant le pupitre, ne l'avait intrigué. Bizarre, se dit-il, et il se mit à réfléchir à son origine. Quelques minutes plus tard, il arrivait à une explication très inquiétante. Il avait remarqué les camionnettes de la police qui stationnaient dehors et les câbles qui partaient de l'une des voitures et s'éparpillaient sur le trottoir. Il y avait beaucoup de dignitaires présents aujourd'hui pour rendre un dernier hommage à la jeune femme, y compris l'ambassadeur des États-Unis. On avait, sans aucun doute, installé des caméras de surveillance, bien cachées dans l'église, pour suivre les mouvements des fidèles. Une caméra télécommandée avait dû être installée au milieu des fleurs qui entouraient le pupitre, pour transmettre des images en gros plan des visages des assistants. Ce genre de caméra pouvait virer sur son axe grâce à la télécommande, et le reflet causé par les lentilles de l'objectif en train de se déplacer produisait le genre de flash que Serguei venait de remarquer. Rien d'un miracle... mais si son visage était apparu sur un écran de télévision, il avait de quoi s'inquiéter.

Depuis le meurtre de Ginza, il avait pris toutes les précautions possibles, et c'était sa première sortie en public. Il avait masqué sa cicatrice avec des cosmétiques, mais il ne pouvait pas déguiser ses traits. Et si la C.I.A. le reconnaissait? Que feraient-ils? Et la police? Il avait posté dehors un de ses agents qui devait suivre Kovalenko dès qu'il sortirait de l'église. Le jeune homme, originaire de l'Asie centrale – Konstantin –, avait pour mission de ne pas le lâcher de tout l'après-midi, et de rester constamment en contact radio avec Serguei. Le problème immédiat était d'arriver à sortir de l'église et d'éviter les caméras sans trop se faire remarquer. Normalement, il ne devait pas quitter l'église avant Kovalenko, et rester là jusqu'à ce que le sujet ait été pris en charge par l'agent qui l'attendait. Serguei garda donc la tête inclinée, hors du champ de la caméra, en essayant de trouver le meilleur moyen de s'échapper quand le moment serait propice.

Valeri Kovalenko attendit que le service ait commencé avant de mettre à exécution le premier stade du plan élaboré par le Centre. La cérémonie débuta par une prière, suivie d'un hymne. A la fin de l'hymne, il se mit à tousser. Il essaya d'abord d'étouffer sa toux, mais sans y réussir. Il sortit son mouchoir et le mit devant sa bouche. Cela ne servit à rien... la toux continuait. Le clergyman le regarda plusieurs fois au moment de commencer son sermon, consacré à un rappel rapide de la vie de la jeune femme. Un Américain assis à côté de Kovalenko se tourna vers lui et murmura : « Vous feriez mieux de sortir quelques minutes. » Kovalenko acquiesça d'un geste, se leva, secoua la tête comme pour se clarifier les idées, et n'oublia pas de s'incliner devant l'autel en atteignant la nef. Il prit un air perplexe et très gêné en remontant vers la sortie, essayant toujours d'étouffer ses quintes de toux. Mitsuko le regarda d'un air inquiet quand il passa devant elle. Il lui fit signe de la tête : « dehors », il lui fallait de l'air.

Une fois sorti sur le trottoir, Kovalenko avala une grande goulée d'air. Sa toux s'arrêta. Les feuilles des *kakizashi* qui bordaient l'avenue Omote-sando frémissaient dans la brise et montraient leurs dos argentés. Il enfila son imperméable et resta un instant immobile comme s'il hésitait sur la direction à prendre. Il scruta la rue du regard – à droite et à gauche. Si elle l'avait dénoncé, c'était ici qu'il allait le savoir.

Il n'y eut ni ruée soudaine, ni voitures freinant à mort devant lui, toutes portières ouvertes, ni bruit d'un tireur embusqué armant sa carabine... Elle avait confiance en lui. Le premier test s'était bien passé.

Robert Ludlow vit l'homme blond quitter l'église, et, sans la moindre hésitation, il passa par la trappe du toit et descendit les escaliers à toute vitesse, en sautant trois ou quatre marches à la fois. Une fois en bas, il sortit en prenant l'air d'un homme tranquille et fit quelques pas sur le trottoir, tout en scrutant fiévreusement l'autre côté de la rue. La camionnette de la police lui bloquait la vue – aucun signe de l'homme blond. Il se faufila à travers les voitures et se précipita sur le trottoir d'en face. Il le voyait! L'homme blond avait descendu d'environ vingt mètres la pente qui partait de l'église, et s'appuyait contre un mur comme s'il attendait quelqu'un.

Ludlow ne pouvait prendre le risque d'être vu. Il s'assit donc à la table qu'une diseuse de bonne aventure avait installée sous un arbre. La petite table était couverte de bâtonnets, de cartes et autres objets liés à son commerce. C'était une fille jeune avec un gentil visage.

– Quel genre préférez-vous?

La jeune fille se pencha au-dessus de la table d'un air interrogateur.

– Dites-moi ce que vous me proposez, suggéra Ludlow.

La jeune fille regarda de près son visage, le revers de sa veste et ses mains – reflets de sa sincérité, de son milieu social et de sa situation financière.

– Quinze mille yens pour deux heures, dit-elle, et vous payez l'hôtel. Pour une heure, c'est dix mille yens. Le « service spécial » en coûte cinq mille, mais je garde mes vêtements.

Ludlow se tourna sur son tabouret comme pour étudier ses propositions. En fait, il regardait vers le bas de la pente. Le blond n'avait pas bougé.

– Je croyais que vous vous contentiez de dire la bonne aventure?

Elle ramassa un des bâtonnets et le frotta contre sa joue.

— Vous avez l'air de quelqu'un qui pourrait s'intéresser à autre chose. Je vous dirai l'avenir pour rien.

— Même comme ça, c'est encore très cher.

Ludlow vit une Japonaise – fort jolie – quitter l'église, se diriger vers l'endroit où se tenait l'homme blond et parler avec lui...

— Dix mille yens pour deux heures, et je garde la chambre pour la nuit, dit-il.

Elle fit la grimace, mais ses yeux montraient qu'elle évaluait l'offre – une certitude contre une probabilité... Le blond et la dame japonaise s'arrêtèrent de parler. Elle lui prit le bras et ils s'éloignèrent lentement le long de l'avenue Omote-sando en direction du carrefour de Meiji-dori.

— Treize mille cinq cent yens, proposa la jeune fille en se caressant les lèvres avec le bâtonnet d'un air provocant. C'est alors que Ludlow aperçut les policiers en civil. Ils venaient de sortir d'une voiture banalisée, observaient les gens qui se trouvaient sur le trottoir et n'allaient pas tarder à regarder de son côté.

Ludlow ne les quitta pas des yeux.

— Écoutez, je n'ai pas le temps de discuter maintenant. Je reviendrai plus tard. Il se leva. Par les portes grandes ouvertes de l'église, Ludlow entendait les fidèles et le chœur entonner un nouveau psaume.

Ludlow sortit deux mille yens de sa poche et les posa sur la table tout en surveillant l'homme blond du coin de l'œil. Il le voyait toujours. Les deux policiers en civil marchaient dans sa direction.

— Si je ne reviens pas, vous n'aurez qu'à les garder.

Elle ramassa l'argent. Tout à coup elle écarquilla les yeux. Ludlow sentit une main se poser sur son épaule, et une voix gutturale lui dit en anglais :

— Restez assis, monsieur Ludlow. Asseyons-nous tous les deux. Moi aussi j'aimerais bien qu'on me prédise l'avenir.

Serguei avait observé le blond Kovalenko faire semblant d'avoir une quinte de toux et remonter la nef pour sortir. Qu'est-ce qu'il était en train de mijoter ? Toutefois, en le regardant partir, il poussa un soupir de soulagement – il allait enfin pouvoir s'extirper de ce piège à rats. Comme il était assis au dernier rang, il pourrait le faire sans être remarqué. Il se leva, se demandant quand même si la moitié des durs de la C.I.A. ici présents n'allaient pas se précipiter sur lui. Il n'en fut rien. Il se dirigea vers la sortie et sentit une brise fraîche lui caresser le visage au moment où il débouchait sur le trottoir. Konstantin était appuyé contre une voiture, en train de lire un journal japonais. Serguei échangea avec lui le signal convenu. Le « sujet » blond était désormais entre les mains de Konstantin.

Tout en remontant la colline, dans la direction opposée à celle du blond, Serguei scrutait le trottoir à la recherche d'ennemis possibles. Il y avait beaucoup de gens dehors ce jour-là : des passants, des promeneurs, des marchands de toute sorte. Il remarqua la diseuse de bonne aventure qui n'était pas là à son précédent passage. Elle avait même un client. Serguei dut y regarder à deux fois... il n'en croyait pas ses yeux. C'était cette ordure d'Américain qui l'avait fait passer pour un imbécile aux yeux de Pachinkov. Oui, c'était Ludlow !

Il s'arrêta de marcher et réfléchit à ce qu'il allait faire. Il savait qu'il n'avait pas beaucoup de temps devant lui. Les caméras cachées à l'intérieur de l'église avaient très bien pu l'identifier. Il fallait absolument qu'il disparaisse... Seulement, l'occasion était trop belle pour qu'il la laisse échapper. Ludlow s'était levé et regardait vers le bas de la colline. Serguei arriva juste derrière lui et posa sa main sur l'épaule de l'Américain.

L'Américain se rassit, obéissant à l'aimable suggestion de Serguei. Celui-ci étala un journal sur la table et glissa sa main en dessous. Cette main était armée d'un revolver. De sa main libre, il chercha et trouva l'arme de Ludlow, la fit tomber sous la table, sur le trottoir, et l'expédia dans le caniveau d'un grand coup de pied. Après quoi il sourit à Ludlow : « C'est bien mieux comme ça, pas vrai ? »

Ludlow regarda vers le bas de la colline. Le blond et la Japonaise avaient disparu. Il reporta son regard sur le Soviétique.

– Écoute, Russki, c'est vous qui êtes responsables de la mort de l'Américaine, dit-il en montrant les portes ouvertes de l'église d'un geste de la tête. Tu veux me raconter tout ça ?

Le sourire de Serguei s'élargit :

– C'est ça qui me plaît chez vous autres Américains ; je pourrais te faire éclater le crâne en te balançant contre la vitre de cette voiture... et toi, tu restes assis là à me poser des questions ridicules. Nous sommes en plein glasnost, tu ne le savais pas ? Nous allons travailler ensemble. En fait, j'ai quelque chose de très particulier à te proposer... As-tu une minute ?

Serguei sortit de sa poche un petit émetteur radio qu'il manipula et dans lequel il se mit à parler rapidement en russe : « Quelqu'un à ramasser à Omote-sando, devant l'église – Priorité et urgence absolues. » Serguei rangea son poste. Après tout, la journée ne serait peut-être pas si mauvaise que ça.

Mori, assis dans la camionnette, regardait ce qui se passait sur les trottoirs. Ils avaient suivi sur l'écran le départ de la cible russe, Serguei Ivanovitch Vassiliev, puis l'avaient retrouvé quand il avait descendu les marches de l'église. C'est seulement quand il s'arrêta devant la table de la diseuse de bonne aventure qu'il s'aperçut que son client n'était autre que Ludlow. Cela mit une fin prématurée à leur plan. Ils avaient espéré pouvoir suivre Serguei sans qu'il s'en aperçoive, mais ce qui se passait entre le Russe et Ludlow était visiblement inquiétant. De plus, Mori avait repéré deux des hommes de Yuki qui tournaient autour d'eux en se cachant. Quelque chose se préparait. Mori se tourna vers son comparse Watanabe :

– Sortons. Allons mettre fin à tout ça. Je vais m'occuper d'abord des deux sbires de Yuki. Toi, tu arrêtes le Russe : garde à vue pour le bien de notre enquête... Et après, j'irai récupérer Ludlow.

Watanabe regarda longuement Mori. Ils avaient vu tous les deux la femme de Mori sortir de l'église, rejoindre le grand étranger séduisant et descendre la rue avec lui. Mori avait rentré sa colère; mais à ce moment précis, il ne la contenait plus.

– O.K., inspecteur, mais restons calmes... d'accord?

Mori regarda son ami d'un air étonné et ouvrit la portière. Voyant que Ludlow et l'autre étranger semblaient être en grande conversation, Mori s'approcha du plus grand des hommes de Yuki :

– Que se passe-t-il? interrogea-t-il.

– Nous avons reçu l'ordre d'arrêter l'Américain qui est assis là-bas avec un autre étranger.

Le grand Japonais qui mâchonnait un cure-dent adressa à Mori une grimace qui signifiait visiblement : « Occupez-vous de vos oignons et laissez-moi tranquille. »

– Et pourquoi diable voulez-vous l'arrêter?

La grimace se figea quelque peu – le cure-dent cessa son va-et-vient.

– On ne sait pas. Il a dû faire quelque chose de contraire à la loi, sans aucun doute. Nous, on obéit aux ordres.

– Si vous touchez à un cheveu de sa tête, je vous coupe en deux, dit Mori d'un air aimable...

L'agent du ministère de la Défense mesurait bien dix centimètres de plus que Mori. Il sourit et le poussa violemment.

Sur ce qui se passa immédiatement après, les témoins n'arrivèrent jamais à se mettre d'accord. Les uns racontèrent que le petit Japonais frappa le grand d'un coup de karaté qui l'atteignit en plein dans les reins... D'autres dirent qu'il utilisa d'abord ses mains pour envoyer deux coups terribles, sciant littéralement le cou du grand qui oscilla pendant un court moment – tandis qu'un autre Japonais se précipitait pour empêcher le petit de continuer –, puis s'écroula sur le trottoir où il resta plus de dix minutes sans connaissance. Personne ne s'aperçut, semble-t-il, qu'il se passait près de la table d'une diseuse de bonne aventure quelque chose de moins spectaculaire : la table se renversa d'un seul coup quand un immense étranger à l'air mauvais s'attaqua à un autre étranger qui se mit à jurer dans une langue qui semblait être du russe puis le jeta contre un arbre et le fit tomber par terre. Aussitôt, l'immense étranger se précipita vers l'entrée de la station de métro d'Omote-sando, à la vitesse d'une gazelle courant sur un terrain plat et sec. Dès qu'il l'eut atteinte, il disparut dans les entrailles du métro.

A ce moment précis, une voiture sans marques distinctes s'arrêta le long du trottoir... le Russe, toujours en train de jurer, fut hissé à bord, et la voiture redémarra.

Watanabe suivit des yeux la voiture russe qui remontait l'avenue Omote-sando...

– Je t'avais bien dit de ne pas perdre ton sang-froid !

– Un salaud arrogant... fit Mori.

– Et maintenant, qu'est-ce qu'on va faire pour le Russe ?

– Laissons-le partir. Mori respira profondément. Serguei retourne à l'ambassade soviétique, on ne peut rien y faire. Je le ferai convoquer demain. Ils étaient en train d'essayer d'enlever Ludlow. Le Russe avait dû demander de l'aide...

Une foule commençait à s'agglomérer.

– Rentre dans la camionnette, inspecteur, supplia Watanabe, il est temps de rentrer, ça m'étonnerait qu'il se produise du nouveau ce soir.

Ce n'est que beaucoup plus tard que l'officier de police comprit à quel point il s'était trompé.

33

Un dîner chez Maxim's

De sa place à l'église, Mitsuko avait vu son Américain sortir rapidement, et elle s'était précipitée vers lui, le visage inquiet.
– Est-ce que ça va?
Le blond fit signe que oui et lui expliqua qu'il s'agissait d'une vieille allergie qui l'avait repris – les fleurs dans l'église, peut-être. Mitsuko lui dit de ne pas se faire de souci. Pour elle, la cérémonie chrétienne était difficile à suivre, de toute façon.
– Écoutez, dit-il en s'excusant, je suis désolé de vous avoir fait signe de sortir, simplement parce que...
– Non, l'interrompit-elle, ça n'a pas d'importance.
Et elle se mit à rougir, parce qu'elle était sur le point d'ajouter qu'elle préférait être avec lui plutôt que de rester assise sur un banc éloigné, dans une église étrangère. Il lui vint à l'esprit qu'elle ne faisait que penser à cet homme depuis qu'elle l'avait rencontré. Elle se souvenait d'une table ronde, le soir, à la télévision, où l'on soutenait que les femmes japonaises étaient « immatures ». Était-ce vrai? Le fait qu'elle n'ait eu aucune expérience sexuelle avant de connaître Mori pouvait-il fausser son jugement d'aujourd'hui? Elle savait que les femmes du Japon étaient en train de changer, mais qu'elles avaient encore gardé un idéal de pureté. Leur désir exacerbé, venant d'un autre âge, de faire tout pour plaire au sexe opposé trahissait leur innocence et leur naïveté... Elles étaient très vulnérables face aux étrangers. Dans son cas, une histoire de cœur avec l'Américain lui permettrait de retrouver sa personnalité et de se venger du manque de loyauté de son mari. Lorsqu'ils s'éloignèrent de l'église, Mitsuko prit le bras de l'homme qu'elle prenait pour un Américain.
Ils avaient presque atteint le carrefour de Meiji-dori, où la rue

se met à remonter vers le sanctuaire de Meiji, quand l'« Américain » montra du doigt un café avec des tables en plein air. C'était celui qu'il avait repéré quelques jours plus tôt.

– Si nous allions boire une tasse de café, proposa-t-il. C'est plus agréable que de rester assis dans une église qui sent le renfermé.

Mitsuko accepta, tout en remarquant la tension de sa voix.

– Je suis vraiment désolée pour vous, dit-elle, gênée. Je vois bien que vous êtes désemparé!

Elle se demandait de nouveau quels avaient été ses rapports avec la jeune femme morte. Il avait dit qu'il était un ami de la famille... Avaient-ils été amants? Elle ressentit les affres de la jalousie, puis un sentiment de culpabilité. Reprends-toi, se dit-elle à elle-même. Tu vas séduire un étranger très attirant, mais ne te laisse pas entraîner par une sentimentalité débordante. Agis comme les femmes étrangères. Ils pressèrent le pas et arrivèrent bientôt au Café Saint-Tropez.

Tandis qu'ils attendaient qu'on leur trouve une place, Valeri Kovalenko sentit monter une poussée d'adrénaline. Ce qu'elle avait dit s'avérait étrangement exact. Il était effectivement désemparé. Mais le poids qui l'accablait n'avait rien à voir avec ce qu'elle imaginait. A partir de maintenant, chacun de ses gestes aurait des conséquences vitales. Il lui fallait absolument se concentrer, être prêt à faire face à tout ce qui pourrait arriver, et à régler le problème rapidement... sans la moindre pitié, si cela devenait nécessaire. Le contact froid de l'acier de son Makarov, enfoui dans la poche de son imperméable, le réconforta.

Contrairement à la plupart des clients, il demanda une table située au fond. On les installa tout près du téléphone, comme il l'avait espéré. Il envia un instant les gens qui l'entouraient, et qui profitaient pleinement de ce bel après-midi. Sans soucis. Il avait souvent constaté qu'il était beaucoup plus facile d'être mentalement honnête avec soi-même quand on se trouvait à l'étranger. Une certaine partie du cerveau s'échappait de la cage qui s'était construite autour de lui au cours des années de conditionnement et de vie dans une société très contrôlée. Le communisme ne l'intéressait guère, et seulement dans la mesure où il affectait sa carrière personnelle. Seule importait la réussite de l'opération dont il était responsable. Le Centre comptait sur lui. Il allait en aborder la partie la plus délicate.

Ils commandèrent tous les deux des cafés portant les noms de lieux célèbres en Europe : Cannes et San Remo. Le café était un des endroits de prédilection des étrangers en mal de bonne fortune, et les couples mixtes n'attiraient pas l'attention. On pouvait voir d'autres *gaijins* assis à des tables avec des Japonaises, à la recherche, peut-être, de liaisons passagères mais intéressantes. Il y avait aussi quelques hommes seuls fascinés par la parade des pantalons déchirés à mi-jambe, des jupes serrées et des coiffures enrubannées qui défilaient devant eux, sur le trottoir. Harajuku faisait office de Mecque de la mode pour les jeunes. L'un des hommes seuls était un Asiatique aux traits lisses qui ne ressemblait pas à un Japonais.

Kovalenko essayait d'oublier que Mitsuko était une femme élégante et exotique, qu'il lui avait menti pour l'amener en ce lieu précis, précisément à cette heure-là. Il se demanda un instant ce que pourrait donner un rapprochement honnête et véritable avec une aussi belle créature, mais son esprit repoussa sur-le-champ une idée aussi dangereuse. Le soleil qui s'apprêtait à disparaître rendait la peau de Mitsuko encore plus pâle, et plus attirants encore ses yeux qui s'y enfonçaient comme deux gouffres noirs et profonds. Kovalenko changea de position sur sa chaise.

— Avant de quitter le Japon, il me faut encore faire quelque chose pour honorer la mémoire de Kathy. Je voudrais que vous m'y aidiez.

Il lui prit la main et la garda dans la sienne.

— Je ferai tout mon possible, dit Mitsuko en lui pressant la main pour montrer sa bonne volonté.

— Je voudrais voir l'endroit où elle travaillait. Je voudrais voir le bureau où elle s'asseyait, m'y asseoir, moi aussi, sentir sa présence pour la dernière fois. Cela aura pour moi beaucoup plus de sens qu'un service à l'église. Dans votre religion, n'est-ce pas la coutume de rendre visite aux lieux où ont vécu les âmes disparues?

Le Centre avait calculé qu'à cette heure-là le laboratoire de recherche et de développement de la Compagnie japonaise d'électronique serait pratiquement vide. Tout le monde assisterait au service commémoratif et y resterait aussi longtemps que le directeur Minobe. Avec un peu de chance, il pourrait s'emparer facilement de Starfire.

Mitsuko le regarda d'un air étonné.

— Je ne peux absolument pas vous aider, dit-elle.

Kovalenko s'efforça de ne pas laisser voir sur son visage la panique qui le gagnait. Il valait mieux ne pas la forcer à agir — cela impliquerait un trop gros risque. Il dit :

— Dommage, j'aurais voulu donner un sens à mon dernier jour ici.

— Votre dernier jour?

Mitsuko essayait de ne pas laisser transparaître sa déception. Tous ses plans s'effondraient.

— Oui. Je prends l'avion demain. J'avais espéré que nous pourrions nous arrêter à la C.J.E. quelques minutes, avant de passer à mon hôtel pour boire un cocktail. Ce soir, nous dînons chez Maxim's.

Chez Maxim's? A ce stade, elle ne s'intéressait plus au dîner. Quelque chose l'inquiétait. La voix de son ami avait changé, était devenue plus pressante, presque menaçante. Ou alors son imagination faisait-elle des siennes?

— Je n'aurais fait que m'asseoir quelques minutes à son bureau. La voix de Kovalenko interrompit le cours de ses pensées. Juste assez longtemps pour retrouver sa présence, son âme.

Mitsuko réfléchit à ce qu'il avait dit. Elle voulait se montrer raisonnable.

— Beaucoup de familles japonaises se rendent dans les îles du Pacifique où leurs êtres chers ont été tués pendant la guerre, pour communier avec leurs âmes disparues. Vous voulez faire la même chose. Cela m'inspire le respect. Vous êtes comme nous.

— Alors, qu'en dites-vous?

— Je voudrais bien vous aider, répondit-elle sincèrement. Tous les étés, nous faisons une fête pour nos âmes disparues. Dans nos maisons, nous avons des autels dédiés à nos êtres chers et à nos ancêtres, et nous pensons donc à eux tous les jours. La plupart des gens font semblant de ne pas y attacher d'importance, pourtant, au fond de leur cœur, ils s'en préoccupent énormément. Mais le laboratoire de recherche de la C.J.E. est une zone interdite.

— Bon, très bien. Je ne voudrais pas vous causer d'ennuis, Mitsuko. Mais je ne peux vraiment pas retourner dans cette église.

Kovalenko, une fois de plus, envisagea l'alternative : la force.

Mitsuko se mordit les lèvres. Elle voyait bien qu'il était très déçu, même s'il tentait de le cacher. Il avait sûrement été l'amant de Kathy. Il ne fallait pas qu'elle se montre jalouse et mesquine. Son amie était morte tragiquement et elle l'aiderait si c'était possible. Elle savait que, de temps en temps, des visiteurs étrangers étaient admis à pénétrer dans le laboratoire. Minobe-san n'en saurait rien. Il en avait encore pour une bonne heure avant la fin de la cérémonie.

— Les gardiens nous permettront peut-être de passer quelques minutes à l'intérieur, finit-elle par dire, si on leur explique qu'il s'agit de quelqu'un qui était très proche d'elle. Avez-vous dix yens?

Kovalenko lui tendit la pièce, en sachant parfaitement qu'il ne s'agissait que d'une formalité. Le Centre lui avait confirmé qu'elle-même et le directeur d'I.C.O.T. étaient les seules personnes de l'extérieur à pouvoir autoriser la visite d'invités au laboratoire de recherche et de développement de la C.J.E.

Elle composa le numéro d'une main hésitante, et se retourna pour regarder le bel homme blond. Puis elle se pencha sur l'appareil, et il remarqua que tout son corps était tendu et qu'elle ne put s'empêcher de porter sa main libre à ses cheveux dès qu'elle se mit à parler. Pendant un moment, il lui sembla qu'elle répondait surtout à des questions. Enfin, elle raccrocha et revint en arborant un large sourire :

– Je leur ai dit que vous étiez son fiancé, dit-elle.

Ils prirent un taxi pour franchir la courte distance qui les séparait de Shinjuku et n'eurent aucune difficulté à franchir la barrière des gardes du hall. C'est à l'étage du laboratoire que les ennuis de Kovalenko commencèrent. Il repéra les appareils de sécurité quand ils sortirent de l'ascenseur : l'un – à infrarouge – servait à vérifier les objets portés à la main, l'autre était un détecteur qu'on vous promenait sur le corps. La seule bonne nouvelle était que l'un des écrans de surveillance télévisée n'était pas en service.

Les deux jeunes gardes chargés de manipuler les appareils de sécurité saluèrent Mitsuko de la main. Apparemment, ils l'aimaient bien. Kovalenko ôta son imperméable, où se trouvait son Makarov, et le plia sur ses bagages à main. Dans le sac de la compagnie aérienne se trouvaient des vêtements achetés aux États-Unis par le premier directorat. Il posa le sac et l'imperméable par terre.

– Je vais laisser mes bagages ici, où les gardes pourront les surveiller, dit-il en souriant. Nous n'en avons que pour une minute.

Tous ses sens étaient en alerte. Il lui faudrait repérer tous les autres appareils de sécurité à l'intérieur du laboratoire dans un délai extrêmement court. Et, surtout, il fallait qu'il garde l'air désinvolte de quelqu'un que tout cela n'intéressait pas.

On les passa au détecteur et Kovalenko esquissa une courbette maladroite. Les deux gardes échangèrent un sourire. L'un d'eux les escorta le long du corridor jusqu'au laboratoire de recherche et de développement.

– Normalement, vous êtes censée nous prévenir un jour à l'avance, fit le jeune garde en leur ouvrant la porte du laboratoire.

– Je sais, répondit Mitsuko. Et j'apprécie beaucoup votre gentillesse.

Elle lui dédia un sourire chaleureux et entra la première.

Nous y voilà, se dit Kovalenko en la suivant le long d'une série de cabines où travaillaient les techniciens. Il rit intérieurement en pensant à la tête que ferait l'expert du Centre quand il lui expliquerait les limites de ses études sur la psychologie shintoïste. La sécurité n'avait pas fonctionné simplement parce qu'un des gardes avait un faible pour Mitsuko...

Ils arrivèrent dans une zone d'une propreté immaculée où le travail s'effectuait à l'air libre. Sur des tables métalliques roulantes se trouvaient des ordinateurs à des stades divers d'assemblage. Personne n'y travaillait. Tout au bout se trouvait un grand bureau dont le plateau restait nu : le bureau de Minobe, se dit Kovalenko, en remarquant le regard furtif de Mitsuko.

Toujours est-il qu'il ne voyait le Starfire nulle part. Le Centre l'avait renseigné sur ses dimensions et sa forme supposées. Mitsuko lui fit signe de la suivre le long d'une nouvelle série de cabines situées devant une rangée de fenêtres d'où l'on voyait toute la ville. Seules quelques-unes étaient occupées, et les hommes qui s'y trouvaient étaient trop accaparés par leur travail pour lever la tête. Kovalenko se concentra. Toutes sortes de plans défilaient dans sa tête pour réussir à sortir le prototype malgré les deux gardes... si toutefois il le trouvait. Il n'arrivait pas à élaborer une solution satisfaisante.

Il passa rapidement en revue tous les appareils de sécurité qu'il avait décelés. Redoutables, comme il s'y attendait : on avait inséré une caméra dans le plafond, le plancher était pourvu d'un système de détection. Très gênant, tout cela, mais pas impossible à neutraliser. Seulement, il faudrait le faire à partir de la boîte de contrôle... et où se trouvait-elle? Cela prendrait un temps considérable.

Mitsuko s'était arrêtée et consultait sa montre avec nervosité.

— Si Minobe s'aperçoit que j'ai amené ici un étranger sans son aval, il me fera couper la tête, dit-elle.

— Qui est Minobe? demanda Kovalenko d'un air innocent.

— Ça n'a pas d'importance. Voilà son bureau. Souhaitez-vous rester seul?

— Si ça ne vous ennuie pas.

Il s'assit au bureau en silence. Il écouta le bruit de ses pas diminuer tandis qu'elle reprenait le chemin qu'ils avaient parcouru. Elle allait ressortir, espérait-il, et bavarder avec le garde. Mais il ne fallait pas être trop optimiste. Il regarda sa montre. Trois minutes s'étaient déjà écoulées depuis qu'ils étaient entrés. Il se força à attendre, pour être sûr qu'elle avait dépassé la zone d'assemblage, et regarda par la fenêtre le panorama de Tokyo qui se perdait à l'horizon.

Quand il se leva, il se félicita d'avoir mis des souliers à semelles de crêpe. Le sol était recouvert de dalles immaculées qui réagissaient au moindre bruit et le répercutaient. Il retourna silencieusement à la zone d'assemblage, en s'arrêtant en cours de route pour s'assurer qu'il n'avait été ni vu ni entendu.

Il recommença à vérifier les établis. La plupart des ordinateurs s'inséraient dans des châssis de grande dimension. Aucun ne ressemblait, même de loin, à ce qu'on lui avait décrit. Il chercha la caméra cachée dans le plafond et en étudia le plan. C'était quelque chose de nouveau : peut-être s'agissait-il du système numéral micro-codé dont il avait vaguement entendu parler, et qui était censé réagir à distance à tout ce qui modifiait la séquence de l'image. Heureusement, il ne serait branché que la nuit venue. Il scruta des yeux la direction des lentilles. Sans doute les avait-on braquées sur l'objet à surveiller, même si le système ne fonctionnait qu'après les heures de travail. Il retraça mentalement la trajectoire de la caméra. Elle était braquée sur une petite boîte métallique.

Il se précipita vers l'objet, puis s'arrêta pour s'assurer qu'il était bien seul. Quand il le souleva, il fut surpris de sa légèreté. La boîte métallique était visiblement un couvercle de protection pour le matériel qu'il contenait. En tout cas, cela correspondait aux indications données par le Centre. Il manipula rapidement la serrure du couvercle qui ne résista pas longtemps à ses tentatives. Une fois le couvercle enlevé, il resta sidéré en découvrant le minuscule ordinateur. Il était magnifique! Il en effleura le métal de la main et posa les doigts sur les touches. Puis, à contrecœur, il replaça le couvercle sur l'ordinateur, et remis la boîte à l'endroit exact où il l'avait trouvée. Son esprit était en pleine confusion.

– Qu'est-ce que vous faites ici ?

Mitsuko surgit, une expression de surprise sur le visage, qui se changea rapidement en fureur.

– J'étais juste en train de revenir, bafouilla Kovalenko.

– Absolument pas! La voix de Mitsuko était devenue agressive. Vous étiez en train d'examiner les appareils!

Kovalenko sourit et se dirigea vers elle.

Son geste partit comme un réflexe : il la frappa avec précision, d'un coup mortel destiné à trancher son cou élégant et délicat. Il le retint de quelques millimètres au dernier moment, sans savoir pourquoi.

Ses yeux se révulsèrent, son corps se raidit, puis elle s'écroula sur le sol. Kovalenko, contournant son corps, courut vers la porte du laboratoire. Il avait l'impression d'entendre des voix hurler dans sa tête. Il fit appel à toute sa volonté pour entrer dans le hall d'un pas tranquille. Les deux gardes levèrent les yeux et lui adressèrent un signe de tête. Il se dirigea vers ses bagages et ramassa son imperméable sans s'énerver. Il ouvrit la fermeture Éclair de la poche et saisit la crosse de son Makarov.

– Mitsuko-san? fit l'un des gardes en regardant alternativement Kovalenko et la porte.

Kovalenko haussa les épaules. Le garde qui avait un faible pour elle esquissa un mouvement vers la porte du laboratoire.

– Non!

Kovalenko sortit son pistolet de la poche de l'imperméable.

– *Yaro!* siffla le garde en direction de Kovalenko.

Le Russe tenait son arme tendue à bout de bras devant son corps, les jambes légèrement repliées pour parer au recul.

Les deux gardes sortirent leurs armes en même temps. Kovalenko hésita un instant, surpris de leur courage. Puis il appuya sur la détente. La balle atteignit le premier en pleine tête et lui fit éclater la cervelle qui alla s'écraser en une tache ronde comme un soleil levant sur le mur d'un blanc immaculé. Aucun son n'était sorti de l'arme de Kovalenko, munie d'un silencieux. On n'avait entendu que le bruit sec de la balle quand elle avait fait craquer l'os. Mais il y eut une explosion quand le deuxième garde tira, et Kovalenko en sentit passer le vent. On l'avait raté de peu.

Kovalenko tira de nouveau. Cette fois, la balle prit le deuxième garde en pleine gorge. Un geyser rouge vif en gicla, une arme tomba par terre avec un bruit métallique et tournoya sur le sol carrelé.

Kovalenko ne réfléchissait plus. Il se précipita sur son sac de voyage, en jeta le contenu par terre, et se mit à courir dans le laboratoire le long des cabines, jusqu'à la zone d'assemblage. Il entendit quelqu'un réclamer un peu de silence. Il réussit à fourrer le minuscule ordinateur dans son sac et s'élança vers les ascenseurs. Tandis qu'il appuyait sur le bouton « descente », il s'efforçait de ne pas regarder du côté des deux gardes recroquevillés dans une mare de sang au milieu du hall. L'un gémissait, l'autre gisait dans une immobilité totale. Dans la zone d'assemblage, il avait aussi vu le corps de Mitsuko figé dans une immobilité de mort. Pour quelque étrange raison, il espérait qu'il ne l'avait pas tuée...

La porte de l'ascenseur s'ouvrit et deux personnes en sortirent. Il les bouscula, appuya sur le bouton du rez-de-chaussée, et les entendit hurler au moment où la porte se refermait. La panique allait se déclencher, et sa tâche principale était de garder son calme jusqu'à ce qu'il soit sorti de l'immeuble. Il avala une grande goulée d'air et sentit ses nerfs s'apaiser. Pourquoi lui avait-on donné un Makarov avec des balles conçues pour percer les blindages?

Il traversa le hall d'entrée en saluant les gardes d'un signe de tête et, une fois dehors, l'air froid le submergea et le revivifia. Au moment où il arrêtait un taxi, il perçut une certaine agitation dans le hall. L'opération s'était terminée par un beau gâchis, mais cela n'avait plus désormais aucune importance. Seul le but comptait. Il se sentit envahi par un sentiment de soulagement et de joie. Il s'en était sorti. Il avait réussi!

34

Mille grues pour vous porter bonheur

En quittant l'église, Mori et Watanabe s'étaient rendus directement au quartier général de la police pour y étudier les cassettes enregistrées, classer leurs informations et préparer leurs rapports. Le Centre de commandement et de communications de la police métropolitaine de Tokyo occupait une immense pièce où régnait une activité intense. Des centaines de récepteurs à tubes cathodiques étaient disposées sur des bureaux gris gérés par des opérateurs qui recevaient plus de deux mille appels urgents par jour. Le système était si sophistiqué que le temps d'intervention après réception de l'appel se réduisait à moins de quatre minutes. C'était une des raisons qui avaient conduit les professionnels à considérer le *Keishicho* comme l'une des forces de police les plus efficaces du monde.

Mori s'entretenait avec l'opérateur qui avait installé la couverture audio-visuelle de l'église, tandis que Watanabe se débattait avec les formulaires pour établir son rapport. Avec ses lumières tamisées venant du plafond, ses murs insonorisés, son atmosphère d'intense concentration et le ronronnement des filtres à air, le Centre de commandement faisait penser à une bibliothèque. Mais l'impression était inexacte. Mori leva les yeux vers un immense écran installé au centre de la pièce. Une moitié de celui-ci reproduisait la carte de Tokyo qui s'étendait sur seize cents kilomètres carrés avec plus de douze millions d'habitants. Des lumières rouges s'allumaient en silence, indiquant les lieux où se déroulaient des événements nécessitant une intervention urgente. Il y en avait dix, à ce moment-là. Les fins d'après-midi étaient plutôt calmes. L'autre moitié de l'écran présentait un énorme agrandissement vidéo de la zone de Kanda, où se déroulait actuellement l'intervention la plus importante. Cette moitié-là pouvait également transmettre les images vidéo provenant des banques ou des firmes dont les systèmes d'alerte étaient reliés au département de la police métropolitaine.

L'opérateur qui s'occupait de Mori se mit à faire défiler tous les enregistrements de la caméra. Mori l'arrêtait chaque fois qu'il voulait étudier une image fixe, ou vérifier une silhouette parmi la foule. Watanabe, l'air agacé, tapotait sur le bureau avec son crayon, à la recherche de mots adéquats pour établir son rapport. Une nouvelle lumière se mit à clignoter sur la carte de l'écran, et l'agrandissement céda la place à la vidéo en direct qui fit apparaître l'intérieur d'un laboratoire de recherche. Mori jeta un coup d'œil à l'écran et retourna à son travail. Ce qu'il avait aperçu sur le grand écran ressemblait à un laboratoire... avec des ordinateurs... des ordinateurs! Il regarda de nouveau l'écran. Quelque part, dans l'immense pièce, un des opérateurs avait pris en charge la nouvelle alerte et parlait calmement dans son casque, tandis que ses mains voletaient sur différents boutons qu'il pressait pour mettre les choses en route. La caméra du grand écran se déplaça pour montrer le hall : les ascenseurs, le système de sécurité, et deux corps inertes sur le sol.

Mori tapa l'opérateur sur l'épaule et lui montra l'écran.

– Donnez-moi le canal, ordonna-t-il.

Il mit et brancha un casque, laissa l'opérateur manipuler le système relié à un ordinateur capable, grâce aux casques d'audition et aux tubes cathodiques, de retransmettre toutes les émissions qui leur étaient destinées. La voix qui venait du laboratoire était tendue : « L'un des gardes est mort. L'autre a l'air très atteint. La femme donne quelques faibles signes de vie... Trois de nos équipes para-médicales se rendent sur place. La première arrivera dans – un silence – deux minutes. Dégagez un des ascenseurs pour qu'ils puissent monter tout de suite. Quel étage? » Le ton de la voix restait calme et froid. « Étage trente-trois – labo de recherche et développement. Merci. Restez à l'écoute. Je transmets aux équipes paramédicales. »

Le petit écran se vida momentanément pendant que l'opérateur relayait l'information par radio aux ambulances qui faisaient hurler leurs sirènes dans les rues de Tokyo.

– Où est-ce? cria Mori dans son casque avant de s'apercevoir que, de ce bureau, il ne pouvait se brancher que sur le circuit vidéo. Il sentait son cœur battre la chamade. Il arracha son casque, vérifia le numéro de l'appel d'urgence sur le grand écran et se tourna vers l'opérateur :

– Branchez-moi sur le numéro 789, tout de suite, dans la cabine d'en haut.

Watanabe l'observait en regardant aussi l'écran. L'opérateur appuya sur un bouton et Mori remit son casque. La cabine d'en haut était une sorte de corridor vitré qui s'étendait à l'arrière du bâtiment de deux étages du Centre de commandement. De là, des contrôleurs supervisaient toutes les opérations. Il leur arrivait d'intervenir pour apporter des modifications et noter des noms, mais la plupart du temps leur travail se bornait à écouter.

Mori déclina son identité et demanda à quel endroit avait lieu l'intervention numéro 789. Une voix inconnue le pria d'attendre, puis annonça : « A Shinjuku. La Compagnie japonaise d'électronique. »

– Qui sont les victimes ?

– Nous avons les noms des deux gardiens : Kita et Saodome. On n'a pas encore identifié la femme, probablement quelqu'un qui travaillait au labo.

– Qu'est-ce qu'ils cherchaient ?

– Un ordinateur miniaturisé de la cinquième génération, nom de code Starfire. Le prototype a disparu.

– Les assaillants ?

– Ne sont pas arrêtés. Un blond non identifié. Nationalité inconnue. C'est tout ce que nous avons pour l'instant. Nous essayons de sortir ces gens de là vivants.

Mori coupa la communication et se tourna vers Watanabe en poussant un juron. Watanabe posa son crayon.

– Ils se sont attaqués à l'endroit où travaillait Kathy Johnson ? interrogea-t-il stupéfait.

– Exactement ! répondit Mori. Sa voix sonnait agressive et rauque à ses propres oreilles.

Il essayait de mettre de l'ordre dans toute cette histoire. Le directeur général et les officiels de haut rang avaient prévu tout cela, l'avaient même encouragé : ils voulaient qu'on tente de voler le Starfire. La seule chose qu'ils n'avaient pas prévue était que cela pouvait coûter des vies humaines... ou que le vol pouvait réussir.

Watanabe montra l'écran du doigt. Les circuits télévisés du hall étaient braqués sur les portes de l'ascenseur qui s'ouvrirent pour laisser passer quatre hommes qui en sortirent en trombe. Ils se penchèrent sur l'un des corps, puis sur l'autre. Un homme sortit du champ de la caméra. Le circuit télévisé de l'intérieur du laboratoire prit le relais et montra un corps inerte en gros plan. L'infirmier arriva près du corps, se pencha sur lui et se mit à brancher un ballon d'oxygène. Le corps était celui d'une femme, et lui sembla familier : une femme au cou long et délicat replié dans une position bizarre. Du sang lui coulait de la bouche et du nez. Mori sentit comme un vent glacé envahir son corps.

– C'est Mitsuko! Mori-san, c'est ta femme! hurla Watanabe en désignant l'écran.

La tête de Mori était devenue une sorte de chambre d'écho où se mêlaient les images et les sons. Son casque était de nouveau branché sur le canal principal. Il entendait des voix professionnelles commenter l'arrivée des brancards. On attacha la femme sur l'un d'eux avec beaucoup de précaution. Les signes de vie de la victime s'affaiblissaient. Il leur faudrait faire vite. On regarda dans son portefeuille pour y chercher son identité. Son nom était Mitsuko Mori. Une voix indifférente lut l'adresse – l'adresse de Mori. C'est à peine s'il l'entendit... Il revoyait le visage de Mitsuko comme il était auparavant, rieur et sain. Il la revoyait à l'église, belle et élégante. Elle était allée rejoindre l'étranger blond. Blond! Grands dieux! Mais à quoi pensait-il donc? Il se tourna vers l'opérateur.

– Repassez-moi la séquence de l'église, s'écria-t-il. Je suis sûr d'avoir vu un blond au premier rang.

Watanabe le regardait avec une grande sympathie.

– Ça va aller, inspecteur?

Mori hocha simplement la tête :

– Le blond avec qui ma femme se trouvait à l'église... Je n'ai pas le temps de t'expliquer. Trouve à quel hôpital on l'a emmenée et arrange-toi pour que j'aie une voiture en bas. Je descendrai dans une minute. J'ai encore une chose à faire ici.

Il se remit à explorer la bande vidéo tandis que Watanabe se hâtait de sortir.

Il fallut cinq bonnes minutes pour faire défiler rapidement les images avant d'arriver aux cadrages qu'il recherchait. Il demanda des arrêts sur image et établit une liste des clichés. Au moment où il quittait le bureau, une jeune recrue arriva en courant et lui fit le salut réglementaire : « Le directeur général désire vous voir d'urgence, monsieur. »

Le directeur frappa du poing sur la table. Savoir se servir d'une défaite, c'était ça la force des Japonais, *desho*! Il leva les yeux vers Mori qui se tenait au garde-à-vous devant son bureau.

– *So desu*, dit Mori. Bien sûr.

Le terrible incident du laboratoire de la C.J.E. ne devait en aucun cas être source de relâchement.

— Et, par-dessus le marché, ils se sont servis de votre femme. Il s'arrêta pour consulter un papier qu'il avait devant lui. Elle est arrivée à l'hôpital Joshi Daigakku, et on l'a tout de suite mise dans le service de soins intensifs. Ils s'occuperont bien d'elle. L'équipe paramédicale a bien fait son travail pendant le trajet. Ses réflexes vitaux commencent à s'améliorer.

— Quel est le diagnostic ?

— Je croyais que vous le saviez : elle a le cou rompu.

Mori sentait une colère froide l'envahir et la domina. Plus tard. Ce n'était pas encore le moment. Il esquissa un demi-salut officiel. Il savait bien qu'il était trop tôt pour lui parler du colonel Yuki et d'Erika. Il n'avait que la parole d'Erika à opposer à celle du colonel et il y avait encore beaucoup à faire.

— Je m'excuse des ennuis que ma femme vous a causés. Il sentait dans sa gorge le goût amer de ces paroles, mais continua : C'est entièrement ma faute.

— Ne vous punissez pas vous-même, inspecteur. Ça aurait pu arriver à n'importe lequel d'entre nous. Je crois savoir par le colonel que vous avez eu des ennuis à la maison. Et une si jolie femme, qui plus est...

Une femme, pensait Mori. Parce que l'État s'était servi d'elle. Elle avait gravi les échelons qui séparaient une « jeune personne » d'une « femme ». Cette reconnaissance de son nouveau statut social pouvait lui coûter la vie ou une paralysie définitive.

— J'avais parlé à Minobe-san, dit calmement Mori. Il m'avait dit que le prototype du Starfire n'était qu'un leurre, installé là sur les instructions du colonel Yuki.

Le directeur se renversa sur sa chaise, se croisa les mains derrière la tête, réfléchit, puis hôcha la tête d'un air satisfait.

— Cela ne faisait pas partie de votre mission, inspecteur. Vous connaissez nos règles. Je dois dire qu'ils ont fait du bon travail à la C.J.E. Peut-être même trop bon.

Mori savait qu'il devait garder son sang-froid. A l'origine de cette tragédie se trouvait la ruse de quelque tête pensante soviétique et du colonel Yuki. Quant au directeur, on s'était seulement servi de lui. Il aurait voulu savoir quel était leur but ultime. Il aurait voulu...

— Je vais vous mettre au courant des derniers développements, reprit le directeur en scrutant son bureau d'un œil inquisiteur, jusqu'à ce qu'il eût trouvé un certain dossier. Il l'ouvrit et fit signe à Mori de s'asseoir. Le directeur appuya ses deux coudes sur son bureau et se lança dans le récit des faits : le tueur blond était un Américain. Il lut le numéro et le nom qui figuraient sur son passeport. Son arrivée au Japon datait de moins d'une semaine. On était en train de vérifier son appartenance à une certaine compagnie. Un renseignement anonyme leur était parvenu quelques minutes plus tôt, précisant que le tueur allait prendre le train-obus en direction du nord. On s'occupait actuellement de déployer les troupes des Forces de défense dans les gares aussi rapidement que possible. Toutes les gares menant à Morioka seraient sous haute surveillance. On prenait également des mesures spéciales pour les aéroports, et on plaçait des barrages sur les routes aux abords de Tokyo et autres voies de fuite possibles. Ludlow se cachait, et connaissait peut-être l'itinéraire du blond. On recherchait Ludlow comme complice du meurtre. Arrivé à ce stade, le directeur baissa son dossier et observa Mori. Le visage de l'inspecteur restait impassible. Le directeur hocha la tête d'un air satisfait et reprit sa lecture.

Ludlow s'était fait passer pour le représentant d'une firme allemande spécialisée dans les appareils de sécurité et avait pris rendez-vous avec le responsable de la sécurité de l'immeuble. Il lui avait extorqué des renseignements sur le système de sécurité du laboratoire de recherche et Dieu sait quoi d'autre encore. Le directeur soupira et regarda par la fenêtre.

– Et quand tout cela s'est-il passé? demanda Mori.

– Hier. Le surintendant a rendu compte de la rencontre à Minobe, selon la routine habituelle. Minobe a demandé à voir les brochures et y a trouvé quelque chose d'intéressant qui avait échappé au responsable. Il a appelé la maison mère de la firme. Ils n'avaient jamais entendu parler d'un contact pris avec la C.J.E. Minobe s'en est inquiété et a appelé le colonel Yuki qui a identifié Ludlow après en avoir lu une description détaillée. L'équipe de Yuki a essayé d'arrêter Ludlow hier soir à son hôtel. Malheureusement, il a réussi à s'enfuir.

Mori secoua la tête. Il comprenait maintenant pourquoi Ludlow ne l'avait pas contacté... Pourquoi Ludlow s'était enfui à toute vitesse après la bagarre devant l'église. Les équipes soviétique et japonaise le recherchaient l'une et l'autre, et apparemment pour de bonnes raisons.

On aurait dû me prévenir de ce qui avait été décidé. Cela m'aurait aidé devant l'église.

– Nous nous en rendons compte maintenant, inspecteur. Cependant, techniquement parlant, vous vous êtes opposé à l'arrestation d'un homme complice d'un meurtre. Si on avait pu l'appréhender, l'attaque de la C.J.E. aurait sans doute pu être évitée.

Accablé de honte, Mori s'inclina en silence. Les mots lui faisaient mal, mais il devait bien reconnaître qu'ils disaient la vérité. Il sentait que sa colère froide revenait. Bientôt, très bientôt, il lui donnerait libre cours.

Le directeur reprit son dossier. Le département de la police métropolitaine retenait toutes les informations, sauf l'attaque elle-même, qui paraîtrait dans les journaux du soir. Mais des fuites s'étaient déjà produites. L'*Asahi* avait téléphoné qu'ils avaient l'intention d'impliquer les Américains. Le service de relations publiques de la police avait répondu : « Pas de commentaires. » Le directeur plaça le dossier à l'autre bout de son bureau et se frotta les yeux. Lorsqu'il reprit la parole, sa voix trahissait une certaine fatigue. Ça n'avait pas été une bonne journée pour la police métropolitaine. Après avoir échappé à l'équipe de Yuki, Ludlow avait passé la nuit dans un établissement de bains à Shinjuku. Il avait réapparu à l'église et Mori l'avait aidé à s'enfuir de nouveau... Le directeur scruta le visage de Mori :

– Avez-vous enfin décidé de quel côté vous vous battiez? »

Mori sourit de l'ironie. Il y avait beaucoup de « côtés », maintenant, dans cette affaire.

– Je sais de quel côté je me range, monsieur le directeur.

Celui-ci opina et expliqua à Mori ce qu'il attendait de lui. Il fallait d'abord qu'il retrouve Ludlow. L'Américain pouvait les conduire aux autres. Tous les gens mêlés à cette histoire devaient être appréhendés – y compris les responsables du complot, quel que soit leur rang. Le directeur ajouta un commentaire : Harrington, de la C.I.A., avait été prié de ne pas quitter Tokyo et d'y rester jusqu'à ce que l'affaire soit tirée au clair. Dès que tous les Américains impliqués auraient été arrêtés, on donnerait une grande conférence de presse, télévisée dans le monde entier. Le directeur avala de l'air qui passa avec un sifflement entre ses dents blanches et carrées, et se tut... attendant la réaction de Mori.

– Je trouverai Ludlow et le blond, dit tranquillement Mori. Le Japon aura sa nouvelle agence de sécurité.

Le directeur de la police apprécia d'un signe de tête. Dans ce cas, l'attitude du Japon serait généreuse. Mori deviendrait un héros – comme son père et son grand-père avant lui. Le chef regarda attentivement Mori.

– L'enjeu dépasse de beaucoup la création d'une nouvelle agence de sécurité, inspecteur, dit-il. De beaucoup plus. Puisse les mille grues vous porter bonheur.

35

Une promesse

Mori franchit rapidement la grande porte de l'hôpital. Des traits de couleur étaient peints sur le sol pour indiquer l'emplacement des files d'attente menant à un grand comptoir. Il tourna à gauche dans un grand hall et suivit une flèche marquée « ascenseurs ». Des tables d'opération métalliques où s'empilaient des linges souillés se succédaient le long des murs. Des enfants couraient les uns après les autres. Des patients portant une blouse verte unisexe bavardaient à voix basse avec des visiteurs. Il monta au quatrième étage. Pourquoi l'avait-on mise au quatrième? se demandait-il, mécontent : le quatre portait malheur. Il s'arrêta à une table pour demander son chemin. Deux jeunes infirmières se retournèrent pour l'observer. Soudain effrayé de leurs regards appuyés, il demanda : « Comment va-t-elle? » L'une des infirmières se dirigea vers lui, le regardant avec sympathie et curiosité : « Mitsuko Mori...? » Elle ramassa une fiche et la lut. Les examens avaient décelé un traumatisme du cou, une commotion cérébrale et une fêlure de la deuxième vertèbre. Pas de rupture ou de section des nerfs. Le problème principal était le sang qui s'était répandu dans les poumons; elle serait morte si l'équipe de secours ne s'en était pas immédiatement occupée en cours de route. Elle allait beaucoup mieux, maintenant. On lui avait redressé le cou et elle était sous perfusion pour parer aux effets du choc.

– Vous êtes son mari?

Mori fit signe que oui.

– Le médecin va effectuer sa visite dans peu de temps. Aucun autre visiteur n'est autorisé à la voir. Nous avons reçu des appels de la télévision, et il y a une bonne douzaine de reporters qui s'agitent au rez-de-chaussée. Vous êtes le seul à connaître le numéro de sa chambre. Vous avez le droit de la voir dix minutes. Elle lui sourit comme s'il avait été une célébrité.

Il s'arrêta dans les toilettes pour hommes pour s'asperger le visage à grande eau. Il y avait des bouteilles et des flacons en verre sur le lavabo. La douleur qui le tenait derrière les yeux se fit lancinante. Il regarda son visage dans la glace et fut horrifié. Puis il se dirigea vers sa chambre, en fronçant le nez devant l'odeur âcre des antiseptiques qui flottait dans l'air. Numéro 402. Il frappa, ne reçut pas de réponse et entra. Un rideau blanc encerclait son lit pour le séparer de celui d'une autre patiente. Il repoussa le rideau avec colère. N'y avait-il au Japon aucun endroit où l'on puisse s'isoler? Elle avait les yeux fermés.

– Mitsuko, est-ce que tu m'entends?

Des tuyaux partaient de ses bras pour rejoindre des flacons suspendus au-dessus de son lit. Son cou était encastré dans une minerve d'acier. Elle était toute blancheur et fragilité et paraissait plus petite que dans son souvenir. Ses yeux papillotèrent et s'ouvrirent. Elle essaya de remuer la tête sans y parvenir. La peur lui revint en même temps que la mémoire. Puis elle reconnut son mari et la peur s'effaça. Mori lui sourit et lui toucha légèrement le bras.

– Je le trouverai, dit-il, et je le tuerai.

La peur revint dans ses yeux. Il secoua la tête et essaya autre chose.

– Écoute, reprit-il, je t'aime énormément. Je suis désolé de tout ce qui est arrivé. On s'est servi de toi et de moi. On a essayé de nous séparer pour pouvoir voler le Starfire.

– Des Américains... parvint-elle à articuler.

– Nous le savons. Nous avons tout compris. N'y pense plus.

Il lui toucha la main. Elle était glacée et elle ne pouvait pas la remuer. Je les tuerai tous, pensait-il. Tous autant qu'ils sont.

– Ta mère? Ses lèvres formaient les mots mais aucun son ne les accompagnait.

Mori fit signe qu'il comprenait.

– Quand tu iras mieux, je te ramènerai à la maison. J'expliquerai à ma mère toute l'histoire. Cela avait été machiné pour briser notre famille. Elle n'a pas pu venir aujourd'hui, mais elle viendra te voir bientôt. Je voulais t'apporter des fleurs, mais je n'ai pas eu le temps. Excuse-moi.

Mitsuko sourit pour la première fois – du sourire qu'elle réservait aux promesses non tenues. Un sourire qui voulait dire : tu ne changeras jamais, mais je t'aime quand même. Il se mit à sourire lui aussi et lui pressa la main.

– Quand tu seras guérie, nous irons faire un voyage, à Hawaï ou en Europe... où tu voudras.

Le sourire de Mitsuko s'accentua, et cette fois-ci un son sortit de ses lèvres, un son qui ressemblait à un rire d'enfant.

QUATRIÈME PARTIE

NIGERU
(LA FUITE)

L'amour que l'on révèle à l'être aimé au cours de sa vie n'est pas un amour profond. Mourir en ayant gardé le secret de son amour est supérieur à toute autre forme d'amour.

Yamamoto Tsunetomo,
Hagakure

Le Shinkansen

Ludlow finit par arriver à Shinjuku à 20 h 30 ce soir-là. Il avait pris un autobus partant d'Osaki, par précaution. L'entrée ouest de la station de métro était bourrée de policiers en civil. Il ne quitta le bus que lorsqu'il eut dépassé les néons éblouissants qui encerclaient la place : les bleus et blancs aveuglants du grand magasin Keio, le rouge étincelant de l'enseigne de Minolta et le jaune et vert de la bière Sapporo. Tout bougeait, dansait ou scintillait. Les lumières balayaient les piétons, les peinturluraient aux couleurs de tribus primitives et se reflétaient dans le verre et l'acier des buildings modernes.

Il contourna une longue file de taxis. Les gens attendaient patiemment, chargés de leurs emplettes. Des amoureux se rapprochaient. Ludlow se dirigea rapidement vers la tour de la C.J.E.

Des commerçants japonais balayaient le trottoir devant leurs portes et jetaient des seaux d'eau pour fixer la poussière avant de fermer boutique. Il passa devant Yodobashi Camera dont la devanture affichait en lettres de feu une réduction de quarante pour cent et d'où sortaient les hurlements d'un rock disco.

Vue de là, la tour de la C.J.E. le surprit par son élégance sobre, plus évidente à cette heure-là qu'à la lumière du jour. Elle s'élevait comme un arbre immense dans le ciel nocturne – comme un grand tronc dépourvu de branches. Tout autour de ses racines tournaient des lumières bleues qui ressemblaient à des fleurs magiques. En s'approchant, Ludlow s'aperçut qu'elles provenaient du toit des voitures de police.

Il se mit à jurer et fit le tour du bâtiment comme un chasseur repérant sa proie. La police gardait toutes les portes, y compris celles de derrière. Des détectives en civil se pressaient dans le hall brillamment éclairé. Il quitta les parages et partit à la recherche d'une cabine téléphonique.

La voix du policier affecté au bureau des urgences numéro 101 resta neutre, et ne se montra nullement surprise de recevoir un appel téléphonique pour l'inspecteur Mori après les heures de travail. Mori vint en ligne.

— Qu'est-ce qui est arrivé? demanda Ludlow.

— Une merde épouvantable, Robert-san. La voix de Mori était glaciale. Vous avez perdu la tête. Où êtes-vous?

— Y a-t-il des victimes?... Je suis à Tokyo.

— Deux gardes sont morts. Ma femme a tout juste pu indiquer qu'il s'agissait d'un Américain. On ne sait pas si elle va s'en tirer. Vous êtes un homme mort, Robert-san.

— Attendez une minute, s'il vous plaît! Je ne suis arrivé devant l'immeuble qu'il y a deux minutes environ. C'était bourré de policiers, Seigneur! En pleine panique, Ludlow essayait d'anticiper : L'ordinateur, est-ce qu'on l'a volé?

— Désolé, Robert-san, mais ça ne marche pas. Le responsable de l'immeuble, M. Tsuna, vous a identifié sans hésitation comme l'homme qui s'est fait passer pour le représentant d'une firme allemande. Nous savons que vous vous êtes renseigné sur tout. On a trouvé vos empreintes sur une porte de secours de derrière, et une bande de plastique collée sur la barre de sécurité. Avec tout ça, vos gens n'ont aucun moyen de s'en tirer. Laissez tomber et rendez-vous... Je verrai ce que je pourrai faire pour vous.

— Ce n'était pas les Américains! hurla Ludlow avant de raccrocher brutalement.

Bien que la gare d'Ueno soit encombrée par les voyageurs, Kovalenko décida de mettre toutes les chances de son côté. Il prit un ticket de quai et passa le contrôle au milieu de la foule. Un poinçonneur avait moins de chances de se souvenir de lui que l'employé qui vendait des billets derrière son guichet, et qui aurait pu indiquer sa destination. Les poinçonneurs regardent les tickets, pas les visages.

La gare d'Ueno était surmontée d'un immense dôme qui couvrait tout le hall, mais on ne s'était guère préoccupé d'élégance en le construisant. Cela ne ressemblait pas du tout aux mosaïques brillantes et révolutionnaires des gares de Moscou, pensait Kovalenko avec dégoût. Pour le Japon, l'élément clef était le bois avec toute sa fragilité; en Russie, c'était la pierre.

Le Centre lui avait expliqué ce qu'était le Shinkansen, le train-obus. Il lui fut donc facile de repérer les wagons bien lisses, bleu et crème, du train qui attendait sur une voie éloignée, comme un lévrier près de bondir. Avant d'y monter, il chercha une cabine téléphonique et appela son hôtel pour savoir s'il y avait eu des messages pour lui. Il y en avait un. Un certain M. Samourai. Il était au courant des nouvelles et serait au lieu de rendez-vous prévu dans les vingt-quatre heures.

Le train partit exactement à l'heure prévue. Kovalenko ouvrit la fermeture Éclair de son sac de voyage et fouilla sous l'ordinateur, à la recherche d'une enveloppe capitonnée et imperméable où il inséra la délicate machine avec précaution. Il remit le précieux paquet dans son sac et le hissa dans le filet, où il l'observa un moment pour s'assurer qu'il ne différait en rien des autres bagages. Satisfait, il s'appuya au dossier de son siège inclinable et se mit à réfléchir à ce qui l'attendait.

Il se passerait quatre heures et vingt minutes avant qu'il n'arrive à Morioka. Après quoi il lui faudrait prendre un train local pour Aomori et traverser le détroit pour atteindre Hokkaido, la plus au nord des îles japonaises. Là, il pourrait louer une voiture pour aller à Nemuro. Le reste concernait Samourai. Il reconnaissait la sagesse du Centre qui avait exclu tout voyage par avion. Le calendrier était serré. Plus il s'attarderait au Japon, plus il y aurait des risques que la police japonaise et les forces militaires arrivent à le rattraper. Il devait, dans les deux jours, se trouver à son rendez-vous avec le bateau patrouilleur de la flotte soviétique des îles Sakhalines. L'agent, dont le nom de code était Samourai, l'attendrait avec un bateau, au village des pêcheurs. Il se demandait qui était ce Samourai pour que le Centre lui fasse tellement confiance. Un officiel de haut rang... On ne lui en avait pas dit plus. Il valait mieux ne pas en savoir trop.

Le train ralentit et il jeta un regard au-dehors dans l'obscurité. Les environs d'un petit faubourg de Tokyo, Oyama, apparurent en un éclair. A cette vitesse, se dit Kovalenko, il n'aurait aucune difficulté à prendre le dernier bac pour Hokkaido ce soir. Tout à coup, il eut très faim.

Il suivit rapidement le couloir, d'un pas souple d'athlète, et descendit du train avec les derniers voyageurs qui le quittaient. L'œil rivé à sa montre, il se dépêcha d'atteindre un kiosque où il acheta deux boîtes de sandwichs et du thé japonais dans un pot d'argile. Le signal de départ se mit à retentir au moment où il ramassait sa monnaie. Il eut à peine le temps de bondir dans le wagon que les portes se refermèrent sur lui avec un sifflement. Le Centre l'avait prévenu que tout était automatisé. Les Japonais étaient en train de perdre leur humanité. Il vérifia sa montre en remontant le couloir vers son siège. Deux minutes exactement. Cela correspondait également à ce que le Centre lui avait dit. Il se réinstalla, se versa une tasse de thé, et se rendit compte qu'il lui fallait maintenant faire un choix décisif.

Les Japonais allaient se déchaîner très bientôt. Même s'il avait agi intelligemment, il ne devait pas les sous-estimer. A l'heure actuelle, les gardes de la C.J.E. avaient sûrement déjà donné son signalement. On savait qu'il était blond, on connaissait approximativement sa taille et la couleur de ses yeux. On savait aussi que le Starfire avait été volé. Deux heures auparavant, il se trouvait encore à l'intérieur de la tour. Il était maintenant 18 h 15. Le Centre avait considéré qu'il leur faudrait trois heures pour organiser la chasse. S'ils ne s'étaient pas trompés, il avait à peu près une heure devant lui. Il sortit un indicateur de sa poche et vérifia les arrêts et les horaires du train. Il arriverait à la prochaine gare, Utsunomiya, dans quarante-cinq minutes. Jusque-là, tout irait bien, mais après, il devait s'attendre à tout.

Il mangea ses sandwhichs avec appétit, et essaya de se relaxer. Il regardait son image se refléter dans la vitre que la vitesse faisait trembler tandis que le train fonçait dans la nuit. Il eut soudain l'impression que quelque chose n'allait pas. C'était sans doute dû à la tension, à l'épuisement nerveux causé par les événements de la journée. Il jeta un coup d'œil vers le filet où se trouvait l'ordinateur. Il était toujours à sa place. Alors, qu'est-ce que c'était?

Un visage, cela lui revenait. Un visage qui l'avait inquiété au moment où il remontait dans le train. Il se leva lentement et refit le trajet menant à la portière, en tête du train. D'un air indifférent, il vérifia chaque siège dans le wagon seulement à moitié plein. Presque en tête du train, il repéra un étranger. Kovalenko ne put lui jeter qu'un coup d'œil en passant. Ce n'était pas un homme jeune. Ses cheveux grisonnaient. Quelque chose comme une alerte se déclencha dans sa tête.

Préoccupé, il franchit la porte de verre opaque qui menait aux toilettes. La porte marquée « Toilettes occidentales » était ouverte. A l'intérieur se trouvaient une petite fenêtre donnant sur l'extérieur, un lavabo de métal, un urinoir et une cuvette de cabinets en acier inoxydable avec une barre métallique de chaque côté. Il regarda par la fenêtre, où l'obscurité défilait à toute vitesse. Le K.G.B., il en était certain. L'homme appartenait au K.G.B. Ses vêtements, son visage dur et buriné, ses yeux d'un bleu glacial, tout l'indiquait. Il regarderait de près ce visage en revenant à sa place. Le problème consistait à découvrir ce qu'il faisait là.

Il voyait deux possibilités. Tout d'abord il s'agissait peut-être d'un agent envoyé par le Centre pour le protéger. Mais alors pourquoi ne se faisait-il pas connaître? Pendant son briefing au Centre, on lui avait dit qu'on n'avait pas encore décidé si on lui adjoindrait « un chien de garde » ou non. Si c'était le cas, il s'agirait de quelqu'un désigné par le Centre et qui ferait surface en cas d'urgence. Plus il y pensait, moins il y croyait. Ce qui le conduisait à envisager l'autre hypothèse, bien plus inquiétante.

Il tira la chasse d'eau et ouvrit la porte. Le couloir était vide. Il alla jusqu'à la porte qui séparait les voyageurs des toilettes, et s'efforça d'y voir clair. Tout dépendait de ce qu'il allait voir ou entendre dans les secondes suivantes. Il revit dans sa tête l'endroit exact où l'homme était assis... puis il ouvrit la porte d'un air décontracté et remonta l'allée. Là où il avait vu l'agent du K.G.B. quelques minutes auparavant se trouvait un autre homme. Celui-là était beaucoup plus jeune, avec un visage lisse et sans rides, et un faciès nettement asiatique. Il avait l'impression de l'avoir déjà vu.

Revenu à sa place, Kovalenko vérifia une fois de plus le filet à bagages. Son sac y était toujours. Il n'osait pas y toucher de peur d'attirer l'attention de ceux qui le surveillaient sur son précieux bagage. Toutes les possibilités défilaient dans sa tête. Que devait-il faire?

Le fait d'avoir plusieurs hommes à ses trousses expliquait pourquoi il ne les avait pas repérés. Pachinkov se servait d'une équipe. Quel imbécile il avait été! Ils n'étaient pas là pour le protéger – il en était absolument convaincu –, mais pour essayer de l'empêcher de continuer sa route!

Pour la première fois depuis qu'il avait quitté Moscou, Kovalenko eut vraiment peur. Le train ralentissait – il arriverait à Utsunomiya dans quelques minutes. Tout le succès de l'opération dépendait sans doute de la décision qu'il allait prendre. Il se trouvait confronté à deux considérations. La première impliquait qu'il serait en sécurité tant qu'il resterait dans le train. Connaissant bien la mentalité du K.G.B., il était sûr qu'ils n'essaieraient pas de s'emparer de lui en présence d'autres voyageurs. Bien qu'ils sachent certainement maintenant qu'il les avait repérés, ils attendraient un moment propice. Tout serait organisé méticuleusement. Ils agiraient probablement au dernier arrêt, à Morioka. Plus il y pensait, plus il en était certain.

La deuxième considération se rapportait au peu de temps dont il disposait. Il devait se trouver en pleine mer d'Okhotsk dans les quarante-huit heures. S'il quittait le train trop loin du détroit qui mène à Hokkaido, il serait coincé et raterait son rendez-vous. Dans ce cas, les rendez-vous de rattrapage auraient lieu un jour sur deux et seraient avancés d'une heure à chaque fois. Ce délai donnerait amplement le temps aux Japonais ou à Pachinkov de s'emparer de lui. Il lui fallait donc absolument être au rendez-vous à l'heure prévue, et par conséquent ne quitter le train qu'à proximité de Morioka – et le plus près possible.

Il entendit le bruit métallique du train passant sur un pont et aperçut le reflet d'une grande rivière. Quelques secondes plus tard, ils s'arrêtèrent en gare d'Utsunomiya.

Les passagers qui descendaient se pressaient dans l'allée et passèrent devant lui dès qu'on entendit le sifflement d'ouverture des lourdes portières. Il scruta avec soin tous les visages qui défilaient. Ils étaient tous japonais et détournaient les yeux, obsédés par un désir urgent de quitter le train comme tous les voyageurs qui rentrent chez eux. Kovalenko reporta son attention sur le quai qui bordait sa fenêtre. Une minute passa. La barrière d'acier était toujours ouverte. Elle ne servait qu'à une chose : empêcher les voyageurs de s'approcher du bord en raison des passages de trains express qui traversaient la gare à plus de cent cinquante kilomètres à l'heure. On les avait installées après qu'un homme eut été aspiré et projeté contre un train.

Kovalenko consulta de nouveau sa montre. Presque deux minutes. On devrait bientôt entendre le signal du départ. Une équipe de contrôleurs défila le long du quai et disparut en queue du train. Les deux minutes étaient dépassées... et toujours pas de klaxon. Quelque chose se passa dans la tête de Kovalenko. Pourquoi changerait-on les contrôleurs à cette gare ? Pourquoi marchaient-ils au pas ? Les contrôleurs se déplaçaient d'habitude d'un air décontracté et en troupeau dispersé, lui semblait-il. Même au Japon. De plus, ils étaient tous jeunes, hâlés par le soleil, avec des visages durs. Il regarda de nouveau sa montre. Trois minutes s'étaient écoulées : beaucoup trop pour la ponctualité habituelle des Japonais. Quelque chose n'allait pas.

Il se leva d'un seul coup, arracha son sac du filet, bouscula plusieurs voyageurs qui venaient de monter et courut vers le fond du wagon. Dehors, on donnait le signal du départ. Il atteignit la porte qui séparait les wagons, se précipita dans le passage et sauta les marches qui débouchaient sur le quai juste au moment où la porte extérieure amorçait sa fermeture avec le sifflement habituel... Un appareil de sécurité en arrêta le mouvement au moment où il débouchait sur le quai, et il alla s'écraser contre la barrière métallique qui venait de se refermer.

La force de l'impact faillit le catapulter en retour contre le train, mais il arriva à rétablir son équilibre et, en jurant sauta pardessus la barrière métallique. Une douleur violente lui envahit les cuisses, à l'endroit où il s'était heurté. De la tête du train où il se tenait, le chef de gare le regardait d'un air stupéfait. Kovalenko se hâta de suivre les voyageurs qui se dirigeaient vers la sortie en suivant des flèches et atteignit les escaliers roulants du bout du quai. On siffla à nouveau le départ et le train démarra.

Arrivé en haut de l'escalier roulant, Kovalenko se pencha pour regarder la barrière de contrôle des billets. Trois Japonais vêtus de l'uniforme bleu de la Défense nationale, portant des casquettes réglementaires perchées sur leurs crânes presque entièrement rasés, et le poing armé d'une matraque, stationnaient devant la barrière. Il retourna sur le quai, le longea lentement jusqu'à son extrémité, tout en regardant sa montre comme s'il attendait un autre train. Comment était-ce possible?

Tout en marchant, il surveillait le quai. A l'exception de quelques personnes qui continuaient à agiter la main vers les lumières du train qui filait, il était pratiquement vide. En raison de la distance qui les séparait, Kovalenko ne vit pas que l'un de ceux qui agitaient la main était un jeune homme râblé avec un visage asiatique, qui n'avait pas l'air tout à fait japonais.

Il continua à marcher jusqu'au pont. Cette fois-ci, personne l'avait vu sauter du bout du quai juste au moment où arrivait un autre train, venant de la direction opposée. Tout le monde regardait le nez effilé du Shinkansen qui entrait en gare. Kovalenko avait suivi les rails, en écoutant si un autre train n'approchait pas. Puis il traversa le pont et se laissa tomber sur le talus. Il dégringola jusqu'au bord de la rivière en contrebas, tout en serrant l'ordinateur contre lui pour le protéger le plus possible.

Il resta assis quelques instants au bord de la rivière et essaya d'évaluer sa situation. Ni la police, ni les Forces de défense ne pouvaient s'être mobilisées aussi rapidement. Aucun doute: le résident s'était arrangé pour renseigner les autorités japonaises sur son itinéraire. Pachinkov avait donc décidé de permettre aux Japonais de s'emparer de lui. Si Kovalenko était arrêté, il n'y aurait aucune preuve d'une complicité quelconque de l'ambassade soviétique. Pachinkov aurait gagné sa victoire facilement. Le directorat T., le camarade Malik et lui-même seraient tous perdants. Il essaya de calmer sa colère. Il y avait sûrement un moyen de s'en tirer. Il fallait seulement qu'il y réfléchisse.

37

La pomme de Sodome [1]

Il était minuit dix quand Mori émergea du métro. Il passa devant l'école et le Ryojin club, et amorça la descente des marches conduisant chez lui. Il avait eu le dernier métro de justesse et son esprit restait perturbé par sa visite à l'hôpital. Mitsuko avait repris connaissance, mais son état restait critique. Elle avait souri en le voyant, mais elle ne pouvait ni parler, ni bouger...

Une grande silhouette sombre qui se fondait dans les ombres de la cour de l'école s'en dégagea au passage de Mori, et suivit le petit Japonais tandis qu'il descendait les marches. A mi-chemin, Mori s'arrêta et se retourna.

— Qui est là ? Il scrutait en vain l'obscurité de ses yeux rongés de fatigue.

— Il faut que je vous parle, dit Ludlow à voix basse.

— *Kono yaro*, espèce de salaud, siffla Mori en distinguant maintenant la gigantesque silhouette de Ludlow. Celui-ci ne bougeait pas.

— Allons ailleurs. La voix de Ludlow restait égale. Il faut absolument que je vous parle.

Mori hésita, mit la main sur son revolver de service et dit :
— Il y a un parc, à deux rues d'ici.

Il reprit sa descente. Arrivé en bas des marches, il s'arrêta pour s'assurer que le *gaijin* le suivait bien et tourna à droite au lieu de continuer tout droit vers sa maison. Ludlow le suivait à distance.

C'était un petit parc, situé dans un léger creux et agrémenté d'une pièce d'eau, de deux bancs et d'une haie de glycines qui le séparait de la rue. Près des bancs, un réverbère répandait une

---

1. Fruit décrit par les Anciens comme présentant un extérieur appétissant, mais se dissolvant en fumée et en cendres dès qu'on le cueillait. *(N.d.T.)*

clarté bleuâtre et créait une impression d'irréalité. Agrippé au globe, un lézard profitait de la faible chaleur qui s'en dégageait.

Mori s'assit sur le banc le plus éloigné de la lumière, Ludlow sur le plus proche, sans se rendre compte, ou sans se soucier, du fait qu'il se trouvait à contre-jour... une cible facile...

L'Américain sortit son paquet de cigarettes et en offrit une à Mori, qui la refusa d'un signe de la main. Ludlow alluma la sienne et souffla la fumée en direction du lézard. Il voyait bien que ça n'allait pas être facile.

— A quelle heure a-t-on attaqué le laboratoire ?

Mori ricana méchamment :

— A 16 h 22 exactement, et l'homme en est sorti à 16 h 46. Mais je suppose que les autres membres de votre équipe vous ont mis au courant. Je vais être obligé de vous arrêter.

— Comment va votre femme ?

— Mieux.

Mori essayait de distinguer les traits de Ludlow à travers la brume. Sans succès. De toute façon, s'il devait tirer, il avait peu de risques de rater sa cible à si courte distance.

— Je ne dis pas qu'il ne s'agissait pas de quelqu'un de chez nous. Ce que je dis, c'est que moi je n'y suis pour rien. C'est tout.

— J'aimerais bien vous croire. Malheureusement, les faits contredisent vos affirmations. Comme je vous l'ai dit au téléphone, nous avons interrogé M. Tsuna et il vous a identifié.

— Voilà ce que je voulais vous dire, dit Ludlow. J'ai effectivement étudié à fond leur système de sécurité et j'ai laissé cette bande de plastique sur leur porte de derrière. C'était du gâteau. Il n'y avait aucune raison d'agir comme ils l'ont fait.

— Vous dites des conneries, Robert-san. La C.J.E. avait accumulé une montagne d'appareils électroniques de surveillance autour du laboratoire de recherche et de développement. Vos gens ont décidé d'attaquer de front parce que c'était la seule façon d'aller vite.

Ludlow eut un sourire dubitatif en regardant ses mains. Il n'avait pas encore regardé Mori en face une seule fois. Il continua :

— Il y a trois mille ans, Mori-san, les Romains utilisaient des oies pour les avertir de l'arrivée des Gaulois. Les systèmes de surveillance actuels sont fondamentalement les mêmes. Des troupeaux d'oies électroniques.

— Est-ce que vous essayez de me faire croire qu'ils sont faciles à neutraliser ?

— Oui, pour quelqu'un qui s'y connaît. Il n'y avait pas trace de vanité dans la voix de Ludlow.

– La C.J.E. a des lasers, des détecteurs à vibrations, des systèmes pressurisés, des caméras...

– De la roupie de sansonnet, Mori-san. Croyez-moi. Ce sont tous des détecteurs sensoriels, quel que soit le nom qu'on leur donne. Ils n'ont aucune importance. Les systèmes de contrôle et l'atténuateur, inspecteur, voilà ce qui compte! Le système de contrôle interprète ce que les appareils de haute sensibilité voient ou ressentent, et décide si oui ou non il y a une intrusion inquiétante. Si oui, l'atténuateur déclenche l'alarme. Coupez les systèmes de contrôle, Mori-san... et dites-moi alors à quoi servent les appareils sensoriels? Voilà un premier point. Quant aux appareils d'alarme, ils sonnent l'alerte si le système de contrôle décide qu'il se produit quelque chose d'inquiétant... Et si la sonnerie ne se déclenche pas? A quoi sert ce tas de machins dont le labo est farci? Ludlow secouait la tête d'un air écœuré. Il n'y avait aucune raison d'attaquer des gens ou de les tuer. Toute l'opération a été maladroite et stupide. Pas du tout le genre de chose qu'aurait faite une équipe américaine.

Mori hocha la tête.

– Tout prouve qu'il s'agissait d'une opération américaine.

– Avez-vous vérifié l'atténuateur, Mori-san? Est-ce que vous savez ce qu'ils utilisent à la C.J.E. pour ce tas de saloperies qu'ils appellent un système de sécurité?

– Un numéro automatisé, dit Mori d'un ton las, qui les branche directement sur notre nouveau centre de commandement. Tout se fait par ordinateurs. C'est le cerveau de notre génial Aoyama qui a permis tout cela.

– Bravo! cria Ludlow, un numéro automatisé! Eh bien, Seigneur... J'aurais pu débrancher le système au-delà de la boîte de contrôle si j'avais voulu, recircuiter la ligne, la shunter ou découvrir le numéro automatisé... J'en prends le ciel à témoin... La C.J.E. se sert d'un circuit avec retour.

– Ce numéro est un secret bien gardé, rétorqua Mori avec assurance. Aucun des numéros ne figure sur une liste.

Ludlow tira de sa poche un stylo à bille bon marché et un carnet. Il y écrivit des chiffres, déchira la page et la jeta aux pieds de Mori.

– O.K. Ninja, composez ce numéro, et quand vous entendrez qu'on décroche, dites à vos amis d'enfoncer la porte du laboratoire, de prendre tout ce qui leur plaît et de ressortir par la grande porte. L'alerte à distance ne sonnera au quartier général de la police que quand vous aurez raccroché. Jusque-là la ligne sonnera occupé... vous avez compris?

Mori se baissa pour ramasser le bout de papier, regarda longuement les numéros inscrits, puis tira son vieux carnet de sa poche et compara les numéros avec ceux qu'il avait notés. Il secoua la tête, incrédule.

– Il n'était aucunement nécessaire de massacrer tous ces gens, croyez-moi. Je suis désolé pour votre femme.

Mori froissa le bout de papier et le jeta dans la pièce d'eau. Le colonel avait dit que cet homme était un expert de très grande valeur. Il savait maintenant dans quel domaine...

– Les gardes du rez-de chaussée ont pu le voir de près. Il était jeune, blond, grand, bien bâti. Il avait l'air d'un Américain, Robert-san. Ma femme avait appelé le service de sécurité avant de venir et parlé avec le chef de l'équipe de l'après-midi, Kobayashi-san. Elle lui avait dit que le fiancé de Kathy Johnson souhaitait se recueillir une dernière fois devant le bureau où elle travaillait.

– La police a vérifié?

– Nous avons le nom d'une firme de Minneapolis à laquelle il aurait été affilié. Nous avons demandé des renseignements.

Mori consulta sa montre. Il devait être environ 9 heures du matin dans le Minnesota.

– Ne comptez pas là-dessus.

– Non, dit Mori d'un ton las. La firme n'est certainement qu'une couverture. Cependant...

– Seigneur Dieu, Mori, ça ne suffit pas!... Ludlow s'arrêta brusquement. Une idée inouïe lui traversait l'esprit. Est-ce que vos dessinateurs ont eu le temps d'établir un portrait-robot?

– J'ai mieux que cela, fit Mori en exhibant plusieurs clichés extraits de la bande vidéo filmée à l'église.

L'Américain examina les clichés-video en silence pendant quelques instants. Puis, tout à coup, son visage prit une expression incompréhensible pour Mori, empreinte d'une violence qu'il n'avait jamais vue auparavant.

– J'aimerais vous aider à retrouver cet homme, dit-il simplement. Mais on sentait que la profondeur de sa haine s'exprimait nettement dans sa voix.

Cela rappela à Mori un spectacle de danse auquel il avait assisté étant enfant. C'était un souvenir très lointain, puisqu'il remontait à l'époque où son père était encore en vie. Les deux filles du danseur vêtu de blanc – Kenjii – avaient dansé pour lui. Des chapeaux laqués symbolisaient la royauté, des dagues de bois, dans leurs fourreaux étincelants, représentaient le pouvoir. Au fur et à mesure que la danse se déroulait, les chapeaux, les couteaux et autres éléments symboliques étaient rejetés. A la fin, il n'y avait plus que deux belles jeunes filles vêtues de blanc – la Vérité! Voilà que maintenant son danseur blanc était un étranger, ni charmant, ni souple comme les deux filles, mais qui, à travers de ce qu'il taisait, en révélait beaucoup plus. Quelque chose était en train de se préciser. La lueur si particulière qui était apparue dans les yeux de Ludlow – et que même l'obscurité ambiante n'avait pu cacher – avait été déclenchée par les photos du tueur blond. Mori se rendait parfaitement compte du changement extraordinaire qui s'était produit chez l'Américain, normalement plutôt taciturne.

– On vous recherche toujours, ne l'oubliez pas, dit-il. La police a lancé à vos trousses une équipe spécialisée. On raconte que votre ambassade vous considère comme un renégat.

Ludlow sourit et haussa les épaules. Il se mit à expliquer à Mori qui était l'homme blond. Un Soviétique qu'il avait déjà rencontré à Colombo, un membre de leur directorat technologique, qui travaillait actuellement au Centre. C'est tout ce qu'il savait de lui. Il ne connaissait même pas son nom. Mais le Soviétique avait tué un de ses très bons amis. Il lui avait aussi fait perdre la face. Peut-être bien qu'il commençait à mieux comprendre le concept japonais de la vengeance.

– Mais vous ne savez toujours pas par où commencer...

– Il y a une firme à Hakodate, dit Ludlow, qui appartient aux Soviétiques. C'est peut-être une impasse, mais mon petit doigt me dit que cela vaut la peine d'essayer. S'ils sont aussi proches du résident du K.G.B. que je le pense, notre voyage promet d'être passionnant.

– Où avez-vous déniché cette firme?

– Bon. Je savais bien que vous verriez les choses comme moi. Il y a un train qui part d'Haneda à 8 h 20. J'ai eu une semaine chargée. On m'a tiré dessus à Mamiana-cho... La tentative de vous voler un de vos ordinateurs... ma visite aux bains de vapeur après avoir été réveillé brutalement à l'aube... Je vous raconterai tout ça en route.

Mori suivit Ludlow et se mit à marcher à ses côtés. Il n'arrivait pas tout à fait à la hauteur de l'épaule de l'Américain. Ludlow sortit une bouteille plate d'une de ses poches.

– A la santé du peuple japonais, dit-il en passant la bouteille au petit homme.

Mori avala une gorgée.

– A la santé du peuple américain, fit-il en la lui rendant. Mais il vous reste à prouver que ce n'était pas une opération américaine.

– C'est comme l'histoire de la pomme de Sodome, répondit

Ludlow. C'est ce qu'aurait dit un de mes amis israéliens qui a été tué dans un accident à Colombo. Vos concepts sont très axés sur les preuves indirectes, inspecteur, mais beaucoup moins sur les faits. Des certitudes, mais pas de preuves, comme disent les gars de Langley. De la poussière qui vous gratte sous la peau!

Ludlow eut un petit rire qui résonna comme un coup de vent soudain.

38

Le novice

Kovalenko évalua sa position et s'orienta vers l'est en direction de l'océan Pacifique. Son épaule lui faisait un peu mal ; il avait dû la meurtrir en sautant du pont. Il fit passer le sac où se trouvait l'ordinateur sur son autre épaule. Il était maintenant certain qu'il allait s'en tirer. Toutefois, il avait dû abandonner le plan établi par le Centre. Il ne pouvait plus se fier qu'à lui-même. Le mieux était de suivre la rivière jusqu'à ce qu'il ait décidé de la marche à suivre.

Les bords de la rivière s'aplatissaient au fur et à mesure qu'il avançait. A sa gauche, il apercevait le halo des lumières d'Utsuno-miya. Les champs environnants étaient plongés dans l'obscurité. Au-delà se dressait une digue avec un à-pic de plus de quinze mètres. De temps à autre, le chemin qu'il suivait faisait des détours, et il constata qu'il aboutissait à la digue et à des marches pour y accéder.

Il marchait d'un bon pas. La rivière suivait sa courbe vers le nord – l'herbe se faisait plus drue le long du chemin et les buissons plus épais. Il entendait le bruit de petits animaux se déplaçant dans l'obscurité : des rats d'eau, se dit-il, ou des serpents. Une odeur de boue et d'eau polluée agressait ses narines.

Après une marche de vingt minutes, il vit que le chemin restait le seul accès au bord de la rivière. Les buissons qui l'entouraient lui dépassaient la tête. Il ne pouvait plus voir les contours inquiétants de la digue, tout en sachant qu'elle était bien là. Il s'arrêtait de temps en temps pour écouter s'il entendait des bruits de moteurs, car au-delà de la digue, de l'autre côté de la rivière, il devait y avoir une route. De toute façon, il lui fallait s'éloigner encore avant de ressortir en terrain découvert.

Chaque fois que le chemin semblait s'ouvrir sur d'autres sentiers, il les explorait avec soin, mais il ne trouvait que des tas d'ordures qui ne lui servaient à rien. Il se sentit envahi par un doute lancinant. Une heure plus tard – à ce qu'il lui sembla –, le chemin déboucha tout à coup sur une grand carrefour. Là, une double ligne d'ornières due à des vieilles traces de voitures s'étirait jusqu'au bord même de la rivière et repartait vers la digue.

Un peu plus bas, on avait élagué les buissons et construit un débarcadère, de bric et de broc. L'océan ne devait pas être très loin. Il s'approcha du débarcadère et fit un saut en arrière : il y avait quelque chose d'enroulé autour d'un vieux pilier de bois. Il écarquilla les yeux dans l'obscurité pour voir ce que cela pouvait bien être. On avait attaché une corde autour d'un des piliers et son bout libre pendait sous la petite plate-forme. Kovalenko tira dessus et une petite barque, à moitié remplie d'eau, émergea de l'obscurité. Il se sentit brusquement réconforté.

Après avoir cherché un moment le long du rivage, il finit par trouver un dépôt d'ordures où il récupéra quelques boîtes de conserves utilisables dont il se servit pour écoper l'eau de la barque. Après quoi il regarda partout si les rames se trouvaient quelque part, mais il ne les trouva pas. Apparemment, les propriétaires les avaient emportées. Il retourna au dépôt d'ordures, et en revint avec des planches qui pourraient en faire office. Il installa soigneusement son bagage au centre de l'embarcation et leva l'ancre.

Le courant était lent au bord de la rivière, mais beaucoup plus rapide au milieu. Il décida de longer les bords et aperçut des rocs, çà et là. Il se dirigeait avec précaution, en utilisant le courant. La rivière faisait un bon kilomètre de large à cet endroit, et était parsemée d'îlots entourés de débris qui créaient des tourbillons qu'il apprit à éviter. Petit à petit, il reprit confiance et se dirigea bientôt vers le milieu de la rivière. Là, le courant était agité et rapide. Il estima sa vitesse à dix ou quinze kilomètres à l'heure. Avec un peu de chance il devrait pouvoir atteindre l'océan en quelques heures.

A un moment, il sortit sa carte et l'étala sur ses genoux, pour repérer l'endroit où il se trouvait. Il voyait bien la ligne d'une rivière près d'Utsunomiya, mais ne pouvait évaluer la distance qu'elle parcourait. Courte, espérait-il en lançant son bateau au plus fort du courant.

Il se prit à penser à Raya. Il avait l'impression que des années s'étaient écoulées depuis leur dernière rencontre. Lors de sa dernière nuit, ils étaient allés au restaurant Tsentraenaya, rue Gorki, pour célébrer son départ. Il avait réservé une alcôve pourvue de rideaux où les grands-ducs se livraient jadis à leurs ébats. Une soirée merveilleuse... Le restaurant était fréquenté par l'élite de la société soviétique. Sous la lumière des chandeliers de cristal, l'impression dominante était celle du pouvoir. Raya et lui avaient porté des toasts à la réussite de Kovalenko, à leur nouvelle datcha. Il comprenait maintenant pourquoi l'opération s'était si mal déroulée qu'il avait été forcé de tuer la jeune Japonaise. Son âme le poursuivait peut-être. Et on avait sous-estimé Pachinkov, en insistant pour que Kovalenko rencontre le chef du K.G.B. C'était le résultat de la vanité de Malik. Sa situation aurait été considérablement améliorée si les gens de Tokyo n'avaient été mis au courant qu'une fois l'opération terminée.

Kovalenko s'était déconcentré, ce qui entraîna ses premiers gros ennuis sur la rivière. A un endroit où elle faisait une courbe, la force du courant projeta l'embarcation vers la rive où se trouvait un de ces tourbillons noirs signalant la présence de rochers. La petite barque se mit à tournoyer. Malgré ses efforts désespérés, pour s'opposer à la force de l'eau, il fut happé par les remous. Il heurta plusieurs rochers et la barque menaçait de se retourner à chaque instant. Il se battit comme un fou avec la rivière à grands coups maladroits de sa planche de bois. Finalement, il arriva à ralentir sa course et à dériver vers le bord qui n'était plus qu'à quelques mètres de lui. L'eau calme retrouvée, il resta assis dans le bateau pour reprendre haleine en maudissant son manque de concentration.

S'il ne s'était pas trouvé tout près de la rive, il n'aurait probablement pas vu un embarcadère bien plus solide que le précédent. Et, se balançant dans le courant au bout d'une corde assez courte, une grande barge à l'étrave effilée, pourvue d'un moteur hors bord à l'arrière. Tout excité, il se dirigea vers l'embarcadère, longea le grand bateau et examina attentivement les alentours. L'endroit était désert. Il attacha sa barque à un pilier, en sortit l'ordinateur avec précaution, le déposa en sûreté sur la jetée et y grimpa à son tour.

Sa nouvelle acquisition avait été construite pour se déplacer très vite en rivière. Il vérifia le réservoir d'essence, qui était au moins à moitié plein, mais dut tirer trois fois sur la corde avant que le moteur se mette en route. Il était en train de hisser à bord son sac de voyage quand le Japonais sortit de l'ombre, une canne à pêche à la main.

— *Tomare!* lui ordonna l'homme, en pointant la canne sur Kovalenko.

Le Russe s'aperçut alors qu'il s'agissait d'un fusil. Tout à coup, une lumière éblouissante lui brouilla la vue et il leva les mains, par réflexe, pour se protéger le visage. Les civils japonais n'avaient pas droit au port d'arme. La police n'était pas armée de fusil. Il devait s'agir d'un membre des services de sécurité. Mais comment avaient-ils pu réagir aussi vite?

– Américain, dit Kovalenko en avançant d'un pas vers l'inconnu râblé, pour diminuer la distance et être moins vulnérable.

En cas d'arrestation, disait toujours le Centre, tenez-vous-en strictement à l'histoire prévue. Parlez autant que vous voudrez, sans leur donner aucun renseignement. Essayez de découvrir un maximum de choses. Kovalenko fit un nouveau pas en avant.

– Stop!

L'homme s'était mis à hurler et Kovalenko crut un instant qu'il allait tirer. Comme si son cerveau s'était vidé d'un seul coup, les bruits environnants lui semblaient amplifiés: le gargouillement de la rivière, un train qui passait au loin, un klaxon, le ronronnement du moteur hors bord.

– Je me suis perdu, dit Kovalenko en mimant des paroles. Je suis un touriste américain.

– Le sac. Mettez-le là!

La voix était dure, sans concession. Il ne s'agissait pas d'un fantassin ordinaire. Kovalenko se baissa lentement pour ramasser son sac de voyage.

– Non! ordonna la voix. Poussez-le du pied.

Le faisceau lumineux quitta le visage de Kovalenko pour éclairer la partie des planches qui les séparait. A cet instant précis, Kovalenko aperçut le visage de son adversaire dans un reflet de la lampe. C'était le jeune Asiatique du train.

Kovalenko poussa le sac du pied vers l'endroit désigné.

– Ça suffit, ordonna l'homme. Sans dévier l'arme qu'il tenait pointée sur la poitrine de Kovalenko, il se baissa, ramassa le sac et le souleva. Kovalenko attendait. Il remarqua que l'arme était un Elba soviétique, copié sur l'Uzi des Israéliens. On pouvait la démonter et la replier facilement. C'était une arme automatique.

Pour la première fois, l'Asiatique se mit à sourire.

– Un ordinateur japonais? C'est bien ça?

Kovalenko haussa les épaules.

– Qu'est-ce que tout ça veut dire? Qui êtes-vous?

– Je m'appelle Konstantin. Je travaille à l'ambassade soviétique de Tokyo. Nous sommes ici pour protéger ce qui appartient aux Japonais des entreprises des voleurs américains.

Kovalenko s'entendit lui-même respirer très fort. C'était incompréhensible.

— Mais je suis citoyen russe! Je fais partie du directorat T. du K.G.B. Kovalenko s'était mis à parler rapidement en russe, tout en essayant de garder une voix calme.

— Vous êtes très doué pour les langues. Mais cela ne prouve rien, n'est-ce pas?

— Mon nom est Kovalenko, hurla l'agent soviétique. Je suis directeur adjoint du directorat technique. Imbécile!

— Je vois, ricana Konstantin. Il y a cinq minutes, vous étiez un touriste américain égaré! Il faut choisir.

Kovalenko finit par comprendre. Le résident de l'ambassade, le camarade Pachinkov, avait été très malin. Il ne pouvait pas révéler à sa propre équipe qu'il les lançait à la poursuite d'un de leurs compatriotes, et qui plus est membre du K.G.B. Cela aurait conduit à nombre de questions qui pouvaient devenir gênantes.

— Je transmets mes rapports à Andreievitch Malik, le chef du directorat T. Mon numéro de code d'identification est 3-252-759. Je suis en mission clandestine, et j'ai rendez-vous avec un escorteur soviétique demain, à proximité des Sakhalines. Vous serez jugé et fusillé si je fais un rapport sur vous, camarade Konstantin.

L'autre hocha la tête d'un air admiratif.

— Je vois. C'est excellent. Votre briefing a été remarquable, il n'y a pas de doute. Puis-je avoir vos papiers d'identité, maintenant?

Kovalenko resta sans voix devant son jeune interrogateur. Il était, lui, victime de la méticulosité qu'on appliquait systématiquement à tous les agents soviétiques qu'on envoyait à l'étranger : ils y partaient sans rien qui puisse les identifier, y compris les marques d'origine de leurs vêtements... même les lacets de souliers... rien n'était russe. Il n'avait évidemment aucun papier prouvant qu'il était membre du K.G.B.

— Je ne peux pas vous les donner actuellement, vous le savez bien! cria Kovalenko.

Il se rendait parfaitement compte que le Soviétique inexpérimenté qui lui faisait face obéirait aux ordres, quoi que Kovalenko puisse faire ou dire. C'était sans espoir. La jeune recrue du K.G.B. était un novice.

— Videz-vos poches, exigea Konstantin. Maintenant.

Kovalenko s'exécuta. Il jeta par terre son portefeuille, son faux passeport américain, ses cartes de crédit américaines, et tout le reste.

Konstantin se baissa pour les ramasser. Pendant un court instant, le canon de son arme automatique cessa d'être braqué sur Kovalenko. Ce fut l'instant précis où Kovalenko l'attaqua.

Il avait espéré pouvoir au moins se débarrasser de l'arme, mais, bien qu'ils soient tous les deux affalés sur la jetée, dans l'obscurité, Kovalenko sentit la crosse du fusil s'abattre sur sa poitrine. Il fit un effort désespéré et envoya un coup de poing dans le bas-ventre du jeune Soviétique qui fit entendre un gémissement. Kovalenko lui porta un deuxième coup, mieux dirigé, en plein visage. L'arme atterrit plus loin avec un bruit métallique. L'Asiatique se remit debout en chancelant et chercha son arme dans le noir. Kovalenko l'attaqua immédiatement, l'aplatit sur les planches dures de la jetée et se laissa tomber sur son adversaire moins grand que lui.

Il ressentit tout à coup une douleur fulgurante au bras, et vit le couteau. La lame était enfoncée dans le muscle, juste au-dessus de son coude. Il réussit à se dégager en se laissant glisser de côté, le couteau toujours planté dans sa chair. En surveillant de beaucoup plus près son adversaire, il retira le couteau et sentit un flot de sang couler le long de son bras et gicler jusqu'au bout de ses doigts. Il se leva d'un seul coup et du même mouvement envoya un coup de talon dans la mâchoire de son adversaire. Regonflé maintenant par une forte poussée d'adrénaline, il ne sentait même plus sa douleur au bras. Sous ses pieds, il sentit un objet dur et ramassa l'arme automatique.

Kovalenko vit que le Soviétique restait écroulé sur le sol. Il s'empara de la lampe électrique.

– Debout! ordonna-t-il d'une voix dure, en le menaçant de son arme.

L'homme se leva avec difficulté, la respiration haletante et coupée de sanglots.

– Enlève ta veste, ordonna Kovalenko.

Konstantin ôta lentement sa veste. Il n'en croyait pas ses yeux. Il la laissa tomber par terre, et la poussa du pied en direction de Kovalenko.

Kovalenko en tâta les poches jusqu'à ce qu'il ait trouvé les clefs.

– Où est-elle?

Konstantin indiqua la route d'un mouvement de tête agressif.

– Une voiture volée, bien entendu. Tu m'as vu sauter sur le quai de la gare? Konstantin regarda Kovalenko avec haine. Tu étais déjà descendu? Puis tu m'as vu sauter du pont. Le reste était facile. Tu as conduit jusqu'ici et tu as attendu. Tu as probablement troué la coque du bateau, au cas où j'aurais pu m'enfuir sur la rivière. Je n'aurais jamais pu atteindre l'autre rive. L'ordinateur ne t'intéresse pas. C'est moi que tu devais éliminer. C'était bien ça les ordres de Pachinkov?

Une totale paralysie glaçait le novice. Kovalenko n'avait pas besoin de réponse. Il leva son arme et lui tira une balle dans la tête.

Il lui fallut cinq bonnes minutes pour trouver la voiture. C'était une Toyota relativement neuve. Il mit le moteur en route et le laissa tourner quelques instants en examinant le tableau de bord. Le réservoir était plein. C'était bizarre – ou alors un vrai coup de chance – s'il s'agissait d'une voiture volée. Puis il se souvint qu'il avait une clef de contact. Si Konstantin avait la clef, la voiture n'avait pas été volée. Il aurait fallu qu'il en trouve une dont le propriétaire aurait oublié la clef à l'intérieur. C'était quand même beaucoup demander! Il ouvrit la boîte à gants et en sortit les papiers. La voiture avait été louée.

A quel nom étaient les papiers? Finn-Pacific Limited, et une adresse à Hakodate. Il réfléchit. Hakodate était une ville dans l'île d'Hokkaido. Il y avait aussi des informations sur la voiture, mais écrites en japonais. La voiture avait dû attendre l'arrivée de Konstantin à Utsunomiya. Mais comment diable Pachinkov aurait-il su qu'il allait descendre du train à cet endroit? Impossible, naturellement. On avait donc dû poster une voiture à chaque gare de la ligne du Shinkansen. Une belle extravagance, pensa Kovalenko, mais si on l'évaluait par rapport à l'importance du but à atteindre, l'opération ne coûtait pas un yen de trop. Donc, la Finn-Pacific était forcément une couverture de la région sept, fonctionnant dans le nord du Japon. La compagnie devait jouer un rôle dans les opérations menées par Pachinkov pour faire sortir du Japon les ordinateurs ou les appareils électroniques volés. Bien sûr!

Mais comment Pachinkov pouvait-il savoir qu'il prendrait le train allant vers le nord? La réponse qui lui vint à l'esprit lui fit l'effet d'une bombe. Il sentit la peur lui serrer l'estomac.

Pachinkov était un proche du directeur du K.G.B. Tout le monde le savait. Une des relations de Pachinkov avait pu avoir vent de l'opération et de son plan. Il y avait eu pas mal de gens présents au briefing. Quelqu'un avait pu parler sans se rendre compte de ce qu'il faisait. Malik n'aurait certainement pas révélé aux autres que l'opération était à la clef d'une formidable promotion. Qu'il crève, ce Pachinkov! Si les Japonais n'arrivaient pas à se débarrasser de lui, il lui préparait sûrement une belle réception pour son arrivée au village de pêcheurs de Nemuro. Que devait-il faire?

Kovalenko restait assis à regarder par la fenêtre de la voiture, comme s'il était en transe. Il finit par se secouer. Il n'avait pas de réponse immédiate. Il fallait qu'il parte. Il y réfléchirait en cours de route. Il démarra et avança lentement le long du chemin de terre qui suivait la rivière sur une courte distance, puis tournait en direction de la digue et se mettait à grimper.

A un carrefour, elle croisait une très bonne route qui courait parallèlement à la rivière. Il consulta rapidement sa carte. La rivière devait être l'Abukuma et il n'était pas loin d'une petite ville nommée Date. A l'intérieur des terres, la carte signalait des montagnes qui pouvaient l'obliger à ralentir et où la conduite serait plus difficile. Il choisit la route de la rivière, qui apparaîtrait sans doute plus évidente à ses poursuivants, mais le temps était sa préoccupation la plus importante. Plus vite il atteindrait le ferry pour Hokkaido, mieux cela vaudrait. Il consulta la carte une dernière fois. Aomori, le port, n'était qu'à quatre cents kilomètres au nord. Avec un peu de chance, il pourrait prendre le premier ferry. Il tourna à droite, appuya à fond sur l'accélérateur et sentit la voiture faire un bond en avant. Il était épuisé, il avait la tête vide – mais cela ne semblait plus avoir aucune importance.

39

La plus belle fleur

Le restaurant Hiraga se targue de pouvoir exhiber, devant sa porte d'entrée, une immense pierre recouverte de mousse, assurée, dit-on, pour la somme de vingt millions de yens. Le ministre de la Justice sortit de sa voiture et admira brièvement la fameuse pierre, il était homme à prendre de telles choses très au sérieux.

Pour échapper à l'attention des media, aux indiscrétions et à l'impossibilité de s'isoler, et pour éviter de répondre aux correspondants étrangers qui affirmaient avec insistance que les banques, le monde des affaires et le gouvernement marchaient d'un même pas, le ministre choisissait la nuit pour ses communications les plus importantes.

Les accords délicats d'un *koto*, venus de l'intérieur, se mêlaient au bourdonnement de la cité. Le ciel était clair, c'était bon signe. On était encore à la période des lunes d'équinoxe, et, ce soir-là, l'excuse justifiant la réunion des hommes d'affaires les plus puissants du Japon était une invitation à venir contempler la lune. Lorsqu'il y avait des problèmes cruciaux à régler en automne, les restaurants de geishas de Ginza, Tamagawa et Akasaka devenaient les lieux privilégiés de ces rencontres, avec leurs vérandas au dernier étage, dont les *shoji* restaient ouverts sur le quadrant sud-ouest du ciel, tandis que se déroulaient des discussions serrées. Il y avait bien d'autres prétextes innocents à de telles réunions, étant donné que le Japon se vante d'avoir vingt-cinq fêtes culturelles par an, mais en automne, la contemplation de la lune était l'objet d'une nette préférence. En fait la plupart d'entre eux ne la regardaient pas.

Un des directeurs se précipita pour l'accueillir et le faire entrer. Le ministre de la Justice s'inclina devant la rangée de geishas en kimonos et *maiko*, alignées pour recevoir leur hôte le plus honoré. Le ministre savait qu'il n'avait qu'à claquer les doigts pour que n'importe laquelle de ces jolies filles vienne partager son lit cette nuit-là. Mais il comptait spécialement sur la présence d'une autre femme, qui, rien que par sa beauté, valait dix mille de ces jeunes filles.

Le directeur s'agitait autour de lui, grondant les jeunes garçons préposés aux chaussures qui n'allaient pas assez vite, s'inquiétant de savoir si l'humble salon *sakura* lui conviendrait et faisant parvenir au bar le message urgent de faire chauffer immédiatement un minokawa de Niigata, le saké préféré du ministre. Il avertit également les cuisines de commencer les préparatifs du festin. Enfin, il informa le ministre que le directeur de la police était déjà arrivé, ce dont le ministre de la Justice s'était douté en remarquant la quantité de visiteurs costauds qui se tenaient près des voitures et dans le hall du restaurant.

Le chef de la police sortit d'une des nombreuses salles d'attente, rougissant et ravi. Ils accomplirent le rite complet des salutations sous les yeux respectueux et impressionnés du personnel. On les conduisit alors jusqu'aux pièces du haut où ils devaient passer la soirée. Six spécialistes de la sécurité finissaient de passer les lieux au peigne fin quand les deux puissantes personnalités arrivèrent et s'installèrent avec maintes précautions sur les profonds *zabuton* de soie, comme des shoguns du passé. Le plafond fait de roseaux tressés avait été balayé par des appareils de détection électronique, tout comme le *tokonoma* [1] richement décoré, avec sa calligraphie sacrée et ses offrandes aux dieux. Les spécialistes s'attaquaient maintenant aux brûleurs d'encens... ils finirent par s'estimer satisfaits et quittèrent la pièce à regret, à reculons, tout en saluant très bas les deux hommes plongés dans leur conversation devant la longue table de bois laqué.

Le chef de la police mettait le ministre au courant des derniers événements. Un informateur avait signalé que l'homme blond se trouvait à bord d'un train-obus qui se dirigeait vers le Nord et des sondages effectués parmi le personnel du train confirmaient que le blond avait été aperçu dans le train de 17 heures 45 pour Monioka. Le chef consulta sa montre. Le colonel Yuki volait en ce moment même vers Sapporo, pour mener les recherches. D'après sa théorie, l'Américain chercherait à atteindre la base aérienne de Chitose.

---

1. Estrade rectangulaire surélevée de quelques centimètres, sur laquelle on dispose quelques fleurs et que domine un tableau ou une calligraphie précieuse. *(N.d.T.)*

La première bouteille de Minokawa fit son apparition, et leurs tasses furent remplies. Ils les vidèrent une première fois. Étant donné que le ministre était l'hôte, l'étiquette exigeait qu'il arrive avant ses invités. Les quatre grands industriels de l'armement se présenteraient donc hiérarchiquement selon le rang qu'ils occupaient et le pouvoir qu'ils détenaient, le président de Tekkohashi en dernier. Son vote serait décisif.

— Bien, tout va donc pour le mieux, n'est-ce pas ? fit le ministre en faisant remplir à nouveau leurs tasses.

Le chef acquiesça. Il s'étendit également sur les autres précautions prises. On avait établi des barrages sur toutes les routes menant à la base de Chitose. On avait demandé aux Américains d'annuler tous les vols partant de là-bas.

Comme prévu, le président du groupe Riko arriva le premier. Il était entouré de la troupe de jeunes filles rieuses qui allaient les servir. Il s'inclina depuis la porte, puis se dirigea vers la table basse où étaient assis les deux membres officiels du gouvernement. La pièce était vaste et, au parfum d'un encens délicat, se mêlait l'odeur fraîche de la paille de riz du tatami immaculé, décoré des bordures violettes et noires d'Iwaname and Co., fournisseurs de l'empereur.

Les cheveux brillantinés du président de Riko montraient plus de noir que de gris, bien qu'il eût de loin dépassé la soixantaine. Il portait un costume bleu rayé et une cravate sombre. Sa voix laissait entendre l'écho de sa réussite, comme une coquille qui reproduit le bruit de l'océan. Le ministre de la Justice connaissait le ferme soutien que l'homme apportait aux militaires et savait qu'il se rangerait à leur côté si les autres ne soulevaient pas d'objections sérieuses. Tout le monde savait aussi que plus tard, au cours de la soirée, quand une quantité considérable de saké aurait été consommée, le président de Riko se lancerait dans un exposé des qualités uniques de la race japonaise, et qu'il dresserait une longue liste des succès inégalés remportés par la nation depuis 1945.

Le dossier intéressant que possédait sur lui le chef de la police révélait aussi sa marotte : les bergers allemands. Ils constituaient apparemment la base de ses expériences sur la théorie génétique appliquée aux êtres vivants au niveau le plus élevé autorisé par la loi. On disait qu'il n'avait que moyennement réussi dans ses élevages.

— Mauvaises nouvelles, on dirait ?

Le président accepta une première tasse de saké, et la but à la santé de son hôte. Les éditions des journaux du soir avaient imprimé à la une l'histoire des deux meurtres. On y suggérait une implication étrangère.

– Ce fou ne nous échappera pas.

Le ministre de la justice avala d'un coup sa tasse de saké. Il avait déboutonné sa veste, révélant ainsi une généreuse portion de son estomac, puis regarda le président de Riko aussi aimablement qu'il le put.

– Vous vous souvenez certainement, monsieur le Président... – le saké chaud avait lubrifié les cordes vocales du ministre, et sa voix avait pris le ton résolu qui lui manquait précédemment – ...qu'au temps du règne de l'empereur Cloîtré Go Shirakawa, chaque fois que les moines du mont Hiei se trouvaient confrontés à un problème important, ils descendaient manifester dans les rues de Kyoto; Il n'y avait jamais de grandes effusions de sang. A peine quelques morts. Mais cela alertait l'opinion publique. Les moines obtenaient ce qu'ils voulaient et retournaient dans leurs montagne. Si pénibles que soient les événements qui se sont produits à la C.J.E., nous pensons retirer deux avantages de ce crime commis par un étranger.

Un grand brouhaha se produisit soudain à la porte, et un deuxième invité entra. Le vice-président de Matsu and Co. arrivait, avec aux lèvres un sourire d'excuse en raison de l'absence de son président, malade. La maladie en elle-même ne l'aurait pas empêché de venir, mais son médecin avait proscrit tout alcool.

– Ce sont des choses qui arrivent, dit-il d'un air humble, comme s'il se référait uniquement au groupe Matsu.

Le vice-président pratiquait l'art de la modestie à la perfection. Connu pour être un homme d'une grande loyauté, et possédant des talents remarquables d'organisateur – tout cela figurait dans le volumineux dossier de la police –, il ne parlait jamais de ses succès considérables, mais seulement de ses échecs, en vrai traditionaliste. Son dossier contenait également des renseignements moins connus : le président avait une tendance très poussée à vouloir gagner de gros paris au golf, et le vice-président avait fait preuve dans ce domaine d'un talent exceptionnel d'organisateur. Cette remarquable fidélité avait sans doute accéléré sa montée météorique aux divers échelons d'un groupe qui se targuait par ailleurs de subordonner l'avancement à l'âge.

Le directeur de la police avait pour principe de connaître les petites imperfections des dieux de l'industrie nationale. Ces renseignements le rendaient peut-être plus confiant quant au vote favorable du groupe Matsu. Malheureusement, la plupart des dirigeants de l'économie du pays étaient remarquablement dépourvus d'aberrations de conduite.

La première vague de geishas s'agitait autour d'eux, prenant grand soin d'effleurer leurs cuisses et de se pencher plus près d'eux qu'il n'était nécessaire chaque fois qu'elles leur versaient du saké... sachant préserver la discrétion de leur présence parfumée, mais aussi la rendre indispensable pour éviter les tensions d'un début de soirée, grâce à leurs rires et à leurs interventions amusantes chaque fois que la conversation menaçait de se tarir, ne fût-ce qu'une seconde. Elles reprochèrent en plaisantant au ministre de la Justice d'être resté trop longtemps sans venir les voir – une remarque faite principalement à l'intention de ses invités, étant donné qu'il était venu l'avant-veille... – et elles surveillaient sans cesse la porte dans l'attente de la prochaine arrivée.

Plus tôt que prévu, le président du groupe Riko s'était déjà lancé dans ses louanges enthousiastes du Japon, peuple unique. Il était en train de citer Hirata Atsutane – un théologien shintoïste du XIXe siècle qui assurait que les îles du Japon avaient été crées par les dieux ancestraux, et que par conséquent le reste du monde était inférieur puisque dépendant d'une terre faite de boue et d'eau de mer – quand on annonça l'arrivée du président de Sumigawa à ce moment précis.

Il y eut alors une nouvelle vague de courbettes et de présentations. Dès que le dernier invité serait arrivé, les quatre industriels présents dans la pièce représenteraient le conglomérat de firmes d'armement le plus puissant d'Asie avec ses branches et tentacules qui s'étendaient sur le globe tout entier. A eux seuls, les capitaux conglomérés de leurs quatre corporations produisaient quatre-vingt pour cent de l'armement total du Japon. Le ministre de la Justice savait très bien que l'attitude de ses invités, ce soir-là, déciderait de l'avenir du Japon. Et comme toujours, quand il s'agissait de groupes japonais, on permettrait à l'un d'eux d'exercer le rôle dominant. Le président de Sumigawa, qui était à la tête du deuxième groupe le plus important du Zaibatsu après Tekkohashi, exigerait des assurances sur le déroulement sans faille de l'opération. Des trois invités, il était le plus conservateur. L'homme était un ploutocrate aimable, aux cheveux argentés, plutôt grand pour un Japonais, avec une certaine tendance à l'introversion qui lui venait de son enfance solitaire. Il avait fait très tôt preuve de talent, à une époque où il se consacrait à la recherche et au développement. Il avait su assimiler le potentiel offert par les produits étrangers et les incorporer dans les produits de la compagnie Sumigawa qui restaient fondamentalement très japonais. Plus tard dans sa carrière, il avait joué le rôle clef dans la remarquable expansion du Sumigawa des années soixante-dix. Tout récemment, il s'était lancé dans un nouveau programme d'acquisitions qui avait fait hocher la tête à un certain nombre de directeurs, persuadés qu'il s'agissait là d'outils strictement américains. On racontait que sa réussite fabuleuse était due à son esprit ouvert et à sa candeur – qualités qui manquaient souvent, disait-on, aux organisations japonaises, bien qu'elles soient inhérentes au peuple japonais lui-même. Son vote favorable serait difficile à obtenir en raison de son conservatisme ; mais on croyait savoir qu'au fond il approuvait cette forme de stratégie.

Une joueuse de *koto* s'était installée dans le salon. Elle connaissait toutes les pièces favorites des invités, et leur joua des morceaux tels que *Utanomarino* ou autres composés trois cents ans auparavant, et qu'ils lui demandèrent pour tester son répertoire.

Le président de Tekkohashi arriva juste à l'heure du Chien, quelques secondes plus tard que la politesse l'eût exigé si la rencontre n'avait pas été informelle. Les réunions consacrées à l'observation de la lune n'exigeaient jamais des heures précises d'arrivée du moment que leur hiérarchie était respectée. Cet homme était celui que le directeur général de la police avait le plus de mal à comprendre. Il avait atteint le faîte du pouvoir au Japon sans effort apparent, semblait-il. Ni compromissions, ni éliminations n'avaient jalonné sa route... il n'avait pas d'ennemis. Bien que doté d'une nature éminemment pragmatique, il éprouvait un immense respect pour ses ancêtres et le nom de sa famille, au point d'avoir fait une dotation à une université célèbre en souvenir d'un de ses ascendants remontant à neuf générations, qui avait été grand chambellan, et avait figuré au cinquième rang des prétendants au trône de l'empereur Kammu. Il était connu pour son amour de la nature, et était lui-même un artiste non négligeable en *kanbun*, l'art chinois de l'écriture. Son goût parfait en matière de vêtements et sa propreté immaculée l'avaient également rendu célèbre.

Ce soir-là, le président de Tekkohashi portait un kimono d'homme très classique, et les traits de son visage le faisaient apparaître comme une figure sortie du passé. Il fut conduit à leur table par l'une des plus séduisantes geishas.

Le ministre de la Justice ne se leva pas, mais s'inclina, tout en restant assis – geste que sa corpulence rendait passablement ridicule, mais que l'homme le plus puissant du Japon reçut avec une grande dignité.

– *Domo-arigato*, merci d'être venu ce soir, dit le ministre en guise de bienvenue. Notre rencontre de ce soir marquera le point de départ d'un niveau d'expansion économique tel que notre nation n'en a encore jamais connu.

Le président de Tekkohashi sourit aimablement, comme si le ministre venait de faire une assez bonne plaisanterie, et se détourna pour échanger des propos badins avec ses concurrents et collègues. Ils se voyaient plus souvent – pour une raison ou pour une autre – que les géants économiques des autres pays capitalistes du monde. Bien mieux que leurs experts en sciences économiques, ils savaient reconnaître dans la situation économique actuelle les signes avant-coureurs d'une récession mondiale. Et même s'ils ne réagissaient pas ouvertement aux paroles du ministre, c'était sa promesse d'une relance qui les avait poussés à se réunir ce soir-là.

Le ministre de la Justice vérifia rapidement sa montre, se dit que le rickshaw devait avoir quitté Shimbashi avec sa précieuse cargaison et commencé son trajet quelques minutes auparavant. Elle lui coûtait une fortune, mais la dépense s'avérerait tout à fait justifiée si – et il en était certain – elle réussissait à écarter les uns des autres les hommes présents dans la pièce.

Les geishas voletaient comme des papillons incapables de se poser. Elles servaient le saké, proposaient des plats, effleuraient les hommes importants, répondaient à leurs taquineries soigneusement calculées par des répliques qui en faisaient monter le ton et atteindraient leur point culminant au moment de l'arrivée d'Hana, La Plus Belle Fleur.

A l'extérieur du salon, dans les halls bourrés d'agents de la sécurité et d'hommes d'escorte, le directeur orchestrait et orientait le choix des hommes pour les femmes qu'on leur présentait, toujours conscient de la fragilité de l'instant et ne laissant rien à la chance.

L'homme du rickshaw, qui s'appelait Goto-Hana – il l'avait personnellement demandé parce qu'il lui portait chance, et elle ne permettait à personne d'autre de la transporter –, pouvait être contacté par un interphone Sony, qui fonctionnait en aller et retour et qu'il cachait sous son *yukata*, avait confirmé sa position. Il venait de traverser le carrefour d'Itabashi, et n'était plus qu'à quelques minutes de son but. La direction fit entrer dans le salon les dernières et les plus cotées des geishas qui détendirent les dignitaires avec leurs voix musicales, leurs récits des derniers scandales chez les gens célèbres, et leurs rires semblables aux notes du *koto*. Le ministre de la Justice avait déjà posé – avec pré-

caution, mais clairement – les bases de la discussion. Actuellement, en **1987,** l'économie japonaise se trouvait au seuil d'un
développement exceptionnel sur tous les plans, en dépit des
sombres prédictions fondées sur l'extension du protectionnisme
dans le monde et de la montée du yen. Le gouvernement des
États-Unis lui-même avait mis en garde le Premier ministre en lui
conseillant de se montrer plus vigilant à assurer la sécurité de la
haute technologie japonaise.

De fait, appliquée au domaine de la défense, elle était en passe
de dépasser celle des États-Unis, qui craignaient qu'elle ne tombe
entre les mains de puissances ennemies. N'était-ce pas là le nœud
du problème? Le Japon s'était montré incapable de garantir la
protection de sa propre technologie de pointe. Le ministre sourit
en les regardant. Personne dans la pièce ne le contredit. Ils
comprenaient la portée du problème.

Le gouvernement japonais dans la mesure où le ministre pouvait parler en son nom s'était fixé deux buts, dont chacun dépendait de l'autre. Le premier consistait à obtenir, d'une façon ou
d'une autre, l'accord de la Diète pour la création d'une agence de
sécurité légale. Le second était de se débarrasser du monopole
américain sur l'achat de matériels militaires et spatiaux.

Les deux problèmes étaient complexes; il fallait trouver un
catalyseur qui, d'une part, créerait dans l'opinion publique un
mouvement de soutien et un moyen de pression en faveur d'une
nouvelle agence de sécurité, et, d'autre part, conduirait à dénoncer le monopole américain sur les exportations militaires du
Japon. «Je crois que nous avons trouvé le catalyseur», dit-il.

Le ministre sentit le frémissement qui parcourut ses auditeurs,
et perçut la tension de leur attente. Les geishas s'étaient retirées
dans le hall un moment, soulagées à l'idée que leur travail touchait à sa fin.

– Comme vous l'avez tous lu dans les journaux du soir, continua le ministre, Shinjuku a été le théâtre d'une terrible tragédie,
cet après-midi. Des étrangers se sont introduits dans le laboratoire de la C.J.E. et ont tué deux gardes. Un prototype d'ordinateur pour avions de la cinquième génération a été volé. Mais ce
que le public ne sait pas encore, c'est que l'attaque était une opération illégale soutenue par le gouvernement américain.

Les quatre industriels – frappés de stupeur – restaient assis en
silence.

– Voilà les faits que nous avons actuellement en notre possession, ajouta le chef de la police en souriant à la ronde.

Le ministre approuva de la tête.

– Quand le peuple japonais se rendra compte que l'amitié et la protection américaines ne sont qu'illusions, la passivité de l'opinion publique fera place à la peur, face à un allié et protecteur devenu voleur. Le public exigera la création d'une agence de sécurité sérieuse, pour le protéger des étrangers. Peut-être même plus.

Le ministre décrivit alors la phase suivante : une déclaration unilatérale annonçant que le monopole américain sur l'exportation avait été violé par leur acte de piraterie. Les États-Unis n'auraient rien à dire pour leur défense. Le complexe militaro-industriel du Japon serait libéré de ses chaînes. Pour la première fois, le Japon pourrait devenir un concurrent sérieux sur le marché de l'exportation dans le domaine qui progressait le plus rapidement et qui avait les plus vastes débouchés... le commerce des armes, l'industrie de la défense, les ventes d'équipements stratégiques de haute technologie, l'aéronautique.

Le vice-président de Matsu acquiesça et dit :

– Mais, monsieur le Ministre, le monde s'oriente vers la paix. L'influence des Soviétiques s'affaiblit en Europe. Les Polonais réclament leur indépendance, les Yougoslaves et les Tchèques aussi. On dit que même l'Allemagne de l'Est n'est plus une alliée solide pour Moscou, qu'elle aspire à la réunification. Si jamais l'Empire soviétique s'écroulait... qui aurait besoin d'armes ?

Le ministre eut un large sourire.

– Imaginons que ces fantaisies se réalisent... Il y aurait un nouvel ordre en Europe : les troupes soviétiques retirées, l'Allemagne réunifiée. Quelle est la première chose que feraient les nouveaux dirigeants ?

Il se tourna vers le chef de la police.

– Remplir le vide laissé par le départ des Soviétiques, répondit ce dernier, donc acheter des armes pour assurer leur indépendance nouvellement conquise.

Le visage du ministre de la Justice s'éclaira. Il étendit les mains.

– Bien sûr, cela ouvrirait considérablement le marché, au lieu de le refermer... surtout si nos amis allemands se retrouvaient unis.

Tout le monde se mit à rire franchement. Le ministre de la Justice reprit la parole d'une voix basse et concentrée :

– J'ai demandé à mes planificateurs d'élaborer des projets pour un complexe militaro-industriel totalement dévoué à nos buts. Si nous pouvons assumer la vente en direction du monde libre de nos technologies les plus en pointe, et de celles qui sont un peu moins avancées au COMECON et au tiers monde, nous estimons que, dans les cinq ans, nous doublerons le niveau actuel de toutes les exportations du Japon. Il y a cinq ans, le Japon n'avait atteint son « savoir-faire » que dans une centaine de domaines liés à la haute technologie. Nous en avons plus de mille aujourd'hui, et cela augmente tous les jours... qu'il s'agisse de l'électronique, de la robotique ou des céramiques. En fait, expliqua le ministre, le matériel technologique japonais devenait de plus en plus sophistiqué et commençait à dépasser celui des États-Unis dans des secteurs militaires vitaux. Mais l'industrie de défense japonaise avait conservé une mentalité vieillotte de secret, la honte du passé, la peur de la publicité. Il était grand temps que cela change. Je vous ai demandé d'être présents ce soir pour obtenir un consensus sur ces deux points essentiels à l'avenir du Japon. D'abord, votre accord concernant la création d'une agence de contre-espionnage digne de ce nom, et votre coopération pour qu'elle soit votée par la Diète. Cela impliquera la présence d'hommes liés au gouvernement dans vos usines pour en assurer la sécurité pendant un certain temps. Comme par le passé, cela serait le symbole d'un partenariat toujours croissant entre l'industrie et le gouvernement... Ensuite, les conglomérats que vous dirigez vont-ils soutenir une industrie de la Défense qui réduirait nos exportations actuelles ? Le gouvernement japonais se trouve en complet accord avec les théories d'Adam Smith : le marché doit s'ouvrir aux forces de libre concurrence. Cela permettra, entre autres choses, aux prix d'atteindre leur niveau économique réel. Dans de telles conditions, les ventes pourraient atteindre des sommets inimaginables. Le ministre tapa alors dans ses mains grassouillettes pour faire revenir les serveuses et les geishas. Il voulait donner à ces hommes le temps de prendre ses paroles en considération. Bien évidemment, il n'y avait qu'une seule réponse possible.

Malgré la présence des femmes, une discussion indirecte s'ensuivit, d'abord mitigée, puis empreinte d'un enthousiasme croissant au fur et à mesure que les possibilités qu'ouvrait le plan se confirmaient autour de la table. L'un après l'autre, les dirigeants se mirent à approuver de la tête en songeant aux ressources de leur propre groupe. Seul, le président de Tekkohashi – tout en se joignant aux plaisanteries optimistes des autres – ne précisa pas son vote à venir. De toute évidence, il prenait le temps d'en évaluer, dans son esprit, toutes les implications.

A ce moment précis, les portes du salon s'ouvrirent et Hana fit son entrée. Son arrivée inattendue, sa fraîcheur et sa beauté si parfaites leur firent perdre momentanément le fil de la conversation. Hanna-san ne regarda aucun des hommes, mais elle savait très bien que tous les yeux étaient fixés sur elle. Elle s'était inclinée de façon charmante en entrant dans la pièce, sans même ralentir le rythme de sa démarche. Elle s'inclina de nouveau en s'approchant de la table principale, et la traîne bordée de rouge de son kimono de soie blanche se déployait derrière elle comme l'aurait fait celle de la première épouse d'un empereur régnant. Les ornements mêlés à ses cheveux relevés renvoyèrent l'éclat de la lumière lorsqu'elle s'arrêta et s'agenouilla devant les invités pour s'incliner une dernière fois avec une grâce extrême, et son visage rougit légèrement, exactement comme il convenait. Sa présence était si tangible qu'elle réduisait à rien les autres femmes qui se trouvaient dans la pièce. Elle s'adressa d'abord au ministre qui était leur hôte, puis tour à tour à chacun des autres invités. Bien qu'elle n'ait jamais vu aucun de ces hommes, elle avait étudié dans le dossier qu'on lui avait remis des fiches très détaillées sur chacun d'entre eux, qui mentionnaient leurs goûts personnels et les répugnances qu'ils pouvaient avoir. Elle répétait à chaque salut le nom de l'invité et le sien, et les associait en suggérant une délicieuse intimité.

Bien que le président de Tekkahashi ait été présenté en dernier, la promesse qu'il lut dans ses yeux le plaçait à la première place. Elle savait parfaitement que l'orgueil masculin japonais pouvait compromettre la soirée la plus fastueuse et réduire à néant des négociations qui avaient pris des mois. La hiérarchie devait être respectée, pour que chacun se situe à la place qui lui revenait. Hana savait se comporter de façon à isoler les hommes les uns des autres dans leur rivalité à son égard, et les amener à lutter non pas les uns contre les autres pour gagner ses faveurs, mais en leur for intérieur.

Elle choisit de s'asseoir d'abord près du ministre – une stratégie d'une habileté consommée, car cela permettait au président de Tekkohashi de la contempler avec ferveur. Elle, Hana, la geisha des geishas, représentait un des miracles qui se produisent de moins en moins souvent à notre époque : une femme que sa beauté et sa célébrité rangeaient dans une classe à part. Son visage possédait l'arc des sourcils, le nez délicat, les lèvres écarlates qui auraient tout aussi bien convenu aux temps où la cour se tenait à Kyoto. Elle était l'aboutissement de la formation et de l'éducation données dans le district de Gion, dont étaient issues les femmes de renommée historique qui l'avaient précédée. Comme elles, Hanna-san avait été initiée à toutes les nuances du plaisir. Elle devinait, sans qu'on lui en dise rien, ce qu'il convenait de faire, et ce qu'on attendait d'elle – et cela malgré son âge tendre. Ses commanditaires et elle-même étaient tombés d'accord : tout son charme devrait s'exercer sur le président de Tekkohashi.

On apporta à nouveau du saké. Hana s'occupa à le servir. Elle démontra sa perfection quand ses yeux en amande, si expressifs, surent choisir du regard le représentant de Tekkohashi qui leva sa coupe avec un empressement presque trop rapide. Elle avait une façon très personnelle de retenir de sa main libre la longue manche de son élégant kimono tout en se servant de l'autre pour verser le saké, révélant la peau d'une blancheur de porcelaine du poignet et de l'avant-bras. Le geste lui-même, par sa totale simplicité, apparut empreint de l'érotisme le plus pur aux yeux enchantés du président et des autres invités.

Il était entendu qu'elle attendrait le signal du ministre de la Justice pour aller réajuster sa toilette et se poudrer. Elle avait assez d'expérience pour deviner qu'une opération de très grande importance allait se décider ce soir-là, bien qu'elle eût été certainement surprise et amusée d'apprendre qu'une décision cruciale pour l'avenir de son pays était en cause.

La décision serait exprimée en termes symboliques, et le symbole en était Hana. Bien plus que le ministre n'osait se l'avouer, le dénouement heureux de la soirée reposait entre les mains de cette prodigieuse et merveilleuse femme-enfant dont la présence produisait dans tout son corps un fantastique désir.

C'est seulement après qu'on eut servi le dernier plat et ouvert les *soji* pour admirer la lune que le ministre de la Justice fit signe à Hanna-san de quitter la pièce pour aller se repoudrer. Les autres filles la suivirent immédiatement. Le ministre tourna un visage radieux et innocent vers ses invités, et se pencha au-dessus de la table qu'on venait de débarrasser.

– Je me suis dit qu'il était temps de décider du rassemblement de nos forces, dit-il d'une voix forte, bien que sa déclaration soit une évidence.

Ils n'avaient jamais cessé de combiner leurs forces depuis que, pendant l'ère Meiji, leurs ancêtres samouraï s'étaient détournés de l'art de la guerre pour s'adonner au commerce et satisfaire leur cupidité. Le moment était venu, pour les invités, de décider de leur vote.

Les quatre capitaines d'industrie ne montrèrent ni surprise, ni intérêt particulier. La pièce était tout à coup devenue très tranquille. L'heure était venue où les silences comptaient plus que les paroles, comme dans l'architecture japonaise où l'espace conditionne la forme générale.

— Je comprends très bien le but que vous voulez atteindre, dit le président du groupe Riko, en pesant ses mots. Je crois, personnellement, que votre stratégie est la bonne. Le président se renversa en arrière.

— Redites-moi encore une fois à combien vous estimez le degré d'expansion de cette nouvelle industrie? demanda le vice-président de Matsu, qui avait commencé sa carrière dans les milieux financiers et aimait particulièrement les chiffres. Quelqu'un tousa.

— Les possibilités japonaises de prédiction sont soumises à des incertitudes, dit le ministre en souriant. En fait, personne ne le sait exactement. Le rapport que je vous ai fait est fondé sur une estimation conservatrice et concerne un minimum. A mon avis, le chiffre d'expansion sera de plusieurs multiples plus important que le chiffre actuel de toute l'industrie électronique, dans les cinq à sept années à venir. La limite dépendra de vos capacités à construire des machines, à vous développer et à vendre.

A ces mots, le président de Tekkohashi sembla cligner les yeux et la tension grandit dans la pièce, ce dont tout le monde fut conscient. Il posa sa question au chef de la police :

— Êtes-vous tout à fait certain que nous n'allons pas nous trouver de nouveau face à des ennuis comme ceux de l'an dernier en Californie?

Le chef de la police sourit.

— Ici, c'est nous qui faisons les lois, monsieur.

Le président de Sumigawa rota en se penchant pour prendre la parole.

— Votre Américain, monsieur le Directeur, quand pensez-vous l'arrêter?

— Dans la journée, d'après nos dernières estimations.

Le président de Tekkohashi se croisa les bras, ferma les yeux et dit, comme s'il se parlait à lui-même :

— Nous ne pouvons pas tout prévoir, il ne faut donc rien exclure.

Puis il hocha la tête, en gardant les yeux fermés. Affolé, le ministre appuya sur un bouton qui se trouvait sous la table pour faire revenir les femmes.

Ils n'eurent pas le temps de reprendre la discussion avant l'arrivée des femmes qui se répandirent dans la pièce comme une rivière parfumée. De nouveau, Hana leur fit presque oublier la raison de leur présence. Personne ne parut remarquer les minuscules gouttes de sueur qui perlaient sur la lèvre supérieure du ministre.

Au moment où les invités, les escortes et les agents de sécurité se répandaient sur le pavé de roches volcaniques devant l'hôtel, Goto, le conducteur du rickshaw reçut un message sur son walkie-talkie : Hana aurait le grand honneur d'être raccompagnée par le gentleman de Tekkohashi, dans sa limousine... Il sourit de plaisir pour elle. La soirée avait donc été réussie. Elle avait certainement rempli un contrat substantiel dont il bénéficierait également lorsqu'elle lui payerait sa semaine et lui glisserait une enveloppe spéciale. Elle avait parlé d'un montant suffisant pour qu'il puisse aller passer une journée à Funabashi, la semaine prochaine, si tout se passait bien. Il avait des tuyaux sûrs pour plusieurs chevaux... Il était vraiment un Japonais heureux.

40

Un commerce d'échanges

Hakodate est un très gros village de pêcheurs, situé sur Hokkaido – l'île la plus au nord –, et doté d'un port exceptionnel. L'une des pointes du port est dominée par un rocher géant – le mont Hakodate – qui le protège des terribles tempêtes qui se déchaînent dans le détroit de Tsugaru.

Ce jour-là, une pluie battante tombait sur la ville, comme les flèches d'un dieu vengeur. D'où il était assis, Mori pouvait apercevoir, au-delà des immeubles, le port envahi de brume. Le sifflement d'un radiateur à gaz et la chaleur qui régnait dans la salle d'attente lui donnaient une terrible envie de dormir. Près de lui, Ludlow consultait un guide touristique qu'il avait ramassé à l'aéroport.

Ils étaient arrivés au milieu de la matinée par le vol 603 de la compagnie A.N.A. Faire franchir à Ludlow le service de sécurité de l'aéroport avait été presque trop facile. Une fois dans le hall d'arrivée, Mori aurait juré qu'il avait reconnu le visage d'Erika parmi la foule des voyageurs qui sortaient... mais quand il l'avait cherchée, le mirage s'était évanoui. Sa tête lui jouait des tours.

Dehors, la mer, le ciel et la terre se confondaient dans une même grisaille. Des hommes aux jambes courtes, portant des gants de coton dégoulinants d'eau et des cirés jaunes, s'agitaient sur les docks. Des gens parcouraient des rues moins exposées, les mains dans les poches, les épaules rentrées sous la tempête. De temps à autre, un parapluie de bambou aux couleurs vives venait briser la grisaille monotone.

Mori buvait du thé chaud que la secrétaire de Finn-Pacific leur avait apporté, émue de leur pitoyable état. Il regardait les locaux qui n'auguraient rien de bon. Difficile d'imaginer que cette firme minable puisse être responsable des dommages que Ludlow lui imputait. Derrière le bureau de la réception se trouvaient deux petits comptoirs vides, et une vitrine où étaient exposés les produits que la Finn-Pacific était censée exporter : des mandarines en conserve, de la viande de crabe, des sardines, du thon. Sur une deuxième étagère, on voyait des petits moteurs électriques, des radiocassettes portatives et quelques postes de télévision miniatures, de marques peu connues.

Ludlow avait mentionné les liens de dépendance de la compagnie avec l'Union soviétique, ce qui impliquait que, en dehors de ses activités commerciales normales et légales, la société faisait transiter des biens volés, sur ordre du K.G.B.

« M. Lerrik va vous recevoir bientôt. » La secrétaire japonaise sortit du bureau du directeur en se balançant sur une jambe, et sourit d'un air encourageant à ces solliciteurs fatigués. « Il s'agit éventuellement d'un contrat d'exportation... » C'est tout ce qu'avait dit Ludlow en arrivant un peu plus tôt, sans rendez-vous... il discuterait des détails directement avec le directeur. La secrétaire avait fait de gros efforts pour les aider.

– Est-ce que ça concerne notre commerce de troc ? avait-elle demandé avec enthousiasme.

– Eh bien, c'est une des possibilités.

– Ça marche assez bien, reconnut la jeune fille. Avez-vous en tête un produit particulier ?

– Je ne suis pas sûr des débouchés, répondit Ludlow en lui adressant son plus charmant sourire.

– Nous travaillons avec les Russes, vous savez, dit-elle d'un air timide, ne sachant pas très bien où ils voulaient en venir.

– Magnifique, une aventure merveilleuse !

La voix de Ludlow impliquait qu'il était prêt à y participer.

Le visage de la jeune fille s'éclaira, comme si elle venait d'avoir une inspiration soudaine.

– En fait c'est l'organisation des Amitiés soviétiques qui en a eu l'idée. Comme nous sommes finnois, nous leur servons souvent d'intermédiaires.

– Vous devez être fiers du rôle que vous jouez... – Ludlow jeta un coup d'œil à Mori – ... dans le domaine de la coopération internationale.

– Vous avez sans doute des problèmes d'arraisonnement ? dit Mori en s'étirant et en faisant semblant de bâiller.

De temps en temps, les journaux faisaient état de troubles dans les eaux du Nord. Les Japonais n'avaient jamais accepté la manière dont les Soviétiques s'étaient emparés des îles Sakhalines à la fin de la Deuxième Guerre mondiale.

– Étant donné que les Soviétiques contrôlent les zones de pêche les plus riches au large d'Hokkaido, les prises japonaises sont très réduites. Les patrouilleurs soviétiques effectuent périodiquement des arraisonnements de contrôle.

Mori regarda longuement Ludlow pour qu'il minimise la portée de ses paroles.

– Les coopératives de pêche, bien sûr – Ludlow alla presque jusqu'à se taper sur les cuisses –. Elles ont dû sauter sur l'occasion.

– Oui, dit la secrétaire d'un air timide. Elle était visiblement ravie qu'ils comprennent le rôle important joué par sa compagnie – un rôle limité, mais « historique, qui représente un grand pas en avant dans le domaine de la coopération internationale – et de la glasnost. Auparavant, les pénalités encourues pour dépassement du quota de pêche étaient sévères : bateaux confisqués, équipages emprisonnés. » Elle secoua la tête avec dégoût.

Ils en étaient là quand le directeur les appela.

Le tout petit bureau de Lerrik était agrémenté de rideaux rayés et d'un vase de fleurs poussiéreuses. Ludlow lui tendit sa carte et lui serra vigoureusement la main.

– Vous êtes américain ?

Les yeux très rapprochés de Lerrik passèrent de la carte de visite aux vêtements de Ludlow, puis à son visage. Le Finnois était si gros que sa corpulence limitait les gestes de ses bras. Il avait un teint rougeaud et il ne lui restait guère de cheveux. Il portait un costume croisé à raies blanchâtres qui n'arrangeait rien.

– Exact, fit Ludlow en haussant les épaules d'un air modeste.

Son changement d'attitude était stupéfiant. Ludlow avait tout à coup les épaules tombantes, le regard vague. Son torse puissant semblait avoir rétréci. Cette aptitude à changer d'aspect physique sous vos yeux, se dit Mori, était vraiment la marque d'un être supérieur.

– Nous avons des appareils électroniques à vous proposer pour votre commerce de troc, commença-t-il d'un ton hésitant. Il toussa pour s'éclaircir la voix, et agita humblement la main en direction de Mori : Mon représentant au Japon. Nous n'avons pas encore eu le temps d'imprimer sa carte. Il a été nommé tout récemment.

Lerrik arborait maintenant un sourire sceptique et supérieur.

– Très franchement, nos conteneurs ne transportent pratiquement pas d'appareils électroniques... – le Finnois croisa les bras – nous nous occupons principalement de nourriture, vous savez. Mais, je vous en prie, asseyez-vous.

– Ah!

L'exclamation sortit de la bouche de Ludlow comme s'il venait soudain de comprendre une devinette difficile. Il s'assit lentement.

Comme personne ne s'occupait de lui, Mori se chercha une simple chaise de bois et s'efforça de retenir sa respiration. Il arrêterait la comédie le moment venu.

– De la nourriture, vraiment? Ludlow semblait admirer le bureau très quelconque derrière lequel était assis le Finnois.

– Ma foi, oui... de la nourriture et quelques autres biens de consommation en général.

Il parlait un anglais bourré de fautes de prononciation – les consonnes surtout –, révélatrices d'un vain effort pour maîtriser la langue. Toute une pile de courrier s'entassait sur son bureau, et il la regarda de l'air de quelqu'un qui ne dispose que de très peu de temps.

Ludlow se mit à parler rapidement, en gardant toujours son attitude de quémandeur.

– Ma firme recherche une filière d'exportation pour des appareils de haute technologie surtout.

Mori regardait par la fenêtre, en protestant intérieurement. Lerrik, qui n'avait rien compris, s'était tourné vers lui.

– Mais vous avez certainement un agent sur place.

– Non, s'excusa Ludlow. Mori-san n'est qu'un représentant. Il n'est pas légalement responsable. Pour cela il nous aurait fallu passer par toutes sortes de formalités assommantes, et puis il y a les taxes. Non pas que je manque de patriotisme. Pas du tout, monsieur. Ce que nous cherchons, c'est une entreprise établie, qui pourrait se conformer à nos instructions. Il s'agit principalement d'exportation d'objets difficiles à sortir du pays. Nous cherchons une firme qui sache faire preuve d'ingéniosité.

– Pourquoi alors ne pas essayer à Tokyo? demanda Lerrik, avec ce soupçon d'hésitation dans la voix qui accompagne la curiosité.

– Monsieur Lerrik, si vous me permettez de vous interrompre un instant... Sans aucune raison valable, Mori se rangeait aux côtés de Ludlow – une idée subite, sans doute illogique, l'impression d'incertitude que révélait la voix du directeur l'avait décidé. Comprenez bien, je vous en prie, que les exportations se font plus facilement d'ici. Votre port est un des plus anciens ports libres du Japon. A Tokyo ou à Yokohama, les autorités douanières vous font perdre un temps considérable et se montrent inflexibles.

La façon dont Mori insistait sur le mot « inflexibles » ne laissait guère de doute. Ludlow secouait la tête avec admiration.

Lerrik attrapa un stylo de ses doigts boudinés et le tint en l'air.

— Vous avez sans doute des références?

— Nos marchandises ne sont pas destinées à des acheteurs américains.

Ludlow martelait chaque mot comme s'il enfonçait un clou dans un métal mou. Il avait remarqué que la lettre posée au sommet de la pile était marquée du sceau de l'ambassade soviétique.

— Nous pensons au Moyen-Orient, à l'Irak et à l'Iran, pour être précis. Le nom que l'on m'a dit de vous communiquer est celui de Pachinkov, Oleg Pachinkov, monsieur Lerrik. Cela vous dit-il quelque chose?

Le visage de Lerrik ne trahit rien. Cependant il se mit à serrer les dents chaque fois qu'il reprenait sa respiration.

— Je ne crois pas connaître ce nom-là... Lerrik regarda la carte de Ludlow pour ne pas se tromper, monsieur Thomas.

Ludlow rapprocha sa chaise du bureau pour lui faire face, et posa ses énormes mains sur la table.

— Vous devriez peut-être relire votre courrier, dans ce cas.

Ludlow lui montra la lettre de l'ambassade soviétique. Il lui avait été facile de lire la signature à l'envers.

Les yeux de Lerrik se portèrent de la main de l'Américain qui montrait l'en-tête de la lettre jusqu'à son visage qui restait impassible. Une minuscule goutte de sueur se forma à l'endroit où — de nombreuses années auparavant — devait se trouver la naissance de ses cheveux.

— Il se peut, bien sûr, qu'ils ne vous aient pas encore mis au courant. La voix de Ludlow était soudain devenue quelque peu glacée.

— Et de qui s'agirait-il, monsieur Thomas?

— Des Soviétiques, bien entendu. Ludlow projeta soudain en avant l'une de ses formidables mains et agrippa le poignet du Finnois. Écoutez-moi, je n'ai pas beaucoup de temps.

Lerrik ne se débattit pas, mais ses pupilles se dilatèrent quand la peur l'envahit. Mori se mit à protester.

— Fermez à clef cette saleté de porte, Mori-san!

Ludlow se leva à moitié de sa chaise sans lâcher sa proie. Mori alla vers la porte, ne sachant pas trop ce qu'il fallait faire.

— Vous voulez lui téléphoner pour vérifier, mon vieux?

Ludlow n'avait toujours pas lâché prise. Le Finnois n'arrivait pas à comprendre le changement d'attitude de l'Américain. Ludlow souleva l'appareil.

— Allez-y, appelez-le, dit-il en secouant le récepteur sous le double menton de Lerrik.

Lerrik agita mollement la tête :

– Il est en voyage.

Ludlow raccrocha le téléphone. Son visage se détendit. Il se tourna vers Mori et lui fit signe de quitter la porte, après quoi il relâcha son étreinte du poignet du Finnois. Les marques blanches s'effacèrent lentement. L'Américain se rassit sur sa chaise. Son visage arborait de nouveau un charmant sourire.

– Bon. Nous allons peut-être faire affaire ensemble, après tout, monsieur Lerrik. Il est en voyage, dites-vous ? Et où se rend-il donc ?

Lerrik regarda successivement les deux hommes qui se trouvaient en face de lui. Il leva les bras au ciel.

– Ils ont loué une voiture, finit-il par dire.

– Ici, à Hokkaido ? demanda Mori, incrédule.

Lerrik confirma d'un signe de tête. Il avait retrouvé son assurance :

– Il doit passer la nuit à l'hôtel de Daisetsuzan. Il prend quelques vacances, paraît-il. Pour la suite, ils ne m'ont rien dit. Je lui téléphonerai ce soir, si vous êtes d'accord.

Il ouvrit un tiroir et, pour se calmer les nerfs, se mit à y ranger méthodiquement les lettres qui se trouvaient sur son bureau.

– Parfait, monsieur Lerrik. Excellente idée. Ludlow se leva et lui adressa un sourire plein d'une chaleur suspecte. Nous vous appellerons donc demain matin ?

Lerrik acquiesça aimablement, mais ne se donna pas la peine de les raccompagner.

Quand ils se retrouvèrent dans la rue, ils virent que le ciel s'était assombri et que la pluie avait redoublé de violence. Ils arrêtèrent un taxi, et Mori dit au chauffeur de les conduire au centre-ville où l'agence de location de voitures était installée tout près du marché aux poissons. Le véhicule qu'ils avaient loué répandait une telle odeur de maquereau qu'ils durent laisser toutes les fenêtres ouvertes pendant leur première heure de trajet. La tempête s'estompa dès qu'ils atteignirent les montagnes du centre d'Hokkaido.

La nuit tombe vite dans le nord du Japon. L'Hôtel de la Source chaude était situé aux abords du parc national de Daisetsuzan et perché sur une colline herbeuse et couverte de pins d'Hokkaido. Il possédait cette élégance simple que donne le bois quand les architectes japonais réussissent à harmoniser structure et environnement – et ils le font souvent, reconnut Ludlow. Se détachant sur le ciel clair de la nuit, des montagnes sombres dominaient le silence ambiant. Leurs neiges éternelles réfléchissaient la lueur d'une demi-lune.

A un moment donné du trajet, Mori avait demandé à Ludlow de lui expliquer comment fonctionnait le système d'échanges.

– Réfléchissez, Ninja, dit Ludlow dont la voix avait grimpé d'un ton. Les gens du K.G.B. de la région sept que dirige Pachinkov profitent d'une filière très au point pour faire sortir les appareils de haute technologie. Et c'est lié à ce système d'échanges, vous ne voyez pas?

– Vous voulez dire que le Japon a donné son accord tacite?

– Jusqu'à un certain point. Depuis quand les Japonais respectent-ils les accords internationaux qu'ils ont signés?

Ce n'était pas une critique, précisa Ludlow à l'inspecteur, mais une simple question de vérité historique. Il n'y avait qu'à se pencher sur les récents traités d'importation. Les Soviétiques savaient très bien que les bateaux de la coopérative japonaise violaient les accords sur les zones de pêche. Les sanctions, si sévères soient-elles, n'avaient rien changé. Les Soviétiques décidèrent donc de faire comme les Japonais – de consentir à ignorer des actes temporairement illégaux dans la mesure où ils pouvaient en tirer un bénéfice. Ils octroyèrent à Finn-Pacific le monopole de la fourniture des conteneurs. Quand un bateau était arraisonné, on échangeait un nombre donné de conteneurs contre une quantité donnée de la pêche faite hors normes légales. La coopérative japonaise de pêche payait donc en remplissant les conteneurs de nourriture pour les Soviétiques des îles Sakhalines.

– Autrement dit, et sans que les coopératives s'en doutent, le K.G.B. contrôle la Finn-Pacific, et glisse les appareils de haute technologie qu'ils ont volés dans leurs expéditions de nourriture et autres objets?

– Exact. Mais étant donné que la plupart des marchandises que recherche le K.G.B. peuvent être achetées en magasin, ils n'ont besoin ni de les voler, ni de les expédier dans les conteneurs d'échanges. Ils peuvent les faire transiter par la filière normale des transports maritimes, en se rabattant sur des compagnies locales de transport du genre « Prenez contact avec nous à l'arrivée » pour éviter d'avoir à fournir de fausses adresses d'expéditeur. Ils paient toutes leurs dépenses de transit cash et en billets. Les déclarations à la douane sont fausses puisque personne au Japon ne se donne la peine de vérifier le contenu. Tout ça glisse comme un pet sur une toile cirée. Les conteneurs sont utilisés seulement en cas de marchandises spéciales.

Ils s'étaient garés de façon à pouvoir surveiller l'entrée de l'hôtel. Mori secoua la tête.

– Je ne comprends toujours pas très bien. Notre voyage pourrait se révéler inutile. Je vais aller vérifier à l'hôtel si nos bons-hommes s'y sont inscrits.

Ludlow sembla réfléchir sérieusement à cette décision.

– Vous avez une arme, Ninja ? Ou bien est-ce que vous comptez entièrement sur la pratique astucieuse des arts martiaux ?

– Vous êtes tous des enfants, répondit Mori. Vous riez trop fort. Vous vous mettez trop vite en colère. Vous faites trop de plaisanteries. Vous n'êtes jamais sérieux quand il le faudrait. Mori étendit la main vers la poignée de la portière. Ludlow l'arrêta du bras.

– Assurez-vous quand même qu'elle est chargée, gros malin, pour qu'ils ne vous réduisent pas en bouillie au beau milieu d'un de vos exercices de haute voltige, façon ninja.

Mori soupira et sortit le colt de son harnais. Il ouvrit la culasse, remit les cartouches en place et replaça son arme dans le harnais en tatant la bosse qu'elle faisait sous sa veste.

– Vous êtes encore pire que tous les autres, siffla-t-il en ouvrant la portière.

Une fois le Japonais parti, Ludlow se prit à sourire. Même l'inspecteur Mori avait ses moments d'humour.

L'employée de service de nuit était une jeune fille très aimable, dotée d'une voix claire et de grands yeux intelligents. Avant qu'elle n'ait eu le temps de se baisser pour prendre une fiche d'inscription, Mori avait sorti son portefeuille et l'avait posé, ouvert, sur le comptoir pour qu'elle puisse voir sa carte de police, qui luisait très officiellement dans la lumière tamisée de la pièce.

– Je cherche un étranger d'un certain âge qui a dû s'inscrire plus tôt dans la journée ? dit-il en parcourant le hall des yeux. A cette époque de l'année, les étrangers devaient être peu nombreux et rares.

– Ce n'est pas lui qui s'est inscrit, répondit la jeune fille avec bonne volonté. Un de ses amis est arrivé plus tôt dans la soirée. Ils occupent des chambres contiguës, le 305 et le 306. Le nom inscrit en regard des deux chambres est Balboa.

– Quelle nationalité, s'il vous plaît ?

– Espagnole.

– Qui a retenu les chambres ?

Elle se retourna et prit dans une boîte une fiche qu'elle lut rapidement...

– Une compagnie appelée Finn-Pacific. Leur numéro de téléphone est un numéro d'Hakodate.

– Avez-vous vu les gens qui sont arrivés avant lui ? Des hommes ou des femmes ? Combien étaient-ils ?

— Un seul homme, bien bâti. D'âge moyen, mais pas vieux. Il a insisté pour porter lui-même sa valise. Très fort, on aurait dit un buffle.

— Pas d'homme blond...? La voix de Mori trahissait sa déception.

— Non.

— Où mène la porte de derrière?

— A un jardin et à un court de tennis. Il y a aussi une source publique d'eau chaude en plein air.

— Ils sont dans leurs chambres?

La jeune fille inclina la tête :

— Est-ce qu'il va y avoir des problèmes?

Mori ne répondit que par un long regard. Puis il tourna les talons et sortit.

Dehors, il acheta deux boîtes de Rosée de la montagne dans un distributeur, en tendit une à Ludlow et alla se rasseoir sur le siège avant.

— Ça va aussi mal que ça? Ludlow observait le visage de Mori. Il fit sauter le couvercle de la boîte d'un coup de son énorme doigt.

— Ils sont deux. Et aucun des deux n'est le blond.

— Bien, dit Ludlow après avoir fini sa boîte d'eau de source. Il en froissa le métal de sa formidable main. Voilà qui confirme qu'ils ne travaillent pas ensemble. Cela veut dire que le blond n'est venu que pour jeter le discrédit sur notre ami Pachinkov.

— Vous pensez que Yuki travaille pour l'équipe du blond?

— Tout l'indique. Quelqu'un du Centre est jaloux des succès de Pachinkov. Ou alors il y a une bagarre pour un poste important. Ça ne peut être que l'un ou l'autre.

— Et ce serait la raison pour laquelle le blond n'a pas apporté le prototype volé à la Finn-Pacific qui aurait pu l'expédier dans un de leur conteneur d'échanges?

— Ça m'en a bien l'air. Il va tenter de le sortir du pays tout seul. Je pense que ça ne plaît pas à Pachinkov, ni à lui ni à son ami. Alors, nous les suivons, et avec un peu de chance ils nous conduiront jusqu'à leur camarade blond. Qu'est-ce que vous en dites?

— Et s'ils étaient vraiment en vacances?

— Et si les poules avaient des dents, elles mangeraient de la viande... pas vrai?

41

La fuite

La voiture japonaise était bien supérieure à toutes celles que Kovalenko avait conduites en Russie. Sa propre Chaika n'était qu'un veau maladroit comparée à cette machine racée. Il restait stupéfait devant le ronronnement régulier du moteur, et l'absence de ces grincements et cliquetis qui étaient le lot de toutes les voitures soviétiques après un an de route. Son tableau de bord était illuminé de quantités de lumières intéressantes et garni de boutons, sur lesquels il suffisait d'appuyer pour connaître le nombre de kilomètres qu'il pouvait parcourir avec ce qui lui restait d'essence dans le réservoir, quelle était la température extérieure, celle de l'intérieur de la voiture... tout ce dont il pouvait avoir besoin. Pourquoi ne fabriquait-on pas des voitures comme celle-là en Russie? Était-ce trop demander? Qui plus est, cette automobile était destinée aux citoyens ordinaires. Il en avait rencontré beaucoup sur la route.

Tout en conduisant, il passait une partie de son temps à concocter l'histoire qu'il raconterait si on l'arrêtait, le conseil du Centre étant de s'en tenir au plus simple. Il n'était qu'un touriste.

Si la police l'arrêtait, il dirait que la voiture avait été louée par des amis de la Finn-Pacific. Si la police vérifiait, la compagnie ne dirait rien avant de savoir qui était véritablement le conducteur. Et, naturellement, on ne pourrait prendre contact avec la compagnie que le lendemain matin.

Kovalenko avait un permis de conduire international qu'il s'était procuré à Hong Kong, un passeport américain tout neuf pourvu d'un visa d'entrée imprimé par les services d'immigration de Narita, des cartes de crédit et un numéro de sécurité sociale. Le Centre s'était assuré qu'il possédait une documentation complète. Leur conscience professionnelle avait failli causer sa perte, se disait-il avec un certain ressentiment. Si jamais on l'arrêtait pour une raison quelconque, il perdrait un temps précieux. Il prenait donc toutes les précautions possibles et respectait scrupuleusement toutes les limitations de vitesse. Chaque fois qu'il en avait la possibilité, il contournait les agglomérations, car la traversée des petites villes avec leurs rues encombrées offrait trop d'occasions d'accidents imprévisibles. Dans les zones rurales, les Japonais prenaient un malin plaisir à forcer le passage, qu'ils soient en voiture, à moto, ou tout simplement à bicyclette.

La nuit tombée, la circulation devint moins intense. Au fur et à mesure que le temps passait, Kovalenko prenait de plus en plus de libertés avec la règle qu'il s'était fixée. Le temps dont il disposait atteignait le point critique. Il fallait absolument qu'il soit le lendemain matin à bord du bateau de Samouraï, et en route vers son rendez-vous en mer d'Okhotsk.

Il atteignit la côte nord d'Hokkaido. Des lumières scintillaient au large, à bord des bateaux de pêche en quête de poissons volants qu'ils attiraient en traînant des lamparos au-dessous de la surface de l'eau. Il traversa des villages de pêcheurs plongés dans l'obscurité. D'un côté, la mer s'étendait, noire et menaçante, tandis que de l'autre se dressaient en surplomb les pics agressifs des montagnes de roche volcanique. Ici, on devait se battre contre les éléments d'un bout de l'année à l'autre, se disait-il. L'océan les attaquait sans cesse, couvrant d'écume leurs plages noirâtres. Mais la proximité de la mer d'Okhotsk avait ragaillardi Kovalenko. Il était content de pouvoir s'échapper de ces lieux perdus.

Des rochers de lave déchiquetés et polis par la mer émergeaient dans la lumière de ses phares, ressemblant à des animaux préhistoriques projetés sur la côte et figés là depuis des temps immémoriaux. Il ralentit pour aborder un virage. La vaste surface de l'océan s'étendait devant lui à perte de vue. Il s'imaginait déjà en sécurité sur le patrouilleur soviétique, ralliant la mère patrie tandis que l'étrave projetait l'écume irisée de part et d'autre du bateau. Il se rappela vite à l'ordre : ne jamais anticiper, c'était une règle absolue. Il devait se concentrer sur le problème actuel.

Nemuro représentait pour la région sept la dernière chance d'empêcher sa fuite avec l'ordinateur. Il était donc certain que Pachinkov l'y attendrait. Après tout, sa carrière était en balance. Il serait sans doute seul, ou accompagné d'un de ses lieutenants en qui il avait entièrement confiance. Mais c'était Kovalenko qui pouvait lui ménager des surprises. Une fois qu'il aurait atteint Nemuro et pris contact avec Samouraï, il pourrait choisir son moment. Il ne devrait pas avoir de problème pour s'échapper. Il y avait bien des façons de le faire. Mais s'échapper vers quoi?

Un sentiment de malaise s'était insinué en lui derrière la logique de son raisonnement – comme un serpent prêt à mordre. Son chef, Malik, ne faisait jamais totalement confiance à un de ses subordonnés, et ne lui disait pas l'entière vérité, si proche soit-il. Il avait pensé et repensé à sa rencontre avec Pachinkov à Shinobazu. En quoi était-elle nécessaire?

Soudain, tout devint horriblement clair. Kovalenko frémit. Il fut envahi par une terreur telle qu'il n'en avait jamais connu de toute sa vie. Il s'arrêta au bord de la route et sortit de la voiture, hébété, le cœur battant la chamade, la bile lui remontant à la gorge. Ce que son cerveau essayait de lui faire comprendre ne pouvait être vrai. Et pourtant, un instinct venu du fond des âges lui disait que c'était la vérité. Il vacilla jusqu'au bord de la mer tandis qu'un vent salé s'engouffrait dans ses vêtements. Il regarda dans le vide noir en direction de la Russie. *Pyeshka*... Le mot résonnait sans pitié dans sa tête. Un pion.

Malik avait insisté pour qu'il prenne contact avec Pachinkov, non? Pour l'attirer et le provoquer! Malik savait que Pachinkov marcherait, qu'on attenterait à sa vie. Et lui, Kovalenko, il jouait le rôle de la chèvre attachée au piquet, le leurre! *Pyeshka*. Il était celui qui devait mourir!

Kovalenko se précipita vers la voiture et claqua la portière. Il passa en première, puis démarra, le pied au plancher. Les pneus dérapèrent sur le sable instable, puis s'accrochèrent en atteignant l'asphalte. Dans un crissement de pneus, la voiture reprit vie et le moteur se mit à gronder. Il chevauchait l'animal avec une tension telle que ses bras lui firent mal à force de s'agripper si fort au volant.

Quand sa rage commença à se calmer, il ralentit et prit une allure plus normale. Son esprit s'était totalement clarifié... il commençait à ébaucher un plan. Il fallait qu'il sorte du Japon. Il fallait qu'il gagne contre Pachinkov. Il rentrerait à Moscou. Il détruirait Malik. Voilà comment il lui fallait mener le jeu. Il pourrait devenir le chef du directorat T.

Il concentra son attention sur la route, tout en réfléchissant à ce qu'il allait devoir accomplir dans les heures à venir. Il avait retrouvé l'unité d'esprit et sa mémoire était sans failles. Il savait par cœur l'adresse où il devait retrouver l'homme dont le nom de code était Samourai. Il regarda sa montre et calcula qu'il lui fallait environ une demi-heure pour arriver à Nemuro. Il ne traverserait pas la ville bien qu'il soit plus de minuit – trop de risques. Il se garerait quelque part et se rendrait au lieu de rendez-vous à pied. La maison ne devrait pas être difficile à trouver.

42

« *Une sale gamine* »

Mori était au volant et suivait les deux lanternes arrière de la voiture des Russes. Les deux officiers du K.G.B. avaient quitté leur hôtel à 23 h 20 et étaient partis en direction du nord. Pendant la première heure du trajet, Ludlow qui conduisait avait failli s'endormir deux fois. L'Américain ronflait maintenant à l'arrière tandis qu'ils roulaient vers la mer.

Tout en conduisant, Mori pensait à Ludlow. Il songeait qu'existait entre eux une ressemblance que l'Américain était loin d'imaginer. Ils étaient comme deux locomotives circulant sur des voies parallèles et courant vers leur destruction commune.

Mori arrêta le cours de ses pensées pour vérifier la distance qui le séparait de la voiture de devant, et se maintenir suffisamment près d'elle pour ne pas la perdre de vue. Puis il jeta de nouveau un coup d'œil dans le rétroviseur : deux phares le suivaient.

Ce qu'il admirait le plus chez l'Américain était sa totale absence de peur. Mori ne pouvait pas être comme Ludlow. Mori avait peur, et pas seulement de perdre la face. Il avait réussi à dominer ses réactions devant la mort, et à lui faire face sans hésiter. Et après ? Il s'était souvent trouvé dans des situations difficiles, mais en fait il était toujours avantagé ; il ne se voyait pas, comme Ludlow, dans un pays étranger, affronter le genre de risques que l'Américain allait prendre cette nuit-là, alors que son propre pays l'avait renié et qu'on le pourchassait de toutes parts. Mori pouvait s'échapper. Ludlow, lui, n'en avait aucune chance. L'admiration de Mori était issue d'un sentiment de culpabilité et de peur. Il se sentait coupable parce qu'il n'affrontait pas les mêmes risques que son ami. Sa peur, elle, était, le moment venu, de ne pouvoir sauver la vie de son ami. Alors, comme dans le cas de son père, il revivrait le même cauchemar : assister sans pouvoir rien faire à la mort d'un être cher.

Une sorte de signal d'alarme retentit dans son cerveau. Il regarda vers l'avant, puis sur les côtés – rien. Il baissa la vitre et sentit le vent lui balayer la figure – toujours rien. Finalement il s'aperçut que son inquiétude venait du rétroviseur. Il y avait une bonne demi-heure que ces phares le suivaient. Cela ne voulait rien dire, en soi. Il était tard, il n'y avait pas beaucoup de circulation, et ils ne rencontraient que peu d'embranchements. Pourtant, il ne pouvait prendre aucun risque. Il s'agissait peut-être d'une autre voiture du K.G.B. assurant la protection des occupants du véhicule qui le précédait. Tout en conduisant de la main gauche, il défit son harnais de la droite, en sortit le colt, leva le cran de sûreté, et le posa à côté de lui, sur le siège. Il était en train d'envisager les différentes options qui s'offraient à lui, lorsque les lumières des phares se mirent à grossir dans le rétroviseur. La décision avait été prise à sa place.

Il prit le colt et l'appuya sur le rebord de la fenêtre. Il vit dans le rétroviseur les phares se déplacer soudain vers le milieu de la route et entendit l'accélération du moteur quand la voiture s'apprêta à les dépasser. Il se raidit et dès que la voiture fut à sa hauteur, jeta un coup d'œil sur le conducteur. D'abord, il n'en crut pas ses yeux : Il s'agissait d'une femme dont le profil lui était familier. Erika ! La voiture le doubla et disparut dans la nuit.

Pendant les minutes qui suivirent, il n'entendit plus que le bruit du vent qui lui sifflait aux oreilles. Impossible – il avait des visions. La voiture se rapprochait de celle des Soviétiques. Non, c'était la voiture soviétique qui ralentissait. On voyait des lumières un peu plus loin... une station d'essence et une aire de repos. Erika les dépassa sans ralentir. Mori la suivit. La voiture des Soviétiques s'était arrêtée devant l'une des pompes. Mori ne s'occupait plus d'eux. Il appuya sur l'accélérateur pour pouvoir la suivre. Environ deux kilomètres plus loin, la voiture bifurqua d'un seul coup. Quand il arriva au carrefour, il tourna, lui aussi, et faillit la dépasser. Elle avait fait demi-tour si bien que sa voiture était pointée dans la direction d'où elle venait. Il ralentit, fit également demi-tour et s'arrêta derrière elle. Sur le siège arrière, Ludlow s'agita, mais ne se réveilla pas.

Il marcha rapidement jusqu'à la voiture, ouvrit brutalement la portière et pointa son revolver.

– Allez, sortez de là que je puisse vous voir.

Pendant un instant, rien ne bougea. Le visage restait caché dans l'ombre. Puis elle se décida. Sa jupe serrée remonta sur ses cuisses quand elle se déplaça sur son siège. Elle portait un gros pull-over qui avait glissé le long d'une épaule et laissait voir sa chair. Enfin, la lumière éclaira son visage angélique.

– Erika! Qu'est-ce que ça veut dire?

Elle lui sourit.

– Embrassez-moi.

Il ne tint aucun compte de son attitude provocante.

– Dites-moi ce que vous faites ici!

– Vous posez parfois des questions idiotes, vous savez! Lundi soir, au sanctuaire, vous m'avez demandé de vous aider, non? Comment pouvais-je le faire si je ne savais pas où vous étiez! Je vous ai suivi.

– Et comment avez-vous su où nous étions?

– Je n'aime ni le ton de votre voix, ni ce revolver. Je ne suis pas une criminelle. Je ne réponds pas quand on me parle ainsi.

Elle croisa les bras et se détourna de lui. Mori rangea son revolver et secoua la tête.

– Okay, dites-moi donc ce que diable vous êtes venue faire ici?

Mori entendit claquer une portière de voiture, et Ludlow s'approcha d'eux. Il montra Erika du doigt d'un air furieux:

– Et celle-là, qui est-ce?

– Elle s'appelle Erika. C'est une amie à moi. Elle nous a suivis jusqu'ici.

– Mori, hurla Ludlow, avez-vous perdu la tête? Qu'est-ce que c'est que cette histoire?

Mori haussa les épaules.

– C'est un peu compliqué, mais je peux vous expliquer.

– Vous vous foutez de moi. Faites-moi prendre le large à cette sale gamine, et tout de suite!

Erika regardait Ludlow d'un air stupéfait.

– Écoutez-moi, espèce de barbare poilu, dit-elle dans un excellent anglais, je ne suis pas une sale gamine. Et ne criez pas comme ça!

Ludlow la transperçait du regard.

– Qui vous a envoyée? Qui êtes-vous?

Mori intervint d'une voix forte:

– C'est d'elle dont je vous ai parlé au zoo de Ueno. Elle m'aide. Avant, elle travaillait pour le colonel Yuki.

– Elle travaillait pour le colonel – maintenant elle travaille pour vous? Et demain pour qui? Est-ce que vous avez complètement perdu l'esprit?

Mori aperçut les phares de la voiture du K.G.B. scintillant à travers les arbres qui bordaient la route principale. Le bruit du moteur grandit, puis diminua quand leur voiture dépassa le carrefour.

— Qu'est-ce que vous avez l'intention de faire?

— Merde, on ne peut pas la laisser ici! Pour l'instant elle vient avec nous.

Erika se mit à protester. Mori la prit par le bras.

— Faites ce qu'il vous dit, Erika, on reviendra chercher votre voiture plus tard. Il va falloir que vous vous expliquiez. Prenez vos affaires!

— *Chutto matte!* Ça n'est pas la peine de hurler.

Elle se libéra et alla prendre dans sa voiture un petit sac de voyage et une radio cassettes portative.

Mori la fit asseoir devant. Il mit la voiture en marche, poussa à fond sur l'accélérateur, et reprit à toute vitesse la route qu'avaient suivie les Soviétiques. Ils repérèrent leurs lanternes arrière au bout de quelques minutes.

— Vous savez, dit Ludlow, je n'aime pas passer pour un imbécile, mais comment cette jeune personne a-t-elle su où nous trouver?

— Je n'en sais rien, soupira Mori. Elle a essayé de connaître les intentions du colonel Yuki. Si vous nous racontiez ce qui s'est passé, Erika?

Elle leur fit un compte rendu complet d'une voix douce et précise. Elle avait fait ce que Mori lui avait demandé, et posé des questions à Yuki, pour savoir le fin mot de l'histoire. Il s'était montré très coopératif, puis soudain très préoccupé de son bien-être, au point de décider qu'il lui fallait une protection. On l'avait emmenée dans une horrible bâtisse à Kanda qui sentait aussi mauvais qu'un entrepôt, où il n'y avait qu'une paillasse et un W.-C. On lui dit que ce n'était que pour quelques jours, mais elle s'était rendu compte, petit à petit, qu'elle était bel et bien prisonnière. Elle avait attendu la première occasion et s'était évadée. Après cela, elle s'était cachée, et dès qu'elle l'avait pu, s'était rendue tout droit chez Mori.

Elle était restée la moitié de la nuit près de la maison, à l'attendre, puis s'était décidée à s'en aller. Elle marchait vers la station de métro quand elle avait vu Mori descendre la longue suite de marches, puis s'arrêter, et se retourner. Elle ne savait plus quoi faire... Quand elle avait aperçu le grand Américain qui descendait les marches derrière lui, elle avait couru se cacher et attendu une chance de le trouver seul. Depuis, elle les avait suivis. Elle avait pris le même avion et loué une voiture dès qu'ils avaient loué la leur.

– Comment se fait-il que vous m'ayez dépassé tout à l'heure? Et pourquoi vous êtes-vous arrêtée maintenant? L'Américain est toujours avec moi.

– Je voulais juste vous faire connaître ma présence. Je ne pensais pas que vous alliez vous arrêter. Vous ne me croyez pas, s'écria-t-elle tout à coup. Mais tout cela est vrai. Je le jure devant les dieux.

Ludlow se pencha vers elle. Il lui souriait comme si elle avait été sa fille. Les rides de tension qui lui cernaient la bouche s'adoucirent. Pendant un instant, il devint presque beau. Il claqua la langue comme s'il grondait un petit chat.

– Grand Dieu, mon petit, nous ne mettons pas vos paroles en doute.

Il ne reprit son regard impassible, froid et terrifiant, qu'après avoir longuement regardé la radio qu'Erika tenait serrée sur ses genoux.

– Alors pourquoi ne pas tout reprendre au début pour votre oncle Robert ici présent? Allez-y, donnez-nous tous les détails.

– Très bien, approuva Mori. Dites-nous tout ce que vous avez appris du colonel Yuki.

Elle commença par la femme de Mori. Elle avait obéi aux ordres de Yuki dans l'affaire du *konzashi* et de la pendule, pour que Mitsuko quitte Mori. Il s'avérait important qu'elle soit écœurée par Mori quand arriverait quelqu'un qu'ils ne mentionnaient que par le mot « *kinpatsu* », « le blond ». Il fallait que Mitsuko s'intéresse au blond et l'aide à faire quelque chose. Après quoi, le blond partirait vers le nord et un Soviétique qu'ils appelaient seulement « Oleg » le suivrait certainement. Mori regarda Ludlow et acquiesça d'un geste. Pachinkov, bien sûr... Le blond serait exposé à un certain danger, reprit Erika, mais Yuki ferait de son mieux pour l'aider à s'enfuir. Le moment venu, Yuki ferait appel à un Américain qu'il nommait « le Boshi »

– Le cimetière, traduisit Mori.

– Graves [1]... fit Ludlow en souriant.

Quand ils insistèrent, elle dit qu'Oleg serait arrêté, mais elle ne savait pas trop pourquoi, et tout cela ne lui semblait avoir aucun sens. Elle aurait bien voulu en découvrir plus, mais le colonel Yuki était devenu soupçonneux au fur et à mesure qu'elle lui posait des questions. Elle se détourna pour regarder à travers le pare-brise la voiture qu'ils suivaient.

– Vous avez fait un travail fantastique, dit Ludlow, après une

1. Graves en anglais signifie : tombeaux. *(N.d.T.)*

pause de quelques instants. Absolument fantastique. Il se rejeta en arrière et fit claquer ses mains rythmiquement comme un guitariste espagnol au cours d'un flamenco particulièrement réussi. Puis, comme si l'idée venait juste de se présenter à son esprit, il s'arrêta et se pencha de nouveau vers l'avant. Pourquoi ne pas vous relaxer, Erika? Vous m'avez l'air encombrée par tous ces machins qui bloquent la respiration de votre charmante poitrine. Mettez-les donc à l'arrière.

— Ça va très bien, dit-elle. Je n'ai pas besoin qu'on m'aide.

— On a peut-être été un peu durs avec vous, murmura Ludlow d'une voix basse et monotone. Si c'est le cas, nous nous en excusons. N'est-ce pas, Mori?

— Oui, toutes nos excuses. Mori se demandait à quoi rimait le changement d'attitude de l'Américain. Tout le monde doit se détendre. Mettez vos affaires à l'arrière, Erika, comme il le dit.

— Non, répondit-elle, mais finalement elle passa sa petite valise à l'Américain qui l'installa avec précaution sur le siège arrière, à côté de lui.

— Est-ce que je n'ai pas vu aussi une très jolie petite radio portative? Voulez-vous que je la mette derrière, Erika, ma belle? Ça ne me gênera pas du tout.

Elle s'agrippa à sa radio et ne répondit pas. Ludlow allongea tout à coup son énorme main par-dessus le dossier du siège et la lui arracha brusquement.

— Rendez-la-moi!

— Désolé, ma belle, mais je crois bien que je ne suis qu'un barbare, comme vous l'avez dit. Quand quelque chose me plaît, je le prends. C'est un très bel appareil. Où l'avez-vous trouvé? Dans une de ces jolies petites boutiques d'Akihabara?

Erika se tourna vers Mori.

— Dites-lui de me la rendre.

— Dans un petit moment, fit Ludlow, en souriant, et en continuant à jouer avec les cadrans.

— Arrêtez! Vous allez la casser.

Ludlow examina les côtés et le dessus avec beaucoup plus d'intérêt encore. Le mécanisme n'était facile à repérer que si on le cherchait spécialement – la grille minuscule où l'on pouvait parler, située sur le côté, l'interrupteur supplémentaire derrière, le bouton principal sur l'autre côté. Ludlow mit la radio en marche et on entendit de la musique folklorique *Enka*.

— Le son est très bon, dit-il en direction d'Erika. Ça a dû coûter un paquet.

— Rendez-la-moi!

Ludlow actionna l'interrupteur supplémentaire, écouta un moment les parasites qui disparurent tout à coup et une voix qui annonçait qu'elle venait de la voiture 55, et avait besoin qu'on lui précise de nouveau l'endroit où ils devaient intervenir. Après un temps d'arrêt, une autre voix donna une adresse précise – un immeuble à Tokyo.

– C'est le réseau du Centre de commandement de la police, à Tokyo, dit Mori. Il faut avoir un cristal spécial.

– C'est bien ce que pensais, acquiesça Ludlow. Les yeux de l'Américain avaient perdu toute leur gaieté. Il se pencha pour parler à l'oreille d'Erika.

– Vous allez donner votre code d'appel à l'oncle Robert, mon petit, ou bien faut-il tordre votre joli cou?

Mori se retourna pour jeter un coup d'œil à Ludlow.

– Est-ce qu'elle peut également appeler?

– Elle a une ligne directe, dit Ludlow, qui aboutit au Centre de commandement de la police. Vous voulez les appeler?

– Vous voulez dire qu'on lui a donné mission de nous suivre?

Le regard de Ludlow était devenu distant, comme celui d'un médecin qui doit révéler à son patient qu'il est atteint d'une maladie mortelle.

– Cela m'en a tout l'air, inspecteur, fit-il en se tournant vers Erika. Alors quel est votre code d'identification quand vous les appelez pour faire votre rapport? Qu'est-ce que vous leur dites. Je ne crois pas, ma chère, que vous vous rendiez compte du guêpier où vous vous êtes fourrée?

Elle se tourna vers Mori.

– J'allais vous le dire, mais l'Américain ne devait pas être mis au courant.

– Elle est vraiment excellente – il faut lui rendre cette justice. Ludlow contemplait la radio qu'il tenait toujours à la main. Elle a enchaîné sur l'histoire prévue sans le moindre accroc. Et ça, ça demande beaucoup d'entraînement.

Erika avait posé sa main sur le bras de Mori.

– Je suis allée voir Watanabe-san, votre ami. Il m'a dit de ne pas faire confiance à l'Américain.

– Qui est Watanabe? demanda Ludlow?

– L'homme avec qui nous avons déjeuné. Celui qui vous a donné des informations sur le passé de Kathy Johnson et révélé son rôle dans l'affaire de MicroDec. Celui dont la mère et la sœur sont mortes à Hiroshima.

– Et comment a-t-elle su où le trouver?

– Je lui avais donné son nom, et un numéro spécial où le joindre au cas où elle ne pourrait pas me contacter.

– Alors, elle dit peut-être la vérité?

– Je ne mens pas, insista Erika, furieuse.

– Je crois qu'elle dit la vérité, conclut Mori.

– Watanabe savait que le chef ne croirait pas un mot de son histoire accusant Yuki d'être un traître, et de l'avoir enfermé dans un entrepôt. Il n'avait pas d'autre choix que de faire comme s'il s'agissait d'une opération personnelle. C'est bien dans sa manière. Il ne pouvait pas utiliser le personnel du département de la police métropolitaine, parce que l'obtention des autorisations nécessaires aurait pris trop de temps et que le chef ou Yuki en auraient été avertis. Alors il lui a demandé de nous suivre. Il voulait s'assurer que tout allait bien pour moi. Si j'avais des ennuis, il accourrait à toute vitesse, parce qu'il est mon ami.

Ludlow acquiesça.

– Parfait. Mais je crois qu'il vaut quand même mieux vérifier. J'ai cru comprendre qu'il ne portait pas les Américains dans son cœur, et cela expliquerait les ordres donnés à Erika. Il est sans doute encore persuadé que je suis responsable de l'attaque du Starfire.

Mori se gratta la tête, puis se tourna vers Erika :

– Quand devez-vous lui faire votre prochain rapport?

– J'aurais dû l'appeler il y a un quart d'heure.

Ludlow lui rendit la radio.

– Montrez-nous comment cela fonctionne. Demandez à parler directement à M. Watanabe. Son ami, l'inspecteur Mori, aimerait bavarder avec lui.

Elle regarda Mori.

– Ça vous va, inspecteur ? Mori essayait de mettre de l'ordre dans les sentiments confus qu'il éprouvait à l'égard de la jeune fille. Jusqu'à quel point pouvait-elle être dangereuse? Qu'était-elle vraiment? S'il se sortait de là, il le saurait peut-être.

Pendant les cinq minutes qui suivirent, Erika leur expliqua comment manipuler l'appareil pour établir la communication. Ils durent arrêter la voiture et sortir l'antenne spéciale qu'elle transportait dans sa petite valise, puis ils installèrent le tout sur le bord de la route. En fait c'était très simple. En appuyant sur le bouton, elle se reliait à une des tables d'écoute du Centre de commandement de Tokyo, qui la reliait à son tour à la fréquence particulière qu'on lui avait attribuée. Watanabe ne vint en ligne qu'au bout de quelques minutes. L'inquiétude que laissait deviner sa voix ne se calma qu'après les explications de Mori. Une fois rassuré, Watanabe confirma le récit d'Erika : quand elle lui avait révélé les rapports de Yuki avec le blond, il avait compris que la chose était trop délicate pour qu'il en parle à ses supérieurs. Ils auraient piqué une crise épouvantable. Il avait donc décidé de s'en occuper lui-même directement, pour protéger Mori au cas où ce cinglé d'Américain essaierait de le tuer, ou pis encore. Il eut un rire embarrassé. Avant que Mori ne raccroche, il promit de l'appeler régulièrement.

Une fois l'opération terminée, personne ne dit grand-chose. En silence, Ludlow aida Erika à replier l'antenne et à la ranger dans sa valise. Ils remontèrent dans la voiture, et Ludlow proposa de prendre le volant. Il insista pour qu'Erika s'asseye devant à côté de lui. Quand ils eurent rattrapé les lanternes arrière de la voiture du K.G.B. Ludlow expliqua qu'il valait mieux se tromper par excès de précautions plutôt que par excès de confiance. C'est à peu près tout ce qu'il dit en guise d'excuse. Erika le comprit et sut tout de suite comment se comporter avec lui. Elle commença par flatter Ludlow en gardant ses distances... ni plus ni moins qu'il le fallait, et reconnut que personne d'autre que lui n'aurait pu découvrir la vérité. L'oncle Robert était un vrai professionnel, et elle avait beaucoup à apprendre de lui. Toutefois, dit-elle, il régnait une grande confusion au quartier général de la police concernant le rôle joué par l'oncle Robert dans l'attaque de la C.J.E. Comment aurait-elle pu répondre aux accusations portées contre lui disant qu'il avait organisé l'opération et était par conséquent responsable de la mort des gardes? A Tokyo, tout le monde croyait encore que le blond était américain.

– Et dans quelle direction s'enfuit le blond? demanda Mori. S'il était américain, il aurait tenté de rejoindre la base américaine la plus proche. Il y a longtemps que nous les avons toutes laissées derrière nous.

– Oui, fit Erika. Nous approchons de l'océan.

– Ça se fera par bateau, affirma Ludlow. Il s'enfuira par la mer pour rejoindre un navire hors de la limite des eaux territoriales. Il regarda Erika et sourit. Les gens de la voiture que nous suivons appartiennent au K.G.B. Ils savent où se trouve le point de départ du blond. Ils nous conduisent à lui.

Il regarda à nouveau Erika et lui fit un clin d'œil.

– Mais je ne vous demande pas de me faire confiance, mon petit, reprit-il. C'est un mot qui n'a pas cours dans le jeu que nous jouons. Si jamais je me trompe et si le blond n'est pas là en train de se préparer à prendre la mer, je me rendrai sans résistance, prêt à me soumettre aux atrocités spectaculaires qui réjouiraient votre petit cœur. Vous pourrez me ramener vous-même à Tokyo, conclut-il en lui tapotant le genou.

Erika lui dédia un sourire éclatant.

— Mais j'ai entièrement confiance en vous, oncle Robert.

Ils laissèrent Erika avec la voiture. Après avoir atteint l'océan, et suivi la voiture du K.G.B. vers l'est, ils l'avaient vue ralentir dans les faubourgs de Nemuro. Ludlow avait conduit avec précaution, laissant aux autres une bonne marge d'avance. Les Soviétiques avaient quitté la voie principale et tourné sur une route qui grimpait derrière le village. Ils savaient exactement où aller... De là, on voyait parfaitement les bateaux, les docks et les rues du hameau. Ludlow arrêta la voiture à bonne distance dans un chemin de traverse totalement désert. Avant de sortir de la voiture, Mori dit à Erika :

— C'est là que vous allez nous attendre. Vous pouvez voir d'ici la route d'où l'on surplombe le village. Restez-en proche, mais n'y allez pas au cas où nous aurions besoin de la voiture. D'accord ?

Erika fit signe que oui et les regarda grimper à travers bois au-delà de la route.

L'Américain choisit un endroit caché dans les arbres d'où il dominait les deux Soviétiques. Il s'appuya contre un cèdre massif et s'essuya le visage. Il pointa son mouchoir en direction des Soviétiques qui s'affairaient sur une plate-forme au bord de la route en dessous d'eux. Pachinkov se servait de jumelles pour observer le port et la plage qu'ils surplombaient. L'autre homme était dans la voiture et semblait très occupé. Des petits bateaux de pêche avaient été tirés sur le sable tout le long de la plage, et devant les docks se trouvait un grand chalutier aux lignes élégantes. Sur le port, se dressait le bâtiment abritant les bureaux de la Société coopérative de pêche qui contrôlait tous les bateaux de la ville.

Les dernières lueurs de l'aube révélaient un horizon bas et bouché. Dans le village, on allumait les poêles et des volutes de fumée s'élevaient des cheminées. On ne voyait personne dehors. Ludlow se tourna vers Mori.

— Qui est-ce ? demanda-t-il en montrant le Soviétique assis dans la voiture en train de monter quelque chose qui ressemblait à un fusil puissant avec visée télescopique.

Il lui rappelait quelqu'un. Même de si loin, Ludlow était à peu près sûr qu'il s'agissait de l'homme qui avait essayé de l'enlever devant l'église.

— C'est Serguei Vassiliev. Il travaille à l'Aéroflot. Il ressemble aussi à celui que j'ai vu au carrefour, le jour où Kathy Johnson a été tuée. Il faudrait que je puisse voir son cou pour en être sûr.

— Son cou?

— Le *gaïjin* du carrefour avait une cicatrice derrière l'oreille gauche.

— Eh bien, descendons pour voir ça de plus près, et bavarder un peu avec eux, peut-être, dit Ludlow. Vous êtes prêt?

— Mori se leva.

— Je suis prêt, dit-il.

Pachinkov avait les yeux douloureux et mal à la tête, en raison du manque de sommeil. Il aurait voulu se plonger le visage dans l'océan et laisser l'eau froide baigner sa figure, mais il savait que c'était impossible : Kovalenko se trouvait là, en bas, quelque part. Il fallait attendre qu'il agisse le premier. Il fallait le guetter.

Une silhouette émergea d'une des rues du village, s'engagea sur la plage et se mit à marcher lentement le long des bateaux tirés sur le sable. L'homme tenait un sac à la main. Pachinkov braqua ses jumelles sur lui. Serguei sortit de la voiture et s'approcha.

— Qui est-ce?

— Un pêcheur japonais, dit Pachinkov. Mais qui sait? Il passa ses jumelles à Serguei. Regarde bien ce qu'il tient à la main? Est-ce que ce ne serait pas le sac de voyage que Kovalenko avait avec lui dans le train?

Serguei n'observa la silhouette que quelques instants.

— Exactement le même, constata-t-il avant de ramasser son fusil. Comment voulez-vous que je procède?

— Envoie d'abord quelques balles dans le sac. Je veux que le Starfire soit détruit.

Serguei pointa le fusil et regarda à travers le viseur télescopique.

— Ne tue pas ce monsieur, si tu peux faire autrement. Contente-toi de le neutraliser.

Serguei immobilisa son arme et commença à viser.

L'explosion fut formidable. Le fusil de Serguei se désintégra littéralement et le viseur, en se brisant, expédia des esquilles de verre fines comme des aiguilles dans les joues du Russe. Serguei se retourna en soufflant comme un buffle pour faire face à son assaillant invisible. Il tenait encore à la main un morceau de son fusil. Une coulée de sang descendait le long de son visage.

Pachinkov plongea la main dans la poche de sa veste. On entendit le bruit d'un deuxième coup de feu et une balle siffla aux oreilles du résident soviétique. Sa main s'arrêta net.

Le grand Américain se leva sans hâte et se dirigea vers eux. Aucun des deux Soviétiques ne bougea. Ils auraient peut-être pu s'emparer de lui, mais ils avaient tous deux remarqué que les buissons remuaient de l'autre côté de la route, derrière l'Américain. Pachinkov fit signe à Serguei de ne rien faire.

Ludlow alla d'abord vers Serguei, lui prit des mains les restes de son arme et les lança au loin. Il regarda d'un air indifférent la déchirure qui balafrait la joue de Serguei.

– Content de vous revoir, dit-il à l'Américain.

Puis il fouilla Pachinkov, trouva un Beretta tout neuf avec une crosse de nacre, lui prit ses jumelles et inspecta la plage.

L'homme qui l'arpentait s'était retourné au bruit des coups de feu et regardait en haut vers la plate-forme. Puis il reprit rapidement son examen des bateaux, trouva celui qu'il cherchait et grimpa à bord.

– Vous savez qui est cet homme? demanda Ludlow, en se retournant vers les deux Soviétiques.

Ils secouèrent la tête.

– Son nom est le colonel Yuki. J'ai l'impression qu'il s'attendait à vous trouver ici.

Pachinkov se demandait de quoi parlait l'Américain. C'est alors que l'homme qui avait tiré se leva et se dirigea vers eux. Il n'était pas grand, même si on se référait aux normes japonaises, mais en observant son pas assuré, et son regard impassible, Pachinkov comprit qu'il ne s'agissait pas d'un Japonais ordinaire. Il tenait son revolver pointé entre les deux Russes. Pachinkov jura intérieurement : l'Américain n'était pas armé.

Mori s'était arrêté à quelques mètres des deux Soviétiques et regardait Serguei avec attention.

– C'est bien l'homme de Ginza. Il a la même cicatrice au cou.

Serguei tourna la tête pour observer Mori.

– Je ne suis jamais allé à Ginza, monsieur.

– Qu'est-ce que vous faites ici? questionna Ludlow.

– Nous attendons quelqu'un... Notre affaire ne concerne que des Russes. Laissez-nous nous occuper de lui.

– Ça me plairait beaucoup, vraiment beaucoup, mais malheureusement... Ludlow braqua les jumelles sur Yuki qui était en train de ranger le sac de voyage dans le kiosque de timonerie et se tourna vers le résident : Comment saviez-vous qu'il chercherait à s'embarquer ici?

Pachinkov haussa les épaules.

– Il a volé une de nos voitures qui était équipée d'un système de transmission sur hautes fréquences, mais il n'en savait rien.

Ludlow fit claquer sa langue. Ses yeux se portèrent de nouveau sur la plage où Yuki s'énervait en essayant de détacher les câbles qui retenaient le bateau.

– Alors, c'est la même filière que celle dont vous vous servez pour faire sortir les appareils de haute technologie du pays?

Il se retourna pour observer les réactions des Russes.

Pachinkov adressa un sourire complice à Serguei qui hochait la tête sans chercher à cacher sa satisfaction. Quelle équipe! se dit Ludlow. On dirait deux compères improvisant leur texte au fur et à mesure. Il aurait pu les écouter des heures entières. Mais son attention fut distraite par le bruit lointain d'un moteur qu'on mettait en marche.

– L'homme de la plage vient de mettre un sac à bord. C'est ça que votre ami a volé? Ludlow en indiqua la dimension approximative en écartant les mains.

Serguei haussa les épaules :

– Peut-être, répondit-il, et il se mit à chantonner un vieil air du folklore ukrainien.

– C'est bien le sac qui a été volé, reconnut Pachinkov. L'homme que nous cherchons ne doit pas être loin. Nous pouvons régler cette affaire nous-mêmes.

Ludlow regarda Mori.

– D'après ces messieurs, le colonel Yuki vient d'embarquer le prototype de l'ordinateur volé à bord de ce sloop. Est-ce que ça a un sens?

– Je ne crois pas, à moins qu'il ne se soit fait avoir, lui aussi, répondit le Japonais.

Serguei montra tout à coup quelque chose du doigt. Yuki se laissait glisser dans l'eau derrière le bateau. Déséquilibré, le bateau s'enfonça lentement dans l'eau. Au bout d'un moment, il remonta à la surface. Ludlow nota son nom : *Minikami*. C'était un sloop de pêche à moteur, avec un seul treuil à l'arrière pour remonter les filets qui étaient rangés sur le pont. Très facile à manier. Le moteur démarrra, le bateau se stabilisa quand l'hélice repartit, puis il s'éloigna lentement de la plage.

– Ils essayent de nous avoir, dit Pachinkov. Ils essayent de nous faire croire qu'il s'agit d'un pêcheur qui part tout seul sur son bateau.

Ludlow inspectait les vagues. Mori plissait aussi les yeux, cherchant une explication à la surface de l'océan. Ludlow crut d'abord voir une mouette posée sur la mer, une forme mince qui disparaissait périodiquement dans le creux de la vague. Il étudia la chose pendant au moins une minute, puis tendit les jumelles à Mori.

— A 10 heures, dit-il, entre le bateau et la digue. Qu'est-ce que vous voyez?

Mori se colla les yeux sur les jumelles.

— Un tuba de plongée, bon sang!

C'est à ce moment que Pachinkov cria :

— Maintenant!

Serguei se précipita sur Ludlow, fit tomber le Beretta d'un coup sec et enfonça son genou dans les reins de Ludlow. La violence de l'attaque étourdit Ludlow qui perdit momentanément l'équilibre. Serguei ramassa le revolver et le pointa sur Mori – le tout en quelques fractions de seconde. Pachinkov ordonna à Mori de poser son arme et les jumelles par terre devant lui et de reculer de trois pas. Ludlow devait garder les mains en l'air. Mori se baissa pour s'exécuter.

Le coup de feu ne fit guère de bruit, son écho dans la montagne encore moins. Serguei fut projeté contre le muret de la plate-forme, s'y accrocha un instant, puis lâcha prise. Il roula par terre, s'aplatit sur le ventre, eut un sursaut et resta immobile. Une tache sang s'élargissait sur son dos. La balle lui avait traversé le corps.

Ludlow saisit Pachinkov et le projeta à l'abri derrière la voiture des Russes. Mori n'avait pas bougé. Il se retourna pour inspecter la montagne, puis se dirigea vers le corps sans vie de Serguei et regarda longuement la cicatrice qu'il avait derrière l'oreille gauche.

— Eh bien maintenant, fit-il, il ne pourra plus jamais prouver son innocence.

Il n'y eut pas d'autres coups de feu venant de la montagne. Ludlow se redressa progressivement.

— Nous commençons à comprendre, Ninja, dit-il.

Mori alla jusqu'au bord de la plate-forme et suivit des yeux le bateau qui se dirigeait lentement vers le large. Une forme noire agrippa un filin et se hissa à bord par le côté. La forme ruisselante dégagea sa tête du casque de plongée. Bien qu'il ne puisse pas le voir à une telle distance, Mori était certain qu'il avait les cheveux blonds.

— Voulez-vous parier, dit Ludlow, que la balle qu'ils ont utilisée est du même calibre que les vôtres?

— Ils pourront dire n'importe quoi, répondit Mori, la balle a traversé le corps.

Trois voitures firent soudain irruption sur l'aire de parking de la plate-forme. Des portières s'ouvrirent. Graves descendit sans se presser de la dernière voiture – une Chevrolet américaine noire arborant les plaques bleues de l'ambassade. Pas de chromes. Des deux autres voitures émergèrent six Américains en civil, toutes armes braquées sur Mori, Ludlow et l'officier du K.G.B. Le chef de station agita la main en direction de Mori.

– Content de vous voir. Vous êtes bien le fameux inspecteur Mori, n'est-ce pas? Voudriez-vous être assez aimable pour ranger votre arme, monsieur, mes bonshommes ont la gâchette facile.

Graves regarda Ludlow comme s'il se souvenait vaguement de l'avoir déjà rencontré. Puis il se tourna vers le cadavre du Soviétique qui gisait sur le sol et vers l'autre qui lui lançait des regards furieux. Il lui dit :

– On va laisser partir votre camarade du bateau de pêche. Vous serez exécuté pour trahison si vous retournez en Union soviétique. Le gouvernement américain vous offre l'asile politique.

Mori, stupéfait, n'en croyait pas ses oreilles.

– Vous n'avez pas le droit de faire ça.

Ludlow secouait la tête d'un air écœuré.

– Vous êtes tous des imbéciles, se mit à crier Pachinkov tout à coup. Un appareil de grande valeur va tomber entre les mains des Soviétiques. Vous laissez un criminel s'échapper et vous tuez un homme innocent.

– Chaque chose a son prix, dit Graves avec politesse.

Pachinkov le fusilla du regard, puis s'attaqua à Mori.

– L'homme qui est sur le bateau, Kovalenko, a passé une nuit avec votre femme, inspecteur. Nous avons une bande enregistrée qui le prouve.

Il y eut un silence. Tout le monde regardait Mori. L'inspecteur de police hocha la tête et sourit.

– Vos plaisanteries sont ridicules, dit-il au Russe.

La tension se relâcha immédiatement. Et même si c'était vrai, pensa-t-il, ce ne serait pas de sa faute. C'était sa faute à lui, et celle de l'État.

– Le droit d'asile ne m'intéresse pas, cracha Pachinkov au visage de Graves.

– On verra comment ça se présentera quand vous aurez eu le temps d'y réfléchir, mon vieux.

– Vous avez concocté tout ça avec Malik, c'est certain – pour détruire ma carrière et promouvoir la sienne? Il travaille pour vous, alors? Est-ce pour cela que vous voulez le voir à la tête du premier directorat? Je ne laisserai pas une telle monstruosité s'accomplir!

Graves fit un geste de la main. Deux des Américains s'emparèrent du Soviétique et l'encadrèrent pour le conduire à la voiture où ils essayèrent de cacher le fait qu'ils lui passaient les menottes.

Graves alla trouver Ludlow.

— Allez le plus vite possible à la base aérienne de Misawa... Donnez mon nom à l'embarquement. Ils vous feront sortir du pays. Ne perdez pas de temps.

— C'est vraiment très aimable à vous, Graves.

— Écoutez-moi, aboya Graves. Pour l'instant, je suis de bonne humeur, alors ne me faites pas changer d'avis, d'accord?

— Et Yuki? Vous ne saviez pas qu'il travaillait avec le Soviétique du bateau?

Graves jeta un coup d'œil autour de lui pour s'assurer que Pachinkov était bien dans la voiture et ne pouvait l'entendre.

— Yuki est un vrai patriote, Bob. C'est lui qui a proposé d'emmener le blond en bateau. Pour que notre opération réussisse, Pachinkov doit croire que le camarade Kovalenko a pu sortir du pays, pas vrai? Mais en fait, le colonel Yuki a l'ordre de l'exécuter quand il le jugera bon dès qu'il sera sorti des eaux territoriales. Et de se débarrasser du corps.

— Et comment réussira-t-il à faire tout ça?

— Il a caché un Uzi à bord hier soir. Il a aussi un Stinger pour couler le patrouilleur soviétique si c'était nécessaire.

Ludlow secoua la tête :

— Le Stinger est une arme sol-air. Il ne peut rien détruire dans l'océan, à moins de tirer à bout portant.

— Je vais vous dire, siffla Graves, vous réfléchissez trop. C'est le chant du cygne pour Yuki. Il prendra sa retraite une fois l'opération terminée.

— Yuki travaille avec les Soviétiques, Graves. Il a tué Kathy Johnson et attaqué Harrington. Donnant-donnant. En échange, il aide le blond à s'échapper.

— Seigneur, Ludlow, laissez-moi donc faire. Graves arborait un sourire résigné. Écoutez-moi, remuez-vous les fesses et allez à Misawa. J'ai tout préparé. Le département du Plan ne laisse pas tomber les siens. Il faut que je m'en aille.

Il passa devant Mori en formant le V de la victoire, fit quelques mètres de jogging pour montrer sa forme, et laissa le chauffeur lui ouvrir la portière.

La portière de la Chevrolet claqua et la voiture américaine recula jusque sur la route. La dernière image que vit Ludlow fut celle de Graves se penchant vers son prisonnier, un sourire plein de sollicitude aux lèvres, pour lui dire quelque chose dans un russe qu'il écorchait abominablement.

43

Le choix du capitaine

Mori et Ludlow avaient pris la voiture des Soviétiques pour se rendre au parking de la coopérative des pêcheurs. Pas de trace d'Erika. Des groupes de villageois discutaient sur la plage. Aucun des bateaux de pêche n'avait pris la mer bien qu'il soit 7 heures passées. Le bâtiment de la coopérative était situé à l'entrée d'une jetée. A l'autre extrémité, se trouvait un hangar recouvert de tôle ondulée où l'on pesait et nettoyait les poissons. Des conteneurs, marqués du sigle rouge de la Finn-Pacific, étaient empilés contre un mur. Le long de la jetée, un chalutier aux lignes élégantes venait heurter doucement les pneus suspendus à la jetée par des cordes.

Quand Mori et le *gaijin* entrèrent dans le bureau, quelques regards se tournèrent vers eux, mais pour la plupart, la douzaine de pêcheurs assis devant des tables, ou occupés à fumer et à bavarder entre eux à voix basse, ne leur prêtèrent aucune attention. Ils portaient des bottes de caoutchouc et des bleus de travail aux pantalons larges et tachés. La salle sentait la marée et les visages des pêcheurs reflétaient l'arrogance et le respect d'hommes qui avaient su dompter la mer. Ils avaient tous le même teint hâlé couleur de noisette, mais le visage le plus marquant était celui du vieil homme qui parlait au téléphone.

C'était un visage comme taillé au ciseau, sans trace d'empâtement, dont la peau était tendue sur des pommettes saillantes, et agrémenté de gros sourcils blancs. Tanné par les années passées en mer, il avait dans les yeux l'éclat de la fierté, de l'opiniâtreté, de la hardiesse qui caractérisent le pêcheur d'Hokkaido. La déférence que lui montraient les autres le désignait clairement comme leur chef.

– Pas de sortie de bateaux avant qu'on nous en donne l'autorisation, dit le directeur de la coopérative. Ces salauds de *Chikishos* finiront par avoir notre peau, pas vrai? Il raccrocha le téléphone et regarda Mori et Ludlow. Et qui diable êtes-vous?

– Nous avons besoin d'aide. Il s'est passé quelque chose ce matin dans la montagne. Vous avez sûrement entendu les coups de feu.

– Que vous dites! Je n'ai rien entendu du tout. Araki, tu as entendu quelque chose dans la montagne avant de venir ici?

Un homme plus jeune secoua la tête négativement. Le chef se tourna vers Mori.

– On n'a rien entendu.

Mori sortit son porte-cartes, l'ouvrit comme à regret et le posa sur le bureau du directeur de la coopérative.

– Je vais avoir besoin de votre bateau le plus rapide.

Il s'exprimait d'une voix calme, mais quelque chose dans cette voix fit que toutes les conversations s'arrêtèrent. A travers les minces cloisons, on entendit le clapotis des vagues qui venaient lécher la jetée et les cris perçants des mouettes.

Le chef regardait fixement la carte de police de Mori.

– Par les pieds de Bouddha... un officier de police, et de Tokyo, par-dessus le marché. *Yaroo*, tout ça se tient, j'imagine. Hier soir, cette espèce de cochon sauvage de colonel d'infanterie a fait irruption chez Araki comme s'il était chez lui et lui a emprunté son bateau.

– Il a bien payé, dit Araki, en guise d'excuse. Et sa famille est vaguement parente avec la mienne.

Le chef secoua la tête.

– Les officiers et leur rang! Tous les mêmes et partout. Ils font marcher les autres. Tu auras de la veine si tu récupères ton bateau. Et il paraît qu'il a monté un fusil à bord, la nuit dernière, en croyant que personne ne le verrait.

– Il a donné une grosse somme d'argent cash, capitaine.

– Eh bien, elle est drôlement patriotique notre coopérative! Et maintenant, à cause de votre patriotisme, nos bateaux ne peuvent plus sortir. Il fixa le jeune pêcheur du regard.

– Il a dit qu'il allait à la rencontre d'un patrouilleur soviétique et qu'il pouvait y avoir du danger, fit Araki. Il m'a montré des papiers officiels.

Ludlow se mit à parler en japonais d'une voix douce.

– Oui, normalement, vous réglez vos problèmes avec les patrouilleurs soviétiques en leur passant quelques-uns de ces conteneurs que je vois là dehors. Exact?

Le capitaine prit un *oshibori* sur son bureau, déplia la serviette humide et s'enfouit la tête dedans. Il resta ainsi pendant plusieurs secondes. Quand il ôta la serviette, son visage avait repris son air patient.

– Et, au nom des Sept Plaisirs, qui peut bien être cet étranger?

– Il travaille pour le gouvernement américain, dit Mori.

– La Finn-Pacific, suggéra Ludlow, vous connaissez, bien sûr? Le capitaine fit signe que oui.

– Ils cachent des appareils volés, de haute technologie, dans les conteneurs, dit Ludlow. Ils se servent de vous. Les Russes se servent de vous.

Le capitaine secoua tristement la tête et retira ses pieds du bureau.

– Dois-je comprendre que vous, vous ne voulez pas vous servir de nous?

Il se pencha en avant sur son bureau et croisa les mains devant lui comme s'il allait prononcer un discours. Dans la pièce, tout le monde se remit à parler calmement comme le font les Japonais quand ils s'attendent à une dispute. Il expliqua d'abord que tout ça se réduisait à une loterie, étant donné que la demande dépassait l'offre. Et tout ça n'avait rien d'illégal, puisqu'ils n'avaient aucune intention d'exporter les conteneurs. Les Soviétiques montaient simplement à bord et les prenaient. Toutes les coopératives de pêcheurs des côtes d'Hokkaido considéraient qu'il s'agissait d'une excellente politique. En conclusion, il ne croyait pas un mot de ce que l'étranger leur racontait. Ces idioties à propos d'appareils de haute technologie volés étaient une histoire de fou. Le directeur de la coopérative regardait sans sympathie Ludlow qui menaçait de faire capoter un arrangement tout à fait souhaitable avec les Russes.

– Un signal radio, dit brusquement Ludlow. Les conteneurs qui contiennent ces appareils sont équipés de radios haute fréquence que les navires radio des Soviétiques repèrent facilement. Ils ne montent qu'à bord des bateaux qui transportent des conteneurs remplis d'appareils de haute technologie.

– Je n'en crois pas un mot, dit le directeur de la coopérative.

La porte s'ouvrit d'un seul coup, et cette fois, tous les visages se tournèrent... Erika entra, regarda les hommes, vit Mori et Ludlow et les fixa d'un air sévère.

– Qu'est-ce que vous faites ici tous les deux?

Elle s'avança, se plaça à côté de Mori et sourit au directeur de la coopérative. Elle sortit sa carte de visite et la tendit au capitaine en s'inclinant. Pour la première fois, celui-ci sourit.

– Araki, va me chercher mes cartes de visite.

Il lui en donna une tandis qu'Araki lui avançait une chaise, qu'il plaça sur le côté du bureau parce que le capitaine avait lorgné ses jambes. Mori se dirigea vers la fenêtre. Le *Minikami* n'était plus qu'un point à l'horizon. Il sentait la sueur lui couler sous les bras. Erika fit des bruits de langue compréhensifs quand le capitaine lui expliqua que les deux intrus lui avaient ordonné de leur fournir un bateau. Erika s'excusa en leur nom et soupira. Elle avait entendu toute la discussion depuis la jetée.

– Est-ce que par hasard, un bateau avec un blond à bord, avait quitté le port ce matin? demanda-t-elle. Le capitaine grimaça. Ben... de fait, il n'en savait rien... mais un cochon de colonel avait pris un de leurs bateaux et interdit aux autres de sortir. Il avait pris à bord un passager, de l'autre côté du môle. Il était peut-être blond, mais le capitaine n'en était pas sûr...

– Araki, toi qui a de bons yeux, dis-nous si le passager de ton ami le colonel était blond ou pas? Cette jolie dame voudrait le savoir. Il ramassa la carte de visite d'Erika.

Araki avait l'air d'être content d'être à nouveau dans les bonnes grâces du capitaine.

– Quand il a enlevé son casque de plongée, ses cheveux brillaient comme de l'or. Je n'ai jamais rien vu de pareil. Les autres approuvèrent.

– Écoutez, dit Mori, nous sommes en train de perdre notre temps.

– Vous ne travaillez pas pour eux, quand même? dit le capitaine à Erika d'un air incrédule. Il regardait l'inspecteur japonais et l'étranger d'un air écœuré.

– Bien sûr que non, répondit aimablement Erika. Regardez donc ma carte. Je travaille pour le colonel et ces hommes sont mes subordonnées.

Elle se retourna et fit à Mori un sermon, expliquant qu'il valait mieux donner que prendre, et qu'il ne devait pas se laisser obnubiler par sa condition de policier.

– Il est habitué à se trouver face à des criminels, sussura-t-elle à l'oreille du chef de la coopérative, avec un sourire de regret. Mais, ajouta-t-elle, il existait un autre aspect à sa personnalité. Le capitaine était-il, par hasard, un de ces patriotes qui avait participé à la guerre? Oui. C'est bien ce qu'elle avait pensé. Elle laissa ses yeux s'appesantir un long moment sur son visage. Et dans une unité combattante, oui? C'était merveilleux.

– Ni les Américains, ni les Français n'ont réussi à venir à bout de l'Indochine... mais, nous, nous l'avons fait; et facilement qui plus est. Araki, va me chercher ma baïonnette.

Ils étaient vraiment obligés de partir maintenant, dit Erika, étant donné que le village voisin leur avait aimablement proposé de leur prêter un de leurs bateaux, et qu'ils n'avaient pas de temps à perdre. Mais, il se pourrait bien qu'elle revienne pour écouter le récit de ses expériences pendant la guerre.

– Et à Gadarukanaru [1] aussi... J'y étais avec la brigade Kawagichi.

– Vous auriez besoin d'un bateau pour combien de temps?

Erika se tourna vers Mori qui expliqua qu'il leur fallait rattraper le *Minikami*. Il s'était produit une grave erreur et le *gaijin* ici présent était porteur d'un message personnel de son gouvernement pour le *gaijin* blond du bateau. C'était une question de paix internationale.

– Je possède le bateau le plus rapide de toute la côte. Il est ancré le long de la jetée. Je vous demanderai de payer le fuel.

Erika hésita, puis accepta gracieusement l'offre du capitaine. Elle lui dit que toutes les notes de frais devraient être envoyées à l'adresse figurant sur sa carte, si cela convenait au capitaine, il pouvait vérifier par téléphone. Le capitaine déclara qu'il était capable de savoir à qui il pouvait faire confiance. Il prit sa carte et lut à haute voix « Agence de renseignements du ministère de la Défense » d'un air satisfait.

Erika se tourna vers l'Américain et lui chuchota en anglais :

– Je m'excuse de ne pas vous avoir cru. Ce bateau représente une compensation, le paiement de ma dette.

Ludlow approuva fièrement de la tête, comme un directeur d'école félicitant une élève qui vient de réussir son examen.

Pendant ce temps-là, Araki avait trouvé la baïonnette du capitaine et la tendit à son chef qui la posa soigneusement sur son bureau. Il désigna l'arme du doigt et expliqua avec grandeur qu'il avait combattu en Indochine, en Malaisie, et à Gadarukanaru. Il avait été sous les ordres du fameux général Mori.

Erika, qui regardait ses ongles avec attention, en pointa un sur Mori. « C'était son père. »

– Le fils du Tigre? Je n'en crois rien. Il était très grand.

Erika ne pût s'empêcher de rire, et expliqua que le rationnement de la guerre avait empêché Mori de grandir. Et aussi que sa volonté de vouloir égaler son père l'avait rendu agressif.

– Il veut avoir sa propre Porte des Tigres, dit-elle, son *Toranomon* personnel. Il veut dépasser son père.

Mori avait quitté la fenêtre pour les rejoindre.

---

1. Guadalcanal. *(N.d.T.)*

– Oui. Tout cela est absolument exact. Et me voilà ici, travaillant sous les ordres d'une femme, à une opération sans importance sur la côte d'Hokkaido. Maintenant, si ça ne vous ennuie pas, je crois que nous devrions partir.

Le capitaine appela cinq hommes par leur nom et se dirigea vers la porte. Un moment après, le tonnerre des diesels des bateaux indiqua que le grand et magnifique chalutier était prêt à lever l'ancre.

Erika prit Mori à part avant qu'il monte à bord :

– Je vous en prie, faites bien attention à vous, tous les deux. Quand vous reviendrez, je donnerai une grande réception. Nous boirons trop, et nous rirons, et nous parlerons de ce que nous avons fait. Que mes ancêtres me pardonnent.

– C'est déjà fait. Vous avez fait ce qu'il fallait.

– Embrassez-moi.

Elle l'embrassa passionnément sur les lèvres jusqu'à ce qu'il goûte le sel lui coulant sur les joues. Elle s'arracha à lui.

– Vous reviendrez, c'est sûr ?

– Naturellement, fit Mori.

Elle se retourna brusquement et se mit à courir vers sa voiture. Même quand elle l'eut atteinte, elle ne regarda pas en arrière. Pas même une seule fois.

44

Samouraï

La pluie qui tombait sans relâche depuis plusieurs jours avait foncé la couleur verte de l'océan et les vagues heurtaient brutalement la coque. L'écume montait de l'étrave en vapeurs épaisses. Le capitaine était à la barre et surveillait le radar. Mori et Ludlow se tenaient derrière lui en silence.

– La dernière fois que j'ai vu un Américain de près, c'était à Gadarukanaru. Vous y êtes allé? fit le capitaine en fixant Ludlow d'un regard dur.

– Je ne crois pas connaître cette ville, répondit Ludlow dans son japonais le plus sophistiqué.

– Ce n'est pas une ville. En anglais, c'est Guadalcanal, corrigea Mori.

– Oui, c'était en 1943, reprit le capitaine comme s'ils étaient tous de vieux amis désormais. Nous étions basés à Koror. On nous avait dit que les Américains n'aimaient pas se battre la nuit – qu'ils étaient efféminés – et que la seule chose qu'ils pouvaient faire la nuit, c'était danser. Quand nous avons débarqué de nuit au cap Taivu, nous n'avons pas trouvé d'Américains en face de nous. Les vagues grouillaient de noctiluques luminescentes qui brillaient comme les néons de Ginza. Elles s'accrochaient à nos leggings et les rendaient lumineux. Cela nous avait fait rire. Et comme les Américains ne tiraient pas, tout le monde se disait que ça se passerait comme en Malaisie.

C'est à peine si Mori écoutait. Le sang lui battait dans la tête. Il avait les yeux fixés sur un point qui grossissait lentement à l'horizon. Bien qu'au-dessus d'eux, le ciel fût rempli de nuages, le soleil avait fait une apparition, et diffusait une lueur éblouissante et métallique. Un arc-en-ciel indécis se montra un instant à l'est, au cœur d'un troupeau de nuages et disparut. L'air était lourd d'humidité. A l'intérieur de la cabine, les vitres se couvraient d'un brouillard d'écume. On mit les essuie-glaces en route.

Leur objectif – disait le capitaine – était la base aérienne d'Henderson. Les deux mille hommes des troupes japonaises avançaient dans une obscurité si dense que chacun devait s'accrocher à la ceinture de celui qui le précédait. Les officiers durent se mettre des croix blanches dans le dos pour qu'on les reconnaisse. L'attaque avait été fixée à 9 heures, puisque le neuf porte bonheur. Une petite crête bloquait l'accès à l'aérodrome, alors c'est là qu'on avait attaqué. Les officiers ont crié « *Totsugeki !* » et on y est allés.

– C'est là que j'ai rencontré mon premier Américain.

Le capitaine tourna la tête pour voir le visage de Ludlow et lui fit un clin d'œil. Puis il consulta de nouveau le radar.

– Une tempête qui s'annonce, dit-il à l'homme du radar, et il regarda le baromètre avant de reprendre son récit.

Pendant cette pause, Mori dit à la cantonade :

– C'est bizarre que le colonel ait interdit à tous les bateaux de quitter Nemuro avant son retour ?

– Un Américain surgit devant moi. Je l'ai embroché avec ma baïonnette avant qu'il ait eu le temps de tirer. Je me souviens de son visage... Il était très jeune. Et pourtant avant de mourir, il a réussi à crier des ordres dans sa radio... le résultat a été un tir de mortiers qui a tué presque tous les soldats de ma compagnie. A la fin, j'étais le seul rescapé.

– Il y avait de bons soldats des deux côtés cette fois-là, fit Ludlow, laconique. Il y avait dans son sourire quelque chose de désespérant mais impliquant qu'il savait, lui aussi, ce que cela représentait de perdre une guerre.

– Je veux dire, poursuivit Mori en s'adressant à l'horizon, que si je devais sortir en mer pour rencontrer un ennemi, j'aimerais être entouré de bateaux amis.

Il avait parlé anglais pour que le capitaine ne comprenne pas ses paroles.

– Le patriotisme. C'est là que j'ai compris que – le *sheishin* – les Américains en avaient aussi, et que la guerre ne serait pas aussi facile que nos officiers avaient l'air de le penser, conclut le capitaine. Il secoua la tête et se plongea dans ses souvenirs.

– Peut-être bien qu'il n'a pas l'intention de revenir, dit Ludlow d'un air vague.

Il était en train de penser à la triple épaisseur de la jungle du Viêt-nam et à la précision incompréhensible des tirs ennemis.

– C'est exactement ce que j'étais en train de me dire, répliqua Mori.

La vitesse à laquelle ils se rapprochaient du *Minikami* provoquait une torpeur mélancolique, et ils étaient l'un et l'autre envahis de certitudes illusoires.

Mori, quant à lui, restait persuadé de la certitude de sa découverte : Le colonel Yuki était sur le point de passer en Union soviétique. Il y avait longtemps qu'il aurait dû s'en douter. Yuki s'était joué du chef de la police, du ministre de la Défense et de tous les autres. Et à la façon dont les choses se passaient, ils se retrouvaient tous les mains vides. Au bout d'un certain temps, ils finiraient par comprendre. Yuki était loin d'être bête. Il s'était parfaitement rendu compte qu'il n'avait pas d'autre choix.

Yuki avait certainement prévenu son contact soviétique que l'ordinateur n'était qu'un faux-semblant... Par conséquent, le but de l'opération n'était nullement de sortir l'appareil du pays, mais de détruire l'homme qui se trouvait maintenant entre les mains des Américains, Oleg Pachinkov. Là, ils avaient réussi. Le fait que le blond n'ait pas abandonné l'ordinateur prouvait qu'il était loin de tout savoir. On s'était aussi servi de lui.

Pour Ludlow, la certitude était d'un autre ordre. Depuis qu'il était à bord, il s'était efforcé de reconstituer dans son esprit l'opération dans sa totalité. Et sa mélancolie provenait de la certitude qu'il avait de ne jamais en avoir la preuve absolue. Cela se passait ainsi chaque fois qu'une opération touchait à sa fin. Il avait découvert les deux aspects de l'échange – de cela il était sûr. Yuki avait aidé les Russes à couler Pachinkov en échange des informations sur l'affaire MicroDec que le K.G.B. lui avait fournies. Yuki avait tué deux de ses trois tourmenteurs : Kathy Johnson et Carl Lawson, et tenté de tuer le troisième. L'équation – même si elle n'avait pas été entièrement résolue – n'existait plus. Pachinkov avait parlé d'un nommé Malik, et l'avait accusé d'être un espion américain, ce à quoi il fallait s'attendre. Malik était donc celui qui tirait les ficelles, l'ennemi de Pachinkov au sein du K.G.B. Il était à l'origine de toute l'opération. Il était celui qu'Harrington voulait coincer. Mais qui était-il ? et où était-il ? Une opération se terminait toujours par des séries de boîtes insérées les unes dans les autres comme des poupées russes. Des miroirs reflétant d'autres miroirs à l'infini. La vérité, on ne pouvait que l'imaginer.

Mori interrompit le cours de ses pensées.

– A propos, et Graves ? Comment a-t-il su à quel endroit le blond devait s'embarquer ? et que Pachinkov y serait ?

Ludlow eut un sourire en coin :

— C'est Yuki qui l'a mis au courant. Écoutez : Il y a environ une semaine, Graves s'est vanté devant moi d'être en train de monter avec Yuki une opération qui lui permettrait de cueillir un transfuge soviétique. Yuki connaissait le lieu d'où le bateau partirait, il savait que Pachinkov suivrait le blond. Un joli coup monté, mais n'en donnez pas tout le crédit à Yuki. Chaque pas du colonel était contrôlé par quelqu'un à Moscou.

Ludlow tira de sa poche un paquet de Seven Stars et en offrit à la ronde. Puis il prit son vieux briquet cabossé et donna du feu à Mori, au capitaine et à l'homme du radar.

— Promettez-moi quelque chose, fit Mori, l'œil fixé sur le briquet de Ludlow. La prochaine fois que vous irez à Bangkok, ramenez-moi un briquet comme celui-là.

— Je vais faire mieux que ça, Ninja, dit Ludlow. Tenez. Prenez-le. Et il le tendit à Mori.

— C'est un briquet qui a du caractère. Je vous revaudrai ça un jour.

— C'est déjà fait. Vous m'avez appris sur le Japon et sur les Japonais des choses que j'aurais dû savoir. Vous n'êtes pas une si mauvaise race que ça après tout.

Ils levèrent tous les deux les yeux. Le chalutier changeait de cap. Le capitaine leur fit signe de venir regarder l'écran radar.

— Vos amis ont compris que nous allions les rattraper avant qu'il n'atteignent leur lieu de rendez-vous. Ils n'ont pas un comportement amical. Apparemment, ils ont décidé d'aller vers les Kouriles.

— A terre ?

— Oui. Une terre contrôlée par les Soviétiques et qu'on voit généralement des côtes d'Hokkaido. S'il ne faisait pas ce temps-là, vous pourriez les voir facilement. Nous sommes déjà trop proches de ce que les Soviétiques appellent une zone stratégique. Dès qu'on y entre, ils peuvent vous tirer dessus.

— Vous avez le choix, Ludlow-san, dit Mori. Je vais demander au capitaine de vous ramener et de vous trouver un moyen de transport jusqu'à la base aérienne de Misawa. De là vous pourrez rentrer aux États-Unis sans problème.

— Et vous ?

— Je vais emprunter la chaloupe du chalutier. Elle a un moteur hors-bord. Après être venu si loin, ce serait dommage d'abandonner maintenant.

— Vous êtes donc certain qu'il ne va pas revenir au Japon ?

— C'est une décision personnelle, dit doucement Mori. Quelque chose qui ne concerne que moi, qui se passe entre le colonel, le Soviétique et moi-même.

– Tout seul en mer, et avec une tempête qui s'annonce?

– Là où il y a des inconvénients, il y a aussi des avantages.

– Arrêtez vos sacrés aphorismes, s'emporta Ludlow, en tirant de sa poche l'arme du résident du K.G.B.

Quand le capitaine se retourna pour voir ce qu'ils avaient décidé, il se trouva nez à nez avec le canon d'un Beretta à crosse de nacre.

– Vous allez nous conduire à la côte, ordonna Ludlow avec le plus grand calme. Après quoi, vous pourrez rentrer à Nemuro. Par ce temps, je doute qu'il y ait beaucoup d'avions soviétiques qui prennent l'air.

Le capitaine les regarda en fronçant les sourcils et changea à nouveau de cap. Le chalutier reprit sa course dans le sillage du *Minikami*. Mori pouvait presque distinguer le rouf du sloop.

– Je ne pourrai pas vous attendre, marmonna le capitaine, mais je vous souhaite bonne chance... quel que soit votre but.

Mori sentait la transpiration lui couler sur les mains. Il n'avait pas changé de vêtements depuis trois jours. Un mauvais présage. L'eau était couverte d'une épaisse condensation et les nuages bas et opaques créaient un voile de brouillard qui empêchait de voir à plus de deux kilomètres. Les Kouriles devaient être toutes proches.

D'un seul coup, le voile se leva comme un rideau de théâtre. D'abord, ce fut une côte lointaine et brunâtre, avec des masses vertes à l'intérieur. Puis des rochers et des arbres se dessinèrent. Mori mit sa main dans sa poche et tâta la crosse de son colt.

Le rouf du *Minikami* devenait nettement visible, ainsi que le mât épais qui servait de treuil pour remonter les filets. On pouvait reconnaître le colonel Yuki à son uniforme. Il avait dû se changer en route. Aucun doute, c'était bien lui. Il manœuvrait frénétiquement la barre, s'arrêtant de temps à autre pour jeter un regard furieux par-dessus son épaule au bateau qui se rapprochait. Le Soviétique blond s'était installé à l'arrière en position de tir, tenant l'Uzi serré contre lui. Le capitaine maintenait son bateau juste hors de portée de tir. Le colonel avait fourni à Mori la réponse qu'il cherchait. De toute évidence, il n'avait rien d'un otage. Les deux hommes n'avaient qu'un seul et même but : réussir à s'enfuir.

La terre se rapprocha d'eux, plus tôt et plus vite qu'ils ne s'y attendaient... Ludlow prit un sac de plastique dans un coin de la cabine et y vida les balles du chargeur de son arme.

— Passez-moi les vôtres, dit-il à Mori. Apparemment vous aviez raison à propos de notre ami. Il passe à l'ennemi.

Le capitaine se mit tout à coup à crier un avertissement. Le Soviétique était entré sous le rouf et en ressortait chargé d'un instrument de forme cylindrique. Il le hissa sur son épaule et pointa l'objet sur leur bateau.

— Un lance-missile, fit Ludlow. Il avait espéré que l'information donnée par Graves fût fausse.

— Qu'est-ce que vous proposez? demanda Mori à l'Américain.

— Faites des prières à tous les dieux possibles et imaginables, répondit Ludlow en évaluant la distance qui les séparait du *Minikami*. Il dit au capitaine : Faites machine arrière, augmentez la distance et obéissez exactement à mes ordres, à l'instant même où je vous le dirai.

Fascinés, ils observèrent le blond qui prenait son temps pour fixer le lanceur, puis appuyait lentement sur la détente. Le missile partit dans un petit nuage de fumée.

— A gauche toute! hurla Ludlow dans l'oreille du capitaine. Le bateau vira de bord, et l'eau jaillit, passant presque par-dessus le bastingage, tandis que le bateau obéissait aux ordres.

— Vitesse maximale! cria de nouveau Ludlow, et ils sentirent la vibration des turbines quand le bateau, secoué par leur puissance d'accélération, se mit à fendre les vagues à toute vitesse. Le missile passa près d'eux avec un sifflement monstrueux.

— Redressez, faites-leur face maintenant, hula Ludlow.

Le Soviétique était en train d'introduire un autre missile dans le lanceur. Il tira encore deux fois, et chaque fois, ils réussirent à l'éviter. Le front de Ludlow était couvert de sueur. Le capitaine lui montra quelque chose du doigt :

— Ils se dirigent vers cette plage-là. Ils ont laissé tomber.

Ils ralentirent en approchant de la terre. Ce côté de l'île offrait un rivage accessible. L'île était inhabitée. Le *Minikami* se dirigeait à toute vitesse vers une petite plage. Ils le virent foncer droit vers le sable noirâtre. Deux silhouettes sautèrent sur la plage, la traversèrent avec difficulté et s'enfoncèrent dans les broussailles – hors de vue.

Quand ils furent à environ cent mètres de la côte, le capitaine se tourna vers Mori :

— Je ne peux pas m'approcher plus près. Nous allons nous échouer. Il scrutait le ciel de plus en plus menaçant. Il y a autre chose qu'il faut sans doute que je vous dise. Le capitaine extirpa un papier plié d'une poche de sa chemise. L'opérateur radio m'a fait monter ça il y a un petit moment. Il dit que le *Minikami* a établi un contact radio avec le commandement soviétique des Kouriles. Ils ont parlé assez longtemps, mais nous n'avons pas pu comprendre ce qu'ils disaient. Ils s'exprimaient en russe.

Le chalutier amorça un large cercle. Quand il arriva au point le plus proche de la plage, les deux hommes sautèrent. Mori se retrouva rapidement sur un banc de sable. Il entendit le bruit des moteurs qu'on poussait à fond tandis que le chalutier regagnait la haute mer.

Pendant que Mori atteignait la plage, Ludlow fouillait la cabine du *Minikami*. Il en ressortit, l'air triomphant. Il tenait d'une main quelque chose qui ressemblait à un appareil de lancement, et de l'autre un petit missile aérodynamique bien lisse.

— Un lance-missile, annonça-t-il, et il le prit avant de sauter sur le sable. Un Stinger, annonça-t-il. C'est un missile sol-air, ce qui explique pourquoi il n'a pas réussi à nous atteindre. La tête chercheuse ne fonctionne pas à l'horizontale, sauf si la cible est toute proche et en ligne directe.

Il rendit à Mori les balles de son arme et lui montra comment un seul homme pouvait facilement se servir d'un Stinger, en armant le projectile, en ajustant la cible à travers le viseur et en appuyant sur la détente. Ludlow sourit, hissa aisément l'arme sur son épaule et commença à traverser la plage.

— Je prends la tête, dit Ludlow tout en marchant. Imaginez que je vous sers de parapluie militaire, comme l'Amérique pour le Japon d'après le traité de paix. Si nous nous tirons de là, je me débrouillerai pour vous faire venir en Amérique avec votre famille. Vous vous y sentirez libre – une dernière chance.

— Je ne pourrais pas faire ça, répondit tout de suite Mori. Si je m'en sors, je serai libre ici même.

Il n'y avait pas de chemin. Rien que des hévéas et des buissons épineux, des pins dont les racines s'enchevêtraient sur le sol, comme si elles cherchaient à se libérer, des bouleaux argentés dont les feuilles ressemblaient à des pièces de monnaie vertes. Mori sentait ses idées se clarifier, et sa peur s'évaporer comme les gouttes d'eau de mer qui séchaient sur sa peau. Les deux parties du cercle se rejoignaient presque. Un seul petit point et le cercle serait refermé. Au fond, la vie était simple. Il ne s'inquiétait plus du tout de se savoir sur le sol soviétique. Quoi qu'il arrive, à Tokyo la vie continuerait comme d'habitude. Ils s'étaient servis de lui, comme ils s'étaient servis de son père, comme ils se serviraient de n'importe qui, pour promouvoir l'honneur du Japon.

Pourquoi en serait-il étonné? Ils avaient déclaré la guerre, non par intérêt personnel, mais pour l'honneur national. Aussi bien pour l'honneur militaire en 1941, que pour l'honneur économique plus tard. La nation venait en premier – le peuple venait après. Le Japon était un État nationaliste avant tout.

Devant lui, Ludlow écartait les buissons avec précaution et observait tout ce qui l'entourait. Mori se demanda s'il devait lui révéler le résultat de ses pensées. Mais en quoi cela pourrait-il l'intéresser? Il savait déjà que tous les agents de renseignements étaient exploités au maximum – qu'ils faisaient partie d'une équation inconnue qui les dépassait totalement. Ludlow leur donnait bien plus que la valeur qu'il représentait. Sans aucun doute, on comptait là-dessus, à Washington. Ludlow – l'homme qui refusait de céder.

Le géant américain s'arrêta pour faire le point et tenter de découvrir le chemin qu'avaient pris leurs ennemis à travers les taillis. Mori s'accroupit derrière lui. Ludlow ne cédait jamais. C'était l'attitude de certains hommes de grande valeur – la quête, la poursuite d'un but –, ils étaient avides, mais pas dans le sens habituel du mot. Et Washington avait dû compter là-dessus également. Les dirigeants de Tokyo avaient le même point de vue et, en l'occurrence, ceux de Moscou aussi.

Ils repartirent et se frayèrent un chemin dans les bois, en silence. Ils arrivèrent à une clairière, et plutôt que de la traverser, Ludlow en fit le tour en se faufilant sur les bords et en se cachant derrière chaque arbre. Ils avaient presque atteint l'autre côté quand éclata le bruit saccadé d'une rafale.

L'air se remplit d'insectes furieux et bourdonnants. Mori trébucha mais se remit sur ses pieds. Il s'accrocha à l'écorce glissante d'un bouleau pour se stabiliser. Une douleur rampante comme un ver s'insinuait dans sa hanche. Quand il se détacha de l'arbre pour continuer sa route, l'écorce pure et argentée était tachée de rouge. Ludlow n'était plus visible.

– Inspecteur Mori?

Bizarre que quelqu'un connaisse son nom ici. Ce n'était pas la voix de Ludlow, mais une voix qu'il ne connaissait pas – proche –, très proche, venant de derrière lui. Mori se retourna. Le blond se tenait derrière un grand pin à moins de cinq mètres de lui. Il tenait un Makarov à la main.

– Jetez votre arme, s'il vous plaît.

Mori laissa tomber son colt sur le sol. Tout ça n'avait aucun sens, pensa Mori. Le beau visage du Soviétique ne montrait aucune haine. Et pourquoi, d'ailleurs, en éprouverait-il? se dit-il. L'officier du K.G.B. leva son arme et visa le front de Mori.

D'étranges pensées défilaient dans sa tête. Curieusement il n'éprouvait nulle colère – des regrets seulement. Les samouraï procédaient à leurs ablutions tous les jours, parfumaient leurs chignons, se passaient les ongles à la pierre ponce et les polissaient avec du *hagane*. Il regrettait de ne pas être – comme son père l'avait été – bien préparé pour la mort. Il se sentait sale, sanguinolant, méprisé par son ennemi. Il se ramassa sur lui-même, prêt à se jeter en avant pour une dernière tentative désespérée.

Les doigts du Soviétique se crispèrent sur la détente de son arme. Au moment où Mori tendait toutes ses forces, l'œil gauche du Soviétique sortit de son orbite comme un furoncle qui éclate d'un seul coup, projetant une sorte de brouillard rose et des fragments d'os. L'écho du pistolet de Ludlow résonnait encore dans le silence qui suivit. Kovalenko tomba sur un genou, en tirant n'importe où, et s'affala sur la terre comme s'il essayait de l'étreindre. Mori restait figé, comme enraciné au sol.

Tout à coup il y eut une explosion venant d'un peu plus loin, et une pluie de balles s'abattit dans les buissons à moins de vingt mètres de lui. Il lui sembla entendre Ludlow tousser. Mori reprit son arme et tira dans la direction d'où venaient les balles. Son arme ne fit qu'un déclic. Il arracha le Makarov de la main sans vie du Soviétique et se dirigea prudemment vers les buissons. Le Makarov était mal équilibré et trop lourd.

Ludlow était étendu sur le dos, regardant fixement le ciel à travers une trouée dans les arbres. Il s'était mis à pleuvoir et son visage semblait recevoir ce don du ciel avec un sourire sardonique. Son automatique gisait sur le sol à côté de lui. La terre avait pris une couleur plus foncée sous le flanc gauche de l'Américain. Mori le regarda de plus près. Il y avait un petit trou bien net dans sa chemise, à l'endroit où la balle avait pénétré, au-dessus des côtes.

Mori resta un moment à regarder en silence le visage de son ami américain. Puis il ramassa les armes : le Beretta, allégé de la seule balle que Ludlow avait tirée, et qui lui avait coûté la vie, le Stinger, que Mori se mit sur l'épaule. Il sentait une colère froide se propager dans toutes ses fibres. Il jeta un dernier regard à Ludlow. « Au peuple américain », dit-il brièvement. Puis il s'éloigna dans la forêt.

Le sac de voyage était posé sur une petite butte où l'herbe était aplatie comme si un daim y avait dormi. Mori avait l'impression d'avoir mis des heures à arriver là, même si sa montre n'indiquait que dix minutes. Yuki avait dû tirer en position couchée pour mieux ajuster son tir. Mori examina les alentours en retenant sa respiration. Il sentait une présence au milieu du silence. Il n'y avait pas d'oiseaux, la nature était immobile.

Un léger bruit, pas très loin... un petit animal, peut-être. Yuki appartenait à la vieille école – c'était un homme d'action. Il existait un vieil adage : « Respirez sept fois avant de prendre une décision ». Yuki était homme à croire à ce genre d'imbécillité. Mori saisit le sac de voyage et vit le reflet métallique de l'ordinateur qui s'y trouvait toujours. Il se tourna sur le côté qui ne lui faisait pas mal et attendit.

L'ironie qui marquait sa vie, il ne l'avait pas choisie, pensait-il, elle venait tout simplement de la contradiction entre ce que l'on prévoit et ce qui se passe effectivement. On pouvait lui pardonner cela, espérait-il. Il n'avait cherché que la vérité et l'honneur – et les avait trouvés absolument par hasard. Une volonté du destin sans aucun doute. Erika représentait la vérité, non pas dans les faits, mais dans l'esprit. Ludlow, c'était l'honneur. Mori eut un instant l'envie irrésistible de recommencer sa vie – pour justifier ainsi le sacrifice de Ludlow. Puis le moment passa. Si la mort était nécessaire à sa conception du monde, encore fallait-il que ce soit une mort choisie. La seule véritable tragédie serait pour lui de ne pas réussir à refermer le cercle. Ses ancêtres l'observaient de leur regard farouche.

Une silhouette vêtue de kaki se faufilait avec précaution vers la clairière et le sac de voyage. L'homme s'arrêta et s'abrita derrière un arbre pour observer le terrain.

– Colonel Yuki, lui cria Mori d'un ton jovial. Je suis venu vous chercher pour vous ramener à Tokyo.

Le colonel s'aplatit contre son arbre et retrouva rapidement sa voix.

– Je vois, je vois. Vous avez trouvé l'ordinateur. Bon travail.

Un déclic inquiétant brisa le silence. Le colonel Yuki relevait le cran de sûreté de son arme.

– L'Américain est mort, dit Mori. Vous n'avez donc rien à craindre.

– Alors il vaut mieux que vous lâchiez votre arme. Une brigade soviétique va arriver d'une minute à l'autre. Je peux vous promettre la vie sauve.

– J'ai déjà choisi la mort, colonel.

Mori l'entendit respirer violemment, et sentit sa nervosité. Sa voix était devenue rauque quand il reprit :

– Ne faites pas l'imbécile. Si vous m'attaquez, vous n'en

réchapperez pas. Laissez tomber, maintenant, et je ferai ce qu'il faut pour qu'on vous relâche plus tard.

— Vous avez tué la jeune Américaine à Ginza, et vous avez manqué Harrington de peu. Vous avez tué Ludlow. Vous avez causé la mort de deux gardes pour ce faux ordinateur qui est là, par terre. Vous avez presque tué ma femme. Vous avez fait un pacte avec les Soviétiques. Ils vous ont donné tous les détails sur la façon dont la C.I.A. vous a manœuvré, et vous avez aidé à ruiner la carrière de Pachinkov.

— Mais oui, inspecteur, mais oui. Je vois qu'il est déjà trop tard pour vous. Vous ne sortirez pas vivant de cette île.

Mori sentit la violence de sa colère s'échapper de lui par le terrible cri que poussaient ses ancêtres en attaquant. Il ne venait pas de ses lèvres, mais du tréfonds de son âme. Il se dressa brusquement et chargea son ennemi, en tirant simultanément avec ses deux armes.

Il ne se souvint de rien plus tard, ni des cris, ni des corps enchevêtrés, ni d'avoir frappé de ses mains, encore et encore, la forme inerte qui gisait sur le sol. Tout s'était passé comme dans un rêve, comme le promettaient les nihilistes. Il se retrouva assis les jambes croisées à côté du corps tordu du colonel. Il haletait et sa poitrine se soulevait, mais il n'avait aucun souvenir d'avoir fait un effort particulier. Il sentait la pluie lui couler sur la figure et respirait une odeur de pin et de terre humide.

Il entendait quelque part des sanglots déchirants... et se rendit compte que c'étaient les siens. Ils s'arrêtèrent et il fut envahi par une pureté d'âme qui partait de son cœur pour se répandre dans tout son corps. Il se sentait entièrement pénétré d'une étrange lumière. Il avait découvert ce que son père et son grand-père avaient toujours connu, ce qu'il avait toujours cherché : l'éternelle beauté d'une liberté totale.

Le bruit de l'hélicoptère était tout proche. Mori leva les yeux et vit le vent des pales courber les arbres quand l'appareil apparut, volant très bas. Il passa au-dessus de lui et Mori eut le temps de remarquer qu'il était vert et portait sur son flanc une seule étoile rouge bordée d'une ligne blanche. Mori se pencha pour ramasser l'Uzi qui avait échappé aux doigts sans vie du colonel. Puis il alla chercher le lance-missile et le sac de voyage qui contenait la preuve du coup monté.

Le capitaine Yuri Boulganine était au mess, en train de finir sa tasse de café, quand l'alerte avait retenti. Il gardait encore au fond de sa gorge le goût des dernières gouttes. Ils avaient perdu un temps précieux à attendre que le peloton arrive au pas de course. Le service des opérations avait capté un faible signal émis sur une longueur d'onde attribuée aux pêcheurs japonais. Il avait été impossible d'obtenir confirmation, bien que l'appelant parlât en russe. Il n'y avait pas ici de système sophistiqué pour joindre Moscou rapidement. L'appelant prétendait qu'il était soviétique et ne pouvait venir à son rendez-vous avec le *Vladivostok*, un bateau lourdement chargé d'appareils de communication, déguisé en chalutier. Ils l'avaient appelé immédiatement, mais il avait fallu perdre encore de précieuses minutes pour joindre le *Vladivostok* et obtenir confirmation d'un capitaine très réticent... on ne donnait pas de détails en clair par radio. Cela ressemblait à une de ces opérations imbéciles dont le K.G.B. était coutumier.

Boulganine concentra son attention sur le site et descendit encore plus bas. L'hélicoptère était un Hind tout neuf, qui faisait penser à une mante religieuse mortelle, agrémenté d'excroissances – des missiles – qui gonflaient ses flancs. L'appareil avait fait ses preuves en Afghanistan et s'était montré très efficace. Boulganine connaissait intimement sa machine. Au cours des dix-huit derniers mois, il en avait passé dix en opérations à partir de la base aérienne de Dagram, à une heure de Kaboul. Les atterrissages avaient toujours été très dangereux à cause des nouveaux missiles Stinger, démoniaques, dont les Américains avaient approvisionné la guérilla. Par comparaison, sa mission actuelle avait tout d'une promenade au parc Gorki. Le copilote penché sur le détecteur sensoriel releva la tête et fit un signe avec quatre doigts.

Boulganine parla dans l'interphone :

– La radio n'a signalé que deux personnes. Tu es bien sûr?

– Il y en a quatre, confirma le copilote. Trois inertes et un qui bouge. En cours de route, notre ordinateur a repéré également deux bateaux à l'intérieur de la zone stratégique contrôlée par radar. Un sur la plage devant nous, l'autre qui se dirige vers le large à toute vapeur. Je reçois aussi un écho venant de la plage.

Boulganine observait la cime des arbres qui défilait en dessous de lui.

– Vérifie auprès du commandement, mais je ne vais pas me lancer à la poursuite d'un bateau avant de me rendre compte de ce qui se passe ici. On va se poser sur la plage juste devant nous. Garde l'œil ouvert pour voir si l'on peut détecter un mouvement quelconque sur le bateau échoué. Il envoie des signaux sensoriels de chaleur, mais ça ne vient probablement pas des machines.

Le capitaine brancha son inter-com et parla aux vingt hommes tassés au fond de l'appareil. Tous sauf un étaient assis tranquillement : des parachutistes, avec tout leur équipement, une troupe d'élite qui avait l'expérience des combats en Afghanistan – une unité que les rubans bleus et blancs accrochés à leurs épaulettes rouges désignaient comme ayant mérité la médaille Kamerov de première classe, pour son courage face à l'ennemi – récompense que peu d'unités qui étaient sorties intactes des opérations en Afghanistan pouvaient se vanter d'avoir obtenue.

Le dernier du groupe, celui qui ne portait pas l'uniforme des parachutistes, était arrivé par jet, juste au moment où Boulganine allait décoller ! Cela les avait encore retardés et mis un comble à l'exaspération du pilote. D'après les signes inscrits sur ses ailes, Boulganine avait identifié le jet comme un MIG appartenant à l'escadrille basée sur les Sakhalines.

L'officier de service à la tour de contrôle l'avait appelé de son poste et demandé de ne pas décoller avant que le visiteur ait pu monter à bord – un certain colonel Malik qui venait de Moscou pour inspecter la région. Boulganine suggéra nettement ce que l'officier pouvait aller se faire faire... mais maintint l'hélicoptère au sol.

On amena le visiteur en voiture, et il s'approcha de l'appareil de Boulganine. Il portait l'uniforme d'hiver réglementaire du K.G.B. Impeccable, pas un cheveu qui dépassait, un homme d'un certain âge, si l'on se fiait aux ridules autour des yeux, mais avec le corps mince et net d'un homme qui suit un régime ou fait beaucoup d'exercice. Il arborait un air de confiance en soi, qui ne plut pas du tout à Boulganine, comme s'il leur avait fait une faveur en les faisant attendre. Ni regrets, ni excuses... Il s'avança simplement d'un pas ferme vers la porte latérale restée ouverte, regarda un instant l'armature de la mitrailleuse, puis sauta à l'intérieur avec agilité et s'assit.

Maintenant qu'ils étaient en point fixe, manette poussée, et que l'appareil utilisait toute sa puissance à rester en l'air, le copilote envoya un coup de coude à Boulganine :

– Il veut te parler.

– Bon, ouvre le micro.

Tout en écoutant Malik, Boulganine s'occupait des dernières manœuvres à effectuer avant de poser son Hind.

– Vous faites un excellent travail, camarades. La voix du colonel du K.G.B. ne se prêtait qu'à des éloges superlatifs. Un de mes

hommes a fait sortir du Japon un appareil de très grande valeur.
Il se trouve là, en bas. Il se peut qu'il ait quelques ennemis autour
de lui. Je connais très bien ce genre de situation et je voudrais utiliser vos haut-parleurs pour l'extérieur.

Boulganine comprit tout de suite qu'on lui mentait. Techniquement parlant, en tant que maître à bord, il pouvait refuser
n'importe quelle requête. Cependant, le ton employé par le colonel du K.G.B. suggérait une urgence si pressante, qu'il imagina
tout de suite les très pénibles conséquences d'un refus.

La voix sortant du haut-parleur résonna si fort qu'elle couvrit
le bruit des pales du rotor. En Japonais, d'abord.

– Il ne vous arrivera aucun mal si vous sortez, les bras en l'air.
Ne portez aucune arme. Ne faites aucun geste menaçant dès que
vous serez dans notre angle de visibilité. Nos soldats vous donneront dix minutes pour atteindre la plage et vous rendre. Passé ce
délai, ils recevront l'ordre de vous pourchasser et d'utiliser la
force si nécessaire. Puis en russe : Camarade Kovalenko, si vous
avez une arme, tirez trois fois en l'air dans soixante secondes.

Le colonel Malik rendit le micro au copilote. Bien que réticent,
Boulganine admirait son plan. Cela leur facilitait la tâche sans
aucun doute, en séparant le bon grain de l'ivraie. Les ordres
étaient de ne faire aucun prisonnier, sauf s'il s'agissait d'Américains.

L'hélicoptère se stabilisa, piqua du nez, puis pivota et toucha la
plage. Le sable soulevé par les pales s'éleva dans un nuage noir
qui restait suspendu au-dessus de l'appareil, bloquant toute visibilité et faisant pénétrer à l'intérieur, par la porte ouverte, un nuage
de poussière qui coupait la respiration.

Le Hind était pourvu de deux rotors coaxiaux situés au-dessus
des branches des moteurs. Boulganine leva les yeux, coupa les
moteurs et débraya. Les rotors se mirent à ralentir et l'on n'entendit plus qu'un énorme sifflement tandis que les pales devenaient
de plus en plus visibles à travers la poussière. Soixante secondes
passèrent. Le colonel Malik assis sur son strapontin proféra
« Merde » d'une voix qui ne révélait guère de déception. Le copilote détacha sa ceinture et sortit pour se dégourdir les jambes.
Ce fut la dernière chose dont Boulganine se souvint clairement.
La suite se transforma en cauchemar.

On rapporta plus tard qu'une silhouette sortit comme une
bombe – sans que rien ne puisse le laisser prévoir – de la bordure
d'arbres à vingt-cinq mètres de là. Boulganine entendit crier les
soldats qui sortaient de l'hélicoptère. Chose inouïe, l'homme semblait tout petit, ni Russe, ni Européen, mais Japonais. Il se préci-

pita en hurlant vers l'hélicoptère devant le troupeau des soldats sidérés. Il tenait dans sa main une sorte de bâton qui s'allumait et s'éteignait comme une chandelle romaine. Boulganine entendit les balles s'écraser sur la coque de métal du Hind, et le cri poussé par l'officier du K.G.B. dans la carlingue. L'un des tirs mit le rotor hors d'état de fonctionner.

Boulganine prit l'arme qu'il portait sur le côté et ouvrit le hublot à babord. Huit soldats étaient tombés lors de la première rafale. Certains s'étaient couchés sur le sol, d'autres couraient se mettre à l'abri. On criait des ordres contradictoires. Il n'y avait plus aucune discipline. La chandelle romaine se rapprochait à toute vitesse et s'était mise à aboyer en tir automatique. Boulganine appuya son arme sur l'armature du hublot et s'efforça de cadrer la petite silhouette dans son viseur. Quelques soldats s'étaient regroupés et tiraient à leur tour, en s'abritant derrière l'hélicoptère. La silhouette trébucha et tomba, se releva aussitôt et repartit de plus belle encore plus rapide et encore plus féroce et fonça vers le lieutenant commandant le peloton qui tendait de sortir son arme. Pour un peu, Boulganine se serait laissé aller à une sympathie irrationnelle tout en s'apprêtant à appuyer sur la détente. Du courage de l'ennemi, se dégageait l'image d'une beauté extrême et cauchemardesque.

« *Niet !* » La voix qui retentit aux oreilles de Boulganine le figea sur place. Il se retourna d'un seul coup. Du sang coulait d'une des rides du front du colonel Malik. Son uniforme immaculé était tout taché de sang. Mais ce qui attira surtout l'attention de Boulganine était le pistolet que le colonel tenait à la main et qu'il braquait vers la tête de Boulganine.

– Qu'ils se débrouillent tout seuls s'ils en sont capables. Le colonel parlait d'une voix basse et menaçante.

Les idées se bousculaient dans l'esprit de Boulganine. C'était impossible – un membre du K.G.B. ! Les mots s'échappèrent de ses lèvres :

– Vous êtes un traître.

Les yeux du colonel accueillirent ces paroles avec une lueur de satisfaction.

– Tout être humain naît avec un potentiel d'honneur et de loyauté. Malheureusement, notre pays ne nous permet de conserver ni l'un ni l'autre pour l'instant.

Boulganine évaluait ses chances. La blessure du colonel était superficielle, mais elle avait peut-être amoindri ses réflexes. S'il pouvait profiter d'un effet de surprise...

Boulganine l'attaqua soudainement, mais ne toucha le colonel que d'un coup indirect. Il entendit le début de l'explosion, et vit le jet de feu sortir de l'arme du colonel. Puis il se sentit tomber dans le gouffre noir et sans fond de l'éternité.

Mori recula instinctivement. Le tir des Soviétiques était devenu plus nourri et plus efficace. Mais surtout, il avait vu le pistolet apparaître au hublot de l'hélicoptère et compris qu'il ne pouvait rien faire. Il s'était attendu à mourir – il l'avait même espéré. Mais l'arme n'avait pas tiré. Un autre coup de feu avait résonné et le pilote s'était effondré dans l'habitacle. Il arriva au creux où il avait laissé tomber le Stinger et s'y affaissa. Autour de lui, les balles labouraient le sable. Ces Russes étaient encore en état de choc. Mori en sourit intérieurement. Ils avaient perdu la moitié de leur peloton en quelques secondes et leur confiance avait disparu. Il ne fallait pas leur laisser le temps de la retrouver. Il hissa le Stinger sur son épaule et centra l'hélicoptère au croisement des repères de son télé-objectif. Il avait été indifférent à ce qui pouvait lui arriver, pensait-il, et c'est pour cela qu'il n'était pas mort. Cependant le mystère du coup de feu que le pilote n'avait pas tiré ne pouvait s'expliquer que par l'intervention de ses ancêtres. L'ennemi, lui, était trop anxieux de rester en vie, et leurs ancêtres n'avaient pas les qualités requises pour les protéger. Même maintenant, ils cherchaient à s'abriter derrière l'hélicoptère. Il ne sentait ses blessures qu'à travers une douleur diffuse et lointaine.

Il caressa la détente du Stinger, froide et belle comme une épée. Attention. Une forme sauta de l'hélicoptère par la porte ouverte et se mit à courir vers l'eau en zigzaguant, quelqu'un qui ne portait pas la tenue de combat habituelle, mais l'uniforme réglementaire de l'armée soviétique. Quelque chose disait à Mori qu'il s'agissait de l'homme utilisé par ses ancêtres pour le sauver de la mort. La forme atteignit l'eau et plongea. Mori appuya sur la détente.

Le bateau de pêche dansait sur les vagues qui déferlaient plus au large en direction du pays natal. Mori avait encore mal aux yeux d'avoir été aveuglé par la lumière intense de l'explosion. Un champignon s'était élevé dans le ciel, fait de métal fondu chauffé à blanc et s'était transformé en un sifflement aigu, en vagues orange, en jets cramoisis, pour finalement se fondre en un énorme nuage noir qui s'étalait comme le symbole tout-puissant de la mort.

Il était sorti lentement de son trou de sable, hagard devant ce spectacle. Puis il était allé chercher l'ordinateur qu'il avait laissé dans les buissons et s'était dirigé vers le sloop. Dès qu'il eut quitté la côte, il poussa le moteur au maximum. Tandis qu'il regardait l'écume blanche, ses blessures se mirent à le faire souffrir. Le vent lui était favorable, se dit-il, et l'esprit de ses ancêtres l'accompagnait. Dans la timonerie, se trouvait un petit autel dédié au dieu de la mer. Mori le remercia et pria pour que l'océan ait la bonté de le ramener chez lui. Il attacha alors la barre et la fixa, pointée en direction des montagnes lointaines d'Hokkaido. Enfin, il fouilla ses poches et trouva le vieux briquet bosselé que lui avait donné Ludlow. Ce fut la dernière chose dont il se souvint clairement.

Plus tard, il retrouva des souvenirs confus : le choc d'un bateau contre la coque, les cris de ceux qui lançaient et attachaient des cordes, et des formes vagues sautant à bord. Les silhouettes indistinctes qui le soulevèrent tout doucement sentaient la mer et le poisson... Il sut à ce moment-là qu'il était sauvé. Quelque part dans le brouillard sombre qui l'enveloppait émergea le visage inquiet d'Erika. Il tenta de sourire, comprenant – sans la voir vraiment – qu'elle pleurait. « C'est fini », dit-il en faisant un effort tel qu'une vague de douleur le frappa comme un météore et le replongea dans un semi-coma. Puis il fut englouti par une obscurité chaude et rassurante.

Épilogue

L'orchestre de la police joua *Kiminosato*, diverses marches militaires, et *When the Saints Go Marching In*, parce que c'était l'air favori du prince héritier. Des coussins d'œillets arrangés en bandes circulaires avaient été installés sur des trépieds dans le hall d'entrée du grand quartier général et de chaque côté de l'immense podium. En entrant, les dignitaires avaient eu l'impression de se trouver face à des cibles de pâtisserie dans un stand de tir paradisiaque. Et, comme le fit astucieusement remarquer un observateur : « L'inspecteur Mori y avait fait mouche à chaque coup. »

Les experts étaient généralement d'accord pour dire que le retard – adroitement combiné – mis à exonérer les Américains de toute complicité dans l'affaire du Starfire, ajouté au battage fantastique des media à propos de la remise d'une médaille à l'inspecteur Mori avaient provoqué dans l'opinion publique la colère nécessaire pour assurer un vote unanime à la Diète en faveur de la création d'une nouvelle agence de sécurité.

Le Premier ministre était venu, ainsi que les ministres de la Défense et de la Justice. Ils firent des discours où ils insistèrent sur l'amour de la patrie, l'amour familial de Mori et en dernier point, mais non le moindre... sur son esprit combatif de samouraï. Il y eut de nombreuses références à ses ancêtres – et naturellement à la nouvelle agence de sécurité.

Dehors, dans les rues, la circulation était complètement bloquée. Les commerçants avaient installé des évents où ils vendaient des souvenirs, des images, des drapeaux nationaux, tous marqués au nom de Mori, et une brève biographie fabriquée par des éditeurs entreprenants afin de profiter de toute cette publicité.

La légende s'était installée, même avant la remarquable guérison de Mori. « Six balles dans le corps », clamait le *Yomiuri Shimbun*. Aucun organe vital touché – un miracle. La complication la plus sérieuse était la perte de sang. Sans aucun doute, il était béni des dieux.

Une fois confronté à la preuve désastreuse pour lui que les Américains n'étaient aucunement impliqués dans le vol du Starfire, le ministre de la Justice avait compris qu'il ne pouvait pas détruire le monopole américain sur les exportations militaires japonaises. Il avait finalement dit au chef de la police : « Un demi-royaume vaut mieux que pas de royaume du tout » et ils avaient tout misé sur la nouvelle agence de sécurité.

Bien qu'au cours des séances de debriefing, Mori ait rapporté le rôle clef joué par Ludlow dans la solution du problème du Starfire, on ne transmit pas aux media le nom de l'Américain. Quant à la déclaration de Mori selon laquelle il lui avait sauvé la vie, on n'en tint aucun compte. « C'est une chose que seul un Japonais aurait pu faire : mourir pour sauver la vie d'un autre Japonais. Vous devez vous tromper. »

Aoyama fut présenté comme l'ami intime de Mori, et chargé de tous les contacts avec le public. Comme d'habitude, il fit merveille. La couverture télévisée atteignit une telle importance que les bulletins d'informations de la chaîne Fuji diffusèrent un bulletin de santé à chaque programmation. Le nombre des équipes de télévision envoyées sur le terrain à Nemuro devint si considérable que la coopérative locale des pêcheurs dut limiter les interviews – qui compromettaient la pêche au maquereau annuelle. Les chaînes NHK et Asahi firent des émissions d'une heure sur le « profil » personnel de Mori, mettant l'accent sur la simplicité de sa manière de vivre, l'humble maison dont il était locataire, et citant diverses déclarations de sa mère qui minimisait son mérite dans la meilleure tradition japonaise. Son fils n'avait fait que son devoir en pourchassant les ennemis et les traîtres. Chaque soir, les media embellissaient à l'unisson ses actes héroïques. Quand arriva le jour de la cérémonie de remise de décoration, la popularité de Mori avait atteint de tels sommets qu'il lui fallut une escorte spéciale de policiers, bien qu'il pût très bien, à ce stade, se déplacer tout seul. On l'accabla de demandes d'interviews. Il les refusa toutes. La folie des media avait atteint un tel degré qu'ils allèrent jusqu'à proposer qu'on le nomme membre de la Diète.

Bien plus tard, on reconnut que le succès de l'opération médiatique promue par le département de la police métropolitaine avait été beaucoup aidé par la remise inattendue d'une note urgente de l'ambassade soviétique adressée au ministère de la Défense, et demandant une entrevue avec le ministre. Expédiée moins de quatre jours après l'événement et avant que Mori ait terminé son rapport, la note protestait contre l'envoi de deux nationaux japonais armés qui avaient débarqué aux îles Kouriles. Ils avaient attaqué par surprise un peloton de parachutistes russes tout à fait pacifiques, causé des morts et des blessés graves et détruit un hélicoptère. L'un des Japonais, un colonel, avait été tué sur le coup, et la note soviétique concluait que les deux hommes avaient été déposés là sur ordre du gouvernement japonais pour infiltrer l'île et provoquer un incident. Leur but, de toute évidence, étant d'enflammer les esprits des Japonais pour qu'ils réclament le retour au Japon des îles contrôlées par les Soviétiques. Le gouvernement soviétique émettait une vigoureuse protestation à propos de cet incident et ajoutait en *post-scriptum* qu'il pourrait éventuellement transmettre le dossier aux Nations unies, si une réponse satisfaisante ne leur était pas fournie. Ainsi donc, ce que la presse étrangère rejetait comme une opération locale de propagande sans aucun fondement devenait d'un seul coup un événement de portée internationale.

Les Japonais contre-attaquèrent avec l'assurance de ceux qui ont en main toutes les cartes maîtresses et le savent. Le Starfire, après tout, était leur modèle issu de leur technologie de pointe, firent-ils remarquer sèchement : un Soviétique avait tenté de le voler, un héros japonais l'en avait empêché. Qui plus est, un officier de haut rang du K.G.B. impliqué dans le vol avait demandé asile aux U.S.A. et était en train de raconter une longue histoire sur l'espionnage technologique auquel se livrait le K.G.B. au Japon. Les Soviétiques n'avaient aucun moyen de savoir qu'il s'agissait d'un mensonge. Enfin, une compagnie assurant clandestinement le transport et la sortie du Japon des appareils de haute technologie volés avait été découverte à Hakodate. A ce stade, les Soviétiques se rendirent compte de leur bévue. Les attaques des Russes disparurent assez brutalement de la presse, avec le classique « Tout cela n'est qu'un tissu de mensonges », utilisé comme protection par tous les pays du monde pour replonger dans l'ombre leurs plus dangereuses vérités.

Trois jours avant la cérémonie où Mori devait recevoir sa médaille parut un entrefilet qui faillit leur échapper. Dans une des dernières pages de la *Pravda*, figurait la nouvelle brève que le chef du directorat technique du K.G.B. avait été blessé et l'un de ses subordonnés tué, dans un accident lors d'un entraînement au large des Sakhalines. Ce fut Mori qui replaça la nouvelle dans sa vraie perspective. Quelque temps plus tard, le bureau politique, à Moscou, confirma la nomination du Héros soviétique blessé, le colonel Malik, au poste de chef du premier directorat du K.G.B. Il avait été élevé au grade de général.

On autorisa Mitsuko à quitter l'hôpital pour quelques heures, afin d'assister à la cérémonie donnée en l'honneur de son mari. Elle avait retrouvé une bonne partie de ses forces, mais il lui faudrait encore porter une minerve autour du cou pendant plusieurs mois. On la vit ce soir-là sur les écrans de télévision à l'heure de plus grande écoute, belle et pâle, vêtue d'un kimono de soie noire où se détachait en rouge l'emblème célèbre de la famille Mori.

Le discours de Mori, après l'élégance de la présentation du prince héritier, fut – comme il convenait – simple et bref. Il remercia d'abord le gouvernement de lui avoir décerné la médaille, en ajoutant qu'il ne la méritait pas. L'homme à qui elle aurait dû être attribuée était dans l'impossibilité d'être présent, ce soir, car il avait donné sa vie pour sauver celle de Mori, confirmant par là même que lui et son pays étaient des amis, et non des adversaires. Mori s'éclaircit la voix et poursuivit d'un ton ferme devant le microphone :

– La bravoure dont cet homme a fait preuve au profit du Japon, un pays auquel il ne devait rien, ne sera jamais suffisamment reconnue. C'était un vrai samouraï – un homme à l'esprit plein de noblesse, un homme d'honneur, un homme à qui l'on pouvait faire confiance. Je voudrais remettre la médaille que je viens de revevoir au gouvernement que M. Robert Ludlow représentait.

Mori descendit du podium et offrit la médaille à l'ambassadeur des États-Unis qui avait aimablement consenti à assister à la cérémonie.

Ce fut deux semaines plus tard qu'Erika donna la réception qu'elle avait promise à Mori et à Ludlow. Mitsuko était encore à l'hôpital et n'avait pas pu venir. Mais Watanabe était là, et Isamu, et quelques amis de la police, et le capitaine d'Hokkaido, qui avait pris l'avion avec le matelot du radar, et d'autres encore, venus boire un verre avec eux. Le capitaine avait apporté un cadeau et donna le paquet à Mori en lui disant : « Vous serriez ça dans vos mains quand on vous a découvert. Je me suis dit que ça devait être important. »

C'était le briquet de Ludlow.

Mori se gratta la nuque, essayant de ne pas montrer à quel point il était ému.

Je le garderai jusqu'au moment où je le reverrai, dit-il.

Watanabe, qui avait perdu toute sa famille à Hiroshima, fut le premier à porter un toast à l'esprit indomptable de Robert Ludlow. D'autres lui succédèrent. Puis vint le tour de Mori. Il resta d'abord immobile, regardant ses compatriotes en silence. Puis il leva son verre.

Il dit simplement :

Robert-san m'a appris qu'il existe dans la vie autre chose que la vengeance. J'espère qu'il n'y a plus personne parmi nos dirigeants qui ait besoin d'apprendre cette leçon.

La soirée dura jusqu'à plus de 3 heures du matin. Quand elle fut terminée, Mori emmena Erika faire une promenade en voiture. Ils allèrent à Atami. A cette heure matinale et grâce à la grosse voiture et au chauffeur expérimenté qu'on lui avait assignés, cela ne leur prit qu'une heure. Mais au lieu de s'arrêter dans cette jolie petite ville du bord de l'océan, Mori dit au chauffeur de continuer jusqu'à une aire de parking située au bas d'un escalier de pierre conduisant à un sanctuaire au flanc de la montagne. C'est là qu'ils s'arrêtèrent. Mori et Erika commencèrent l'ascension des cinq cents marches.

– C'est un monument dédié à la mémoire des officiers et soldats tués au cours de la guerre du Pacifique. Mon père s'y trouve.

Le jour se levait.

Arrivé devant l'autel, Mori frappa dans ses mains pour attirer l'attention des dieux, et se mit à prier. Erika inclina la tête et demanda aux dieux d'accorder à Mori-san tout ce qu'il désirerait. Il avait beaucoup souffert, dans son âme et dans sa chair. Il avait rempli sa promesse de venger son père. Et tout en sachant que c'était impossible, elle les pria de le rendre libre. Puis elle attendit à ses côtés qu'il en ait terminé.

Ils se retournèrent en même temps. Devant eux s'étendait l'immensité de l'océan Pacifique. Un soleil rouge se levait à l'horizon.

– Vous allez être très occupé désormais, dit Erika. J'ai cru comprendre que vous alliez être nommé à un poste important dans la nouvelle agence de sécurité. Il nous serait sans doute difficile de nous voir...

Elle se demandait pourquoi, pour elle, les premières rencontres étaient toujours très simples, et les séparations si compliquées. Mori était devenu un symbole national – un héros. Elle ne pouvait risquer de ternir sa réputation. Il n'y avait pas de place pour elle dans sa vie.

– Vous auriez été la femme qu'il me fallait, dit Mori, le regard fixé sur l'océan qui miroitait.

Elle sourit parce qu'un jour, elle lui avait dit la même chose. Cela semblait si loin...

– Embrassez-moi.

Elle sentit ses lèvres sur les siennes et pensa très fort à ce qu'elle éprouvait pour en garder le souvenir aussi longtemps qu'elle le pourrait. Elle le serra encore un moment contre elle après que leurs lèvres se furent séparées, puis relâcha son étreinte. Elle le prit par la main et ils redescendirent ensemble l'escalier de pierre.

Ils virent les premiers bateaux de pêche quitter la rive pour commencer leur journée de travail. Le dieu de la mer s'étirait pour rejoindre le Grand Ancêtre en son firmament. Le soleil levant grandissait – toujours plus puissant – dans l'immensité d'un ciel qui les dominait de si haut.

*Cet ouvrage a été reproduit
par procédé photomécanique
par la SOCIÉTÉ NOUVELLE FIRMIN-DIDOT
Mesnil-sur-l'Estrée*

Impression réalisée sur CAMERON par
BRODARD ET TAUPIN
La Flèche

Dépôt légal : avril 1993
Nº d'édition : 93109 – Nº d'impression : 1833H-5

Imprimé en France